KB084167

강하다!

파워

치과위생사 국가시험

핵심요약집 1

스마트에듀K 아카데미

군자출판사

2 0 2 3
파워 치과위생사
국 가 시 험
핵심요약집 1권

첫째판 1쇄 인쇄 | 2023년 02월 01일
첫째판 1쇄 발행 | 2023년 02월 20일

지 은 이 스마트에듀K 아카데미
발 행 인 장주연
출 판 기 획 한수인
책 임 편 집 구경민, 박은선
표지디자인 신지원
내지디자인 이종원
발 행 처 군자출판사(주)
　　　　　 등록 제 4-139호(1991. 6. 24)
　　　　　 (10881) **파주출판단지** 경기도 파주시 회동길 338(서패동 474-1)
　　　　　 전화 (031) 943-1888　　　팩스 (031) 955-9545
　　　　　 www.koonja.co.kr

ISBN 979-11-5955-962-4 (1권)
　　　 979-11-5955-961-7 (세트)

정가 25,000원
세트 52,000원 (전2권)

━━━ 기술과 혁신을 기반으로 한 세계 경제는 모든 분야에서 근본적인 체질의 변화를 요구하고 있으며 치위생 분야 또한 변화하는 의료환경에 부합하는 의료서비스를 제공하고자 쉼 없는 노력을 경주하고 있는 것이 현실입니다. 이러한 흐름에 치위생학을 전공하는 학생들 또한 구강질환의 예방과 구강위생관리 등의 전문적 이론과 실습을 겸비한 학문 습득을 통해 국민의 구강보건을 향상시키기 위하여 치위생학의 개념을 설계하고 창의적 인간의 모습을 성취하기 위하여 배우고 익히며 소중한 시간을 쏟아부어 왔으리라 믿어 의심치 않습니다.

흔히들 미래의 혁명은 경험과 기존 기술의 통합을 통해 시작된다고들 합니다. 이러한 통합적 흐름에 발맞춰 앞으로의 꿈과 미래를 위한 도약에 힘이 되고자 군자출판사에서 [스마트에듀K 아카데미]를 만들고, 40년 출판의 경험과 스마트 기술의 융합을 통한 새로운 형태의 책을 선보이고자 합니다. 기존의 책들이 평면적 사고와 수동적 형태의 수험서로 구성되어 있는 형태라면, 이번 [스마트에듀K 아카데미]에서 선보이는 책은 치과위생사 국가시험 준비를 하는 수험생들이 시간과 장소에 관계없이 학습내용을 정리할 수 있도록 하였으며, 전문가들로 하여금 각 파트별로 2023년도 개정된 학습목표에 준하여 국가시험에 출제될 수 있는 모든 유형의 문제들을 선별적으로 다루어 보다 쉬운 요약과 해설과 문제별 핵심 개념을 자동으로 생성되게 함으로써 학습자들에게 짧은 시간에 학습능력을 성취할 수 있도록 하는 자기주도적 교수학습방법에 주안점을 두었습니다.

또한 단순한 수평적 구조의 지식전달체계가 아니라 온라인상으로 과목별 콘텐츠의 지속적인 업데이트를 통하여 개개인의 부족한 영역이 수직적·수평적 구조로 채워질 수 있도록 하고 있습니다. 즉, 온라인 학습 사이트(www.smarteduk.com)와 연계하여 학습자가 학습한 모든 내용을 데이터화하여 학습자들의 과목단위, 장단위 등의 문제점을 신속히 파악하여 단점을 보완해 나갈 수 있게 '진점수 시스템'을 지원하고자 합니다. 이는 단순하게 국가시험을 준비하고 있는 졸업반 학생들에게만 적용되는 것이 아니라, 재학생들이 중간고사와 기말고사를 준비하는 과정에서 축적된 학습내용들도 빅데이터화 되어 관리되고, 이를 국가시험과 연계하여 적용할 수 있는 시스템입니다.

대학 강의와 교내외 실습을 통해 이미 좋은 자질을 대부분 갖추어 훌륭한 치과위생사로 거듭날 수 있게 성장하였을 학생 여러분들이 국가시험이라는 관문을 마주하게 될 때, 더욱 자신감 있게 나아갈 수 있게 되기를 바랍니다. 또한 이 책이 치과위생사 국가시험을 준비하는 데 올바르고 정확한 길을 제공하는 지침서가 되어 수험생들은 합격의 열매를, 재학생들은 대학생활의 즐거움을 얻을 수 있길 진심으로 기원합니다.

이미 세상의 흐름은 도도하게 흘러가는 강물을 내버려두지 않습니다. 혁신과 기술이라는 이름으로 이 시스템을 여러분들에게 제공하오니 희망찬 미래의 첫걸음이 되면 좋겠습니다.

2023년 스마트에듀K 아카데미

CONTENTS

PART 04 | 구강조직학

CONTENTS

PART 07 | 구강미생물학

CONTENTS

PART 10 | 구강보건통계학

PART 11 | 구강보건교육학

01 PART ▶▶

의료관계법규

Medical Relations

DENTAL
HYGIENIST

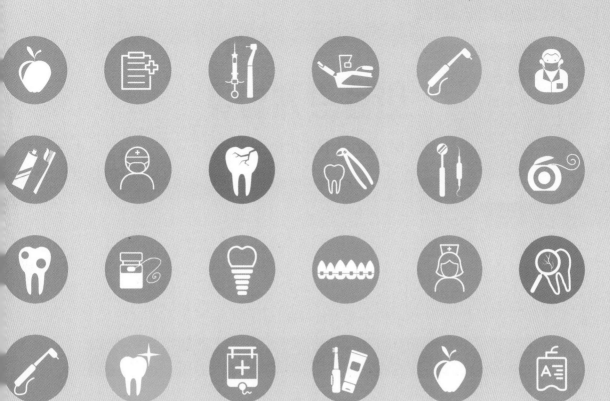

POWER 치과위생사 국가시험 핵심요약집 1권

PART 01

의료관계법규
Medical Relations

제1장 | 의료법

1. 의료법의 목적(법 제1조)

① 모든 국민에게 수준 높은 의료 혜택 부여
② 국민의료에 필요한 사항 규정
③ 국민의 건강을 보호하고 증진시킴
cf 의료기사법: 국민보건 및 의료향상

> **법규 1-1-1** 의료법의 목적을 설명할 수 있다. (A)

2. 의료인의 종별 임무(법 제2조)

① 의사: 의료, 보건지도
② 치과의사: 치과 의료, 구강보건지도
③ 한의사: 한방 의료, 한방보건지도
④ 조산사: 조산, 임부·해산부·산욕부 및 신생아에 대한 보건과 양호지도
⑤ 간호사
    ⓐ 환자의 간호요구에 대한 관찰, 자료수집
    ⓑ 간호판단 및 요양을 위한 간호
    ⓒ 의사, 치과의사, 한의사의 지도하에 시행하는 진료의 보조

ⓓ 간호 요구자에 대한 교육, 상담 및 건강증진을 위한 활동의 기획과 수행

ⓔ 그 밖의 대통령령으로 정하는 보건활동(영 제2조)

- 보건진료원으로서 하는 보건활동
- 모자보건요원으로서 행하는 모자보건 및 가족계획활동
- 결핵관리요원으로서의 보건활동
- 그 밖의 법령에 따라 간호사의 보건활동으로 정한 업무

ⓕ 간호조무사가 수행하는 가목부터 다목까지의 업무 보조에 대한 지도

법규 1-1-2 의료인의 종별 임무를 설명할 수 있다. (A)

3. 의료기관의 종류(법 제3조)

① 의원급 의료기관

- 의원, 치과의원, 한의원
- 의사, 치과의사, 한의사가 주로 외래환자를 대상으로 의료행위를 함

② 병원급 의료기관

- 병원(30개 이상의 병상), 치과병원(병상 수와는 무관함), 한방병원(30개 이상의 병상), 요양병원(30개 이상의 요양병상), 정신병원, 종합병원(100개 이상의 병상)
- 주로 입원환자를 대상으로 의료행위를 하는 의료기관

③ 조산원

- 조산사
- 조산, 임부·해산부·산욕부 및 신생아에 대한 보건활동과 교육·상담을 하는 의료기관(법 제33조 6항)

법규 1-1-3 의료기관의 종류를 열거할 수 있다. (A)

4. 병원의 설치요건(법 제3조의 4, 5)

보건복지부장관 지정

(1) 상급종합병원 지정요건: 3년마다 평가 → 재지정 또는 지정 취소

① 20개 이상의 진료과목, 각 진료과목마다 전속하는 전문의

② 전문의가 되려는 자를 수련시키는 기관

③ 보건복지부령으로 정하는 인력·시설·장비 등을 갖출 것(중증질환에 대하여 난이도가 높은 의료행위를 전문적으로 하는 종합병원)

④ 질병군별 환자구성 비율이 보건복지부령으로 정하는 기준에 해당

(2) 전문병원 지정요건: 3년마다 평가 → 재지정 또는 지정 취소

① 특정질환별·진료과목별 환자의 구성비율 등이 보건복지부령으로 정하는 기준에 해당

② 보건복지부령으로 정하는 수 이상의 진료과목과 각 진료과목마다 전속하는 전문의 (병원급 의료기관 중 특정 진료과목이나 특정 질환 등에 대하여 난이도가 높은 의료행위를 하는 병원)

법규 1-1-4 병원 등의 설치요건을 설명할 수 있다. (A)

5. 종합병원의 설치 요건: 100개 이상의 병상을 갖춤(법 제3조의 3) 2021 기출

100병상 이상~300병상 이하	300병상 초과하는 경우
내과, 외과, 소아청소년과, 산부인과 중 3개 진료과목	내과, 외과, 산부인과, 소아청소년과, 영상의학과, 마취통증의학과, 진단검사의학과 또는 병리과, 정신건강의학과 및 치과를 포함한 9개 이상의 진료과목
영상의학과, 마취통증의학과와 진단검사의학과 또는 병리과를 포함한 7개 이상의 진료과목	각 진료과목마다 전속하는 전문의
각 진료과목마다 전속하는 전문의	필요하면 추가로 진료과목을 설치·운영할 수 있으나 이 경우 전속하지 아니한 전문의를 둘 수 있음

법규 1-1-5 종합병원의 설치요건을 설명할 수 있다. (A)

6. 환자의 권리 등의 게시(법 제4조, 규칙 제1조의 3)

(1) 개요

- 의료기관의 장은 보건의료기본법 제6조·제12조 및 제13조에 따른 환자의 권리 등 보건복지부령으로 정하는 사항을 환자가 쉽게 볼 수 있도록 의료기관 내에 게시하여야 한다. 이 경우 게시방법, 게시장소 등 게시에 필요한 사항은 보건복지부령으로 정한다.

① 6조: 모든 환자는 자신의 건강보호와 증진을 위하여 적절한 보건의료서비스를 받을 권리를 가진다.

② 12조: 모든 국민은 보건의료인으로부터 자신의 질병에 대한 치료 방법, 의학적 연구 대상 여부, 장기이식 여부 등에 관하여 충분한 설명을 들은 후 이에 관한 동의 여부를 결정할 권리를 가진다.

③ 13조: 모든 국민은 보건의료와 관련하여 자신의 신체상·건강상의 비밀과 사생활의 비밀을 침해받지 아니한다.

(2) 목적 및 게시

의료인과 의료기관의 장은 의료의 질을 높이고 병원감염을 예방하며 의료기술을 발전시키는 등 환자에게 최선의 의료서비스를 제공하기 위하여 접수 창구나 대기실 등 환자 또는 환자의 보호자가 쉽게 볼 수 있는 장소에 게시하여야 한다.

> **법규 1-1-8** 환자의 권리 등의 게시에 관하여 설명할 수 있다. (A)

7. 의료인과 의료기관의 장의 의무(법 제4조)

① 의료의 질을 높이고 의료관련 감염을 예방하며 의료기술을 발전시키는 등 환자에게 최선의 의료서비스를 제공하기 위하여 노력해야 함(의료인, 의료기관의 장)

② 다른 의료인 또는 의료법인 등의 명의로 의료기관을 개설 및 운영할 수 없음(의료인)

③ 환자의 권리: 보건복지부령으로 의료기관 내에 게시(의료기관의 장)

④ 의료기관의 장은 의료인, 의료행위를 하는 학생, 간호조무사 및 의료기사에게 명찰을 달도록 지시, 감독(예외: 응급의료사항, 수술실 내인 경우, 의료행위를 하지 않는 경우)

⑤ 일회용 주사 의료용품 재사용 금지(의료인)

⑥ 기타 의무

법15조 (진료거부 금지 등)

법16조 (세탁물 처리)

법17조 (진단서 등)

법18조 (처방전 작성과 교부)

법18조의 2 (의약품 정보의 확인)

법19조 (정보 누설 금지)

법20조 (태아 성 감별 행위 등 금지)

법21조 (기록 열람 등)

법21조의 2 (진료기록부의 송부 등)

법22조 (진료기록부 등)

법23조 (전자의무기록)

법23조의 5 (부당한 경제적 이익 등 취득 금지)

법24조 (요양방법 지도)

법24조의 2 (의료행위에 관한 설명)

법25조 (신고)

법26조 (변사체 신고)

> **법규 1-2-1**　　의료인과 의료기관의 장의 의무를 설명할 수 있다. (A)

8. 의료인의 면허자격요건(법 제5~7조)

(1) 의사·치과의사·한의사 면허 응시자격

① 평가인증기구의 인증을 받은 의학·치의학 또는 한의학 전공 대학을 졸업하고 의학사·치의학사 또는 한의학사의 학위를 받은 자

② 의학·치의학 또는 한의학전문대학원을 졸업하고 석사학위 또는 박사학위를 받은 자

③ 보건복지부장관이 인정하는 외국의 해당하는 학교를 졸업하고 외국의 의사·치과의사 또는 한의사의 면허를 가진 자로서 예비시험에 합격한 자

④ 의학, 치의학 또는 한의학을 전공하는 대학 또는 전문대학원을 6개월 이내에 졸업하고 해당 학위를 받을 것으로 예정된 자(졸업예정시기에 졸업하고 해당 학위받아야 함)

⑤ 입학 당시 평가인증기구의 인증을 받은 의학, 치의학 또는 한의학을 전공하는 대학 또는 전문대학원에 입학한 사람으로서 그 대학 또는 전문대학원을 졸업하고 해당 학위를 받은 사람

(2) 조산사 면허 응시자격

① 간호사 면허를 가지고 보건복지부장관이 인정하는 의료기관에서 1년간 조산 수습과정을 마친 자(면허 2개 보유)

　• 조산원 수습의료기관: 산부인과 및 소아청소년과 수련병원으로서 월 평균 분만건수 100건 이상

• 수습생 정원: 월 평균 분만건수의 10분의 1 이내

• 수습의료기관은 매년 1월 15일까지 전년도 분만실적은 보건복지부장관에게 보고

② 보건복지부장관이 인정하는 외국의 조산사 면허를 받은 자

(3) 간호사 면허 응시자격

① 평가인증기구의 인증을 받은 간호학을 전공하는 대학이나 전문대학(구제 전문학교와 간호학교를 포함)을 졸업한 자

② 보건복지부장관이 인정하는 외국의 해당 학교를 졸업하고 외국의 간호사 면허를 받은 자

③ 입학 당시 평가인증기구의 인증을 받은 간호학을 전공하는 대학 또는 전문대학을 입학한 사람으로서 그 대학 또는 전문대학을 졸업하고 해당 학위를 받은 사람

> **법규 1-2-2** 의료인의 면허자격요건을 설명할 수 있다. (A)

9. 의료인의 결격사유(법 제8조)

① 정신질환자(다만 전문의가 의료인으로서 적합하다고 인정하는 사람은 예외)

② 마약·대마·향정신성의약품 중독자

③ 피성년후견인, 피한정후견인

④ 대통령령으로 정하는 의료관련법령을 위반하여 금고 이상의 형(벌금은 제외)을 선고받고 그 형의 집행이 종료되지 아니하였거나, 집행을 받지 아니하기로 확정되지 아니한 자

> cf 형벌의 순서: 사형 〉 징역 〉 금고 〉 자격상실 〉 자격정지 〉 벌금 〉 구류 〉 과료 〉 몰수

> **법규 1-2-3** 의료인의 결격사유 등을 열거할 수 있다. (A)

10. 세탁물 처리 절차(법 제16조) [2021 기출] [2022 기출]

① 의료기관에서 나오는 세탁물은 의료인·의료기관 또는 특별자치시장·특별자치도지사·시장·군수·구청장에게 신고한 자가 아니면 처리할 수 없다.

② 세탁물을 처리하는 자는 보건복지부령으로 정하는 바에 따라 위생적으로 보관·운반·처리하여야 한다.

③ 의료기관의 개설자와 의료기관세탁물처리업 신고를 한 자는 세탁물의 처리업무에 종사하는 사람에게 보건복지부령으로 정하는 바에 따라 감염 예방에 관한 교육을 실시하고 그 결과를 기록하고 유지하여야 한다.

④ 세탁물처리업자가 보건복지부령으로 정하는 신고사항을 변경하거나 그 영업의 휴업 (1개월 이상의 휴업)·폐업 또는 재개업을 하려는 경우에는 보건복지부령으로 정하는 바에 따라 특별자치시장·특별자치도지사·시장·군수·구청장에게 신고하여야 한다.

⑤ 세탁물을 처리하는 자의 시설·장비기준, 신고절차 및 지도·감독, 그 밖의 관리에 필요한 사항은 보건복지부령으로 정한다.

> **법규 1-2-7** 세탁물 처리 절차를 설명할 수 있다. (A)

11. 진단서 등 교부조건: 보건복지부령(법 제17조)

- 연도별의 종류에 따라 일련번호를 붙이고 진단서를 발급한 경우 부본을 갖추어야 함(3년)

① 의료업에 종사하고 직접 진찰하거나 검안한 의사, 치과의사, 한의사만이 교부하거나 발송: 서명날인

② 진료 중이던 환자가 최종 진료 시부터 48시간 이내에 사망한 경우: 다시 진료하지 않고 진단서나 증명서를 내줄 수 있음

③ 출생, 사망 또는 사산 증명서: 의사, 한의사, 조산사

④ 진단서, 검안서, 증명서 또는 처방전 교부: 의사, 치과의사, 한의사

⑤ 환자 또는 사망자를 직접 진찰하거나 검안한 치과의사 또는 한의사가 부득이한 사유로 증명서 발급을 못하는 경우: 같은 의료기관 종사자가 진료기록부 등에 따라 내줄 수 있음

⑥ 진단서 기재 사항: 보건복지부령
- 환자의성명, 주민등록번호 및 주소
- 병명 및 질병분류기호
- 발병 연월일 및 진단 연월일
- 치료 내용 및 향후 치료에 대한 소견
- 의료기관의 명칭·주소, 진찰한 의사·치과의사 또는 한의사의 성명·면허자격·면허번호

> **cf 질병의 원인이 상해로 인한 것인 경우**
>
> ① 상해의 원인 또는 추정되는 상해의 원인
> ② 상해의 부위 및 정도
> ③ 치료기간

④ 입원의 필요 여부

⑤ 외과적 수술 여부

⑥ 합병증의 발생 가능 여부

⑦ 통상활동의 가능 여부

⑧ 식사의 가능 여부

⑨ 상해에 대한 소견

| 법규 1-2-8 | 진단서 등 교부조건을 설명할 수 있다. (A) |

12. 처방전 작성과 교부(법 제18조)

① 의사나 치과의사는 환자에게 의약품을 투여할 필요가 있다고 인정하면 약사법에 따라 자신이 직접 의약품을 조제할 수 있는 경우가 아니면 보건복지부령으로 정하는 바에 따라 처방전을 환자에게 내주거나 발송(전자처방전만 해당)하여야 한다.

② 처방전의 서식, 기재사항, 보존, 그 밖에 필요한 사항은 보건복지부령으로 정한다 (규칙 제12조 의사나 치과의사는 환자에게 처방전 2부를 발급하여야 함).

③ 누구든지 정당한 사유없이 전자처방전에 저장된 개인정보를 탐지하거나 누출·변조 또는 훼손하여서는 아니 된다.

④ 처방전을 발행한 의사·치과의사는 약사·한의사가 문의한 때 즉시 이에 응하여야 하나 아래의 사항에 해당한 경우 예외를 두나 사유가 종료된 때 즉시 응하여야 한다.

  • 응급환자를 진료 중인 경우

  • 환자를 수술 또는 처치 중인 경우

  • 그 밖에 약사의 문의에 응할 수 없는 정당한 사유가 있는 경우

⑤ 의사, 치과의사 또는 한의사가 약사법에 따라 자신이 직접 의약품을 조제하여 환자에게 그 의약품을 내어주는 경우에는 그 약제의 용기 또는 포장에 환자의 이름, 용법과 용량, 그 밖에 보건복지부령으로 정하는 사항을 적어야 한다(예외, 급박한 응급의료상황 등 환자의 진료 상황이나 의약품의 성질상 그 약제의 용기 또는 포장에 적는 것이 어려운 경우).

| 법규 1-2-9 | 처방전 작성과 교부를 설명할 수 있다. (A) |

13. 정보 누설 금지(법 제19조)

① 의료인이나 의료기관 종사자는 3년 이하의 징역 또는 3천만원 이하의 벌금(법 제88
조) 의료법이나 다른 법령에 특별히 규정된 경우 외에는 의료·조산 또는 간호업무나
제17조(진단서, 검안서, 증명서 작성·교부업무), 제18조(처방전 작성·교부업무), 제
21조(진료기록 열람·사본교부업무), 제22조 제2항(진료기록부 등 보존업무), 제23조
(전자의무기록 작성·보관·관리업무)에 따른 업무수행 중 알게 된 다른 사람의 정보
를 누설하거나 발표하지 못한다(친고죄, 공소제기에 있어서 법률이 정한 자의 고소
또는 고발을 필요로 하는 범죄).

② 의료기관 인증에 관한 업무에 종사하는 자 또는 종사하였던 자는 그 업무를 하면서
알게 된 정보를 다른 사람에게 누설하거나 부당한 목적으로 사용하여서는 안 된다.

> **법규 1-2-10** 정보누설 금지를 설명할 수 있다. (A)

14. 기록열람 등의 예외 사항(법 제21조) 2020 기출

① 환자의 배우자, 직계존속·비속, 형제·자매(한정적) 또는 배우자의 직계 존속이 환자
본인의 동의서와 친족관계임을 나타내는 증명서 등을 첨부하는 등 보건복지부령으
로 정하는 요건을 갖추어 요청한 경우

② 환자가 지정하는 대리인이 환자 본인의 동의서와 대리권이 있음을 증명하는 서류를
첨부하는 등 보건복지부령으로 정하는 요건을 갖추어 요청한 경우

③ 환자가 사망하거나 의식이 없는 등 환자의 동의를 받을 수 없어 환자의 배우자, 직계
존속·비속, 형제·자매(한정적) 또는 배우자의 직계 존속이 친족관계임을 나타내는
증명서 등을 첨부하는 등 보건복지부령으로 정하는 요건을 갖추어 요청한 경우

④ 급여비용 심사·지급·대상여부확인·사후관리 및 요양급여의 적정성 평가·가감지급
등을 위하여 국민건강보험공단 또는 건강보험심사평가원에 제공하는 경우

⑤ 의료급여 수급권자 확인, 급여비용의 심사·지급, 사후관리 등 의료급여 업무를 위하
여 보장기관(시·군·구), 국민건강보험공단, 건강보험심사평가원에 제공하는 경우

⑥ 형사소송법에 따른 경우(106조, 215조, 218조)

⑦ 민사소송법에 따라 문서제출을 명한 경우(347조)

⑧ 근로복지공단이 보험급여를 받는 근로자를 진료한 산재보험 의료기관에 대하여 그
근로자의 진료에 관한 보고 또는 서류 등 제출을 요구하거나 조사하는 경우

⑨ 의료기관으로부터 자동차보험진료수가를 청구받은 보험회사 등이 그 의료기관에 대하여 관계 진료기록의 열람을 청구한 경우

⑩ 지방병무청장이 징병검사와 관련하여 질병 또는 심신장애의 확인을 위하여 필요하다고 인정하여 의료기관의 장에게 징병검사대상자의 진료기록·치료관련 기록의 제출을 요구한 경우

⑪ 공제회가 공제급여의 지급 여부를 결정하기 위하여 필요하다고 인정하여 요양기관에 대하여 관계 진료 기록의 열람 또는 필요한 자료의 제출을 요청한 경우

⑫ 의료기관의 장이 진료기록 및 임상소견서를 보훈병원장에게 보내는 경우

⑬ 의료사고 피해구제 및 의료분쟁조정에 관한 법률 제28조 제3항에 따른 경우

⑭ 국민연금공단이 부양가족연금, 장애연금 및 유족연금 급여의 지급심사와 관련하여 가입자 또는 가입자였던 사람을 진료한 의료기관에 해당 진료에 관한 사항의 열람 또는 사본 교부를 요청하는 경우

⑮ 「장애인복지법」 제32조제7항에 따라 대통령령으로 정하는 공공기관의 장이 장애 정도에 관한 심사와 관련하여 장애인 등록을 신청한 사람 및 장애인으로 등록한 사람을 진료한 의료기관에 해당 진료에 관한 사항의 열람 또는 사본 교부를 요청하는 경우

⑯ 질병관리청장, 시도지사 및 시장/군수/구청장이 의료기관의 장에게 감염병환자 등의 진료기록 및 예방접종을 받은 사람의 예방접종 후 이상 반응에 관한 진료기록의 제출을 요청하는 경우

⑰ 기타
  • 다른 의료인으로부터 송부 요청받은 경우: 환자나 환자 보호자의 동의를 받아 송부
  • 환자의 의식상실, 응급환자, 환자의 보호자가 없어 동의를 받을 수 없는 경우: 환자나 환자 보호자의 동의없이 송부
  • 응급환자를 다른 의료기관에 이송하는 경우: 진료기록부 사본 등을 이송

법규 1-2-11   기록, 열람 등의 예외사항을 열거할 수 있다. (B)

15. 의료인의 권리(법 제12~14조)

(1) 의료기술 등에 대한 보호

① 의료, 조산, 간호 등의 의료기술의 시행에 대하여 이 법이나 다른 법령에 따로 규정된 경우 외에는 누구든지 간섭하지 못함

② 누구든지 의료기관의 의료용 시설, 기재, 약품, 그 밖의 기물 등을 파괴·손상하거나 의료기관을 점거하여 진료를 방해해선 안 되며, 이를 교사·방조하여서는 안 됨

③ 의료인, 간호조무사 및 의료기사 또는 의료행위를 받는 사람을 폭행·협박하여서는 안 됨

(2) 의료기재 압류 금지

① 의료 업무에 필요한 기구, 약품, 그 밖의 재료는 압류하지 못함

(3) 기구 등 우선공급

① 의료행위에 필요한 기구, 약품, 그 밖의 시설 및 재료를 우선적으로 공급(물품, 노력, 교통수단 포함)

법규 1-2-12 의료인의 권리를 열거할 수 있다. (A)

16. 의료인의 의무(법 제2절)

① 각각 진료기록부, 조산기록부, 간호기록부, 그 밖의 진료에 관한 기록을 갖추어 두고 환자의 주된 증상, 진단 및 치료내용 등 보건복지부령으로 정한 의료행위에 관한 사항과 의견을 상세히 기록하고 서명하여야 한다.

② 진료기록부(전자의무기록 포함)을 보건복지부령으로 정하는 바에 따라 보존하여야 한다.

③ 전자의무기록을 안전하게 관리·보존하는 데에 필요한 시설을 갖추어야 하며 누구든지 정당한 사유없이 전자의무기록에 저장된 개인정보를 탐지하거나 누출·변조 또는 훼손하여서는 안 된다.

④ 부당한 경제적 이익 등의 취득하거나 의료기관으로 하여금 받게 하여서는 안 된다.

⑤ 의료행위에 관해 설명하고 서면으로 그 동의를 받아야 함(서면의 경우 환자의 동의를 받은 날, 환자에게 알린 날을 기준으로 각각 2년간 보존·관리하여야 한다)

⑥ 대통령령으로 정하는 바에 따라 최초로 면허를 받은 후부터 3년마다 그 실태와 취업 상황 등을 보건복지부장관에게 신고하여야 한다.

⑦ 의사·치과의사·한의사 및 조산사는 사체를 검안하여 변사한 것으로 의심되는 때에는 사체의 소재지를 관할하는 경찰서장에게 신고하여야 한다.

⑧ 환자나 환자의 보호자에게 요양방법이나 그 밖에 건강관리에 필요한 사항을 지도하여야 한다.

법규 1-2-13 의료인의 의무를 열거할 수 있다. (A)

17. 진료기록부 등의 보존기간(규칙 제15조) `2019 기출` `2020 기출` `2021 기출` `2022 기출`

계속적인 진료를 위하여 필요한 경우 1회에 한정하여 그 기간을 기간의 범위 안에서 연장할 수 있음

보존기간	내용
10년	진료기록부, 수술기록, 예방접종기록
5년	환자 명부, 검사소견기록, 간호기록부, 조산기록부, 방사선사진 및 그 소견서
3년	진단서 등의 부본(진단서·사망진단서 및 시체검안서 등 따로 구분하여 보존)
2년	처방전(기공물 제작의뢰서 등)

법규 1-2-14 진료기록부 등의 보존기간을 설명할 수 있다. (A)

18. 전자의무기록의 작성 및 보관(법 제23조)

① 의료인이나 의료기관 개설자는 진료기록부 등을 전자서명법에 따른 전자서명이 기재된 전자문서로 작성·보관할 수 있다.

② 의료인이나 의료기관개설자는 보건복지부령으로 정하는 바에 따라 전자의무기록을 안전하게 관리·보존하는 데에 필요한 시설과 장비를 갖추어야 한다.

③ 누구든지 정당한 사유없이 전자의무기록에 저장된 개인정보를 탐지하거나 누출·변조 또는 훼손하여서는 안 된다.

④ 의료인이나 의료기관 개설자는 전자의무기록에 추가기재·수정을 한 경우 보건복지부령으로 정하는 바에 따라 접속기록을 별도로 보관하여야 한다.

법규 1-2-15 전자의무기록의 작성 및 보관을 설명할 수 있다. (A)

19. 부당한 경제적 이익 등의 취득 금지(법 제23조의 5)

① 의료인, 의료기관 개설자(법인의 대표자, 이사, 그 밖에 이에 종사하는 자) 및 의료기관 종사자는 약사법 제47조 제2항에 따른 의약품공급자로부터 의약품채택·처방유도·거래유지 등 판매촉진을 목적으로 제공되는 금전, 물품, 편익, 노무, 향응, 그 밖의 경제적 이익을 받거나 의료기관으로 하여금 받게 하여서는 안 됨. 다만 견본품 제공, 학술대회 지원, 임상시험 지원, 제품설명회, 대금결제조건에 따른 비용할인, 시판 후 조사 등의

행위로서 보건복지부령으로 정하는 범위 안의 경제적 이익 등인 경우에는 가능함.

② 의료인, 의료기관 개설자 및 의료기관종사자는 의료기기법 제6조에 따른 제조업자, 같은 법 제15조에 따른 의료기기 수입업자, 같은 법 제17조에 따른 의료기기 판매업 자 또는 임대업자로부터 의료기기 채택·사용유도·거래유지 등 판매촉진을 목적으로 제공되는 경제적 이익 등을 받거나 의료기관으로 하여금 받게 하여서는 안 됨. 단, 견본품 제공 등의 행위로서 보건복지부령으로 정하는 범위 안의 경제적 이익 등인 경우에는 예외 사항임.

> **법규 1-2-16** 부당한 경제적 이익 등의 취득 금지를 설명할 수 있다. (A)

20. 의료행위(법 제24조의 2) 2022 기출

① 의사·치과의사 또는 한의사는 사람의 생명 또는 신체에 중대한 위해를 발생하게 할 우려가 있는 수술, 수혈, 전신마취를 하는 경우 제2항에 따른 사항을 환자(혹은 환자 가 의사결정능력이 없는 경우 환자대리인)에게 설명하고 서면으로 그 동의를 받아야 함. 다만, 설명 및 동의 절차로 인하여 수술 등이 지체되면 환자의 생명이 위험하여 지거나 심신상의 중대한 장애를 가져오는 경우 예외로 함
  - 동의서에는 해당 환자의 서명 또는 기명 날인이 있어야 함
  - 서면은 환자의 동의를 받은 날 혹은 환자에게 알린 날을 기준으로 각각 2년간 보 관·관리하여야 함
② 환자에게 동의를 받아야 하는 사항
  - 환자에게 발생하거나 발생 가능한 증상의 진단명
  - 수술 등의 필요성, 방법 및 내용
  - 환자에게 설명을 하는 의사, 치과의사 또는 한의사 및 수술 등에 참여하는 주된 의 사, 치과의사 또는 한의사의 성명
  - 수술 등에 따라 전형적으로 발생이 예상되는 후유증 또는 부작용
  - 수술 등 전후 환자가 준수하여야 하는 사항
③ 동의를 받은 사항 중 수술 등의 방법 및 내용, 수술 등에 참여한 주된 의사, 치과의사 또는 한의사가 변경된 경우에는 변경사유와 내용을 환자에게 서면으로 알려야 함. 단, 서면으로 알리는 경우(수술·수혈 또는 전신마취의 방법·내용 등의 변경사유 및 변경내용 등) 환자의 보호를 위하여 필요하다고 인정한 때에는 보건복지부장관이 정 하는 바에 따라 구두의 방식을 병행하여 설명할 수 있음

④ 설명, 동의 및 고지의 방법·절차 등 필요한 사항은 대통령령으로 정함

법규 1-2-17 의료행위에 관한 설명 내용을 열거할 수 있다. (A)

21. 무면허 의료행위 등 금지의 예외사항(규칙 제18, 19조)

(1) 외국의 의료인 면허를 가진 자로 일정기간 국내 체류하는 자: 보건복지부장관의 승인

① 외국과의 교육 또는 기술협력에 따른 교환교수의 업무

② 교육연구사업을 위한 업무

③ 국제의료봉사단의 의료봉사 업무

(2) 의료봉사 또는 연구 및 시범사업을 위하여 의료행위를 하는 자

① 국민에 대한 의료봉사활동을 위한 의료행위

② 전시·사변이나 그 밖에 이에 준하는 국가비상사태 시에 국가나 지방자치단체의 요청에 따라 행하는 의료행위

③ 일정한 기간의 연구 또는 시범사업을 위한 의료행위

(3) 의학·치과의학·한방의학 또는 간호학을 전공하는 학교의 학생

① 전공분야와 관련되는 실습을 하기 위하여 지도교수의 지도·감독을 받아 행하는 의료행위

② 국민에 대한 의료봉사활동으로서 의료인의 지도·감독을 받아 행하는 의료행위

③ 전시·사변이나 그 밖에 이에 준하는 국가비상사태 시에 국가나 지방자치단체의 요청에 따라 의료인의 지도·감독을 받아 행하는 의료행위

법규 1-2-19 의료인의 무면허 의료행위 등 금지의 예외사항을 설명할 수 있다. (A)

22. 무면허 의료행위 등 금지(법 제27조) 2019 기출

(1) 의료인이 아니면 누구든지 의료행위를 할 수 없고, 의료인도 면허된 것 이외의 의료행위를 할 수 없다(5년 이하의 징역, 5천만 원 이하의 벌금).

(2) 유사명칭 금지: 의료인이 아니면 의료인 명칭이나 이와 비슷한 명칭을 사용하지 못한다.

(3) 환자소개·알선·유인·사주 금지

① 본인부담금을 면제하거나 할인하는 행위

② 금품 등을 제공

③ 불특정 다수인에게 교통편의를 제공하는 행위 등

④ 영리목적으로 환자를 의료기관이나 의료인에게 소개·알선·유인하는 행위 및 이를 사주하는 행위

    예외) • 환자의 경제적 사정 등을 이유로 개별적으로 관할 시장·군수·구청장의 사전승인을 받아 환자를 유치하는 행위

            • 가입자나 피부양자가 아닌 외국인 환자 유치 행위

⑤ 의료인, 의료기관 개설자 및 종사자는 무자격자에게 의료행위를 하게 하거나 의료인에게 면허 사항 외의 의료행위를 하게 하여서는 아니 된다.

> **법규 1-2-23** 의료인의 무면허 의료행위의 금지를 설명할 수 있다. (B)

23. 의료기관의 개설권자(법 제33조) 2019 기출

(1) 의료기관을 개설하지 않고 의료업을 할 수 없음

(2) 예외로 인정하는 경우

① 응급환자를 진료하는 경우

② 환자 또는 그 보호자의 요청에 따라 진료하는 경우

③ 국가 또는 지방자치단체의 장이 공익상 필요하다고 인정하여 요청하는 경우

④ 보건복지부령이 정하는 바에 의하여 가정간호를 실시하는 경우

⑤ 이 법 또는 다른 법령에서 특별이 정한 경우나 환자가 있는 현장에서 진료를 행하여야 하는 부득이한 사유가 있는 경우

(3) 의료기관의 개설권자

① 의료인(간호사 제외): 1개의 의료기관만 개설

     • 의사: 종합병원, 병원, 요양병원, 정신병원 또는 의원

     • 치과의사: 치과병원, 치과의원

     • 한의사: 한방병원, 요양병원, 한의원

     • 조산사: 조산원(조산원 개설 시 반드시 지도의사 필요)

② 국가 또는 지방자치단체

③ 의료업을 목적으로 설립된 법인(의료법인)

④ 민법 또는 특별법에 의하여 설립된 비영리법인

⑤ 준정부기관, 지방의료원 또는 한국보훈복지의료공단

(4) 개설신고 및 허가기관

① 의원, 치과의원, 한의원, 조산원: 시장·군수·구청장 신고

② 종합병원, 병원, 치과병원, 한방병원, 요양병원: 시·도지사 허가

법규 1-3-1	의료기관의 개설권자를 열거할 수 있다. (A)

24. 의료기관의 개설절차(규칙 제48조) 2019 기출

- 의원급: 의료기관개설신고를 의료법시행규칙 25조에 따라 시장·군수·구청장에게 신고하여 함
- 병원급: 시·도지사의 허가를 받아야 함

① 의료기관개설신고서(별지 서식)

② 개설하려는 자가 의료인인 경우(의사면허증), 개설하려는 자가 법인인 경우(법인 등기사항증명서)

법규 1-3-2	의료기관의 개설절차를 설명할 수 있다. (A)

25. 요양병원의 입원대상(규칙 제36조)

(1) 요양병원 입원대상자

① 노인성질환자

② 만성질환자(예: 당뇨)

③ 외과적 수술 후 또는 상해 후 회복기간에 있는 자

(2) 요양병원 입원 불가능한 자

① 감염병환자, 감염병의사환자 또는 병원체보유자 등 감염병환자

② 정신질환자(노인성 치매환자는 제외)

법규 1-3-4	요양병원의 입원대상을 열거할 수 있다. (A)

26. 진단용 방사선 발생장치 설치 및 운영(법 제37조)

① 보건복지부령에 따라 시장·군수·구청장에게 신고: 안전관리기준에 맞도록 설치 및 운영

② 안전관리책임자를 선임, 정기적으로 검사와 측정, 방사선 관계 종사자에 대한 피폭관리

> **법규 1-3-9** 진단용 방사선 발생장치 설치 및 운영을 설명할 수 있다. (A)

27. 휴·폐업 시 진료기록 등의 처리방법(법 제40조의 2) `2020 기출`

① 부득이한 사유로 6개월을 초과하여 그 의료기관을 관리할 수 없는 경우: 폐업 또는 휴업신고

② 의료업을 폐업하거나 1개월 이상 휴업 시: 시장·군수·구청장에게 신고 → 매월의 의료기관 폐업신고의 수리상황을 그 다음달 15일까지 보건복지부장관에게 보고하여 함

③ 기록·보존하고 있는 진료기록부 등을 관할 보건소장에게 넘겨야 함
- 직접 보관하고자 할 경우 폐·휴업 예정일 전까지 관할 보건소장의 허가를 득해야 함

> **법규 1-3-12** 휴·폐업 시 진료기록 등의 처리방법을 설명할 수 있다. (A)

28. 치과병원에서 표방할 수 있는 진료과목(법 제43조, 규칙 제41조) `2022 기출`

① 병원·치과병원 또는 종합병원은 한의사를 두어 한의과 진료과목을 추가로 설치 및 운영할 수 있음

② 한방병원 또는 치과병원은 의사를 두어 의과 진료과목을 설치 및 운영할 수 있음

③ 병원·한방병원 또는 요양병원은 치과의사를 두어 치과 진료과목을 추가로 설치 및 운영할 수 있음

④ 진료과목 표시
- 종합병원: 37개 과(병의원 26개 과 + 수련치과병원 11개 과)
- 병원이나 의원: 26개 과
- 수련치과병원: 11개 과(구강악안면외과, 치과보철과, 치과교정과, 소아치과, 치주과, 치과보존과, 구강내과, 영상치의학과, 구강병리과, 예방치과, 통합치의학과)
- 한방병원이나 한의원: 8개 과(한방내과, 한방부인과, 한방소아과, 한방안/이비인

후/피부과, 한방신경정신과, 한방재활의학과, 사상체질과, 침구과)
- 요양병원: 34개 과(병의원 26개 과 + 한방병원이나 한의원 8개 과)

법규 1-3-14   치과병원에서 표방할 수 있는 진료과목을 열거할 수 있다. (A)

29. 비급여 진료비용(법 제45조)

(1) 의료기관개설자는 요양급여의 대상에서 제외되는 사항 또는 의료급여대상에서 제외
되는 사항의 비용을 환자 또는 환자의 보호자가 쉽게 알 수 있도록 보건복지부령으로
정하는 바에 따라 고지하여야 함

(2) 의료기관개설자는 보건복지부령으로 정하는 바에 따라 의료기관이 환자로부터 징수
하는 제증명수수료의 비용을 게시하여야 함

① 비급여 대상의 항목과 그 가격을 적은 책자 등을 접수창구에 비치할 경우 비급여 대
상의 항목을 묶어 1회 비용으로 정하여 총액을 표기할 수 있음

② 진료기록부 사본·진단서 등 제증명수수료의 비용을 접수창구 등 환자 및 환자의 보
호자가 쉽게 볼 수 있는 장소에 게시하여야 함

③ 인터넷 홈페이지를 운영하는 의료기관은 이용자가 쉽게 알아볼 수 있도록 인터넷 홈
페이지에 따라 표시하여야 함

④ 비급여 진료비용 등의 고지방법의 세부적인 사항은 보건복지부장관이 정하여 고시함

(3) 의료기관개설자는 고지·게시한 금액을 초과하여 징수할 수 없음

법규 1-3-15   비급여 진료비용 등의 고지를 설명할 수 있다. (A)

30. 병원감염 예방(제47조)

1) 보건복지부령으로 정하는 일정 규모 이상의 병원급 의료기관의 장은 의료관련 감염 예
방을 위하여 감염관리위원회와 감염관리실을 설치·운영하고 보건복지부령으로 정하는
바에 따라 감염관리 업무를 수행하는 전담인력을 두는 등 필요한 조치를 해야 함

2) 의료기관의 장은 감염병의 예방을 위하여 해당 의료기관에 소속된 의료인 및 의료기관 종
사자에게 정기적으로 교육을 실시하여야 함

3) 의료기관의 장은 감염병이 유행하는 경우 환자, 환자의 보호자, 의료인, 의료기관 종사자 및 경비원 등 해당 의료기관 내에서 업무를 수행하는 사람에게 감염병의 확산 방지를 위하여 필요한 정보를 제공하여야 함

4) 감염관리위원회의 구성과 운영, 감염관리실 운영 등에 필요한 사항은 보건복지부령으로 정함

(1) 보건복지부령으로 정하는 일정 규모 이상의 병원급 의료기관

① 2017년 3월 31일까지의 기관: 종합병원 및 200개 이상의 병상을 갖춘 병원으로서 중환자실을 운영하는 의료기관

② 2017년 4월 1일부터 2018년 9월 30일까지의 기간: 종합병원 및 200개 이상의 병상을 갖춘 병원

③ 2018년 10월 1일부터의 기간: 종합병원 및 150개 이상의 병상을 갖춘 병원

(2) 감염관리위원회의 의무

① 병원감염에 대한 대책, 연간 감염예방계획의 수립 및 시행에 관한 사항

② 감염관리요원의 선정 및 배치에 관한 사항

③ 감염병환자 등의 처리에 관한 사항

④ 병원의 전반적인 위생관리에 관한 사항

⑤ 병원감염관리에 관한 자체 규정의 제정 및 개정에 관한 사항

(3) 감염관리실의 의무

① 병원감염의 발생 감시

② 병원감염관리 실적의 분석 및 평가

③ 직원의 감염관리교육 및 감염과 관련된 직원의 건강관리에 관한 사항

(4) 감염관리실의 운영: 어느 하나에 해당하는 사람을 각각 1명 이상 두어야 함(1명 이상은 감염관리실에서 전담근무해야 함) → 감염관리실에서 근무하는 사람은 정해진 교육기준에 따라 교육을 받아야 함

① 감염관리에 경험과 지식이 있는 의사

② 감염관리에 경험과 지식이 있는 간호사

③ 감염관리에 경험과 지식이 있는 사람으로서 해당 의료기관의 장이 인정하는 사람

법규 1-3-17 병원감염 예방을 설명할 수 있다. (A)

31. 의료법인의 설립허가(법 제48조) 및 취소사유(법 제51조)

(1) 의료법인의 설립허가

① 대통령령으로 정하는 바에 따라 정관과 그 밖의 서류를 갖추어 그 법인의 주된 사무소의 소재지를 관할하는 시·도지사의 허가를 받아야 함

② 시설이나 시설을 갖추는 데 필요한 자금을 보유하여야 함

③ 재산처분이나 정관 변경 시 시·도지사의 허가를 득해야 함

④ 부대사업: 회계는 의료법인의 다른 회계와 구분하여 계산, 시·도지사에게 신고

- 의료인과 의료관계자 양성이나 보수교육
- 의료나 의학에 관한 조사 연구
- 노인의료복지시설의 설치·운영
- 장례식장의 설치·운영: 임대 및 위탁가능
- 부설주차장의 설치·운영: 임대 및 위탁가능
- 의료업 수행에 수반되는 의료정보시스템 개발·운영사업(대통령령으로 정하는 사업)
- 의료기관 종사자의 편의를 위한 사업(휴게음식점, 일반음식점, 이용업, 미용업 등: 보건복지부령으로 정하는 사업): 임대 및 위탁가능

(2) 의료법인의 취소 사유

① 정관으로 정하지 아니한 사업을 한 때

② 설립된 날부터 2년 안에 의료기관을 개설하지 아니한 때

③ 의료법인이 개설한 의료기관이 개설허가를 취소당한 때

④ 보건복지부장관 또는 시·도지사의 감독을 위한 명령을 위반한 때

⑤ 부대사업 외의 사업을 한 때

법규 1-3-18	의료법인의 설립허가 및 취소사유를 열거할 수 있다. (B)

32. 의료광고의 금지 등의 기준(법 제56조) `2019 기출` `2020 기출` `2021 기출` `2022 기출`

1) 의료기관 개설자, 의료기관의 장 또는 의료인("의료인 등")이 아닌 자는 의료광고를 하지 못한다.

2) 의료광고금지 내용

① 평가를 받지 아니한 신의료기술에 관한 광고

② 치료효과를 오인하게 할 우려가 있는 내용의 광고

③ 다른 의료인 등의 기능 또는 진료방법과 비교하는 내용의 광고

④ 다른 의료인 등을 비방하는 내용의 광고

⑤ 수술 장면 등 직접적인 시술행위를 노출하는 내용의 광고

⑥ 의료인의 기능, 진료방법과 관련하여 심각한 부작용 등 중요한 정보를 누락하는 광고

⑦ 객관적인 사실을 과장하는 내용의 광고나 법적 근거가 없는 자격이나 명칭을 표방하는 내용의 광고

⑧ 신문, 방송, 잡지 등을 이용하여 기사 또는 전문가의 의견형태로 표현되는 광고

⑨ 심의를 받지 아니하거나 심의받은 내용과 다른 내용의 광고

⑩ 외국인 환자를 유치하기 위한 국내광고

⑪ 소비자를 속이거나 소비자로 하여금 잘못 알게 할 우려가 있는 방법으로 비급여 진료비용을 할인하거나 면제하는 내용의 광고

⑫ 의료광고의 방법 또는 내용이 국민의 보건과 건전한 의료경쟁의 질서를 해치거나 소비자에게 피해를 줄 우려가 있는 것으로서 대통령령으로 정하는 내용의 광고

> **법규 1-5-1** 의료광고의 금지 등의 기준을 열거할 수 있다. (A)

33. 의료광고의 심의대상(법 제57조)

아래의 어느 하나의 매체를 통해 의료광고를 하려는 경우 의료광고가 규정에 위반되는지 여부에 관하여 대통령령으로 정하는 자율심의기구의 심의를 받아야 함. 자율심의기구는 의료광고가 규정을 준수하는지 여부에 관하여 모니터링하고 결과를 보건복지부장관에게 제출

(1) 신문·인터넷신문 또는 잡지 등 정기간행물

① 신문: 월 2회 이상 발행하는 간행물

② 인터넷신문: 전자간행물(대통령령으로 정하는 기준을 충족하는 것)

③ 정기간행물: 잡지(월 1회), 정보간행물, 전자간행물(통신망을 이용하지 않은 것)

(2) 옥외광고물 중 현수막, 벽보, 전단 및 교통시설·교통수단에 표시되는 것

(3) 전광판

(4) 대통령령으로 정하는 인터넷 매체(영 제24조)

① 인터넷 뉴스 서비스

② 인터넷 홈페이지

③ 방송, TV 또는 라디오 등의 명칭을 사용하면서 인터넷을 통하여 제공하는 인터넷 매체

④ 전년도 말 기준 직전 3개월간 일일 평균 이용자 수가 10만 명 이상인 자가 운영하는 인터넷 매체

cf 의료광고심의

① 자율심의기구는 아래 단체에 심의위원회를 설치, 운영
- 의사회·치과의사회·한의사회
- 소비자단체로서 대통령령으로 정하는 기준을 충족한 단체

② 의료광고심의위원회
- 구성: 위원장과 부위원장 각 1인 포함 15명 이상 25명 이하의 위원

> **법규 1-5-2**   의료광고의 심의대상을 열거할 수 있다. (B)

34. 의료기관 인증(법 제58조)

① 보건복지부장관은 의료의 질과 환자 안전의 수준을 높이기 위하여 병원급 의료기관 및 대통령령으로 정하는 의료기관에 대한 인증을 할 수 있음

② 보건복지부장관은 대통령령으로 정하는 바에 따라 의료기관 인증에 관한 업무를 의료기관평가인증원에 위탁할 수 있음

③ 보건복지부장관은 다른 법률에 따라 의료기관을 대상으로 실시하는 평가를 통합하여 의료기관평가인증원으로 하여금 시행하도록 할 수 있음

> **법규 1-6-1**   의료기관 인증을 설명할 수 있다. (A)

35. 의료기관의 개설허가 취소 등의 사유(법 제64조) 2019 기출

- 취소권자: 보건복지부, 시장·군수·구청장

    보건복지부장관 또는 시장·군수·구청장은 의료기관이 다음 각 호의 어느 하나에 해당하면 그 의료업을 1년의 범위에서 정지시키거나 개설 허가의 취소 또는 의료기관 폐쇄를 명할 수 있다. 다만, 제8호에 해당하는 경우에는 의료기관 개설 허가의 취소 또는 의료기관 폐쇄를 명하여야 하며, 의료기관 폐쇄는 제33조제3항과 제35조제1항 본문에 따라 신고한 의료기관에만 명할 수 있다.

① 개설 신고나 개설 허가를 한 날부터 3개월 이내에 정당한 사유 없이 업무를 시작하지 아니한 때

② 무자격자에게 의료행위를 하게 하거나 의료인에게 면허사항 외의 의료행위를 하게 한 때

③ 보고와 업무검사의 공무원의 직무수행을 방해하거나 지도와 시정명령 등을 위반한 경우

④ 의료법인·비영리법인·준정부기관·지방의료원·한국보훈복지의료공단의 설립허가가 취소되거나 해산된 경우

⑤ 의료기관 개설 기준을 위반하여 의료기관을 개설한 때

⑥ 의료기관 개설신고, 의료기관 개설허가, 폐업·휴업 신고, 진료기록부 이관, 의료광고금지 등을 위반한 경우

⑦ 시정명령을 이행하지 아니한 경우

⑧ 약사법을 위반하여 담합행위를 한 경우

⑨ 의료기관 개설자가 거짓으로 진료비를 청구하여 금고 이상의 형을 선고받고 그 형이 확정된 때 → 개설허가 취소, 폐쇄 명령(3년 내에 개설, 운영하지 못함)

cf 의료기관이 의료업이 정지, 개설허가취소 또는 폐쇄명령을 받은 경우: 입원중인 환자를 다른 의료기관으로 옮기는 조치해야 함

⑩ 의료기관 개설자가 준수사항을 위반하여 사람의 생명 또는 신체에 중대한 위해를 발생하게 한 때

법규 1-6-7 의료기관의 개설허가 취소 등의 사유를 설명할 수 있다. (A)

36. 의료인의 면허취소 사유와 재교부 금지기간(법 제65조) 2021 기출

(1) 의료인의 면허취소 사유(by 보건복지부장관)

① 결격사유
- 정신질환자
- 마약·대마·향정신성의약품 중독자
- 피성년후견인, 피한정후견인
- 관련 법령에 의거 금고 이상의 형을 선고받고 그 형의 집행이 종료되지 않았거나 집행을 받지 아니하기로 확정되지 아니한 자

② 자격정지 처분 기간 중에 의료행위를 하거나 3회 이상 자격정지 처분을 받은 경우

③ 면허조건을 이행하지 아니한 경우: 3년 이내의 기간을 정하여 특정지역이나 특정 업무에 종사할 것을 면허의 조건으로 붙인 경우

④ 면허증을 빌려준 경우

⑤ 일회용 주사 재사용 위반하여 사람의 생명 또는 신체에 중대한 위해를 발생하게 한 경우

⑥ 사람의 생명 또는 신체에 중대한 위해를 발생하게 할 우려가 있는 수술, 수혈, 전신마취를 의료인 아닌 자에게 하게 하거나 의료인에게 면허 사항 외로 하게 한 경우

(2) 재교부 금지 기간

① 반드시 면허 취소: 의료인 결격사유

② 3년간 재교부 금지: 결격사유 중 금고 이상의 형을 선고받고 그 형의 집행이 종료되지 않았거나 집행을 받지 아니하기로 확정되지 아니한 자, 일회용주사재 사용금지 위반하여 중대한 위해를 발생시, 면허증 대여, 사람의 생명 또는 신체에 중대한 위해를 발생하게 할 우려가 있는 수술·수혈·전신마취를 의료인이 아닌 자에게 하게 하거나 의료인에게 면허사항 외로 하게 한 경우

③ 2년간 재교부 금지: 자격정지 처분 기간 중에 의료행위를 하거나 3회 이상 자격정지 처분을 받은 경우

④ 1년간 재교부 금지: 면허조건 불이행

cf 면허증 재교부

① 면허 취소된 원인이 된 사유가 소멸

② 개전의 정이 현저하다고 인정 시

③ 면허증 분실 및 훼손 시

법규 1-6-8   의료인의 면허취소 사유를 설명할 수 있다. (B)

법규 1-6-9   의료인의 재교부 금지기간을 설명할 수 있다. (B)

37. 의료인의 자격정지 사유(법 제66조) 2020 기출

1년의 범위 안에서 자격정지시킬 수 있음

① 의료인의 품위를 심하게 손상시키는 행위를 한 때

의료인의 품위손상행위 범위

    a. 학문적으로 인정되지 아니하는 진료행위(조산 업무와 간호 업무를 포함)

    b. 비도덕적 진료행위

    c. 거짓 또는 과대 광고행위

       – 불필요한 검사·투약·수술 등 지나친 진료행위를 하거나 부당하게 많은 진료비를 요구하는 행위

    d. 전공의 선발 등 직무와 관련하여 부당하게 금품을 수수하는 행위

    e. 다른 의료기관을 이용하려는 환자를 영리를 목적으로 자신이 종사하거나 개설한 의료기관으로 유인하거나 유인하게 하는 행위

    f. 자신이 처방전을 발급하여 준 환자를 영리를 목적으로 특정 약국에 유치하기 위하여 약국개설자나 약국에 종사하는 자와 담합하는 행위

② 의료기관 개설자가 될 수 없는 자에게 고용되어 의료행위를 한 때

③ 일회용 주사의료용품 재사용금지 위반시

④ 진단서·검안서 또는 증명서를 거짓으로 작성하여 내주거나 진료기록부 등을 거짓으로 작성하거나 고의로 사실과 다르게 추가 기재·수정한 때

⑤ 태아 성 감별 행위 등의 금지를 위반한 경우

⑥ 의료기사가 아닌 자에게 의료기사의 업무를 하게 하거나 의료기사에게 그 업무 범위를 벗어나게 한 때

⑦ 관련 서류를 위조·변조하거나 속임수 등 부정한 방법으로 진료비를 거짓 청구한 때

⑧ 부당한 경제적 이익 등의 취득금지를 위반하여 경제적 이익 등을 제공받은 때

⑨ 이 법 또는 이 법에 따른 명령을 위반한 때

  (cf) 의료진이 자진하여 신고한 경우 그 처분을 감경하거나 면제, 사유가 발생한 날로부터 5년이 지나면 자격정지 처분을 하지 못한다.

법규 1-6-10   의료인의 자격정지 사유를 열거할 수 있다. (A)

38. 치과전문의 및 전문과목 표시(법 제77조, 규칙 제74조)

(1) 의사·치과의사 또는 한의사로서 전문의가 되려는 자는 대통령령으로 정하는 수련을 거쳐 보건복지부장관에게 자격인정을 받아야 함

(2) 전문의 자격을 인정받은 자가 아니면 전문과목을 표시하지 못함. 다만, 보건복지부장관은 의료체계를 효율적으로 운영하기 위하여 전문의 자격을 인정받은 치과의사와 한

의사에 대하여 종합병원·치과병원·한방병원 중 보건복지부령으로 정하는 의료기관
에 한하여 전문과목을 표시하도록 할 수 있음

(3) 치과의사전문의 또는 한의사전문의 자격을 인정받은 자에 대한 전문과목 표시할 수 있는
    의료기관

　① 병상이 300개 이상인 종합병원

　② 치과의사전문의의 수련 및 자격인정 등에 관한 규정에 따른 수련치과병원

　③ 한의사전문의의 수련 및 자격인정 등에 관한 규정에 따른 수련한방병원

> **법규 1-7-1**　치과전문의 및 전문과목 표시에 관하여 설명할 수 있다. (A)

39. 의료인 청문(법 제84조)

　• 보건복지부장관, 시·도지사 또는 시장·군수·구청장이 청문을 열 수 있는 사항

　① 인증의 취소

　② 설립허가의 취소

　③ 의료기관 인증 또는 조건부 인증의 취소

　④ 시설·장비 등의 사용금지 명령

　⑤ 개설허가 취소나 의료기관 폐쇄명령

　⑥ 면허의 취소

> **법규 1-7-2**　청문을 실시하여야 할 사항을 열거할 수 있다. (A)

제2장 | 의료기사 등에 관한 법률

1. 의료기사 등에 관한 법률의 목적(법 제1조) `2019 기출` `2021 기출`

　• 의료기사, 보건의료정보관리사, 안경사의 자격·면허 등에 관하여 필요한 사항을 정함
　　으로써 국민의 보건 및 의료향상에 이바지함(총 8종)

　① 의료기사(6종)

② 보건의료정보관리사: 의료 및 보건지도 등에 관한 기록 및 정보의 분류·확인·유지· 관리를 주된 업무로 하는 사람

③ 안경사: 안경(시력보정용에 한정)의 조제 및 판매와 콘택트렌즈(시력보정용이 아닌 경우 포함)의 판매를 주된 업무로 하는 사람

> **법규 2-1-1** 의료기사 등에 관한 법률의 목적을 설명할 수 있다. (A)

2. 의료기사의 종류(6종)(법 제2조)

- 의사 또는 치과의사의 지도 아래 진료나 의화학적 검사에 종사하는 사람(6종)

① 임상병리사　　　　④ 작업치료사

② 방사선사　　　　　⑤ 치과기공사

③ 물리치료사　　　　⑥ 치과위생사

　cf 의료기사 등의 종류(8종): 의료기사 + 보건의료정보관리사 + 안경사

> **법규 2-1-2** 의료기사 등의 종별을 열거할 수 있다. (A)

3. 의료기사 등의 종별 업무범위와 한계(법 제3조) `2020 기출`

의료기사의 업무(대통령령으로 정함)와 한계

(1) 임상병리사: 각종 화학적 또는 생리학적 검사와 관련된 업무

① 기계·기구·시약 등의 보관·관리·사용

② 가검물 등의 채취·검사

③ 검사용 시약의 조제

④ 혈액의 채혈·제제·제조·조작·보존·공급

⑤ 그 밖의 임상병리검사

(2) 물리치료사: 신체의 교정 및 재활을 위한 물리요법적 치료와 관련된 기기·약품의 사용·관리 등에 관한 업무

① 온열치료, 전기치료, 광선치료, 수치료, 기계 및 기구치료

② 마사지·기능훈련·신체교정운동 및 재활훈련과 이에 필요한 기기·약품의 사용·관리

③ 그 밖의 물리요법적 치료업무

(3) 방사선사: 방사선 등의 취급 또는 검사 및 방사선 등 관련 기기의 취급 또는 관리

① 전리방사선 및 비전리방사선의 취급과 방사성동위원소를 이용한 핵의학적 검사 및 의료영상진단기·초음파진단기의 취급

② 방사선기기 및 부속기자재의 선택 및 관리업무

(4) 작업치료사: 신체적·정신적 기능장애를 회복시키기 위한 작업요법적 치료와 관련된 작업수행 분석·평가 등에 관한 업무

① 일상생활에서 사용하는 물체나 기구를 활용한 감각·활동훈련(일상생활 훈련)

② 감각·지각·활동 훈련, 인지재활치료, 삼킴장애재활치료, 팔 보조기 제작 및 훈련

③ 작업수행분석 및 평가업무, 그 밖의 작업요법적 훈련·치료업무

(5) 치과기공사: 보철물의 제작, 수리 또는 가공

① 치과의사의 진료에 필요한 작업 모형, 보철물(심미보철물, 악안면보철물)

② 임플란트 맞춤 지대주 및 상부구조

③ 충전물, 교정장치 등 치과기공물의 제작·수리 또는 가공, 그 밖의 치과기공업무

(6) 치과위생사: 치아 및 구강질환의 예방 및 위생관리 등에 관한 업무

① 치석 등 침착물의 제거, 불소도포, 임시 충전, 임시부착물 장착, 부착물 제거, 치아 본뜨기

② 교정용 호선의 장착·제거, 그 밖에 치아 및 구강질환의 예방과 위생에 관한 업무

③ 안전관리기준에 맞게 진단용 방사선 발생장치를 설치한 보건기관 또는 의료기관에서 구내 진단용 방사선 촬영업무

법규 2-1-3 의료기사 등의 종별 업무범위와 한계를 설명할 수 있다. (A)

4. 치과위생사의 업무범위(영 제2조) 2020 기출

① 치석 등 침착물 제거

② 불소 도포

③ 임시충전

④ 임시부착물 장착

⑤ 부착물 제거

⑥ 치아본뜨기

⑦ 교정용 호선의 장착·제거(교정용 브라켓의 제거는 아님)

⑧ 그 밖에 치아 및 구강질환의 예방과 위생에 관한 업무

⑨ 보건기관과 의료기관에서의 구내 진단용 방사선 촬영 업무

법규 2-1-4 치과위생사의 업무범위를 설명할 수 있다. (A)

5. 의료기사 등의 면허자격(보건복지부장관의 면허)요건(법 제4조)

① 취득하려는 면허에 상응하는 보건의료에 관한 학문을 전공하는 대학·산업대학 또는 전문대학을 졸업한 사람(6개월 이내에 졸업할 것으로 예정된 사람)

② 보건복지부장관이 인정하는 외국의 제1호에 해당하는 학교와 같은 수준 이상의 교육과정을 이수하고 외국의 해당 의료기사 등의 면허를 받은 사람

법규 2-1-5 의료기사 등의 면허자격요건을 설명할 수 있다. (A)

6. 의료기사 등의 결격사유(법 제5조) 2021 기출

① 정신질환자(다만, 전문의가 의료기사 등으로서 적합하다고 인정하는 사람의 경우에는 가능함)

② 마약류 중독자(의료법의 의료인 경우는 마약, 대마 향정신성의약품 중독자)

③ 피성년후견인, 피한정후견인

④ 이 법 혹은 해당 형법을 위반하여 금고 이상의 실형을 선고받고 그 집행이 끝나지 아니하거나 면제되지 아니한 사람

법규 2-1-6 의료기사 등의 결격사유를 열거할 수 있다. (A)

7. 의료기사 등의 국가시험 관련 사항(법 제6조, 영 제3, 4조, 규칙 제9조)

① 대통령령으로 정하는 바에 따라 해마다 1회 이상 보건복지부장관이 실시

② 보건복지부장관은 한국보건의료인국가시험원으로 하여금 국가시험을 관리하게 할 수 있음

③ 실기시험은 필기시험 합격자에 한하여 실시(보건복지부장관이 필요하다고 인정하면

필기시험과 실기시험을 병합하여 실시)

④ 필기시험은 각 과목 만점의 40% 이상, 전 과목 총점의 60% 이상 득점, 실기시험에서는 만점의 60퍼센트 이상 득점하여야 합격

⑤ 국가시험의 시행공고는 시험실시 90일 전까지(시험 장소는 시험실시 30일 전까지 공고)

⑥ 국가시험의 출제방법, 과목별 배점비율 등 필요한 사항은 보건복지부장관이 지정·고시하는 국가시험관리기관의 장이 정함

> **법규 2-1-7** 의료기사 등의 국가시험에 대하여 설명할 수 있다. (A)

8. 의료기사 등의 국가시험 응시자격 제한(법 제7조) 2019 기출 2020 기출

1) 결격사유 해당자

① 정신질환자(다만, 전문의가 의료기사 등으로서 적합하다고 인정하는 사람의 경우에는 가능함)

② 마약류 중독자

③ 피성년후견인, 피한정후견인

④ 금고 이상의 실형을 선고받고 그 집행이 끝나지 아니하거나 면제되지 아니한 사람

2) 시험의 정지 및 합격무효(규칙 제10조)

① 부정한 방법으로 국가시험에 응시한 사람 혹은 국가시험에 관하여 부정행위를 한 사람

② 국가시험 등 응시제한 기준

위반행위	응시제한 횟수
1. 시험 중에 대화·손동작 또는 소리 등으로 서로 의사소통을 하는 행위 2. 시험 중에 허용되지 않는 자료를 가지고 있거나 해당 자료를 이용하는 행위	1회
3. 시험 중에 다른 사람의 답안지 또는 문제지를 엿보고 본인의 답안지를 작성하는 행위 4. 시험 중에 다른 사람을 위해 시험 답안 등을 알려주거나 엿보게 하는 행위 5. 다른 사람의 도움을 받아 답안지를 작성하거나 다른 사람의 답안지 작성에 도움을 주는 행위 6. 본인이 작성한 답안지를 다른 사람과 교환하는 행위 7. 시험 중에 허용되지 아니한 전자장비·통신기기 또는 전자계산기기 등을 사용하여 시험답안을 전송하거나 작성하는 행위 8. 시험 중에 시험문제 내용과 관련된 물건(시험 관련 교재 및 요약자료를 포함한다)을 다른 사람과 주고 받는 행위	2회

9. 본인이 직접 대리시험을 치르거나 다른 사람으로 하여금 시험을 치르게 하는 행위 10. 사전에 시험문제 또는 답안을 타인에게 알려주거나 알고 시험을 치른 행위	3회

3) 보건복지부장관은 시험이 정지되거나 합격이 무효가 된 사람에 대하여 처분의 사유와 위반 정도 등을 고려하여 보건복지부령에 따라 그 다음에 치러지는 국가시험 응시를 3회의 범위에서 제한할 수 있음

법규 2-1-8 의료기사 등의 국가시험 응시자격 제한 등을 설명할 수 있다. (A)

9. 의료기사 등의 면허의 등록(법 제8조, 영 제7조, 규칙 제12조)

① 종류에 따르는 면허대장에 그 면허에 관한 사항을 등록하고 그 면허증을 발급함
② 면허의 등록과 면허증에 관하여 필요한 사항은 보건복지부령으로 정함
③ 면허증의 교부
- 국가시험합격자 → 국가시험관리기관 → 보건복지부장관에게 면허증 교부 신청 → 보건복지부장관 면허증 교부
- 면허증의 교부를 신청받은 날로부터 14일 이내 발급
- 외국의 해당 의료기사 등의 면허를 받은 자: 사실 조회가 끝난 날부터 14일 이내에 발급

법규 2-1-9 의료기사 등의 면허의 등록에 대해 설명할 수 있다. (A)

10. 의료기사 등의 면허의 취소(법 21조) 및 재발급 (영 제12조): 보건복지부장관
2020 기출 **2022 기출**

면허취소 내용	면허 재발급 불가 기간
• 정신질환자 • 마약류중독자 • 피성년후견인, 피한정후견인 • 금고 이상의 실형을 선고받고 그 집행이 끝나지 아니하거나 면제되지 아니한 사람	처분의 원인된 사유가 소멸되었을 때 1년 이내
• 다른 사람에게 면허를 대여한 경우	1년 이내

• 치과의사가 발행하는 치과기공물제작의뢰서에 따르지 아니하고 치과기공물제작 등 업무를 한 때	6개월 이내
• 면허자격정지 또는 면허효력정지 기간에 의료기사 등의 업무를 하거나 3회 이상 면허자격정지 또는 면허효력정지 처분을 받은 경우	1년 이내

법규 2-1-10 의료기사 등의 면허증 재발급에 대해 설명할 수 있다. (A)

11. 무면허자에 대한 업무금지(법 제9조)

① 의료기사 등이 아니면 의료기사 등의 업무를 하지 못함
  • 대학, 산업대학 또는 전문대학에서 취득하려는 면허에 상응하는 교육과정을 이수하기 위하여 실습 중에서 사람의 실습에 필요한 경우는 가능함
② 의료기사 등이 아니면 의료기사 등의 명칭 또는 이와 유사한 명칭을 사용하지 못함
③ 의료기사 등은 면허를 다른 사람에게 대여하여서는 아니 됨(면허취소 사유)
④ 누구든지 면허를 대여 받아서는 아니 되며, 면허 대여를 알선하여서도 아니 됨

법규 2-1-11 무면허자에 대한 업무금지 등을 설명할 수 있다. (A)

12. 의료기사 등의 비밀누설의 금지(법 제10조) `2019 기출`

① 의료기사 등은 이 법 또는 다른 법령에 특별히 규정된 경우를 제외하고는 업무상 알게 된 비밀을 누설하여서는 안 됨 → 친고죄
② 3년 이하의 징역 또는 3천만원 이하의 벌금

법규 2-1-12 의료기사 등의 비밀누설의 금지를 설명할 수 있다. (A)

13. 의료기사 등의 실태 등 신고사항(법 제11조, 영 제8조) `2019 기출` `2020 기출` `2022 기출`

① 의료기사 등은 대통령령으로 정하는 바에 따라 최초로 면허를 받은 후부터 3년마다 그 실태와 취업상황을 보건복지부장관에게 신고하여야 함(매 3년이 되는 해의 12월 31일까지)
② 보건복지부장관은 보수교육을 받지 아니한 의료기사 등에 대하여 위의 ①에 따른 신고를 반려할 수 있음

③ 면허가 취소된 후 면허증을 재발급받은 경우: 면허증을 재발급받은 날 신고

④ 의료기사 등의 실태와 취업상황을 신고하려는 사람은 의료기사 등의 실태 신고서(전자문서로 된 신고서를 포함)에 필요 서류를 첨부하여 중앙회의 장에게 제출, 중앙회의 장은 분기별로 보건복지부장관에게 보고

⑤ 신고업무를 전자적으로 처리할 수 있는 전자정보처리시스템 구축, 운영

cf 의료기사의 의무

① 무면허자의 업무금지   ③ 실태 등의 신고

② 비밀누설금지   ④ 보수교육

법규 2-1-13   의료기사 등의 실태 등 신고사항을 설명할 수 있다. (A)

14. 의료기사 등의 보수교육(법 제20조) 2021 기출 2022 기출

① 보건기관·의료기관·치과기공소·안경업소 등에서 각각 그 업무에 종사하는 의료기사 등(1년 이상 그 업무에 종사하지 아니하다 다시 업무에 종사하려는 의료기사 등을 포함)은 보건복지부령으로 정하는 바에 따라 보수교육을 받아야 함(매년)

② 교육시간: 연간 8시간 이상

③ 보수교육 관계서류는 3년간 보존

④ 보수교육실시기관의 장은 다음 연도 보수교육계획서를 매년 12월 31일까지, 보수교육 전년도 실적보고서는 매년 3월 31일까지 보건복지부장관에게 제출

⑤ 보수교육을 면제받는 사람은 제외: 보수교육이 면제되는 사람은 그 보수교육이 시작되기 전에 보수교육 면제 신청서에 면제 대상자임을 증명할 수 있는 서류를 첨부하여 보수교육을 하는 기관의 장에게 제출해야 함

• 보수교육 면제자

– 대학원 및 의학전문대학원·치의학전문대학원에서 해당 의료기사 등의 면허에 상응하는 보건의료에 관한 학문을 전공하고 있는 사람

– 군 복무 중인 사람(군에서 해당 업무에 종사하는 의료기사 등은 제외)

– 해당 연도에 의료기사 등의 신규 면허를 받은 사람

– 보건복지부장관이 해당 연도에 보수교육을 받을 필요가 없다고 인정하는 요건을 갖춘 사람

• 보수교육 유예자

– 해당 연도에 보건기관·의료기관·치과기공소 또는 안경업소 등에서 그 업무에

종사하지 않은 기간이 6개월 이상인 사람

– 보건복지부장관이 해당 연도에 보수교육을 받기가 어렵다고 인정하는 요건을 갖춘 사람

– 보건기관·의료기관·치과기공소 또는 안경업소 등에서 그 업무에 종사하지 않다가 다시 그 업무에 종사하려는 사람은 보수교육이 유예된 연도의 다음 연도에 해당 보수교육을 이수해야 한다.

a. 보수교육이 1년 유예된 경우: 12시간 이상

b. 보수교육이 2년 유예된 경우: 16시간 이상

c. 보수교육이 3년 이상 유예된 경우: 20시간 이상

법규 2-1-14   의료기사 등의 보수교육 관련 사항을 설명할 수 있다. (A)

15. 의료기사 등의 보수교육 위탁기관(영 제14조) `2022 기출`

보건복지부장관이 다른 기관에 위탁

1) 위탁기관

① 종류
- 의료기사 등의 면허에 관련된 학과가 개설된 전문대학 이상의 학교
- 해당 의료기사 등의 면허 종류에 따라 설립된 단체(협회) → 중앙회
- 해당 의료기사 등의 업무에 관련된 연구기관

② 보수교육 실시 기관의 장은 보수교육을 받은 사람에게 보수교육 이수증을 발급

③ 보수교육 업무를 위탁받으려는 기관은 보수교육의 대상, 교과과정, 실시방법 및 보수교육 이수 인정기준, 그 밖에 보수교육에 필요한 사항이 포함된 보수교육계획서를 보건복지부장관에게 제출해야 함

④ 보수교육 실시 기관의 장은 서류를 3년 동안 보관

2) 중앙회(법 제16조)

(1) 의료기사 등은 그 면허의 종류에 따라 "중앙회"를 설립하여야 한다.

(2) 법인

(3) 이 법에 규정되지 아니한 사항은 「민법」 중 사단법인에 관한 규정을 준용한다.

(4) 중앙회가 설치하는 지부와 분회

   ① 지부: 특별시·광역시·도 및 특별자치도

   ② 분회: 시·군·구(자치구)

(5) 그 외의 지부나 외국에 지부를 설치: 보건복지부장관의 승인

(6) 중앙회가 지부나 분회를 설치

   그 지부나 분회의 책임자 → 지체 없이 특별시장·광역시장·도지사·특별자치도지사 또는 시장·군수·구청장에게 신고

(7) 각 중앙회는 자격정지 처분 요구에 관한 사항을 심의·의결 → 윤리위원회를 둔다.

(8) 윤리위원회의 구성, 운영 등에 필요한 사항: 대통령령

법규 2-1-15 의료기사 등의 보수교육 위탁기관을 설명할 수 있다. (A)

16. 의료기사 등의 자격정지사항(법 제22조) `2019 기출` `2021 기출`

(1) 보건복지부장관은 각 호의 해당하는 의료기사 등을 6개월 이내 기간을 정해서 그 자격을 정지할 수 있음(의료인의 경우 1년)

   ① 의료기사 등의 품위손상행위의 범위(영 제13조)

     a. 의료기사 등의 업무범위를 벗어나는 행위

     b. 의사나 치과의사의 지도를 받지 아니하고 업무를 하는 행위(의무기록사와 안경사 제외)

     c. 학문적으로 인정되지 아니하거나 윤리적으로 허용되지 아니하는 방법으로 업무를 하는 행위

     d. 검사결과를 사실과 다르게 판시하는 행위

   ② 치과기공소 또는 안경업소의 개설자가 될 수 없는 자에게 고용되어 치과기공사 또는 안경사의 업무를 한 경우

   ③ 치과진료를 행하는 의료기관 또는 개설 등록한 치과기공소가 아닌 곳에서 치과기공사의 업무를 행한 때

   ④ 개설등록을 하지 아니하고 치과기공소를 개설, 운영한 때

   ⑤ 치과기공물제작의뢰서를 보존하지 아니한 때

⑥ 실제 기공물제작 등이 치과기공물제작의뢰서에 적합하지 아니한 때

⑦ 그 밖에 이 법 또는 이 법에 따른 명령을 위반하는 경우

(2) 품위손상행위의 범위에 관하여서는 대통령령으로 정함(영 제13조)

> **법규 2-1-16** 의료기사 등의 자격정지사항을 설명할 수 있다. (A)

17. 의료기사에 대한 보건복지부장관 또는 특별자치시장·특별자치도지사·시장·군수·구청장이 청문해야 하는 경우(법 제26조)

① 결격사유에 따른 면허의 취소

② 개설등록의 취소

> **법규 2-1-17** 청문에 관하여 설명할 수 있다. (A)

18. 권한의 위임 또는 위탁사항(법 제28조)

① 보건복지부장관의 권한은 그 일부를 대통령령으로 정하는 바에 따라 소속기관의 장, 특별시장, 광역시장, 특별 자치시장, 도지사, 특별자치도지사, 시장·군수·구청장 또는 보건소장에게 위임할 수 있음

② 보건복지부장관은 의료기사의 신고, 수리, 의료기사 등에 대한 교육 등 업무의 일부를 대통령령으로 정하는 바에 따라 관계 전문기관 또는 단체 등에 위탁할 수 있음 (영 제14조)

> **법규 2-1-18** 권한의 위임 또는 위탁사항을 설명할 수 있다. (B)

19. 3년 이하의 징역 또는 3천만원 이하의 벌금 사항(법 제30조) 2020 기출 2021 기출 2022 기출

① 의료기사 등의 면허없이 의료기사 등의 업무를 한 사람

② 타인에게 의료기사 등의 면허증을 빌려 준 사람

③ 업무상 알게 된 비밀을 누설한 사람(※ 고소가 있어야 공소 제기 – 친고죄)

④ 치과기공사의 면허없이 치과기공소를 개설한 자(개설 등록한 치과의사는 제외)

⑤ 치과의사가 발행한 치과기공물제작 의뢰서에 따르지 아니하고 치과기공물 제작 등 업무를 행한 자

⑥ 안경사의 면허없이 안경업소를 개설한 사람

cf 500만원 이하의 벌금(제31조)

① 의료기사 등의 면허없이 의료기사 등의 명칭 또는 이와 유사한 명칭을 사용한 자

② 2개소 이상의 치과기공소 혹은 안경업소를 개설한 자

③ 등록을 하지 않고 치과기공소 혹은 안경업소를 개설한 자

④ 안경 및 콘택트렌즈를 안경업소 외의 장소에서 판매한 안경사 혹은 안경 및 콘택트 렌즈를 전자상거래 및 통신판매의 방법, 판매자의 사이버몰 등으로부터 구매 또는 배송을 대행한 경우

⑤ 영리를 목적으로 특정 치과기공소·안경업소 또는 치과기공사·안경사에게 고객을 알선·소개 또는 유인한 자

법규 2-1-19 의료기사 등의 3년 이하의 징역 또는 3천만원 이하의 벌금 사항을 열거할 수 있다. (A)

20. 의료기사 양벌규정(법 제32조)

1) 법인의 대표자나 법인 또는 개인의 대리인, 사용인, 그 밖의 종업원이 그 법인 또는 개인의 업무에 관하여 제30조 또는 제31조의 위반행위를 하면 그 행위자를 벌하는 외에 그 법인 또는 개인에게도 해당 조문의 벌금형을 과함

2) 다만, 법인 또는 개인이 그 위반행위를 방지하기 위하여 해당업무에 관하여 상당한 주위와 감독을 게을리하지 아니한 경우는 예외로 함

cf 과태료(법 제33조)

1. 500만원 이하의 과태료: 보건복지부장관이 부과, 징수
   ① 시정명령을 이행하지 아니한 자

2. 100만원 이하의 과태료: 특별자치시장, 특별자치도지사, 시장·군수·구청장이 부과, 징수
   ① 실태와 취업상황을 허위로 신고한 사람

② 폐업 신고를 하지 아니하거나 등록사항의 변경 신고를 하지 아니한 사람

③ 보고를 하지 아니하거나 검사를 거부, 기피 또는 방해한 자

④ 과태료는 대통령령에 따라 특별자치시장, 특별자치도지사, 시장·군수·구청장이 부과, 징수

> **법규 2-1-21** 　양벌규정을 설명할 수 있다. (A)

제3장 | 지역보건법

1. 지역보건법의 목적(법 제1조)

① 보건소 등 지역보건의료기관의 설치·운영에 관한 사항

② 보건의료 관련기관·단체와의 연계·협력을 통하여 지역보건의료기관의 기능을 효과적으로 수행하는 데 필요한 사항을 규정

③ 지역보건의료정책을 효율적으로 추진

④ 지역주민의 건강 증진에 이바지

> **법규 3-1-1** 　지역보건법의 목적을 설명할 수 있다. (A)

2. 지역보건의료기관(법 제2조)

① 지역보건의료기관: 지역주민의 건강을 증진하고 질병을 예방·관리하기 위한 기관

② 종류: 보건소, 보건의료원, 보건지소 및 건강생활지원센터

> **법규 3-1-2** 　지역보건의료기관을 나열할 수 있다. (A)

3. 국가와 지방자치단체의 책무(법 제3조)

① 지역보건의료에 관한 조사·연구, 정보의 수집·관리·활용·보호, 인력의 양성·확보 및 고용 안정과 자질향상 등을 위하여 노력

② 지역보건의료 업무의 효율적 추진을 위하여 기술적, 재정적 지원

③ 지역주민의 건강 상태에 격차가 발생하지 아니하도록 필요한 방안을 마련

> **법규 3-1-3** 국가와 지방자치단체의 의무를 설명할 수 있다. (A)

4. 지역사회 건강실태조사(법 제4조) `2022 기출`

1) 목적: 국가와 지방자치단체는 지역주민의 건강상태 및 건강문제의 원인 등을 파악하기 위하여 매년 지역사회 건강실태조사를 실시하여야 함

2) 지역사회 건강실태조사의 방법 및 내용

(1) 보건복지부장관은 지역사회 건강실태조사를 매년 지방자치단체의 장에게 협조를 요청하여 실시해야 함

(2) 협조요청을 받은 지방자치단체의 장은 매년 보건소를 통하여 지역주민을 대상으로 지역사회 건강실태조사를 실시해야 함(→ 결과를 질병관리청장에게 통보)

(3) 표본조사를 원칙으로 하되, 필요한 경우 전수조사를 할 수 있음

(4) 지역사회 건강실태조사의 내용
① 흡연, 음주 등 건강 관련 생활습관에 관한 사항
② 건강검진 및 예방접종 등 질병예방에 관한 사항
③ 질병 및 보건의료서비스 이용 실태에 관한 사항
④ 사고 및 중독에 관한 사항
⑤ 활동의 제한 및 삶의 질에 관한 사항
⑥ 그 밖에 지역사회 건강실태조사에 포함되어야 한다고 보건복지부장관이 정하는 사항

> **법규 3-1-4** 지역사회 건강실태조사를 설명할 수 있다. (A)

5. 지역보건의료계획의 수립(법 제7조) `2019 기출` `2020 기출` `2021 기출`

• 지역보건의료계획 및 그 연차별 시행계획의 제출 시기: 시·도지사(2월말) 또는 시장·군수·구청장(1월 31일까지)

(1) 지역보건의료계획 수립: 4년마다

① 연차별 시행 계획: 매년 수립

② 주요내용: 2주 이상 지역주민에게 공고하여 의견수렴

(2) 지역보건의료계획의 내용(공통)

① 보건의료 수요의 측정

② 지역보건의료서비스에 관한 장기·단기 공급대책

③ 인력·조직·재정 등 보건의료자원의 조달 및 관리

④ 지역보건의료서비스의 제공을 위한 전달체계 구성 방안

⑤ 지역보건의료에 관련된 통계의 수립 및 정리

(3) 절차: 상향식으로 위로 올라감

① 시장·군수·구청장 → 시·군·구위원회의 심의 → 지역보건의료계획 수립 → 시·군·구의회에 보고 → 시·도지사에게 제출

② 시·군·구의 지역보건의료계획을 받은 시·도지사 → 시·도위원회의 심의 → 지역보건의료계획을 수립 → 시·도의회에 보고 → 보건복지부장관에게 제출

(4) 지역보건의료계획은 사회보장기본계획, 지역사회보장계획 및 국민건강증진종합계획과 연계

(5) 보건의료 관련기관·단체, 학교, 직장 등에 중복·유사 사업의 조정 등에 관한 의견을 듣거나 자료의 제공 및 협력을 요청

(6) 조정권고

① 보건복지부장관 → 특별자치시장·특별자치도지사 또는 시·도지사

② 시·도지사 → 시장·군수·구청장

(7) 지역보건의료계획의 세부내용, 수립방법·시기 등: 대통령령

법규 3-1-5 지역보건의료계획의 수립 등에 대해 설명할 수 있다. (A)

6. 지역보건의료계획의 세부내용(영 제4조) 2022 기출

(1) 시장·군수·구청장의 지역보건의료계획의 내용

① 지역보건의료계획의 달성 목표

② 지역현황과 전망

③ 지역보건의료기관과 보건의료 관련기관, 단체 간의 기능 분담 및 발전방향

④ 보건소의 기능 및 업무의 추진계획과 추진현황

⑤ 지역보건의료기관의 인력, 시설 등 자원확충 및 정비계획

⑥ 취약계층의 건강관리 및 지역주민의 건강 상태 격차 해소를 위한 추진계획

⑦ 지역보건의료와 사회복지사업 간의 연계성 확보 계획

⑧ 시장·군수·구청장이 지역보건의료계획을 수립함에 있어서 필요하다고 인정하는 사항

(2) 시장·도지사의 지역보건의료계획의 내용

- 시·군·구 지역보건의료계획과 더불어

① 정신질환 등의 치료를 위한 전문치료시설의 수급에 관한 사항

② 시·도, 시·군·구의 지역보건의료기관의 설치·운영의 지원에 관한 사항

③ 시·군·구의 지역보건의료기관 인력의 교육 훈련에 관한 사항

④ 지역보건의료기관과 보건의료 관련기관, 단체 간의 협업, 연계

⑤ 시장·도지사가 지역보건의료계획을 수립함에 있어서 필요하다고 인정하는 사항

법규 3-2-1	지역보건의료계획의 세부내용을 열거할 수 있다. (A)

7. 지역보건의료계획의 수립방법(영 제5조)

① 시·도지사 또는 특별자치시장·특별자치도지사·시장·군수·구청장은 지역보건의료계획을 수립하기 전에 지역 내 보건의료실태와 지역주민의 보건의료의식·행동양상 등에 대하여 조사하고 자료를 수집하여야 함

② 시·도지사 또는 특별자치시장·특별자치도지사·시장·군수·구청장은 지역 내 보건의료실태 조사 결과에 따라 해당 지역에 필요한 사업계획을 포함하여 지역보건의료계획을 수립하되 국가 또는 특별시·광역시·도의 보건의료시책에 맞춰 수립해야 함

③ 시·도지사 또는 특별자치시장·특별자치도지사·시장·군수·구청장은 지역보건의료계획을 수립하는 경우에 그 주요 내용을 특별시·광역시·도 또는 시·군·구의 홈페이지 등에 2주 이상 공고하여 지역주민의 의견을 수렴해야 함

법규 3-2-2	지역보건의료계획의 수립방법을 설명할 수 있다. (A)

8. 지역보건의료계획의 시행(지법 제8조)

① 시·도지사 또는 시장·군수·구청장은 지역보건의료계획을 시행할 때에는 수립된 연차별 시행계획에 따라 시행하여야 함

② 시·도지사 또는 시장·군수·구청장은 지역보건의료계획을 시행하는 데에 필요하다고 인정하는 경우에는 보건의료 관련기관·단체 등에 인력·기술 및 재정지원을 할 수 있음

법규 3-2-3 ㅤ지역보건의료계획의 시행을 설명할 수 있다. (A)

9. 지역보건의료계획의 시행결과 평가(법 제9조, 시행령 제7조)

(1) 시장·군수·구청장은 평가를 위하여 해당 시·군·구 지역보건의료계획의 연차별 시행계획에 따른 시행 결과를 매 시행연도 다음 해 1월 31일까지 시·도지사에게 제출해야 함

(2) 시·도지사(특별자치시장·특별자치도지사 포함)는 평가를 위하여 해당 시·도 지역보건의료계획의 연차별 시행계획에 따른 시행결과를 매 시행연도 다음 해 2월 말일까지 보건복지부장관에게 제출해야 함

(3) 평가 기준

① 지역보건의료계획 내용의 충실성

② 지역보건의료계획 시행결과의 목표달성도

③ 보건의료자원의 협력 정도

④ 지역주민의 참여도와 만족도

⑤ 그 밖에 지역보건의료계획의 연차별 시행계획에 따른 시행결과를 평가하기 위하여 보건복지부장관이 필요하다고 정하는 기준

(4) 보건복지부장관 또는 시·도지사는 지역보건의료계획의 연차별 시행계획에 따른 시행결과를 평가한 경우에는 그 평가결과를 공표할 수 있음

법규 3-2-4 ㅤ지역보건의료계획의 시행결과 평가를 설명할 수 있다. (A)

10. 보건소의 설치(법 제10조) [2020 기출] [2022 기출]

(1) 기준: 대통령령(영 제8조)

① 시(구가 설치되지 아니한 시)·군·구별로 1개소

② 보건소를 추가로 설치·운영

- 지역주민의 보건의료를 위하여 특히 필요하다고 인정하는 경우
- 보건소 추가 설치: 행정안전부장관은 보건복지부장관과 미리 협의

(2) 보건소의 설치: 당해 지방자치단체의 조례

① 지역주민의 건강을 증진하고 질병을 예방·관리

② 시·군·구에 설치

③ 동일한 시·군·구에 2개 이상의 보건소가 설치되어 있는 경우: 업무를 총괄하는 보건소를 지정하여 운영

(3) 보건지소의 설치(법 제13조): 당해 지방자치단체의 조례

① 읍·면마다 1개씩 설치

② 지역주민의 보건의료를 위하여 특별히 필요하다고 인정되는 경우

(4) 건강생활지원센터의 설치(법 제14조): 당해 지방자치단체의 조례

① 지역주민의 만성질환 예방 및 건강한 생활습관 형성 지원

② 읍·면·동마다 1개씩 설치

법규 3-3-1	보건소의 설치를 설명할 수 있다. (A)

11. 보건소의 기능 및 업무(법 제11조) [2020 기출]

1) 건강 친화적인 지역사회 여건의 조성

2) 지역보건의료정책의 기획, 조사·연구 및 평가

3) 보건의료인 및 보건의료기관 등에 대한 지도·관리·육성과 국민보건 향상을 위한 지도·관리

4) 보건의료 관련기관·단체, 학교, 직장 등과의 협력체계 구축

5) 지역주민의 건강증진 및 질병예방·관리를 위한 다음 각 목의 지역보건의료서비스의 제공

① 국민건강증진·구강건강·영양관리사업 및 보건교육

② 감염병의 예방 및 관리

③ 모성과 유아의 건강유지·증진

④ 여성·노인·장애인 등 보건의료 취약계층의 건강유지· 증진

⑤ 정신건강증진 및 생명존중에 관한 사항

⑥ 지역주민에 대한 진료, 건강검진 및 만성질환 등의 질병관리에 관한 사항

⑦ 가정 및 사회복지시설 등을 방문하여 행하는 보건의료 및 건강관리사업

⑧ 난임의 예방 및 관리

법규 3-3-2	보건소의 기능 및 업무를 열거할 수 있다. (A)

12. 보건소장과 보건지소장의 자격기준 및 임무 `2020 기출` `2021 기출`

(1) 보건소장(보건의료원의 경우 원장)(영 제13조)

① 보건의료원: 병원의 요건을 갖춘 보건소

② 임용: 시장·군수·구청장

③ 보건소장 자격

• 의사의 면허를 가진 자

• 의사의 면허를 가진 자로서 보건소장을 충원하기 곤란한 경우: 보건 등 직렬의 공무원(임용조건: 당해 보건소에서 실제로 보건 등과 관련된 업무의 직렬의 공무원, 보건소장에 임용되기 이전 최근 5년 이상 보건 등의 업무와 관련하여 근무한 경험이 있는 자)

④ 임무

• 시장·군수·구청장의 지휘·감독을 받아 보건소의 업무를 관장

• 소속 공무원을 지휘·감독

• 관할 보건지소, 건강생활지원센터 및 보건진료소의 직원 및 업무에 대하여 지도·감독

(2) 보건지소장(영 제14조): 보건소의 업무 수행을 위하여 필요하다고 인정하는 때에 설치(해당 지방자치단체의 조례)

① 보건지소에 보건지소장 1인

② 보건지소장 자격: 지방 의무직 또는 임기제공무원

③ 임무

• 보건소장의 지휘·감독을 받아 보건지소의 업무를 관장

• 소속직원을 지휘·감독

- 보건진료소의 직원 및 업무에 대하여 지도·감독

(3) 건강생활지원센터장

① 1인

② 자격: 보건 등 직렬의 공무원 또는 보건의료인

③ 임무

- 보건소장의 지휘·감독을 받아 건강생활지원센터의 업무를 관장
- 소속 직원을 지휘·감독

법규 3-3-6   보건소장, 보건지소장, 건강생활지원센터장의 자격기준 및 임무를 설명할 수 있다. (A)

13. 전문인력의 임용자격기준(영 제17조)

① 지역보건의료기관의 기능을 수행하는 데 필요한 면허자격 또는 전문지식이 있는 사람

② 해당 분야의 업무에서 2년 이상 종사한 사람: 우선적으로 임용

법규 3-3-7   전문인력의 임용자격기준을 설명할 수 있다. (B)

14. 전문인력의 배치 및 운영실태조사(영 제20조) 2019 기출 2020 기출 2021 기출 2022 기출

1) 전문인력 등의 배치 기준(영 제16조)

(1) **종류**: 의무·치무·약무·보건·간호·의료기술·식품위생·영양·보건통계·전산

(2) **전문인력 등의 최소 배치기준(면허 또는 자격의 종별)**: 보건복지부령

① 전문인력 등의 최소배치기준에 따른 전문인력 등의 정원의 확보를 위해 당해 시·군·구의 직제 및 정원에 관한 규칙에 반영

② 전문인력 등을 그 소지한 면허 또는 자격과 관련되는 직위에 보직

2) 전문인력 등의 적정 배치(법 제16조)

① 지역보건의료기관에 기관의 장과 전문인력을 두어야 한다.

② 지역보건의료기관 간에 전문인력의 교류: 시·도지사

③ 지역보건의료기관의 전문인력의 자질 향상을 위하여 필요한 교육훈련을 시행: 보건복지부장관과 시·도지사

④ 전문인력의 배치 및 운영 실태를 조사: 보건복지부장관

⑤ 배치 및 운영이 부적절하다고 판단될 때 → 시·도지사 또는 시장·군수·구청장에게 권고

⑥ 전문인력의 배치 및 임용자격 기준과 교육훈련의 대상, 기간, 평가 및 그 결과 처리 등에 필요한 사항: 대통령령

3) 전문인력에 대한 교육훈련(영 제18조, 규칙 제5조): 보건복지부장관 또는 시·도지사

(1) **교육훈련 종류**: 기본교육훈련과 직무분야별 전문교육훈련

(2) **교육훈련기관(위탁)**: ① 질병관리청장, ② 다른 행정기관 소속의 교육훈련기관, ③ 민간교육기관

(3) **교육훈련 대상**: ① 신규로 임용된 경우, ② 5급 이상 공무원으로 승진 임용된 경우, ③ 보건복지부장관이 인정하는 교육훈련기관에서 정해진 과정을 마친 사람

4) 전문 교육훈련의 대상 및 기간(영 제19조)

교육훈련 명	교육훈련 대상	교육훈련 기간
기본교육훈련	신규로 임용되는 전문인력	3주 이상
직무 분야별 전문교육훈련	재직 중인 전문인력	1주 이상

5) 전문인력 배치 및 운영 실태 조사(영 제20조): 보건복지부장관

① 전문인력 등의 배치 및 운영 실태조사: 2년마다

② 필요한 경우: 수시로 조사(시·도 또는 시·군·구)

③ 전문인력의 적절한 배치 및 운영이 필요하다고 판단하는 경우

• 보건복지부장관 → 시·도지사에게 전문인력 등의 교류 권고

6) 전문인력의 교류권고(규칙 제6조): 보건복지부장관이 시·도지사(특별자치시장·특별자치도지사를 포함)에게 전문인력 교류를 권고할 수 있는 경우

① 전문인력의 균형 있는 배치를 위하여 교류하는 경우

② 보건소 간의 협조를 위하여 인접 보건소 간에 교류하는 경우

③ 전문인력의 연고지 배치를 위하여 필요한 경우

| 법규 3-3-8 | 전문인력 등의 배치 및 운영실태조사를 설명할 수 있다. (A) |

15. 지역보건의료서비스의 실시(법 제19조~제21조)

(1) 지역보건의료서비스의 신청(보건복지부령으로 정함)

① 지역보건의료서비스 중 보건복지부령으로 정하는 서비스를 필요로 하는 사람과 그 친족, 그 밖의 관계인은 관할 시장·군수·구청장에게 지역보건의료서비스의 제공을 신청할 수 있음

② 시장·군수·구청장이 서비스 제공신청을 받는 경우 조사하려 하거나 제출받으려는 자료 또는 정보에 관하여 서비스 대상자와 그 서비스 대상자의 1촌 직계 혈족 및 그 배우자에게 해당 자료 또는 정보의 수집에 동의를 받아야 함

•법적 근거, 이용목적 및 범위

•이용 방법

•보유기간 및 파기 방법

③ 서비스 제공의 신청인은 서비스 제공 신청을 철회하는 경우 시장·군수·구청장에게 조사하거나 제출한 자료 또는 정보의 반환 또는 삭제를 요청할 수 있음(이 경우 특별한 사유가 없는 한 그 요청에 따라야 함)

(2) 지역보건의료서비스의 조사

① 시장·군수·구청장은 서비스 제공 신청을 받으면 서비스 대상자와 부양의무자의 소득·재산 등에 관하여 조사하여야 함

② 시장·군수·구청장은 조사에 필요한 자료를 확보하기 위하여 서비스 대상자 또는 그 부양의무자에게 필요한 자료 또는 정보의 제출을 요구할 수 있음

③ 조사의 실시는 사회복지법을 따름

(3) 지역보건의료서비스의 결정 및 실시

① 시장·군수·구청장은 조사를 하였을 때에는 예산상황 등을 고려하여 서비스 제공의 실시여부를 결정한 후 이를 서면이나 전자문서로 신청인에게 통보하여야 함

② 시장·군수·구청장은 서비스 대상자에게 서비스 제공을 하기로 결정하였을 때에는 서비스 제공기간 등을 계획하여 그 계획에 따라 지역보건의료서비스를 제공하여야 함

법규 3-4-1   지역보건의료서비스의 실시를 설명할 수 있다. (A)

16. 건강검진 등의 신고(법 제23조, 규칙 제9조) `2021 기출` `2022 기출`

- 관할 보건소장에게 신고(건강검진 등 실시 10일 전까지)

① 지역주민 다수를 대상으로 건강검진 또는 순회진료 등을 하려는 경우

② 의료기관이 의료기관 외의 장소에서 지역주민 다수를 대상으로 건강검진 등을 하고자 하는 경우

법규 3-4-2	건강진단 등의 신고를 설명할 수 있다. (A)

17. 비용의 보조(법 제24조) `2019 기출`

(1) 국가와 시·도는 지역보건의료기관 설치와 운영 및 지역보건의료계획의 시행에 필요한 비용의 일부를 보조

(2) 국고보조금 지급

① 설치비와 부대비: 3분의 2 이내

② 운영비 및 지역보건의료계획의 시행 비용: 2분의 1 이내

- 지역보건의료기관: 수수료 또는 진료비를 징수

법규 3-4-3	비용의 보조에 대해 설명할 수 있다. (B)

18. 개인정보의 누설금지(법 제28조)

1) 개요: 지역보건의료기관(보건진료소 포함)의 기능수행과 관련한 업무에 종사하였거나 종사하고 있는 사람 또는 지역보건의료정보시스템 구축·운영하였거나 하고 있는 자는 업무상 알게 된 사항을 업무 외의 목적으로 사용하거나 다른 사람에게 제공 또는 누설할 수 없음

2) 누설금지 정보 내용

① 보건의료인이 진료과정(건강검진 포함)에서 알게 된 개인 및 가족의 진료정보

② 조사하거나 제출받은 정보

- 금융정보
- 신용정보 또는 보험정보
- 개인정보

| 법규 3-4-5 | 개인정보의 누설금지를 설명할 수 있다. (A) |

19. 의료법에 대한 특례(법 제31조)

① 보건의료원: 병원 또는 치과의원, 한의원

② 보건소 및 보건지소 및 건강생활지원센터: 의원, 치과의원 또는 한의원

| 법규 3-4-6 | 의료법에 대한 특례를 설명할 수 있다. (B) |

제4장 | 구강보건법

1. 구강보건법의 목적과 정의(법 제1, 2조) 2022 기출

(1) 구강보건법의 목적

① 국민의 구강보건에 관하여 필요한 사항 규정

② 구강보건사업을 효율적으로 추진

③ 국민의 구강질환을 예방

④ 국민의 구강건강증진

(2) 구강보건법의 정의

① 구강보건사업
  - 구강질환의 예방과 진단, 구강건강에 관한 교육 및 관리
  - 국민의 구강건강 유지, 증진시키는 사업

② 수돗물불소농도조정사업
  - 치아우식증(충치)의 발생을 예방
  - 상수도 정수장 또는 수돗물 저장소에서 불소화합물 첨가시설을 이용
  - 수돗물의 불소농도를 적정수준으로 유지·조정하는 사업
  - 이와 관련되는 사업

③ 구강관리용품
  - 구강질환예방, 구강건강의 증진 및 유지 등의 목적으로 제조된 용품
  - 보건복지부장관이 정한 것

| 법규 4-1-1 | 구강보건법의 목적을 설명할 수 있다. (A) |

2. 국가 및 지방자치단체의 책무(법 제3조) 2019 기출 2020 기출

① 국민의 구강건강증진을 위하여 필요한 계획을 수립 및 시행

② 구강보건사업과 관련된 자료의 조사, 연구, 인력양성 등 그 사업시행에 필요한 기술적, 재정적 지원

> **법규 4-1-2**　국가 및 지방자치단체의 책무를 설명할 수 있다. (A)

3. 구강보건사업계획의 수립 및 통보(법 제5조) 2020 기출 2021 기출

(1) 구강보건계획의 수립: 5년마다 구강보건사업에 대한 **기본계획**을 수립

① 보건복지부장관은 구강보건사업 기본계획을 수립하고, 특별시장, 광역시장, 특별자치시장, 도지사, 특별자치도지사(시·도지사) 및 시장·군수·구청장(자치구의 구청장을 말함)은 구강보건사업 기본계획에 따라 매년 각각 세부계획과 시행계획을 수립해야 함 → 이 경우 학교 구강보건사업에 관하여서는 해당 교육감 또는 교육장과 미리 협의해야 함

② 계획의 수립·시행 등에 관하여 필요한 사항: 보건복지부령(규칙2조)

(2) 구강보건계획의 통보(규칙 제2조)

① 보건복지부장관은 구강보건법(법)의 규정에 의하여 구강보건사업 기본계획을 수립한 경우에는 당해 계획이 실시되는 연도의 전년도 9월 30일까지 특별시장, 광역시장, 특별자치시장, 특별자치도지사, 도지사(시·도지사)에게 통보해야 함

② 시·도지사는 구강보건사업 기본계획에 따라 당해 특별시, 광역시·도(시·도)의 구강보건사업 세부계획을 수립한 후 이를 당해 계획이 실시되는 연도의 전년도 10월 31일까지 시장·군수·구청장(자치구의 구청장)에게 통보해야 함

③ 시장·군수·구청장은 구강보건사업 세부계획에 따라 당해 시·군·구의 구강보건사업 시행계획을 수립한 후 이를 당해 계획이 실시되는 연도의 전년도 11월 30일까지 관할 시·도지사에게 통보해야 함

④ 시·도지사는 구강보건사업세부계획을 통보받은 시·군·구의 구강보건사업 시행계획과 함께 당해 계획이 실시되는 연도의 전년도 12월 31일까지 보건복지부장관에게 통보해야 함

> **법규 4-2-1**　구강사업계획의 수립을 설명할 수 있다. (A)

4. 구강보건사업 기본계획의 내용(법 제5조) 2021 기출

① 구강보건에 관한 조사, 연구 및 교육사업

② 수돗물불소농도조정사업

③ 학교구강보건사업

④ 사업장 구강보건사업

⑤ 노인, 장애인 구강보건사업

⑥ 임산부 및 영유아 구강보건사업

⑦ 구강보건 관련 인력의 역량강화에 관한 사업

⑧ 그 밖에 대통령령으로 하는 사업(영 제2조)

- 구강보건관련 인력의 양성 및 수급에 관한 사업
- 구강보건에 관한 홍보 사업
- 구강보건사업에 관한 평가 사업
- 기타 구강보건에 관한 국제협력 등 보건복지부장관이 필요하다고 인정하는 사업

법규 4-2-2 구강보건사업 기본계획의 내용을 열거할 수 있다. (A)

5. 구강보건사업 세부계획 및 시행계획의 수립, 시행(법 제6조)

① 특별시장·광역시장·특별자치시장·도지사·특별자치도지사(이하 "시·도지사"라 한다)는 매년 기본계획에 따라 구강보건사업에 관한 **세부계획**(이하 "세부계획"이라 한다)을 수립·시행하여야 함

② 시장·군수·구청장(자치구의 구청장을 말한다. 이하 같다)은 매년 기본계획 및 세부계획에 따라 구강보건사업에 관한 **시행계획**(이하 "시행계획"이라 한다)을 수립·시행하여야 함

③ 세부계획 및 시행계획을 수립·시행하는 경우 제5조 제2항 제3호에 따른 학교 구강보건사업에 관하여는 해당 교육감 또는 교육장과 미리 협의하여야 함

④ 세부계획과 시행계획의 수립·시행에 필요한 사항은 보건복지부령으로 정함

법규 4-2-3 구강보건사업 세부계획 및 시행계획의 수립, 시행을 설명할 수 있다. (A)

6. 구강보건사업의 시행(법 제7조)

① 보건사업을 시행: 보건복지부장관, 시·도지사, 시장·군수·구청장은 구강보건사업을 시행해야 함

② 특별자치시, 특별자치도 또는 시·군·구(자치구)의 보건소(보건의료원 포함): 치과의사나 치과위생사를 둘 수 있음

③ 보건복지부장관, 시·도지사, 시장·군수·구청장은 구강보건사업의 시행을 위하여 필요하면 관계기관 또는 단체에 인력, 기술 및 재정지원을 하거나 협조를 요청할 수 있음

법규 4-2-4 구강보건사업의 시행을 설명할 수 있다. (A)

7. 구강건강실태조사(영 제4조) 2019 기출 2021 기출 2022 기출

(1) 시기와 방법

① 구강건강상태조사 및 구강건강의식조사로 구분하여 실시, 3년마다 정기적으로 실시
→ 보건복지부장관이 실시
→ 관계 기관·법인 또는 단체의 장에게 필요한 자료의 제출 또는 의견의 진술을 요청할 수 있다.

② 구강건강상태조사 및 구강건강의식조사: 표본조사로 실시
• 구강건강상태조사: 직접 구강검사실시
• 구강건강의식조사: 면접설문조사실시

③ 구강건강실태조사에 관하여 이 영에 규정된 것 외에 필요한 사항은 질병관리청장이 따로 정함

(2) 구강건강상태조사 내용

① 치아건강상태
② 치주조직건강상태
③ 틀니보철상태
④ 그 밖에 치아반점도 등 구강건강상태에 관한 사항

(3) 구강건강의식조사 내용

① 구강보건에 대한 지식
② 구강보건에 대한 태도

③ 구강보건에 대한 행동

④ 그 밖에 구강보건의식에 관한 사항

> **법규 4-2-6** 구강건강실태조사에 대하여 설명할 수 있다. (A)

8. 수돗물 불소농도조정사업의 관리(법 제11조)

① 수돗물불소농도조정사업을 시행하는 시·도지사, 시장·군수·구청장 및 한국수자원
공사 사장은 아래의 사항을 관장함

- 불소화합물 첨가시설의 설치 및 운영
- 불소농도 유지를 위한 지도·감독
- 불소화합물 첨가 인력의 안전관리
- 불소제제의 보관 및 관리에 관한 지도·감독

② 사업관리자는 수돗물불소농도조정사업과 관련된 업무 중 보건복지부령으로 정하는
업무를 사업소의 장 또는 보건소장으로 하여금 수행하게 할 수 있음

> **법규 4-3-1** 수돗물 불소농도조정사업의 관리를 설명할 수 있다. (A)

9. 수돗물불소농도조정사업의 계획 및 시행(법 제10조) 2019 기출

(1) 수돗물불소농도조정사업을 시행하려는 시·도지사, 시장·군수·구청장 또는 한국수자
원공사 사장이 수립해야 하는 사업계획 항목

① 정수시설 및 급수 인구 현황

② 사업 담당 인력 및 예산

③ 사용하려는 불소제제 및 불소 화합물 첨가시설(규칙 제4조)

④ 유지하려는 수돗물불소농도(규칙 제4조)

⑤ 그 밖에 보건복지부령으로 정하는 사항(규칙 제5조)

- 수돗물불소농도조정사업 대상 국민의 안전관리에 관한 사항
- 수돗물불소농도조정사업의 발전방안에 관한 사항
- 수돗물불소농도조정사업계획의 평가에 관한 사항
- 기타 보건복지부장관이 수돗물불소농도조정사업계획의 수립 및 시행에 필요하다
고 인정하는 사항

(2) 시·도지사, 시장·군수·구청장 또는 한국수자원공사 사장은 공청회나 여론조사 등을 통하여 관계 지역주민의 의견을 적극 수렴하고 그 결과에 따라 수돗물불소농도조정사업을 시행 또는 중단할 수 있음

> **법규 4-3-2** 수돗물불소농도조정사업의 계획 및 시행을 설명할 수 있다. (A)

10. 수돗물 불소농도조정사업계획 내용의 공고사항(영 제5조) `2019 기출`

(1) 개요

- 수돗물불소농도조정사업을 시행 또는 중단하려는 시·도지사, 시장·군수·구청장 또는 한국수자원공사사장은 수돗물불소농도조정사업계획에 관한 다음 각 호의 사항을 해당 지역주민에게 3주 이상 공보와 해당 지역을 주된 보급지역으로 하는 일간신문에 공고하여야 하고, 그 밖에 필요한 경우에는 인터넷 홈페이지, 방송 등 효과적인 방법으로 공고할 수 있음

(2) 공고 사항

① 수돗물불소농도조정사업의 시행 목적 또는 중단 사유
② 수돗물불소농도조정사업의 필요성
③ 수돗물불소농도조정사업의 시행 대상정수장 및 사업대상지역
④ 수돗물불소농도조정사업의 중단 대상정수장 및 사업대상지역
⑤ 그 밖에 주민들의 의견수렴에 필요하다고 인정되는 사항

> **법규 4-3-3** 수돗물 불소농도조정사업계획 내용의 공고사항을 설명할 수 있다. (A)

11. 불소제제(규칙 제4조)

① 불소제제 및 불화물 첨가시설: 불소제제의 표준규격 및 기준 등은 보건복지부장관이 정함
- 불소제제: 불화나트륨, 불화규산 및 불화규소나트륨
- 불화물 첨가시설: 정량불화물 첨가기
② 시·도지사, 시장·군수·구청장 또는 한국수자원공사 사장이 유지하고자 하는 수돗물 불소농도는 0.8 ppm (허용범위: 최대 1.0 ppm, 최소 0.6 ppm)

> **법규 4-3-4** 수돗물 불소농도조정사업시 사용할 수 있는 불소제제 등을 설명할 수 있다. (B)

12. 수돗물불소농도조정사업의 관리사항(법 제11조)

① 수돗물불소농도조정사업을 시행하는 시·도지사, 시장·군수·구청장 또는 한국수자원공사 사장(사업관리자)이 관장하는 사항
  • 불소화합물 첨가시설의 설치 및 운영
  • 불소농도 유지를 위한 지도, 감독
  • 불소화합물 첨가 인력의 안전관리
  • 불소제제의 보관 및 관리에 관한 지도·감독

② 사업 관리자는 수돗물불소농도조정사업과 관련된 업무 중 보건복지부령으로 정하는 업무를 일반 수도사업을 하는 사업소의 장 또는 보건소장으로 하여금 수행하게 할 수 있음(규칙 제7~9조)

③ 상수도 사업소장의 업무(규칙 제7조)
  • 불화물 첨가
  • 불소농도 유지
  • 불소농도 측정 및 기록
  • 불화물 첨가시설의 운영 및 유지관리
  • 불화물 첨가 담당자의 안전관리
  • 불소제제의 보관 및 관리
  • 기타 보건복지부장관이 불화물 첨가의 적정화와 안정성 확보를 위하여 필요하다고 인정하는 사항

> **법규 4-3-5** 수돗물불소농도조정사업의 관리사항을 열거할 수 있다. (A)

13. 수돗물불소농도조정사업과 관련된 보건소장의 업무(규칙 제9조) 2020 기출

① 사업관리자가 수돗물불소농도조정사업과 관련된 업무 중 보건소장으로 하여금 행하게 할 수 있는 업무
  • 불소농도 측정 및 기록: 주 1회 이상 측정
  • 불화물 첨가시설의 점검
  • 수돗물불소농도조정사업에 대한 교육 및 홍보

② 보건소장은 주 1회 이상 수도꼭지에서 불소농도를 측정하고 그 결과를 불소농도측정기록부에 기록하여야 하며, 측정 불소농도가 허용범위를 벗어난 경우에는 그 사실을 상수도사업소장에게 통보해야 함

③ 보건소장은 연 2회 이상 현장을 방문해 불화물 첨가시설을 점검한 후 그 점검결과를 불화물 첨가시설 점검기록부에 기록해야 함

④ 보건소장은 불소농도 측정결과와 불화물 첨가시설 점검결과를 측정 및 점검한 날이 속하는 달의 다음 달 10일까지 시장·군수·구청장에게 보고하여야 하며, 시장·군수·구청장은 통보받은 날로 부터 5일 이내에 시·도지사를 거쳐 보건복지부장관에게 통보해야 함

법규 4-3-7 수돗물 불소농도조정사업과 관련한 보건소장, 상수도 사업소장의 업무를 설명할 수 있다. (A)

14. 불화물첨가의 중지사항(규칙 제8조)

① 사업관리자와 상수도사업소장이 불화물첨가를 중지해야 하는 경우

- 불화물 첨가기의 고장 또는 기타 사유로 불소농도가 허용범위를 벗어난 때
- 급수를 중단한 때
- 기타 불화물 첨가의 적정화와 안정성 확보를 위하여 필요하다고 인정하는 때

② 상수도사업소장은 불화물 첨가를 중지하는 경우에는 해당 사업관리자에게 중지사유 및 중지기간을 보고해야 함

③ 사업관리자는 보고를 받은 때에는 이를 보건복지부장관에게 보고하여야 함 → 이 경우 사업관리자가 시장·군수·구청장인 경우에는 시·도지사를 거쳐 보고해야 함

법규 4-3-8 수돗물 불소농도조정사업과 관련한 불소화합물 첨가의 중지사항을 설명할 수 있다. (A)

15. 학교 구강보건사업(법 제12조) 2019 기출 2021 기출

① 유치원 및 학교의 장이 해야 하는 사업(영 제9~12조): 어린이집 제외

- 구강보건교육
- 구강검진
- 칫솔질과 치실질 등 구강위생관리 지도 및 실천
- 불소용액양치(규칙 제10조)
- 치과의사 또는 치과의사의 지도에 따른 치과위생사의 불소 도포
- 지속적인 구강건강관리
- 그 밖에 학생의 구강건강증진에 필요하다고 인정되는 사항

② 학교의 장은 학교 구강보건사업의 원활한 추진을 위하여 그 학교가 있는 지역을 관할하는 보건소에 필요한 인력 및 기술의 협조를 요청할 수 있음

③ 사업의 세부 내용 및 방법 등에 관하여는 대통령령으로 정함

법규 4-4-1 학교 구강보건사업을 설명할 수 있다. (A)

16. 불소용액양치사업(규칙 제10조) 2022 기출

① 학교의 장이 불소용액양치사업을 실시하는 경우 그 양치 횟수는 매일 1회 또는 주 1회로 해야 함

② 불소용액양치에 필요한 불소용액의 농도는 매일 1회 양치하는 경우 양치액의 0.05%로 하고 주 1회 양치하는 경우에는 양치액의 0.2%로 함

③ 불소도포의 횟수: 6개월에 1회

법규 4-4-2 불소용액양치사업에 대하여 설명할 수 있다. (A)

17. 학교 구강보건시설

(1) 학교 구강보건시설(법 제13조)

① 학교의 장은 학교 구강보건사업을 하기 위하여 보건복지부령으로 정하는 구강보건시설을 설치할 수 있음(규칙 제11조)

② 국가와 지방자치단체는 구강보건시설을 설치하려는 학교의 장에게 필요한 비용의 전부 또는 일부를 지원할 수 있음

(2) 학교 구강보건시설의 설치(규칙 제11조)

① 학교 구강보건시설의 종류
- 집단 칫솔질을 위한 수도시설
- 지속적인 구강건강관리를 위한 구강보건실
- 불소용액양치를 위한 구강보건용품 보관시설

② 구강보건시설의 설치기준은 보건복지부장관이 정하는 바에 의함

법규 4-4-3 학교구강보건시설에 대하여 설명할 수 있다. (A)

18. 사업장 구강보건교육의 내용(법 제14조) `2020 기출` `2022 기출`

① 사업장의 사업주가 보건교육과 건강진단을 실시할 때에는 대통령령으로 정하는 바에 따라 구강보건교육과 구강검진을 함께 실시하여야 함(영 제13조, 제14조, 규칙 제12조)

② 구강보건교육에 포함되어야 하는 사항

- 구강보건에 관한 사항
- 직업성 치과질환의 종류에 관한 사항
- 직업성 치과질환의 위험요인에 관한 사항
- 직업성 치과질환의 발생, 증상 및 치료에 관한 사항
- 직업성 치과질환의 예방 및 관리에 관한 사항
- 기타 구강보건증진에 관한 사항

법규 4-5-1   사업장 구강보건사업에 대하여 설명할 수 있다. (A)

19. 노인·장애인 구강보건사업 등(법 제15조) - 국가와 지방자치단체 `2020 기출` `2021 기출` `2022 기출`

(1) 노인 구강보건사업(영 제15조)

① 노인 구강보건교육사업

- 치아우식증의 예방 및 관리
- 치주질환의 예방 및 관리
- 치아마모증의 예방과 관리
- 구강암의 예방
- 틀니 관리
- 그 밖의 구강질환의 예방과 관리

② 노인 구강검진사업

③ 기타 노인의 구강건강증진에 필요하다고 인정되는 사업

(2) 장애인 구강보건사업(영 제16조)

① 장애인 구강보건교육사업

② 장애인 구강검진사업

③ 기타 장애인의 구강건강증진에 필요하다고 인정되는 사업

(3) 장애인 구강진료센터의 설치 등(법 제15조의 2)

  ① 보건복지부장관: 중앙장애인구강진료센터를 설치·운영

  ② 시·도지사: 권역장애인구강진료센터 및 지역장애인구강진료센터를 설치·운영

  ③ 전문인력과 시설을 갖춘 기관에 위탁

   • 중앙·권역장애인구강진료센터: 치과병원 또는 종합병원

   • 지역장애인구강진료센터: 보건소

법규 4-5-3 　노인·장애인 구강보건사업을 설명할 수 있다. (A)

20. 모자·영유아의 구강보건사업(규칙 제14, 15조) 2019 기출

  • 특별자치시장, 특별자치도지사 및 시장·군수·구청장이 임산부 및 영유아에 대하여 매년 실시해야 하는 구강보건교육계획

  ① 치아우식증의 예방 및 관리

  ② 치주질환의 예방 및 관리

  ③ 기타 구강질환의 예방 및 관리

(1) 임산부

  ① 치아우식증 상태

  ② 치아마모증 상태

  ③ 치주질환 상태

  ④ 기타 구강질환 상태

(2) 영유아

  ① 치아우식증 상태

  ② 치아 및 구강발육 상태

  ③ 기타 구강질환 상태

법규 4-5-4 　모자·영유아의 구강보건사업을 설명할 수 있다. (A)

21. 보건소의 구강보건시설 설치·운영(법 제17조의 2, 규칙 제16조의 2)

특별자치시·특별자치도 또는 시·군·구(자치구를 말한다)의 보건소에는 구강질환 예방 및 진료를 위하여 보건복지부령으로 정하는 바에 따라 구강보건실 또는 구강보건센터를 설치·운영하여야 한다.

(1) 구강보건실 업무

① 구강건강증진을 위한 교육·홍보

② 구강질환 예방을 위한 불소 용액 양치 및 불소 도포, 치아 홈 메우기, 스케일링

③ 구강검진, 노인 틀니 사업

④ 수돗물 불소 농도 조정 사업

(2) 구강보건센터 업무

① 구강건강증진을 위한 교육·홍보

② 구강질환 예방을 위한 불소 용액 양치 및 불소 도포, 치아 홈 메우기, 스케일링

③ 구강검진, 노인 틀니 사업

④ 수돗물 불소 농도 조정 사업

⑤ 지역 내 구강건강증진 관련 민간 협력체계 구축

⑥ 노인·장애인 및 취약계층의 구강질환 예방 및 진료

법규 4-5-5　보건소의 구강보건시설 설치·운영에 대하여 설명할 수 있다. (A)

22. 구강보건사업 관련 인력의 교육훈련(법 제21조, 규칙 제17조)

① 보건복지부장관은 구강보건사업과 관련되는 인력의 역량 강화를 위하여 교육훈련을 실시할 수 있음

② 보건복지부장관은 교육훈련을 전문관계기관에 위탁할 수 있음(규칙17조)

- 시·도지방공무원 교육원
- 구강보건전문연구기관
- 구강보건사업을 하는 법인 또는 단체

③ 교육훈련 및 위탁에 필요한 사항은 보건복지부령으로 정함

법규 4-6-2　구강보건사업 관련 인력의 교육훈련을 설명할 수 있다. (A)

02 PART ▶▶

구강해부학

Oral Anatomy

DENTAL
HYGIENIST

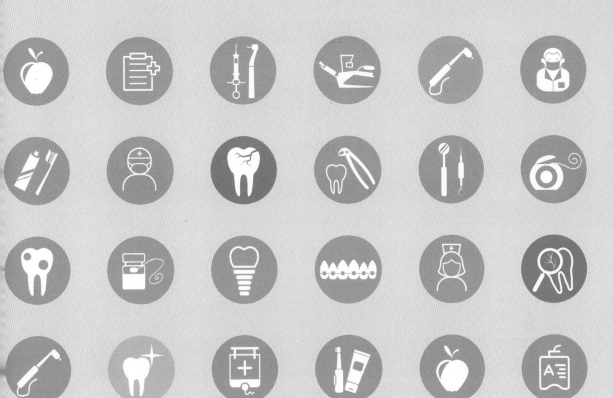

POWER 치과위생사 국가시험 핵심요약집 1권

PART 02

구강해부학
Oral Anatomy

제1장 | 서론

1. 해부학의 기본용어

(1) 절단면에 관한 용어

① 시상면(sagittal plane): 몸을 수직으로 좌·우로 나누는 절단면, 관상면과 직각

② 정중시상면(midsagittal plane): 몸을 수직으로 좌·우 대칭이 되도록 나누는 절단면

③ 관상면(coronal plane) 또는 전두면(frontal plane, 이마면): 몸을 전·후(앞뒤)로 나누는 절단면

④ 횡단면(transverse plane, 가로면) 또는 수평면(horizontal plane): 몸을 상·하로 나누는 절단면

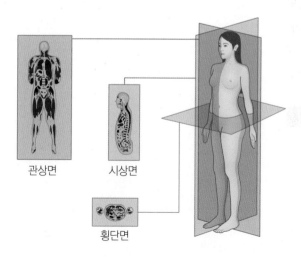

관상면   시상면

횡단면

(2) 방향과 위치에 관한 용어

① 전(앞): 몸의 앞(배)쪽

② 후(뒤): 몸의 뒤(등)쪽

③ 상(위): 머리에 가까운 쪽

④ 하(아래): 발에 가까운 쪽

⑤ 내(속): 몸의 내면 또는 어떤 장기의 안쪽

⑥ 외(바깥): 몸의 표면 또는 어떤 장기의 바깥쪽

⑦ 내측(안쪽): 몸의 정중면에 가까운 쪽

⑧ 외측(가쪽): 몸의 정중면에서 먼 쪽

⑨ 근위(몸쪽): 몸통(몸의 중심)에 가까운 쪽

⑩ 원위(면쪽): 몸통(몸의 중심)에서 멀리 떨어진 쪽

⑪ 천(얕은 쪽): 피부에 가깝게 위치하는 곳

⑫ 심(깊은 쪽): 몸의 내부와 가깝게 위치하는 곳

해부 1-2-2	해부학의 기본용어를 설명할 수 있다. (A)

제2장 | 두개골

1. 뼈의 기능

① 몸의 지지

② 장기(뇌, 심장, 폐 등)보호

③ 조혈작용: 골수에서 혈액 형성

④ 근육, 신경, 인대와 협력하여 몸을 움직임(운동)

⑤ 무기물(칼슘과 인) 저장

해부 2-1-1	골(뼈)의 기능을 설명할 수 있다. (B)

2. 뼈의 구조

(1) 골막(뼈막)

① 뼈를 보호: 뼈를 싸는 질긴 결합조직

② 영양공급: 혈관과 신경이 많이 포함

③ 뼈의 재생: 골모세포 함유

(2) 치밀골(치밀뼈)

① 단단하고 견고한 골조직: 층판 구조

② 하버스관과 볼크만관: 신경과 혈관이 지나는 영양관

(3) 해면골(해면뼈)

① 치밀골 안쪽에 위치

② 스펀지 모양

③ 골소주(뼈잔기둥)로 구성

(4) 골수(뼈속질)

① 해면골 안쪽에 위치

② 조혈기관: 적혈구, 백혈구, 혈소판 생산

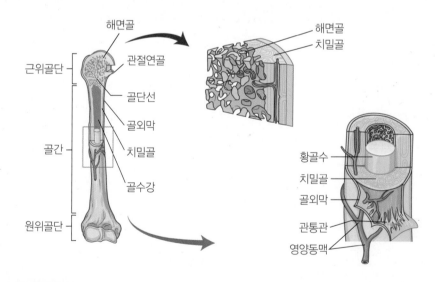

해부 2-1-2	골(뼈)의 구조를 설명할 수 있다. (B)

3. 뼈 표면구조의 용어

(1) 돌출 부위

① 돌기: 뼈표면에서 뚜렷하게 돌출한 것

② 융기: 뼈표면에 완만하게 높아져 있는 것

③ 결절: 마디와 같이 조금 돌출한 것

④ 두(머리): 관절면을 가지고 있는 돌기 부분

⑤ 각(뿔): 소뿔처럼 돌출된 것

⑥ 극(가시): 바늘같이 예리하게 돌출된 것

⑦ 혀돌기(소설): 혀모양의 돌기

⑧ 능(능선): 뼈표면이 약간 높아진 능선모양의 융기된 부위

⑨ 선: 선상으로 융기된 부분 중 높지 않은 부위

(2) 함몰 부위

① 절흔(패임): 도려낸 것처럼 움푹 들어간 부위

② 와(오목): 뼈표면의 얕은 함몰 부위

③ 구(고랑): 깊게 파인 얕은 고랑

(3) 구멍

① 공(구멍): 작은 창문 역할을 하는 구멍

② 관: 긴 튜브 형태의 관, 구멍이 길어진 곳

③ 열(틈새): 뼈와 뼈 사이의 갈라진 틈

④ 도(길): 뼈에 위치한 개구부나 통로, 긴 파이프 모양의 구멍

(4) 편평한 부위

① 판: 평탄하고 얇은 돌기

② 면: 평탄한 골의 면

③ 조면(거친면): 뼈의 표면이 거친 곳

(5) 강

① 동(동굴): 한 종류의 뼈 속의 빈 공간

② 강(공간): 여러 개의 뼈로 둘러싸인 빈 공간

| 해부 2-1-3 | 골(뼈) 표면구조의 용어를 설명할 수 있다. (A) |

4. 두개골을 구성하고 있는 낱개머리뼈(15종 23개)

(1) 뇌두개골(6종 8개)

종류	개수
전두골(이마뼈)	
후두골(뒤통수뼈)	1
접형골(나비뼈)	
사골(벌집뼈)	
두정골(마루뼈)	2
측두골(관자뼈)	

(2) 안면두개골(9종 15개)

종류	개수
서골(보습뼈)	
하악골(아래턱뼈)	1
설골(목뿔뼈)	
누골(눈물뼈)	
비골(코뼈)	
하비갑개(아래코선반)	2
관골(광대뼈)	
상악골(위턱뼈)	
구개골(입천장뼈)	

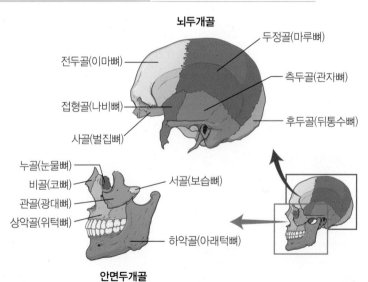

해부 2-2-1   두개골을 구성하고 있는 낱개머리뼈를 나열할 수 있다. (B)

| 해부 2-2-2 | 뇌두개골의 종류와 개수를 열거할 수 있다. (A) |

| 해부 2-2-3 | 안면두개골의 종류와 개수를 열거할 수 있다. (A) |

5. 하악골 외측면의 구조물 2021 기출

구분	구조물	특징
하악체 (턱뼈 몸통)	절치와(앞니오목)	하악 절치 치근을 감싸고 있는 치조돌기 하방의 오목한 부위
	이융기(턱끝융기)	• 하악체 전면 정중선에 있는 작게 융기된 부위 • 이결합이 만 1세 전후에 골화된 후 남은 흔적
	이결절(턱끝결절)	이융기의 양쪽 옆 외하방에 위치하는 결절상의 융기
	이공(턱끝구멍)	• 하악 제2소구치 아래에 후상방으로 열려 있는 구멍 • 이신경과 이혈관 통과 • 하순의 피부 및 점막, 턱끝의 피부에 분포
	사선(빗선)	하악지에서 하악체 바깥쪽으로 비스듬이 내려오는 능선
	치조부(이틀부분)	치아의 치근을 감싸고 있는 부분
	치조궁(이틀활)	치조융기의 위쪽 모서리
	하악저	하악체의 하연 부위
하악지 (턱뼈가지)	교근조면 (깨물근거친면)	• 하악각 부위의 거친 부분 • 교근 정지
	근돌기(근육돌기)	• 하악지 위의 앞쪽 돌기 • 측두근 정지
	관절돌기	• 하악지 위의 뒤쪽 돌기 • 하악두와 하악경으로 구분
	하악절흔(턱뼈패임)	근돌기와 관절돌기 사이 움푹 들어간 부위

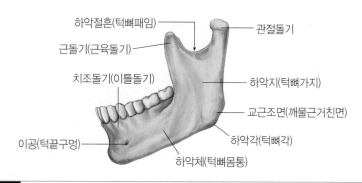

| 해부 2-2-4 | 하악골의 외측면에서 관찰되는 구조물을 설명할 수 있다. (A) |

6. 하악골 내측면의 구조물 `2020 기출` `2021 기출`

구분	구조물	특징
하악체 (턱뼈 몸통)	이극(턱끝가시)	• 하악체의 내면 정중부 아래 2쌍의 작은 돌기 • 상이극에는 이설근 부착 • 하이극에는 이설골근 부착
	이복근와(두힘살근오목)	• 이극 외하방에 있는 얕게 함몰된 부위 • 악이복근 전복 부착(하악골을 뒤아래로 잡아당겨 입을 여는 운동의 후반부에 작용)
	악설골근선(턱목뿔근선)	• 이극에서 후상방으로 비스듬히 뻗은 능선 • 악설골근이 부착
	설하선와(혀밑샘오목)	• 악설골근선 전상방의 함몰 부위로 설하선 위치
	악하선와(턱밑샘오목)	• 악설골근선 후하방의 함몰 부위로 악하선 위치
하악지 (턱뼈가지)	하악공(턱뼈구멍)	• 하악지 내면 한가운데 있는 구멍 • 하악관의 입구로 하치조신경 및 혈관이 통과
	하악관(턱뼈관)	• 하악골 속에 있는 관
	하악소설(턱뼈혀돌기)	• 하악공 위쪽에 있는 혀끝 모양의 돌기 • 접하악인대 부착
	악설골근신경구 (턱목뿔근신경고랑)	• 하악공에서 시작하여 전하방으로 비스듬히 가는 고랑 • 악설골근신경이 통과
	익돌근와(날개근오목)	• 하악두 아래 하악경의 전내측면에 있는 얕고 오목한 곳 • 외측익돌근 부착
	익돌근조면(날개근거친면)	• 하악지 내측면 하악각 가까이에 있는 거친 면 • 내측익돌근 부착
	구후삼각(어금니뒤삼각)	• 제3대구치 후방에 있는 삼각형의 오목한 부분

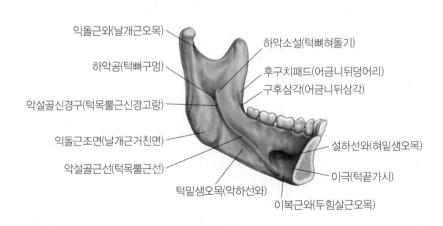

해부 2-2-5 하악골의 내측면에서 관찰되는 구조물을 설명할 수 있다. (A)

7. 연령에 따른 하악각, 이공, 하악공의 위치

시기	하악각	이공	하악공
출생 직후	둔각(약 175°)	하악저 근처	–
유치열 형성기	둔각	제1유구치 하방	–
유치열기	140°	제1유구치 하방	○
혼합치열기	140°	제1·2유구치 사이	○
성인	110°~120°(거의 직각)	제2소구치 하방	○
노인	140°	치조연 근처	–

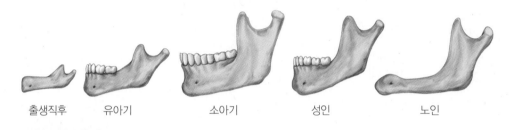

출생직후 유아기 소아기 성인 노인

해부 2-2-6	연령에 따른 하악각의 변화를 설명할 수 있다. (A)

해부 2-2-7	연령에 따른 이공과 하악공의 위치를 설명할 수 있다. (A)

8. 상악골 4개의 면에서 관찰되는 구조물 2019 기출 2022 기출

구분	구조물	특징
안면 (얼굴면)	안와하연 (눈확아래모서리)	• 안와의 아랫부분 가장자리
	안와하공 (눈확아래구멍)	• 안와하연 하방에 존재하는 구멍(안와하관의 출구) • 안와하신경 및 혈관 통과
	견치와 (송곳니오목)	• 안와하공의 하방 혹은 상악 견치의 치근 끝에 있는 함요 부위 • 상악골 안면에서 뼈의 두께가 가장 얇은 부위 • 구각거근 부착
	비절흔(코패임)	• 골로 된 외비공의 구부러진 가장자리

구분	구조물	특징
측두하면 (관자아래면) : 상악체 후면의 부푼 부위	상악결절 (위턱뼈융기)	• 상악 대구치 후방에 위치 • 측두하면에서 가장 풍융한 부위
	후상치조공 (뒤위이틀구멍)	• 상악결절 상방에 존재하는 2~3개의 작은 구멍 • 후상치조신경 및 혈관 통과 • 상악 대구치 및 그 부위 협측 치은에 분포
	관골하능 (광대아래능선)	• 관골돌기에서 상악 제1대구치 협측 부위로 내려가는 능선 • 안면과 측두하면의 경계
비강면 (코면)	상악동열공 (위턱굴구멍)	• 비강면 중앙에 있는 큰 구멍 • 상악동의 입구
	누낭구 (눈물고랑)	• 상악동열공의 전상방에 위치 • 누골과 하비갑개가 합쳐져서 골비루관 형성
	대구개관 (큰입천장관)	• 구개골 및 접형골에 있는 익구개구 또는 대구개구와 합쳐져서 형성 • 대구개신경 및 혈관 통과
안와면 (눈확면)	안와하구 (눈확아래고랑)	• 안와하관의 입구 • 안와하신경 및 혈관 통과
	안와하관 (눈확아래관)	• 안와하신경 및 혈관 통과 • 2개의 관이 앞·뒤로 분지(전상치조관과 중상치조관)
	전상치조관 (앞위이틀관)	• 안와하관에서 나오는 앞쪽의 관 • 전상치조신경 통과 • 상악 전치 및 그 부위의 순측 치은에 분포
	중상치조관 (중간위이틀관)	• 안와하관에서 나오는 뒤쪽의 관 • 중상치조신경 통과 • 상악 소구치 및 그 부위의 협측 치은에 분포

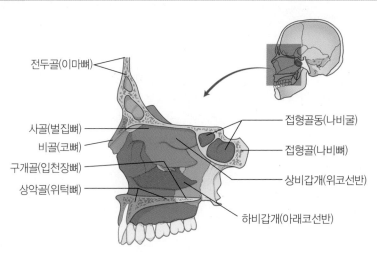

전두골(이마뼈)

사골(벌집뼈)
비골(코뼈)
구개골(입천장뼈)
상악골(위턱뼈)

접형골동(나비굴)
접형골(나비뼈)
상비갑개(위코선반)
하비갑개(아래코선반)

| 해부 2-2-8 | 상악골의 안면에서 관찰되는 구조물을 설명할 수 있다. (A) |

| 해부 2-2-9 | 상악골의 측두하면에서 관찰되는 구조물을 설명할 수 있다. (A) |

| 해부 2-2-10 | 상악골의 비강면에서 관찰되는 구조물을 설명할 수 있다. (B) |

| 해부 2-2-11 | 상악골의 안와면에서 관찰되는 구조물을 설명할 수 있다. (A) |

9. 상악동(위턱굴)

(1) 구조

① 상악체(위턱뼈몸통) 속에 있는 공동

② 부비동(코곁굴) 중 가장 큰 동굴로 콧속과 교통

③ 상악동 입구: 상악동열공(위턱굴구멍)

④ 비강의 중비도(중간콧길)로 개구

(2) 기능

① 머리 무게 감소

② 소리 공명

③ 공기 온도 및 습도 조절

④ 분비물 배출

| 해부 2-2-12 | 상악동의 구조와 기능을 설명할 수 있다. (A) |

10. 구개골(입천장뼈)의 구성

• 상악골의 후방과 접형골 사이에 위치해 있는 L자 모양으로 좌·우 쌍으로 존재

• 수직판(연직판)과 수평판으로 구성

(1) 수평판

① 특징

• 상악골의 구개돌기와 함께 골구개(뼈입천장)를 형성: 골구개의 뒤쪽 부분

② 구조물

- 정중구개봉합(정중입천장봉합): 구개골의 좌·우 수평판이 서로 만나서 이루는 봉합
- 횡구개봉합(가로입천장봉합): 상악골의 구개돌기와 구개골의 수평판이 만나서 형성
- 대구개공(큰입천장구멍): 수평판 구개면의 후외측부의 절흔이 상악골 구개돌기와 합쳐져 형성, 대구개신경 및 혈관 통과(경구개 뒤쪽과 상악 소구치와 대구치의 구개측 치은에 분포), 주로 상악 제3대구치 치근쪽에 위치

(2) 수직판(연직판): 3개의 돌기 형성

① 안와돌기(눈확돌기): 수직판 상연부에서 전상방으로 돌출된 부위, 안와 아래벽의 일부를 형성
② 접형골돌기(나비돌기): 수직판의 중간모서리부위에서 후방으로 돌출한 부위
③ 추체돌기(날개패임돌기): 수평판과 수직판이 만나면서 형성되는 부위, 수직판 후연 아래쪽에서 후방으로 돌출한 부위, 소구개공 존재

- 소구개공(작은입천장구멍): 소구개신경 및 혈관 통과(연구개, 구개수 및 편도에 분포)

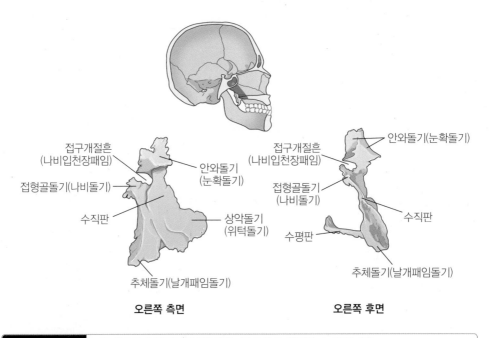

접구개절흔(나비입천장패임) 안와돌기(눈확돌기) 접형골돌기(나비돌기) 수직판 상악돌기(위턱돌기) 추체돌기(날개패임돌기)

오른쪽 측면

접구개절흔(나비입천장패임) 안와돌기(눈확돌기) 접형골돌기(나비돌기) 수직판 수평판 추체돌기(날개패임돌기)

오른쪽 후면

| 해부 2-2-13 | 구개골의 수평판에서 관찰되는 구조물을 설명할 수 있다. (A) |

| 해부 2-2-14 | 구개골의 수직판에서 관찰되는 구조물을 설명할 수 있다. (A) |

11. 골구개(뼈입천장)

① 구성: 상악골의 구개돌기와 구개골의 수평판으로 형성

② 2개의 봉합

- 정중구개봉합(정중입천장봉합): 앞쪽의 상악골 구개돌기와 뒤쪽의 구개골 수평판이 좌·우로 만나서 이루는 봉합
- 횡구개봉합(가로입천장봉합): 상악골의 구개돌기와 구개골의 수평판이 만나서 형성

③ 3개의 공(구멍)

- 절치공(앞니구멍): 정중구개봉합의 제일 앞에 있는 구멍, 비구개신경(코입천장신경)과 하행중격동맥(내림중격동맥)이 통과(경구개 앞쪽 및 상악 절치의 설측 치은에 분포)
- 대구개공(큰입천장구멍): 구개골 수평판의 구개면에 존재, 주로 상악 제3대구치 치근쪽에 위치, 대구개신경 및 혈관 통과(경구개 뒤쪽과 상악 소구치와 대구치의 구개측 치은에 분포)
- 소구개공(작은입천장구멍): 대구개공 후방부위 또는 추체돌기에 있는 작은 구멍, 소구개신경 및 혈관 통과(연구개, 구개수 및 편도에 분포)

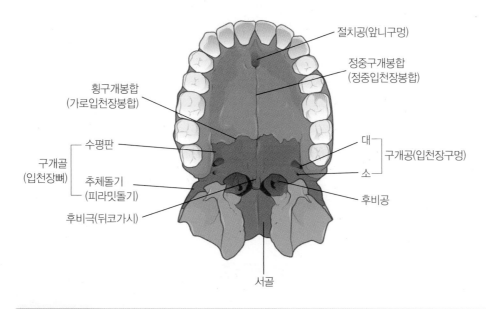

해부 2-2-15 　골구개에서 관찰되는 구조물을 설명할 수 있다. (A)

12. 설골(목뿔뼈)의 위치와 특징

① 두개골에서 분리되어 있는 U자 모양 뼈

② 위치: 후두와 하악골 사이, 하악골 아래 부위와 갑상연골(방패연골) 상방에 위치

③ 구분: 설골체(목뿔뼈몸통), 대각(큰뿔, 1쌍), 소각(작은뿔, 1쌍)

④ 경돌설골인대(붓목뿔인대)에 의해 측두골(관자뼈)의 경상돌기(붓돌기) 끝에 연결

⑤ 11개 부착 근육

- 설근(혀근육, 3개): 이설근, 설골설근, 소각설근
- 설골상근(목뿔위근육, 4개): 이설골근, 악설골근, 악이복근, 경돌설골근
- 설골하근(목뿔아래근육, 3개): 흉골설골근, 견갑설골근, 갑상설골근
- 인후두근(1개): 중인두수축근

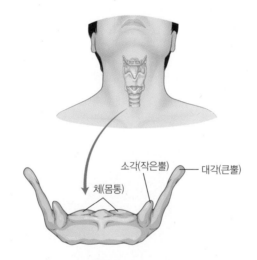

소각(작은뿔)　대각(큰뿔)

체(몸통)

해부 2-2-16	설골의 위치와 특징을 설명할 수 있다. (A)

해부 2-2-17	설골에 부착하는 근육을 설명할 수 있다. (B)

13. 접형골(나비뼈)의 구조물　`2019 기출`　`2022 기출`

구분	구조물	특징
체 (몸통)	접형골동(나비굴)	부비동의 일종
	터어키안=하수체와 (뇌하수체오목)	• 접형골체 위쪽의 움푹 들어간 곳 • 뇌하수체 수용

구분	구조물	특징
대익 (큰날개)	정원공(원형구멍)	• 상악신경 통과 • 익구개와와 연결
	난원공(타원구멍)	• 하악신경 통과 • 측두하와와 연결
	극공(뇌막동맥구멍)	• 중격막동맥 통과 • 측두하와와 연결
	상안와열 (위눈확틈새)	• 대익과 소익 사이에 형성된 틈새 • 동안신경, 활차신경, 외전신경, 안신경, 상안정맥 통과
소익 (작은날개)	사골극(벌집가시)	접형골체 가장 전방부에 위치
	시신경관(시각신경관)	시신경과 안동맥 통과
익상돌기 (날개돌기)	외측익돌판 (가쪽날개판)	• 내면(익돌와): 내측익돌근 부착 • 외면: 외측익돌근 부착
	내측익돌판 (안쪽날개판)	주상와: 구개범장근 부착, 익상돌기 내측판 위쪽에 위치

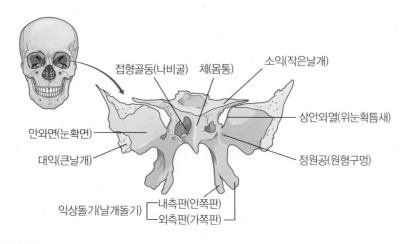

해부 2-2-18	접형골의 체, 대익, 소익, 익상돌기에서 관찰되는 구조물을 설명할 수 있다. (A)

14. 측두골(관자뼈)의 구조물

① 외이도를 수용하는 조개껍질 모양의 뼈

② 구분: 인부(비늘부분), 추체부(바위부분), 유양부(꼭지부분), 고실부(고막틀부분), 경상돌기(붓돌기)

③ 주요 구조물

구조물	특징
하악와 (턱관절오목)	• 인부에 위치 • 하악골의 하악두를 수용하여 악관절 형성
관절결절	• 하악와의 전방 경계 • 악관절에서 하악두가 과하게 앞으로 이동하는 것을 제한
관골돌기 (광대돌기)	관골의 측두돌기와 만나 관골측두봉합 형성
관골궁 (광대활)	• 측두골의 관골돌기와 관골의 측두돌기가 만나 형성 • 교근 부착
경상돌기 (붓돌기)	• 외이공 하방으로 뻗은 가늘고 긴 돌기 • 2개의 인대(경돌설골인대, 경돌하악인대) 및 3개의 근육(경돌설근, 경돌설골근, 경돌인두근) 부착
경유돌공 (붓꼭지구멍)	• 경상돌기와 유양돌기 사이에 위치한 작은 구멍 • 안면신경 통과
삼차신경압흔 (삼차신경절자국)	삼차신경절 수용, 추체부 내측면 위쪽에 위치

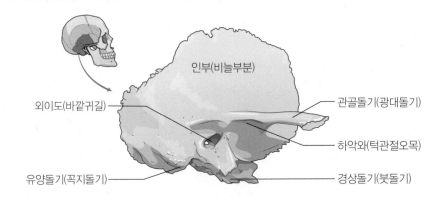

인부(비늘부분)

외이도(바깥귀길)

관골돌기(광대돌기)

하악와(턱관절오목)

유양돌기(꼭지돌기)

경상돌기(붓돌기)

해부 2-2-19 측두골에서 관찰되는 구조물을 설명할 수 있다. (A)

15. 두개관(머리덮개뼈)의 봉합

① 구성: 전두골, 두정골, 후두골

② 봉합

- 관상봉합: 전두골과 좌·우 두정골 사이의 봉합
- 시상봉합: 좌·우 두정골 사이의 봉합
- 인자봉합(시옷봉합, 람다상봉합): 좌·우 두정골과 후두골 사이의 봉합

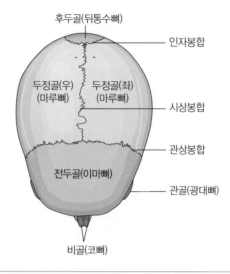

해부 2-3-1 두개관에 있는 봉합을 설명할 수 있다. (A)

16. 상안와열(위눈확틈새)로 통과하는 혈관과 신경

① 접형골 대익과 소익 사이에 위치
② 통과하는 구조물: 동안신경(눈돌림신경), 활차신경(도르래신경), 안신경(눈신경), 외전신경(갓돌림신경), 상안정맥(위눈정맥)

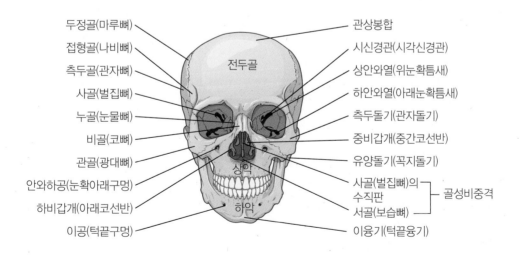

해부 2-3-3 상안와열로 통과하는 혈관과 신경을 설명할 수 있다. (A)

17. 하안와열(아래눈확틈새)로 통과하는 혈관과 신경

① 접형골 대익과 상악골 사이에 위치

② 통과하는 구조물: 안와하동맥(눈확아래동맥), 안와하신경(눈확아래신경), 관골신경(광대신경), 하안정맥(아래눈정맥), 익돌근정맥총

| 해부 2-3-4 | 하안와열로 통과하는 혈관과 신경을 설명할 수 있다. (A) |

18. 부비동(코곁굴)

부비동	위치	개구부위	
전두동(이마굴)	전두골	중비도	
상악동(위턱굴)	상악골 상악체	중비도	
사골동(벌집굴)	사골	전사골동	중비도, 반월열공
		중사골동	중비도
		후사골동	상비도
접형골동(나비굴)	접형골체	접사함요	

| 해부 2-3-6 | 부비동을 설명할 수 있다. (A) |

19. 천문(숫구멍)

천문	위치	폐쇄시기
전천문, 대천문 (앞숫구멍, 큰숫구멍)	• 관상봉합과 시상봉합이 만나는 곳 • 천문 중 가장 크고 마름모 형태	생후 2세경
후천문, 소천문 (뒤숫구멍, 작은숫구멍)	시상봉합과 인자봉합이 만나는 곳	생후 2~3개월경
전측두천문 (앞가쪽숫구멍)	측두골, 접형골, 전두골, 두정골이 만나는 곳	생후 2~3개월경
후측두천문 (뒤가쪽숫구멍)	측두골, 두정골, 후두골 만나는 곳	생후 1세경

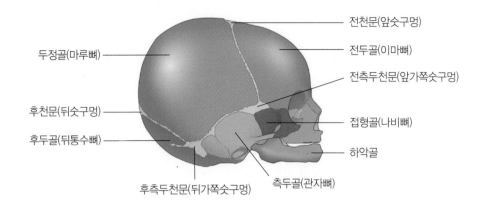

전천문(앞숫구멍)
전두골(이마뼈)
전측두천문(앞가쪽숫구멍)
접형골(나비뼈)
하악골
측두골(관자뼈)
후측두천문(뒤가쪽숫구멍)
두정골(마루뼈)
후천문(뒤숫구멍)
후두골(뒤통수뼈)

| 해부 2-4-1 | 천문의 종류를 설명할 수 있다. (B) |

| 해부 2-4-2 | 천문의 위치와 폐쇄시기를 설명할 수 있다. (A) |

제3장 | 머리 및 목의 근육

1. 안면근(얼굴표정근)과 저작근(씹기근육)의 특징

구분	안면근	저작근
작용	얼굴 표정 형성	저작운동
위치	피부의 천부	피부의 심부
근막	없음	있음
기시	주로 뼈나 근막	두개골
정지	피부 또는 다른 안면근	하악골
신경지배	안면신경	삼차신경의 하악신경

| 해부 3-1-2 | 안면근과 저작근의 특징을 설명할 수 있다. (A) |

2. 안면근 `2020 기출` `2022 기출`

종류		작용
두개표근 (머리덮개근)	전두근(이마힘살근)	놀란표정을 지을 때 눈썹을 올리고, 이마에 주름살을 만듦
	후두근(뒤통수힘살근)	
눈 주위의 근육	안륜근(눈둘레근)	얼굴표정 및 눈 보호
	추미근(눈썹주름근)	눈살을 찌푸릴 때(미간에 수직으로 주름지게 할 때)
귀 주위의 근육	전이개근(앞귓바퀴근)	의지에 의한 조절을 받지 않음
	상이개근(위귓바퀴근)	
	후이개근(뒤귓바퀴근)	
코의 근육	비근근(눈살근)	콧등에 주름을 만듦(미간에 가로로 주름지게 할 때)
	비근(코근)	콧구멍을 좁히거나 넓힐 때 작용
	비중격하체근(코중격내림근)	코끝을 아래로 잡아 당겨 콧구멍을 크게 함
입 주위의 근육	상순비익거근(위입술콧방울올림근)	상순과 비익을 위로 올려 콧구멍을 넓힘, 슬픈 표정을 만듦
	상순거근(위입술올림근)	상순을 위로 올림
	소관골근(작은광대근)	상순을 외상방으로 당김, 경멸의 미소
	대관골근(큰광대근)	구각을 후상방으로 당김, 미소짓는 모습
	구각거근(입꼬리올림근)	구각을 위로 올림
	소근(입꼬리당김근)	구각을 외측으로 당겨 뺨에 보조개를 만듦
	구각하체근(입꼬리내림근)	구각을 외하방으로 당겨 슬픈 표정 지음
	하순하체근(아래입술내림근)	하순을 내림
	구륜근(입둘레근)	• 고유근: 상순절치근, 비순근, 하순절치근 • 입술을 오므려 휘파람 불거나 입술을 모아 다물게 함 • 저작 시 구강의 음식물이 밖으로 나오는 것을 방지
	협근(볼근)	• 저작 보조작용: 수축하여 음식물을 치아 교합면쪽으로 보내 씹기를 도와줌 • 트럼펫 불 때와 같이 공기를 강하게 내보내는 작용
턱 부위의 근육	이근(턱끝근)	턱과 하순을 올려 뾰족하게 함

해부 3-1-3	안면근의 종류를 나열할 수 있다. (B)

해부 3-1-4	구륜근의 작용을 나열할 수 있다. (A)

해부 3-1-5	협근의 작용을 나열할 수 있다. (A)

3. 얼굴 표정에 관여하는 근육

① 미소지을 때 관여하는 근육: 상순거근, 구각거근, 소관골근(경멸하는 표정), 대관골근, 소근

② 찌푸릴 때 관여하는 근육: 추미근, 상순비익거근(슬픈 표정), 구각하체근

③ 비순구(코입술고랑)를 형성하는 근육: 상순비익거근, 상순거근, 소관골근

> **해부 3-1-6** 얼굴의 비순구를 만드는 근육의 종류를 열거할 수 있다. (B)

4. 저작근(씹기근육) `2019 기출` `2020 기출`

종류	기시	정지	작용
측두근 (관자근)	• 측두근막 • 하측두선 • 측두와	근돌기	• 폐구운동 • 전진운동: 전측두근 • 후퇴운동, 측방운동: 후측두근 • 회선운동: 중측두근
교근 (깨물근)	• 천부: 관골궁 앞쪽 2/3 하연, 상악골 관골돌기 • 심부: 관골궁 뒤쪽 1/3, 내면	교근조면	• 폐구운동 • 전진운동: 천부 • 후퇴운동: 심부
내측익돌근 (안쪽날개근)	• 상악결절, 추체돌기 • 익돌와	익돌근조면	• 폐구운동 • 전진운동: 천부 • 측방운동: 심부
외측익돌근 (가쪽날개근)	• 상두: 접형골 대익의 측두하면 및 측두하릉 • 하두: 익상돌기 외측판의 외면	• 상두: 관절낭 • 하두: 익돌근와	• 개구운동(초기) • 전진운동 • 측방운동

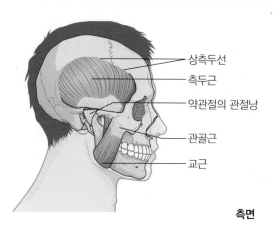

상측두선
측두근
악관절의 관절낭
관골근
교근

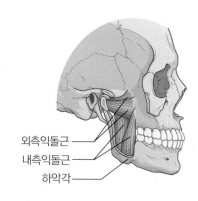

외측익돌근
내측익돌근
하악각

측면

해부 3-1-7	측두근의 기시, 정지와 작용을 설명할 수 있다. (A)
해부 3-1-8	교근의 기시, 정지와 작용을 설명할 수 있다. (A)
해부 3-1-9	내측익돌근의 기시, 정지와 작용을 설명할 수 있다. (A)
해부 3-1-10	외측익돌근의 기시, 정지와 작용을 설명할 수 있다. (A)

5. 설골상근(목뿔위근육) 2021 기출

종류	작용
악이복근(두힘살근)	• 설골이 고정되면 하악골을 후하방으로 끌어 당김 • 전복: 개구운동의 말기에 작용
경돌설골근(붓목뿔근)	음식섭취 시 설골을 후상방으로 당김
악설골근(턱목뿔근)	• 설골이 고정되면 하악골을 끌어내려 개구운동을 도움 • 구강저 형성, 혀를 올림
이설골근(턱끝목뿔근)	• 설골이 고정되면 하악골을 끌어내려 개구운동을 도움 • 구강저 형성, 설골을 내밀고 올림

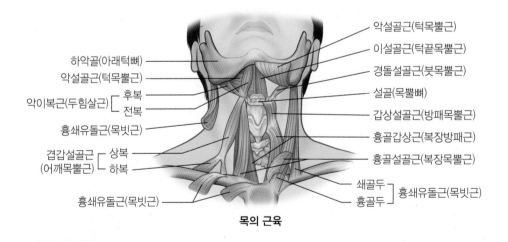

목의 근육

| 해부 3-2-2 | 설골상근의 종류와 작용을 설명할 수 있다. (A) |

6. 설골하근(목뿔아래근육)

종류	작용
흉골설골근(복장방패근)	설골을 아래로 당김
견갑설골근(어깨목뿔근)	설골을 후하방으로 끌어 당김
흉골갑상근(복장목뿔근)	갑상연골을 아래로 당김
갑상설골근(방패목뿔근)	설골을 아래로 당기고 설골이 고정되면 갑상연골이 올라감

해부 3-2-3 | 설골하근의 종류와 작용을 설명할 수 있다. (B)

제4장 | 악관절(턱관절)

1. 관절의 일반적인 구조와 종류

(1) 구조

① 관절두(관절머리): 튀어나온 쪽

② 관절와(관절오목): 오목한 쪽

③ 관절낭(관절주머니): 관절을 둘러싸는 결합 조직

④ 관절강(관절공간): 관절낭 속의 빈 공간

⑤ 관절원판(관절원반): 양쪽 관절면이 모양이나 크기가 다를 때 원활한 움직임을 위해 존재

(2) 종류

① 섬유관절

② 연골관절

③ 윤활관절

해부 4-1-1 | 관절의 일반적인 구조와 종류를 설명할 수 있다. (B)

2. 악관절(턱관절) `2021 기출`

(1) 정의

측두골(관자뼈)의 하악와(턱관절오목)와 하악골(아래턱뼈)의 하악두(턱뼈머리) 사이에서 이루어지는 윤활관절

(2) 구조

① 하악두(턱뼈머리): 관절면과 비관절면으로 구분

② 하악와(턱관절오목): 측두골의 인부에 위치

③ 관절결절 및 관절융기: 관절결절은 관골궁 뒤에 위치, 팔절융기는 관절결절 내측에 위치

④ 관절원판(관절원반): 치밀결합조직, 혈관과 신경 없음, 충격완화 및 관절 내 표면 보호, 복잡하고 다양한 운동을 가능하게 함

⑤ 원판후(뒤)결합조직: 성긴결합조직, 혈관 풍부

⑥ 관절낭(관절주머니): 윤활막(활액 분비로 영양공급, 마찰이 최소화되도록 윤활작용)과 섬유막으로 구성

⑦ 관절후(뒤)돌기: 후퇴운동 시 후방탈구 방지, 측방운동시 지렛대 역할

⑧ 원판인대(원반인대): 하악운동 시 하악두로부터 관절원판 이탈 방지

⑨ 관절공간(관절강): 관절낭 속에 있는 빈 공간
- 상관절강(위관절공간): 활주운동
- 하관절강(아래관절공간): 접번운동 또는 회전운동

(3) 특징

① 관절강 속에 관절원판이 있는 활막성 관절(윤활관절)

② 양측성 관절: 좌·우 관절의 움직임이 동시에 이루어지는 복잡한 운동

③ 저작계의 일부: 치아 교합과 밀접한 관계가 있음

④ 뇌신경 및 뇌(중추신경계)의 조절, 저작근에 의한 하악운동에 따라 관절의 움직임이 가능

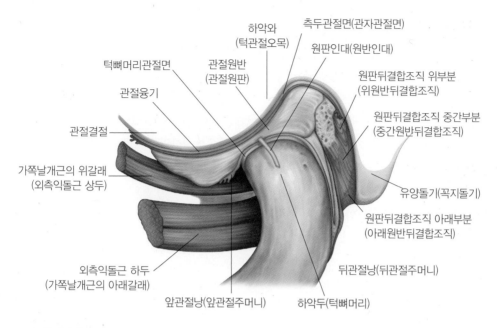

하악와
(턱관절오목)

측두관절면(관자관절면)

원판인대(원반인대)

턱뼈머리관절면

관절원반
(관절원판)

원판뒤결합조직 위부분
(위원반뒤결합조직)

관절융기

원판뒤결합조직 중간부분
(중간원반뒤결합조직)

관절결절

가쪽날개근의 위갈래
(외측익돌근 상두)

유양돌기(꼭지돌기)

원판뒤결합조직 아래부분
(아래원반뒤결합조직)

외측익돌근 하두
(가쪽날개근의 아래갈래)

뒤관절낭(뒤관절주머니)

앞관절낭(앞관절주머니)

하악두(턱뼈머리)

해부 4-1-3	악관절를 정의할 수 있다. (A)

해부 4-1-4	악관절의 구조를 설명할 수 있다. (A)

해부 4-1-5	악관절의 특징을 설명할 수 있다. (A)

3. 하악의 운동 2022 기출

(1) 기본운동

① 접번운동(경첩운동) 또는 회전운동

- 좌·우 하악두를 이은 축을 중심으로 회전
- 하관절강에서 이루어지는 운동
- 개구운동의 초기와 폐구운동의 말기에 해당

② 활주운동(미끄럼운동)

- 하악두가 관절원판과 함께 관절융기에서 전·후, 상·하로 미끄러지는 운동
- 상관절강에서 이루어지는 운동
- 개구운동의 말기, 전진운동, 후퇴운동, 측방운동, 폐구운동의 초기에 해당

(2) 기능운동

① 하악의 개구운동(입벌림운동) 및 폐구운동(입다묾운동)

- 개구운동: 하악두가 전하방으로 회전하는 운동
- 폐구운동: 하악두가 후상방으로 회전하는 운동

② 하악의 전진운동(내밈운동) 및 후퇴운동(들임운동): 상관절강(위관절공간)에서 이루어짐

- 전진운동: 하악두와 관절원판이 관절융기의 후방경사면을 따라 미끄러지는 활주운동
- 후퇴운동: 하악두와 관절원판이 관절융기에 닿은 상태에서 뒤로 미끄러져 다시 올라오는 운동

③ 하악의 측방운동(가쪽운동)

- 비대칭운동
- 비작업측은 활주운동, 작업측은 회전운동

| 해부 4-1-6 | 하악의 기본운동을 설명할 수 있다. (A) |

| 해부 4-1-7 | 하악의 기능운동을 설명할 수 있다. (A) |

4. 악관절의 부속인대

종류	기시	정지	작용
측두하악인대 (관자아래턱인대)	관절결절의 외측면	바깥: 하악경 안쪽: 하악두	개구 및 폐구운동 시 하악두의 과도한 후하방 이동을 제한함
경돌하악인대 (붓아래턱인대)	측두골의 경상돌기	하악각의 내측면	폐구 작용 보조
접하악인대 (나비아래턱인대)	접형골의 대익에 있는 접형극	하악소설	하악골의 일정한 중심을 잡아주고 측방운동 제한

| 해부 4-1-8 | 악관절 부속인대의 기시, 정지, 작용을 설명할 수 있다. (B) |

제5장 | 구강

1. 구강의 분류

(1) 구강의 구성요소: 구순, 볼, 구개, 혀, 구협, 타액선, 구강소대

(2) 분류

① 고유구강(고유입안): 치궁 안쪽에 있는 공간

② 구강전정(입안뜰): 치궁과 구순 및 볼 사이의 공간

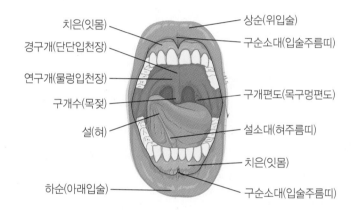

치은(잇몸)
경구개(단단입천장)
연구개(물렁입천장)
구개수(목젖)
설(혀)
하순(아래입술)

상순(위입술)
구순소대(입술주름띠)
구개편도(목구멍편도)
설소대(혀주름띠)
치은(잇몸)
구순소대(입술주름띠)

| 해부 5-1-1 | 구강의 구성요소를 열거할 수 있다. (B) |

| 해부 5-1-2 | 구강을 고유구강과 구강전정으로 구분할 수 있다. (B) |

2. 구개(입천장)

(1) 경구개(단단입천장)

① 구개의 앞쪽 2/3

② 상악골(앞쪽) + 구개골(뒤쪽)

③ 구강과 비강을 분리하는 가로막

④ 구성

- 절치유두(앞니유두): 구개봉선 앞 끝의 약간 돌출된 부분
- 정중구개봉선(정중입천장솔기): 구개의 정중선에 있는 얕은 능선

- 횡구개주름(가로입천장주름): 구개봉선 앞에 있는 3~4개의 가로 주름
- 구개소와(입천장오목): 구개봉선 양측에 위치, 경구개와 연구개의 경계, 구개선 개구

⑤ 지배신경
- 앞쪽: 비구개신경(코입천장신경)
- 뒤쪽: 대구개신경(큰입천장신경)

(2) 연구개(물렁입천장)

① 구개의 뒤쪽 1/3 부분
② 근육으로 구성
③ 음식물을 삼킬 때 인두의 비부와 구부 사이를 막아 음식물이 코 안으로 들어가는 것을 방지
④ 구성
- 구개수(목젖): 연구개 뒤 중앙부위의 원추 모양의 돌기
- 구개설궁(입천장혀활): 구개수 좌·우에 위치하는 앞쪽 주름
- 구개인두궁(입천장인두활): 구개수 좌·우에 위치하는 뒤쪽 주름
- 구개편도(목구멍편도): 구개설궁과 구개인두궁 사이의 함몰 부위에 위치
⑤ 지배신경: 소구개신경(작은입천장신경)

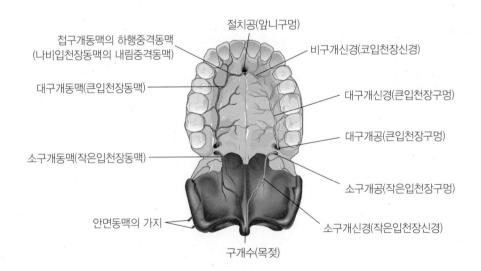

| 해부 5-1-3 | 경구개와 연구개를 설명할 수 있다. (A) |

| 해부 5-1-5 | 구개를 지배하는 신경을 설명할 수 있다. (A) |

3. 설유두(혀유두)

(1) 사상유듀(실유두)

① 설배(혀 등) 전체에 분포하고, 수가 가장 많음

② 미뢰(맛봉오리)가 존재하지 않음

(2) 심상유두(버섯유두)

① 버섯모양의 불규칙한 붉은 점으로 설배에 산재, 특히 혀끝과 양 옆에 많이 분포

② 미뢰 존재

(3) 유곽유두(성곽유두)

① 설분계구(혀분계고랑) 앞에 평행으로 8~15개가 V자 모양으로 배열, 가장 큰 유두

② 미뢰 존재

③ 에브너선 개구

(4) 엽상유두(잎새유두)

① 혀의 외측(가쪽) 모서리에 존재하는 잎새모양의 짧은 평행 주름

② 미뢰 존재

③ 성인은 거의 없음

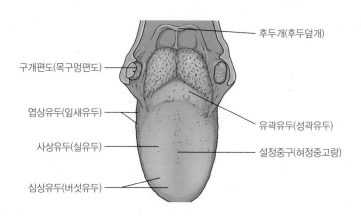

후두개(후두덮개)	
구개편도(목구멍편도)	
엽상유두(잎새유두)	유곽유두(성곽유두)
사상유두(실유두)	설정중구(혀정중고랑)
심상유두(버섯유두)	

해부 5-1-6   설유두의 종류를 설명할 수 있다. (B)

4. 설근(혀근육): 횡문근(가로무늬근)

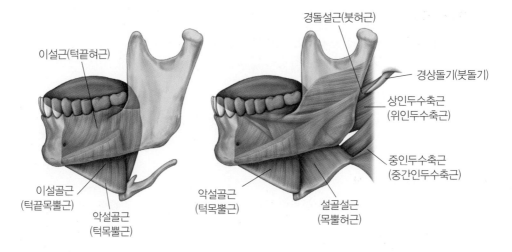

(1) 외래설근: 혀의 위치이동에 관여

① 이설근(턱끝혀근): 혀를 낮추고 앞으로 내밈

② 설골설근(목뿔혀근): 혀를 밑으로 내리며 뒤로 당김

③ 경돌설근(붓혀근): 혀를 뒤로 당기거나 위로 올림

④ 구개설근(입천장혀근): 혀를 뒤로 당기거나 위로 올림

(2) 내래설근: 혀의 모양 변화

① 수직설근(혀수직근): 혀를 납작하고 넓게 함

② 상종설근(혀위세로근): 혀를 짧게 함(혀 끝을 꼼)

③ 하종설근(혀아래세로근): 혀를 짧게 함(혀 끝을 꼼)

④ 횡설근(혀가로근): 혀를 좁게 하고 동시에 길게 함

> **해부 5-1-7** 외래설근과 내래설근의 작용을 설명할 수 있다. (A)

5. 혀의 신경 지배 `2022 기출`

구분	혀의 앞 2/3	혀의 뒤 1/3	후두덮개 근처의 설근부위
일반감각	삼차신경의 설신경	설인신경	미주신경
미각	안면신경의 고삭신경		
운동	설하신경		

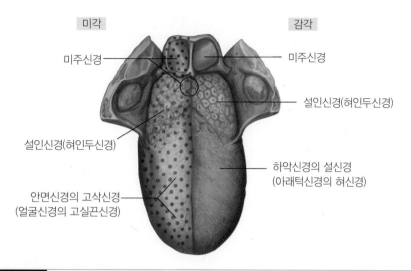

| 미각 | 감각 |

미주신경

미주신경

설인신경(혀인두신경)

설인신경(혀인두신경)

하악신경의 설신경
(아래턱신경의 혀신경)

안면신경의 고삭신경
(얼굴신경의 고실끈신경)

해부 5-1-9 혀의 신경지배에 대해 설명할 수 있다. (A)

6. 대타액선의 종류 `2019 기출` `2020 기출` `2022 기출`

종류	위치	도관(성분)	개구부위	신경지배
이하선(귀밑샘)	귀의 전하방	이하선관(장액선)	이하선유두	설인신경의 소추체신경
악하선(턱밑샘)	하악각의 전내측 악하선와	악하선관(혼합선)	설하소구	안면신경의 고삭신경
설하선(혀밑샘)	설소대 양쪽의 점막 밑	대설하선관 소설하선관 (혼합선)	설하소구 설하주름	안면신경의 고삭신경

해부 5-1-10 대타액선의 종류 및 위치를 설명할 수 있다. (A)

제6장 | 머리 및 목의 혈관

1. 심장에서 경동맥에 이르는 경로

- 심장의 좌심실 → 대동맥 → ① 상행대동맥, ② 대동맥궁, ③ 하행대동맥
- 대동맥궁 → 좌측 → ① 좌총경동맥, ② 좌쇄골하동맥

• 대동맥궁 → 우측 → 우완두동맥 → ① 우총경동맥, ② 우쇄골하동맥
• 좌·우총경동맥 → ① 외경동맥, ② 내경동맥

| 해부 6-2-1 | 심장에서 경동맥에 이르는 경로를 설명할 수 있다. (B) |

2. 외경동맥: 머리, 얼굴 및 목의 앞부위에 분포, 8개 가지로 분지

① 상갑상동맥(위갑상동맥)
② 상행인두동맥(오름인두동맥)
③ 설동맥(혀동맥)
④ 안면동맥(얼굴동맥)
⑤ 후두동맥(뒤통수동맥)
⑥ 후이개동맥(뒤귓바퀴동맥)
⑦ 천측두동맥(얕은관자동맥)
⑧ 악동맥(위턱동맥)

　　→ 얼굴과 구강에 주로 분포하는 동맥: 설동맥, 안면동맥, 악동맥

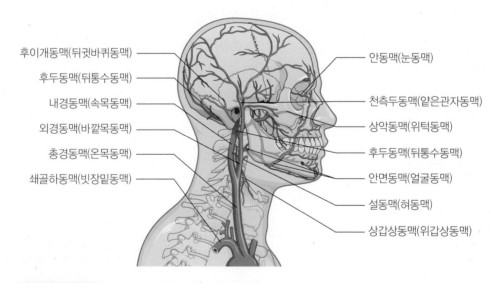

| 해부 6-2-2 | 얼굴 및 구강에 분포하는 외경동맥의 가지를 열거할 수 있다. (B) |

3. 설동맥(혀동맥)

가지	분포영역
설골상지(목뿔위가지)	설골에 부착하는 근육
설배지(혀등가지)	설저, 설체
설하동맥(혀밑동맥)	설하선, 악설골근, 구강저 점막, 설소대
설심동맥(깊은혀동맥)	설첨

해부 6-2-3 설동맥의 분포영역을 설명할 수 있다. (B)

4. 안면동맥(얼굴동맥)

가지		분포영역
목부분	상행구개동맥(오름입천장동맥)	연구개, 구개근, 구개편도
	편도지(편도가지)	구개편도
	선지(샘가지)	악하선, 악하선관, 악하림프절
	이하동맥(턱끝아래동맥)	악설골근, 악이복근의 전복, 광경근, 이하림프절
얼굴부분	하순동맥(아래입술동맥)	하순의 근육 및 점막, 구순선
	상순동맥(위입술동맥)	상순의 근육 및 점막, 구순선
	외측비지(가쪽코가지)	콧등, 비익
	안각동맥(눈구석동맥)	비부, 누낭, 안륜근
	근지(근육가지)	안면근, 교근, 내측익돌근, 협근

해부 6-2-4 안면동맥의 분포영역을 설명할 수 있다. (A)

5. 악동맥(위턱동맥) `2019 기출` `2020 기출` `2021 기출` `2022 기출`

• 하악부(아래턱부분)

가지		분포영역
하악부	심이개동맥(깊은귓바퀴동맥)	악관절, 외이도, 고막
	전고실동맥(앞고실동맥)	고막, 고실 점막
	중격막동맥(중간뇌막동맥)	뇌경막, 두개관의 골막, 삼차신경절, 안면신경, 슬신경절, 고막장근

가지		분포영역
하악부	부경막동맥(덧뇌막동맥)	뇌경막, 삼차신경절
	하치조동맥(아래이틀동맥)	하악공을 통과하여 하악관으로 들어감
	• 치지(치아가지)	하악 견치, 소구치, 대구치 및 그 부위의 치은
	• 절치지(앞니가지)	하악 절치 및 그 부위의 치은
	• 이동맥(턱끝가지)	턱부위, 하순
	• 설지(혀가지)	설하부 점막
익돌근부	심측두동맥(깊은관자동맥)	측두근
	교근동맥(깨물근동맥)	교근
	익돌근동맥(날개근동맥)	내측익돌근, 외측익돌근
	협동맥(볼동맥)	협근
익구개부	후상치조동맥(뒤위이틀동맥)	상악 소구치, 대구치 및 그 부위의 협측 치은, 상악동 점막
	안와하동맥(눈확아래동맥)	
	• 전상치조동맥(앞위이틀동맥)	상악 전치부 및 그 부위의 순측 치은
	• 안면지(얼굴가지)	안와하공 부근의 근육, 누낭
	익돌관동맥(날개관동맥)	인두의 상부, 이관, 중이, 고실
	하행구개동맥(내림입천장동맥)	
	• 대구개동맥(큰입천장동맥)	경구개 뒤쪽(상악 구치부 설측 치은), 구개선
	• 소구개동맥(작은입천장동맥)	연구개, 구개편도
	접구개동맥(나비입천장동맥)	
	• 하행중격동맥(내림중격동맥)	경구개 앞쪽(상악 전치부 설측 치은) 및 점막
	• 후외측비지(뒤가쪽코가지)	비강의 뒤쪽, 사골동, 전두동 및 상악동 점막

해부 6-2-5 악동맥의 분포영역을 설명할 수 있다. (A)

6. 얼굴 부위의 정맥

① 얼굴의 천부 정맥
- 안면정맥(얼굴정맥)
- 천측두정맥(얕은관자정맥)
- 후이개정맥(뒤귓바퀴정맥)

- 후두정맥(뒤통수정맥)
- 하악후정맥(아래턱뒤정맥)

② 얼굴의 심부 정맥

- 악정맥(위턱정맥)
- 익돌근정맥총(날개근정맥얼기)

해부 6-3-1	얼굴 및 구강에 분포하는 정맥을 설명할 수 있다. (B)

7. 얼굴 및 구강의 정맥

① 설정맥(혀정맥)

- 혀와 혀 하부의 혈액을 모음
- 간접적: 안면정맥(얼굴정맥)으로 유입
- 직접적: 내경정맥(속목정맥)으로 유입

② 안면정맥(얼굴정맥)

- 얼굴을 비스듬히 가로지르고 얼굴부위의 정맥을 모음
- 주경로: 안면정맥의 안각정맥 → 코, 상순, 턱끝과 턱밑 → 하악후정맥 전지와 연결 → 총안면정맥 → 내경정맥으로 유입
- 부경로: 안면정맥의 안각정맥 → 안정맥 → 두개강 속의 해면정맥동으로 유입
- 안면정맥에 모이는 가지: 상순정맥, 하순정맥, 심안면정맥, 교근정맥, 이정맥, 이하선지, 외구개정맥

③ 하악후정맥(아래턱뒤정맥)

- 악정맥과 천측두정맥 결합 → 하악후정맥 → 이하선 → 전지와 후지로 구분
- 전지(후안면정맥) → 안면정맥 결합 → 총안면정맥 → 내경정맥으로 유입
- 후지 → 후이개정맥 결합 → 외경정맥→ 쇄골하정맥으로 유입
- 하악후정맥에 모이는 가지: 천측두정맥, 중측두정맥, 안면횡정맥, 악정맥

④ 악정맥

- 익돌근정맥총과 하악후정맥을 연결하는 정맥
- 천측두정맥과 함께 하악후정맥 형성

⑤ 익돌근정맥총(날개근정맥얼기)

- 측두근, 외측익돌근, 내측익돌근 사이 위치, 그물 모양의 정맥
- 익돌근정맥총 → 악정맥 → 하악후정맥으로 연결

- 들어가는 가지: 하치조정맥, 중경막정맥, 교근정맥, 협정맥, 후상치조정맥, 인두정맥, 하행구개정맥, 안와하정맥, 접구개정맥, 악관절정맥, 하안정맥, 심측두정맥, 익돌근정맥
- 나오는 가지: 악정맥, 심안면정맥

해부 6-3-2	얼굴 및 구강의 정맥 중에서 설정맥, 안면정맥, 하악후정맥, 익돌근정맥총에 합류되는 정맥들을 설명할 수 있다. (A)

8. 두경부의 정맥이 심장으로 합류하는 모식도

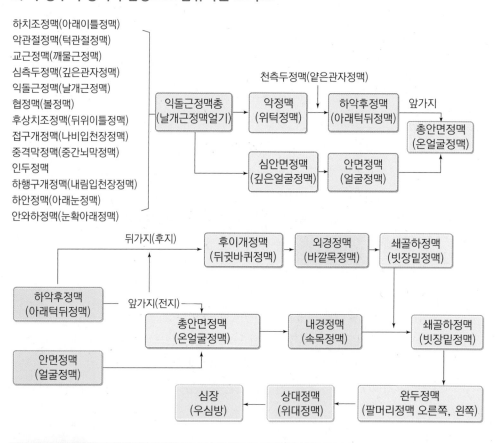

해부 6-3-3	두경부의 정맥이 합류하는 모식도를 설명할 수 있다. (B)

9. 머리 및 목의 림프계통

(1) 림프계통의 구성과 기능

① 구성: 모세림프관, 림프관, 림프절

② 기능: 세균이나 이물질이 몸 속으로 들어오면 외부의 항원 자극에 대해 생체를 방어

(2) 림프들이 혈류에 합쳐지는 두 가지 경로

① 우림프관(오른림프관): 오른쪽 부위(머리, 목, 팔, 가슴 등)의 림프를 모음

② 흉관(가슴림프관): 림프관 중 가장 큼, 우림프관의 영역을 제외한 모든 영역(왼쪽 머리·목·흉곽, 복부, 골반 등)의 림프를 모음

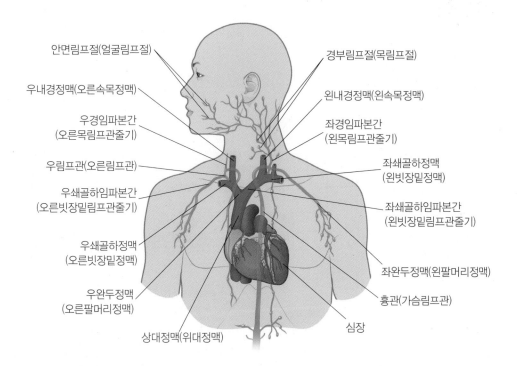

안면림프절(얼굴림프절)

우내경정맥(오른속목정맥)

우경임파본간
(오른목림프관줄기)

우림프관(오른림프관)

우쇄골하임파본간
(오른빗장밑림프관줄기)

우쇄골하정맥
(오른빗장밑정맥)

우완두정맥
(오른팔머리정맥)

상대정맥(위대정맥)

경부림프절(목림프절)

왼내경정맥(왼속목정맥)

좌경임파본간
(왼목림프관줄기)

좌쇄골하정맥
(왼빗장밑정맥)

좌쇄골하임파본간
(왼빗장밑림프관줄기)

좌완두정맥(왼팔머리정맥)

흉관(가슴림프관)

심장

| 해부 6-4-1 | 림프계통의 구성과 기능을 설명할 수 있다. (B) |

10. 머리 및 목의 림프절의 종류 2020 기출

림프절	수입관
악하림프절(턱밑림프절)	하악 견치·소구치·대구치, 상순과 하순의 가쪽 부분, 악하선 및 설하선, 설(혀)의 가장자리 부분
이하림프절(턱끝밑림프절)	하악 절치와 치은, 하순의 중앙, 혀의 끝
이하선림프절(귀밑샘림프절)	이하선, 이마, 눈꺼풀, 구개의 뒤쪽
인두뒤림프절(인두후림프절)	구개의 일부(연구개), 비인두
심안면림프절(깊은얼굴림프절)	측두와, 측두하 및 구개, 식도, 혀, 비강

해부 6-4-2   머리 및 목 림프절의 종류를 나열할 수 있다. (B)

11. 머리 및 목 림프계통에서 림프가 심장을 향해 가는 경로의 모식도

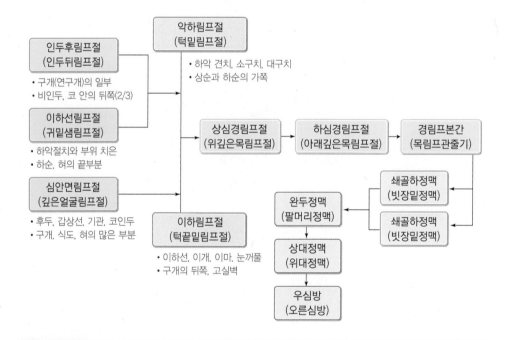

해부 6-4-6   머리 및 목 림프계통에서 림프가 심장을 향하여 가는 경로를 모식도로 설명할 수 있다. (A)

제7장 | 머리 및 목의 신경

1. 12쌍 뇌신경의 분류

구분	뇌신경
지각(감각)신경	후신경, 시신경, 내이신경
운동신경	동안신경, 활차신경, 외전신경, 부신경, 설하신경
혼합신경	삼차신경, 안면신경, 설인신경, 미주신경
부교감신경섬유를 포함하는 신경	동안신경, 안면신경, 설인신경, 미주신경
구강영역과 관련 있는 신경	삼차신경, 안면신경, 설인신경, 미주신경, 부신경, 설하신경

해부 7-1-2 12쌍의 뇌신경 중 지각(감각) 신경을 나열할 수 있다. (B)

해부 7-1-3 12쌍의 뇌신경 중 운동신경을 나열할 수 있다. (B)

해부 7-1-4 12쌍의 뇌신경 중 혼합신경을 나열할 수 있다. (B)

해부 7-1-5 12쌍의 뇌신경 중 부교감신경섬유를 포함하는 신경을 설명할 수 있다. (A)

해부 7-1-6 12쌍의 뇌신경 중 구강영역과 관련이 있는 주요 신경을 설명할 수 있다. (A)

2. 삼차신경

① 뇌신경 중 가장 큰 신경

② 구강영역과 밀접한 연관성 있음

③ 부속신경절: 삼차신경절

④ 삼차신경절에서 나오는 3가지: 안신경, 상악신경, 하악신경

가지	성분	통과하는 구멍	부속신경절	분포영역
안신경 (눈신경)	감각신경	상안와열	모양체신경절	안와, 이마, 비강
상악신경 (위턱신경)	감각신경	정원공	익구개신경절	상악 치아 및 치은, 구개, 상순, 관골 부위, 비강, 하안검, 상악동점막, 구개 편도

가지	성분	통과하는 구멍	부속신경절	분포영역
하악신경 (아래턱신경)	혼합신경	난원공	이신경절 악하신경절	• 감각신경: 하악 치아 및 치은, 혀의 앞쪽 2/3 부분, 하순 및 턱부위, 악관절, 측두부위, 외이도 • 운동신경: 저작근, 악설골근, 악이복근의 전복, 고막장근, 구개범장근

해부 7-2-1	삼차신경절에서 분지되는 가지와 부속신경절을 설명할 수 있다. (A)

해부 7-2-2	상악신경의 성분을 설명할 수 있다. (A)

해부 7-2-4	하악신경의 성분을 설명할 수 있다. (A)

3. 상악신경(위턱신경)의 주요 가지 `2019 기출` `2020 기출` `2021 기출`

가지			분포영역
관골신경(광대신경)	관골측두신경(광대관자신경)		측두부 피부, 누선 분비에 관여
	관골안면신경(광대얼굴신경)		관골부 피부
익구개신경절 (날개입천장신경절)	구개신경 (입천장신경)	대구개신경 (큰입천장신경)	상악 구치부 설측 치은 및 점막
		소구개신경 (작은입천장신경) (코가지)	연구개, 구개수, 구개편도
	비지 (코가지)	비구개신경 (코입천장신경)	상악 전치부 설측 치은 및 점막
안와하신경 (눈확아래신경)	후상치조신경(뒤위이틀신경)		상악 대구치 및 그 부위의 협측 치은, 상악동 점막
	중상치조신경(중간위이틀신경)		상악 소구치 및 그 부위의 협측 치은
	전상치조신경(앞위이틀신경)		상악 전치 및 그 부위의 순측 치은
종말지	하안검지(아래눈꺼풀가지)		하안검
	외비지(바깥코가지)		코의 바깥 부위
	상순지(위입술가지)		상순

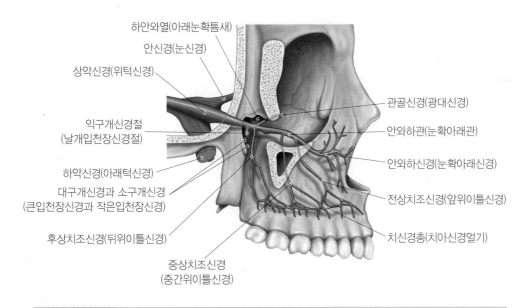

하안와열(아래눈확틈새)
안신경(눈신경)
상악신경(위턱신경)
익구개신경절
(날개입천장신경절)
하악신경(아래턱신경)
대구개신경과 소구개신경
(큰입천장신경과 작은입천장신경)
후상치조신경(뒤위이틀신경)
중상치조신경
(중간위이틀신경)

관골신경(광대신경)
안와하관(눈확아래관)
안와하신경(눈확아래신경)
전상치조신경(앞위이틀신경)
치신경총(치아신경얼기)

해부 7-2-3 　상악신경의 주요 가지를 설명할 수 있다. (A)

4. 하악신경(아래턱신경)의 주요 가지 　2019 기출

가지		분포영역
저작신경 (씹기신경)	심측두신경(깊은관자신경)	측두근
	교근신경(깨물근신경)	교근
	내측익돌근신경(안쪽날개근신경)	내측익돌근
	외측익돌근신경(가쪽날개근신경)	외측익돌근
협신경(볼신경)		볼 피부, 일부는 하악 대구치 협측 치은 및 점막
이개측두신경(귓바퀴관자신경)		악관절, 이개의 앞쪽 및 측두부, 이하선 분비에 관여
설신경 (혀신경)	설하지(혀밑가지)	하악 설측 치은, 구강저 점막
	설지(혀가지)	혀의 앞쪽 2/3 부위 감각 담당
하치조신경(아래이틀신경)		하악 치아, 하악 전치부 순측 치은 및 소구치부 협측 치은
이신경(턱끝신경)		하악과 하순, 하악 전치와 소구치의 구순점막에 분포하는 감각신경
절치신경(앞니신경)		하악 전치와 소구치로부터의 치지들에 분포하는 감각신경
악설골근신경(턱목뿔근신경)		운동신경은 악설골근과 악이복근 전복에 분포, 감각신경은 턱 밑 부위의 피부에 분포

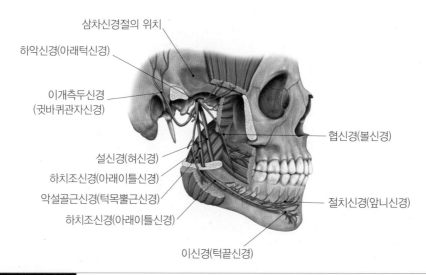

삼차신경절의 위치

하악신경(아래턱신경)

이개측두신경
(귓바퀴관자신경)

설신경(혀신경)

하치조신경(아래이틀신경)

악설골근신경(턱목뿔근신경)

하치조신경(아래이틀신경)

이신경(턱끝신경)

협신경(볼신경)

절치신경(앞니신경)

해부 7-2-5   하악신경의 주요 가지를 설명할 수 있다. (A)

5. 안면신경(얼굴신경)의 성분 및 기능

성분	일반감각신경	특수감각신경	운동신경	부교감신경
기능	외이도 및 유양돌기 부위의 피부에 분포	혀의 앞쪽 2/3 부위의 미각 담당	안면근에 분포	• 누선, 비선, 구개선 분비 • 설하선, 악하선 분비

해부 7-3-1   안면신경의 성분을 설명할 수 있다. (A)

해부 7-3-2   안면신경의 기능을 설명할 수 있다. (A)

6. 안면신경(얼굴신경)과 관련되는 신경절

신경절	슬신경절 (무릎신경절)	익구개신경절 (날개입천장신경절)	악하신경절 (턱밑신경절)
분포영역	• 고삭신경: 혀의 앞쪽 2/3 부위의 미각, 악하선, 설하선 분비 • 대추체신경: 누선, 비선, 구개선 분비	대추체신경이 익구개신경절과 신경 연접한 후 신경절이후 섬유가 누선, 비선, 구개선에 부교감신경섬유를 보냄	고삭신경은 설신경과 합류 후 악하신경절과 연접한 후 설하선, 악하선에 부교감신경섬유를 보냄

해부 7-3-3   안면신경과 관련되는 신경절을 설명할 수 있다. (A)

7. 안면신경(얼굴신경)의 주요 가지 [2019 기출]

성분	가지		분포영역
감각신경	고삭신경(고실끈신경)		혀의 앞쪽 2/3 부위의 미각, 악하선, 설하선 분비
	대추체신경(큰바위신경)		누선, 비선, 구개선 분비
운동신경	후이개신경(뒤귓바퀴신경)		상이개근, 후두근
	이복근지(두힘살근가지)		악이복근의 후복
	경돌설근지(붓목뿔근가지)		경돌설골근
	이하선신경총 (귀밑샘신경얼기)	측두지	전두근, 안륜근의 뒷부분 및 추미근
		관골지	안륜근의 아랫부분, 대관골근, 소관골근
		협근지	협근, 구륜근, 소근
		하악지	이근, 하순하체근
		경지	광경근

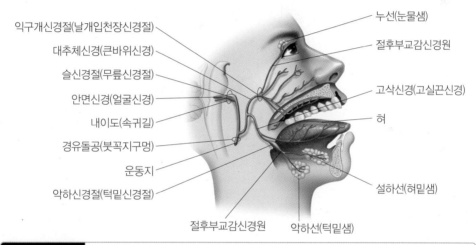

누선(눈물샘)
절후부교감신경원
고삭신경(고실끈신경)
혀
설하선(혀밑샘)

익구개신경절(날개입천장신경절)
대추체신경(큰바위신경)
슬신경절(무릎신경절)
안면신경(얼굴신경)
내이도(속귀길)
경유돌공(붓꼭지구멍)
운동지
악하신경절(턱밑신경절)

절후부교감신경원
악하선(턱밑샘)

해부 7-3-4	안면신경 주요 가지를 설명할 수 있다. (A)

8. 설인신경(혀인두신경) 성분 및 기능 [2021 기출]

성분	일반감각신경	특수감각신경	운동신경	부교감신경
기능	혀의 뒤쪽 1/3 부위, 인두 위쪽에 분포	혀의 뒤쪽 1/3 부위 미각 담당	경돌인두근에 분포	이하선 분비

해부 7-4-1	설인신경의 성분을 설명할 수 있다. (A)

해부 7-4-2	설인신경의 기능을 설명할 수 있다. (A)

9. 설인신경(혀인두신경)의 가지

가지	분포영역
설지(혀가지)	혀의 뒤쪽 1/3부위 일반감각과 미각에 분포
경돌인두지(붓인두근가지)	경돌인두근에 분포
인두지(인두가지)	인두근의 운동, 인두점막의 감각, 인두선 분비
편도지(편도가지)	구개편도, 연구개, 구협의 일반감각에 분포
고실신경	고실신경총 → 소추체신경 → 이신경절 → 이하선 분비

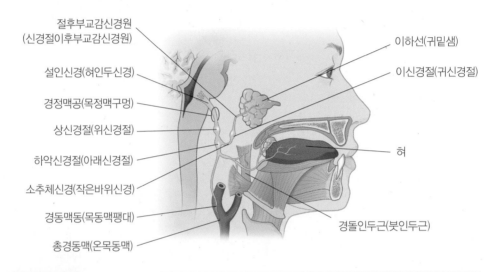

| 해부 7-4-3 | 설인신경과 관련되는 신경절을 설명할 수 있다. (B) |

10. 미주신경

① 뇌신경 중 길이가 가장 길고, 여러 장기에 분포

성분	일반감각신경	특수감각신경	운동신경	부교감신경
기능	후두덮개 근처 설근부, 이개 뒤쪽	후두덮개 근처 설근부 미각	구개근, 인두근, 후두근	가슴 및 복부 장기의 평활근과 선(gland) 분비에 관여

| 해부 7-5-1 | 미주신경의 성분을 설명할 수 있다. (B) |

| 해부 7-5-2 | 미주신경의 기능을 설명할 수 있다. (B) |

11. 설하신경(혀밑신경)의 성분 및 분포영역

성분	가지	분포영역
운동신경	설근지(혀가지)	내래설근, 외래설근에 분포
	경신경고리(목신경고리)	상근과 하근이 있고, 설골하근에 분포

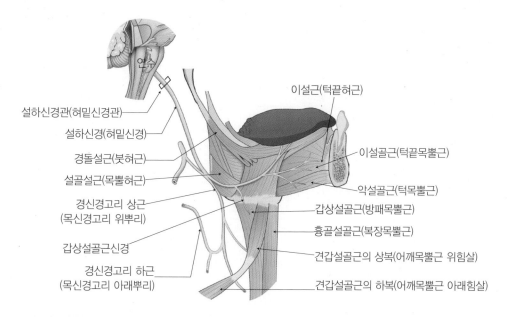

해부 7-6-1	설하신경의 성분을 설명할 수 있다. (A)

해부 7-6-2	설하신경의 분포영역을 설명할 수 있다. (A)

해부 7-6-3	경신경고리의 분포영역을 설명할 수 있다. (B)

제8장 | 머리 및 목의 자율신경

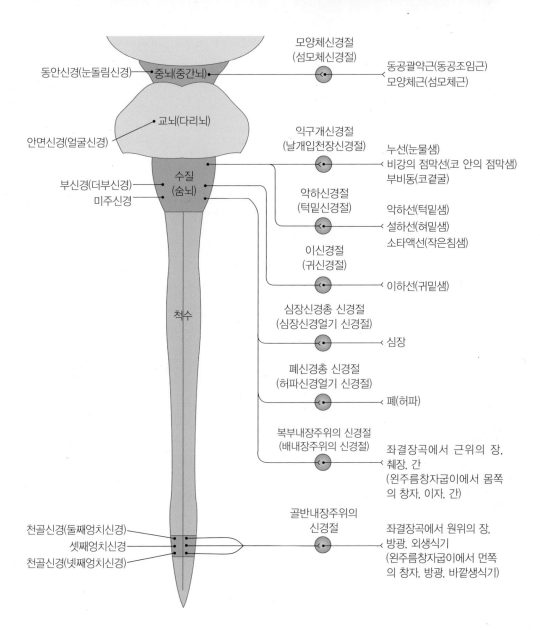

1. 머리와 목의 부교감신경

(1) 뇌신경 중 부교감신경섬유가 포함된 신경: 동안신경, 안면신경, 설인신경, 미주신경

(2) 부교감신경과 관련된 신경절 및 신경핵

① 동안신경(눈돌림신경): 동안신경핵

• 동안신경 → 모양체신경절 → 모양체근, 동공괄약근에 분포

② 안면신경(얼굴신경): 상타액핵

• 안면신경 → 슬신경절 → 대추체신경 → 익구개신경절 → 누선, 비선, 구개선의 분비 촉진

• 안면신경 → 슬신경절 → 고삭신경 → 악하신경절 → 악하선, 설하선, 소타액선의 분비 촉진

③ 설인신경(혀인두신경): 하타액핵

• 설인신경 → 고실신경 → 소추체신경 → 이신경절 – 이하선의 분비 촉진

④ 미주신경: 미주신경배측핵

• 심장, 폐, 위장, 간, 신장, 부신 등에 분포

• 심장 및 부신의 기능 억제, 기타 장기는 운동 및 분비 촉진

해부 8-2-1	부교감신경섬유를 함유한 뇌신경이 중추에서 말초에 이르기까지의 경로를 설명할 수 있다. (B)

제9장 | 얼굴 및 구강의 감전전도로

1. 얼굴 및 구강의 감전전도로

(1) **정의**: 말초에서의 자극을 뇌의 중추로 전달하는 경로

(2) **감각전도로**: 삼차신경절(삼차신경의 감각성 신경원)의 중추지 → 삼차신경의 감각핵 → 시상의 후내측복측핵 → 내포, 후각 → 대뇌피질의 중심후회

(3) **각종 감각 전도로**

① 통각 및 온각의 전도로: 자유신경종말(통각), 루피니소체(온각), 클라우제소체 종말구(냉각)의 수용기 → 삼차신경 → 뇌의 삼차신경척수로 → 삼차신경척수핵의 아래

부분 → 서로 교차 → 반대쪽의 삼차신경시상로 → 시상의 후내측복측핵 → 내포의 후각을 상행하여 대뇌피질의 중심후회의 하부

② 촉각 및 압각의 전도로: 마이스너소체(촉각), 파치니층판소체(압각)의 수용기 → 삼차신경 → 삼차신경절 → 뇌의 삼차신경주감각핵 → 서로 교차한 후 → 반대쪽 시상로를 통해 → 시상의 후내측복측핵 → 내포의 후각을 상행, 대뇌피질의 중심후회의 하부

③ 심부감각의 전도로

- 근방추(악관절, 치주인대, 저작근의 수용기), 건방추(건의 수용기) → 삼차신경 → 삼차신경절 → 뇌의 삼차신경중뇌핵
- 반사적인 전도로: 교차하지 않음 → 삼차신경운동핵 → 삼차신경의 운동근 → 저작근의 신전반사 & 교합압 조절 반사
- 의식적인 전도로: 서로 교차 → 삼차신경시상로 → 시상의 후내측복측핵 → 내포의 후각 → 대뇌피질의 중심후회

해부 9-1-1 감각전도로를 정의할 수 있다. (B)

해부 9-1-2 감각전도로의 종류를 구분할 수 있다. (B)

해부 9-1-3 피부의 감각수용기(Receptpor)를 설명할 수 있다. (B)

03

치아형태학

Dental Morphology

DENTAL
HYGIENIST

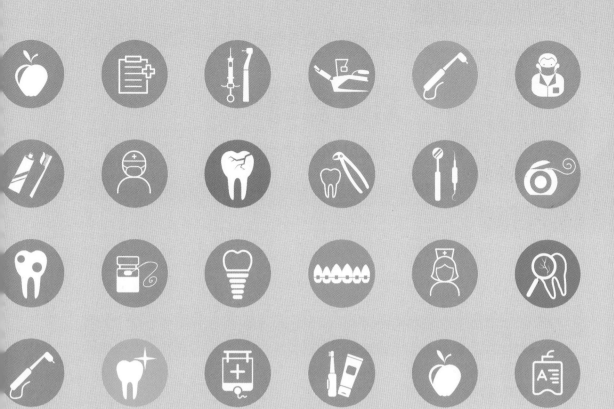

POWER 치과위생사 국가시험 핵심요약집 1권

PART 03 치아형태학
Dental Morphology

제1장 | 치아의 일반적인 개념

1. 치아의 정의

① 구강의 1차 소화기관

② 고도로 석회화된 경조직성 기관

③ 상악골과 하악골의 치조돌기 위에 식립되어 있는 기관

형태 1-1-1	치아를 정의할 수 있다. (B)

2. 치아의 모양에 의한 분류

① 동형치아: 모든 치아의 형태가 원추형으로 일정하고 치아가 하는 역할도 단순, 양서류·파충류·어류 등에서 나타남

② 이형치아: 포유류나 사람의 치아에 나타나는 형태로 치열의 위치에 따라 형태와 역할 다양

형태 1-1-2	치아모양을 형태학적으로 분류할 수 있다. (B)

3. 치아의 발생단계

① 개시기: 태생 6~8주, 치판과 치배 형성

② 뇌상기: 태생 8주경, 상피부분이 꽃봉오리 모양

③ 모상기: 태생 9~10주경, 상피성부분(외법랑상피, 법랑수, 내법랑상피), 간엽성부분 (치소낭, 치유두)

④ 종상기: 태생 14주경, 상피성부분(중간층 형성: 4층구조), 치배의 증식·분화 및 형태발생(치관상아질 → 법랑질 → 치근상아질 → 백악질형성)

| 형태 1-1-3 | 치아의 발생단계를 설명할 수 있다. (B) |

4. 치아의 기능

① 저작　　　　　　　③ 심미

② 발음　　　　　　　④ 치주조직 보호

| 형태 1-1-5 | 치아의 기능을 설명할 수 있다.(A) |

제2장 | 치아의 구조

1. 치아의 구성조직

① 경조직: 법랑질, 상아질, 백악질, 치조골

② 연조직: 치수, 치주인대

| 형태 2-1-1 | 치아의 구조를 설명할 수 있다.(A) |

2. 해부학적 치관(Anatomical crown)과 해부학적 치근(Anatomical root)

① 해부학적 치관(anatomical crown): 치경선 윗부분으로 법랑질로 덮여 있는 치관

② 해부학적 치근(anatomical root): 치경선 아랫부분으로 백악질로 덮여 있는 치근

③ 치경선(백악법랑경계): 해부학적 치관과 치근의 경계

| 형태 2-1-2 | 해부학적 치관(Anatomical crown)과 해부학적 치근(Anatomical root)을 설명할 수 있다. (B) |

3. 임상적 치관(Clinical crown)과 임상적 치근(Clinical root)

① 임상적 치관(clinical crown): 치은선 기준으로 구강 내에서 눈으로 보이는 부분(치은 위로 보이는 치관)

② 임상적 치근(clinical root): 치은선에서부터 치근의 끝부분 즉, 치근첨까지를 일컬음

③ 치은선: 임상적 치관과 치근의 경계

형태 2-1-3	임상적 치관(Clinical crown)과 임상적 치근(Clinical root)을 설명할 수 있다. (B)

제3장 | 치아의 조직

1. 치아 고유 조직

(1) 법랑질(Enamel)

① 96~97%의 무기질, 1% 유기질(에나멜린, 아멜로제닌), 3% 수분

② 인체조직 중 제일 단단함

③ 무색 반투명

④ 치관의 교두부와 절단연에서 제일 두껍고 치경부에서 얇아짐

(2) 상아질(Dentin)

① 70%의 무기질, 18% 유기질, 12% 수분

② 황색 불투명(치아색깔 결정)

③ 형성시기에 따른 분류
  - 1차 상아질: 치근단공이 완성되기 전에 형성
  - 2차 상아질: 치근단공이 완성된 후에 형성
  - 3차 상아질(수복 상아질): 우식, 와동형성, 교모, 치은퇴축, 마모 등의 유해자극에 의한 반응상아질

(3) 치수(Pulp)

① 25%의 유기질, 75%의 수분으로 구성

② 상아질 형성(상아모세포 존재), 치아에 영양공급, 지각(통각)기능

③ 치수강: 수실 + 치근관

03

치
아
형
태
학

형태 3-1-1	치아를 구성하는 조직을 설명할 수 있다. (A)

2. 치아 주위 조직

(1) 백악질(Cementum)

① 치근의 표면을 덮고 있는 경조직: 구조적으로 뼈와 매우 유사(백악세포 함유)

② 치아를 악골에 고정시키는 역할

③ 65%의 무기질, 23%의 유기질, 12%의 수분

④ 백악법랑경계(CEJ)의 유형

- 백악질이 법랑질을 약간 덮고 있는 경우: 약 60%
- 백악질과 법랑질이 선상으로 만나는 경우: 약 30%
- 백악질과 법랑질이 만나지 않는 경우: 약 10% (상아질이 노출되어 지각과민의 위험)

(2) 치주인대(Periodontal ligament)

① 치조골과 백악질 사이에 존재하는 섬유성 결합 조직(주섬유)

② 백악질과 치조골에 영양을 공급

③ 백악모세포, 골모세포 존재: 골조직과 백악질의 생성·유지·재생시킴

(3) 치은(Gingiva)

① 치아를 둘러싸며 치조골을 덮고 있는 구강점막의 일부분

② 건강한 상태: 선홍색

③ 병변이나 플라그, 색소침착으로 변색될 수 있음

④ 저작압에 대한 저항, 치주조직을 완전히 치아에 부착하는 작용, 외부자극에 대한
방어기전 및 전신질환 진단의 기준이 되기도 함

⑤ 구분: 변연치은, 부착치은, 치간치은

- 변연치은(유리치은, marginal gingiva)
  - 치아의 순설면을 부채꼴 모양으로 둘러싸고 있는 치은
  - 유동성이 있으며 치아에 부착되지 않아 유리치은이라고 함
- 부착치은(attached gingiva): 유리치은구에서 치은점막경계부까지의 치은
- 치간치은(치간유두, interdental gingiva): 치아 사이 삼각형의 공간을 메우고 있는
치은
- Col (치간함몰부치은)

(4) 치조골(Alveolar bone)

① 구강 내에서 상악과 하악의 치아가 위치해 있는 부분

② 고유치조골과 지지치조골로 분류

③ 구성: 무기질 60%, 유기질 25%, 수분 15%

> **형태 3-1-2**   치아를 둘러싸는 주위조직을 설명할 수 있다. (A)

3. 치수강의 구조

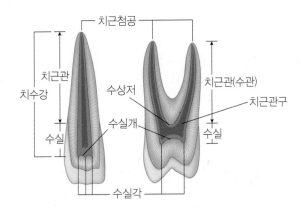

(1) 수실: 치관에 존재하는 치수강 부분

① 수실개(천개): 치관의 절단이나 교합면에 해당하는 부분

② 수각(수실각, 치수각): 수실개의 우각부에서 절치의 절단이나 구치의 교두의 돌출된 부분

(2) 치근관: 치근에 존재하는 치수강 부분

① 수상저: 수실의 가장 아랫부분

② 치근관구: 수실에서 치근관으로의 연결통로

③ 치근첨: 치근관의 끝부분

④ 치근첨(단)공: 치근첨의 작은 구멍으로 혈관, 신경 및 림프관이 치수내부와 연결

> **형태 3-1-3**   치수강 구조의 부위별 명칭을 설명할 수 있다. (A)

제4장 | 치아의 종류와 치식

1. 치아의 교환에 의한 분류

① 탈락치: 유치

② 대생치(계승치): 유치가 탈락한 자리에 맹출하는 영구치(1~5)

③ 가생치(증가치): 유치가 빠진 자리 뒷쪽에서 새로 나오는 12개의 영구치

④ 일생치성: 한 번 맹출하여 다시 교환하지 않는 치아(대구치 6~8, 유치 A~E)

⑤ 이생치성: 그 위치에 한 번의 교환으로 인해 맹출하는 치아(1~5)

⑥ 다생치성: 여러 번 치아가 맹출하여 교환되는 것

형태 4-1-2   대생치, 가생치를 설명할 수 있다. (A)

2. 유치의 명칭과 수

• 총 5종 20개: 1악 편측에 5개씩

(1) 유절치(Deciduous incisor): 2종 8개

  ① 유중절치(deciduous central incisor)   ② 유측절치(deciduous lateral incisor)

(2) 유견치(Deciduous canine): 1종 4개

(3) 유구치(Deciduous molar): 2종 8개

  ① 제1유구치(deciduous first molar)   ② 제2유구치(deciduous second molar)

형태 4-1-3   유치의 명칭을 설명할 수 있다. (A)

3. 영구치의 명칭과 수

• 총 8종 32개: 1악 편측에 8개씩

(1) 절치(문치, Incisor): 2종 8개

  ① 중절치(central incisor)

  ② 측절치(lateral incisor)

(2) 견치(창두치, 첨두치, Canine): 1종 4개, 상악 견치 = 안치

(3) 소구치(전구치, 쌍두치, Premolar): 2종 8개

   ① 제1소구치(first premolar)

   ② 제2소구치(second premolar)

(4) 대구치(Molar): 3종 12개

   ① 제1대구치(6세 구치, first molar)

   ② 제2대구치(12세 구치, second molar)

   ③ 제3대구치(지치, wisdom tooth, third molar)

형태 4-1-4	영구치의 명칭을 설명할 수 있다. (A)

4. 치아의 명명 순서

• 명명의 예: 영구치 상악우측 견치

   ① 영구치와 유치로 구분(dentition)

   ② 상악과 하악으로 구분(arch)

   ③ 좌측과 우측으로 구분(quadrant)

   ④ 치아의 명칭으로(tooth name) 구분

   cf 유치의 이명: Baby teeth, Milk teeth, 탈락치, 순간치

형태 4-1-5	각 치아의 이명을 설명할 수 있다. (B)

5. 유치의 종류별 맹출 시기

(1) 유치 맹출 순서: A−B−D−C−E

명명	맹출시기	수
유중절치	생후 6~8개월	4개
유측절치	생후 7~8개월	4개
유견치	생후 16~20개월	4개
제1유구치	생후 12~16개월	4개
제2유구치	생후 20~30개월	4개

(2) 맹출시기: 생후 6개월부터 2년~2년 6개월경에 맹출 완료

(3) 하악 치아가 상악 치아보다 먼저 맹출

형태 4-2-1 유치의 맹출 순서를 설명할 수 있다. (A)

6. 영구치의 종류별 맹출 시기

(1) 영구치 맹출순서: 상악(6-1-2-4-5-3-7-8), 하악(6-1-2-3-4-5-7-8)

명명	상악 영구치의 맹출시기	하악 영구치의 맹출시기
중절치	생후 7~8년	생후 6~7년
측절치	생후 8~9년	생후 7~8년
견치	생후 11~12년	생후 9~10년
제1소구치	생후 10~11년	생후 10~12년
제2소구치	생후 10~12년	생후 10~12년
제1대구치	생후 6~7년	생후 6~7년
제2대구치	생후 12~13년	생후 11~13년
제3대구치	생후 17~21년	생후 17~21년

(2) 맹출: 6세부터 17~25세

형태 4-2-2 영구치의 맹출 순서를 설명할 수 있다. (A)

7. 치식

(1) 정의

① 약호: 유치와 영구치의 명칭을 기록할 때 사용하는 것

② 치식: 약호를 사용하여 치열을 구성하는 치아의 종류와 그 수를 간단하게 표시하는 방법

(2) 유치의 치식

$$I\frac{2}{2} \quad C\frac{1}{1} \quad M\frac{2}{2} = 10(편측) \times 2 = 20$$

(3) 영구치의 치식

$$\text{I} \frac{2}{2} \quad \text{C} \frac{1}{1} \quad \text{P} \frac{2}{2} \quad \text{M} \frac{3}{3} = 16(편측) \times 2 = 32$$

형태 4-3-1	치식의 종류를 구분할 수 있다. (B)

형태 4-3-2	유치와 영구치의 치식을 표기할 수 있다. (B)

제5장 | 치아의 표시 방법

1. 정중선과 교합선

① 정중선(medial line): 좌측과 우측 구별

② 교합선(occlusal line): 상악과 하악을 구별

정중선

상악 우측	상악 좌측	
하악 우측	하악 좌측	교합선

형태 5-1-1	정중선과 교합선을 설명할 수 있다. (A)

2. 치아의 번호 표기법 2020 기출 2022 기출

(1) F.D.I (Federation Dentaire International system, 두 자리 숫자표기법)

① 유치와 영구치 모두 2자리 숫자로 구성

② 앞의 숫자: 상·하·좌·우를 구분(시계방향)

③ 뒤의 숫자: 정중선을 중심으로 치아의 위치표시

④ 영구치: 앞의 숫자(10, 20, 30, 40번), 뒤의 숫자(1~8번)

⑤ 유치: 앞의 숫자(50, 60, 70, 80번), 뒤의 숫자(1~5번)

⑥ 정중선, 교합선이 필요없어 의사소통 시 용이

ex 43 - 영구치 하악우측견치

• 영구치

18 17 16 15 14 13 12 11	21 22 23 24 25 26 27 28
48 47 46 45 44 43 42 41	31 32 33 34 35 36 37 38

• 유치

55 54 53 52 51	61 62 63 64 65
85 84 83 82 81	71 72 73 74 75

(2) Palmer notation system (사분구획법)

① 영구치의 약호: 아라비아 숫자로 표기

② 유치의 약호: 알파벳 대문자로 표기

③ 영구치: "1~8"로 표기

④ 유치: "A~E"로 표기

⑤ 정중선, 교합선이 반드시 필요

⑥ 기록 시 용이

　• 영구치

8 7 6 5 4 3 2 1	1 2 3 4 5 6 7 8
8 7 6 5 4 3 2 1	1 2 3 4 5 6 7 8

　• 유치

E D C B A	A B C D E
E D C B A	A B C D E

(3) Universal Numbering System (만국표기법, 연속표기법)

① 유치는 A~T까지 알파벳 대문자, 영구치는 1~32까지 아라비아 숫자로 표기(시계방향)

② A: 상악우측 제2유구치, T: 하악우측 제2유구치

③ 1: 상악우측 제3대구치, 32: 하악우측 제3대구치

　• 영구치

1 2 3 4 5 6 7 8	9 10 11 12 13 14 15 16
32 31 30 29 28 27 26 25	24 23 22 21 20 19 18 17

• 유치

A B C D E	F G H I J
T S R Q P	O N M L K

형태 5-1-2	구강을 사분원으로 나눌 수 있다. (B)

형태 5-1-3	치아의 표기법을 설명할 수 있다. (A)

제6장 | 치관의 구성

■■ 치면(Dental surface)

1. 치면의 정의

치면은 편평하지는 않고 약간 굴곡이 있으며, 각 치면의 이름은 치면이 향하고 있는 방향에 따라 불림

형태 6-1-1	치면을 정의할 수 있다. (B)

2. 전치부 치면: 4개의 치면과 1개의 절단

① 순면(labial surface): 절치와 견치에서 입술쪽을 향한 면

② 설면(lingual surface): 혀쪽을 향한 면으로 상악에서는 구개면(palatal surface)이라고도 함

③ 인접면(proximal surface): 동일 치열궁 내에서 옆 치아와 만나는 면

　• 근심면(mesial surface): 정중선을 기준으로 가까운 쪽의 면

　• 원심면(distal surface): 정중선을 기준으로 먼 쪽의 면

④ 절단(절연, incisal edge): 교합 시 대합치와 서로 접촉하는 부분

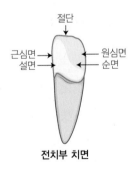

전치부 치면

형태 6-1-2	전치에 존재하는 치면을 설명할 수 있다. (B)

3. 구치부 치면: 5개의 치면

① 협면(buccal surface): 구치에서 볼쪽을 향한 면
② 설면(lingual surface): 혀쪽을 향한 면으로 상악에서는 구개면(palatal surface)이라고도 함
③ 인접면(proximal surface): 근·원심면이 존재하며, 최후방 구치는 근심면만 접촉
④ 교합면(occlusal edge, 저작면): 구치에서 교합 시 대합치와 서로 접촉하는 면

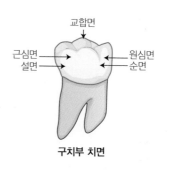

구치부 치면

형태 6-1-3	구치에 존재하는 치면을 설명할 수 있다. (B)

4. 우각(Dental angle)의 정의

치면이 서로 교차되어 이루어지는 각

형태 6-2-1	우각의 정의할 수 있다. (B)

5. 능각의 정의

두 개의 치면이 만나서 이루어지는 선상의 각

형태 6-2-2	능각을 정의할 수 있다. (A)

6. 전치 능각의 명칭과 수

(1) 전치부 능각의 수: 4개

(2) 전치부 능각의 명칭

① 근심순면능각
② 근심설면능각
③ 원심순면능각
④ 원심설면능각

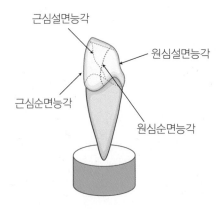

| 형태 6-2-3 | 전치 능각의 명칭을 설명할 수 있다. (A) |

7. 구치 능각의 명칭과 수

(1) **구치부 능각의 수**: 8개

(2) **구치부 능각의 명칭**

① 근심협면능각
② 근심설면능각
③ 원심협면능각
④ 원심설면능각

⑤ 근심교합면능각
⑥ 원심교합면능각
⑦ 협측교합면능각
⑧ 설측교합면능각

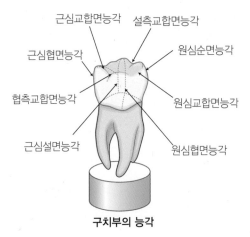

구치부의 능각

| 형태 6-2-4 | 구치 능각의 명칭을 설명할 수 있다. (A) |

8. 첨각(Point angle)

- 세 개의 치면이 만나서 이루어지는 점상의 각

| 형태 6-2-5 | 첨각을 정의할 수 있다. (A) |

9. 전치 첨각의 명칭과 수

(1) 전치부 첨각의 수: 2개

(2) 전치부 첨각의 명칭

① 근심순측설면첨각

② 원심순측설면첨각

| 형태 6-2-6 | 전치 첨각의 명칭을 설명할 수 있다. (A) |

10. 구치 첨각의 명칭과 수

(1) 구치부 첨각의 수: 4개

(2) 구치부 첨각의 명칭

① 근심협측교합면첨각

② 근심설측교합면첨각

③ 원심협측교합면첨각

④ 원심설측교합면첨각

| 형태 6-2-7 | 구치 첨각의 명칭을 설명할 수 있다. (A) |

11. 연(Margin)의 정의

- 치면과 치면의 경계, 즉 치면의 가장자리 부분

| 형태 6-3-1 | 연(Margin)을 정의할 수 있다. (B) |

12. 전치의 각 면에 존재하는 연(Margin)의 명칭과 수

(1) 전치의 각 면에 존재하는 연의 수: 순·설면에는 4개의 연, 근·원심면에서는 3개의 연이 있음

(2) 전치의 각 면에 존재하는 연의 명칭
① 순·설면: 근심연, 원심연, 치경연, 절단연
② 근·원심면: 순측연, 설측연, 치경연

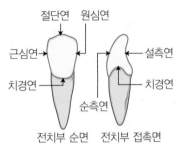

전치부

| 형태 6-3-2 | 전치의 각 면에 존재하는 연(Margin)을 설명할 수 있다. (A) |

13. 구치의 각 면에 존재하는 연(Margin)의 명칭과 수

(1) 구치의 각 면에 존재하는 연의 수: 5개의 치면에 각각 4개의 연이 있음

(2) 구치의 각 면에 존재하는 명칭
① 협·설면: 근심연, 원심연, 치경연, 교합연
② 근·원심면: 협측연, 설측연, 치경연, 교합연
③ 교합면: 근심연, 원심연, 협측연, 설측연

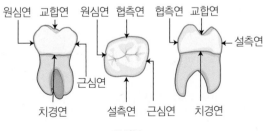

구치부

| 형태 6-3-3 | 구치의 각 면에 존재하는 연(Margin)을 설명할 수 있다. (A) |

14. 치아의 등분

(1) 수평적 등분

① 치관

- 절단(incisal third) 또는 교합(occlusal third) 1/3
- 중앙(middle third) 1/3
- 치경(cervical third) 1/3

② 치근

- 치경(cervical third) 1/3
- 중앙(middle third) 1/3
- 치근첨(apical third) 1/3

(2) 수직적 등분

① 순(협)면과 설면

- 근심(mesial third) 1/3
- 중앙(middle third) 1/3
- 원심(distal third) 1/3

② 근심면과 원심면

- 순(협)측(labial or buccal third) 1/3
- 중앙(middle third) 1/3
- 설측(lingual third) 1/3

형태 6-4-1	치관측, 치근측을 설명할 수 있다. (B)
형태 6-4-2	절단측, 교합측, 치경측을 설명할 수 있다. (B)
형태 6-4-3	근심측, 원심측을 설명할 수 있다. (B)

제7장 | 치관의 형태

1. 치관에 존재하는 볼록한 부위

① 교두(cusp): 구치부 교합면에 돌출된 융기부위

② 첨두(tip of cusp)

③ 결절(tubercle): 법랑질의 추가형성에 의해 치관에서 관찰되는 작고 둥근 돌출부

④ 엽(lobe)

⑤ 극돌기

⑥ 융선: 치면에서 나타나는 선상의 돌출부위

형태 7-1-1	치관에 존재하는 볼록한 부위를 열거할 수 있다. (A)

2. 엽(Lobe)의 개념

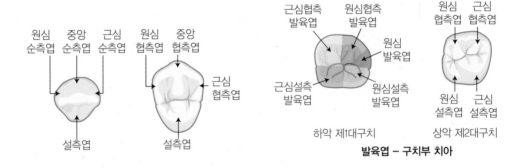

발육엽 – 구치부 치아

① 치관의 발육에 의해 형성된 1차 구조물의 기본 단위

② 엽이 모여서 치관 형성, 엽의 경계에는 발육구가 형성

③ 전치, 소구치: 총 4개

  • 순(협)면 3개: 근심, 중앙, 원심

  • 설면 1개

④ 대구치부: 교두의 수만큼 존재

  • 상악 대구치: 4개(각 교두부분)

  • 하악 제2소구치: 총 5개(협면 3, 설면 2)

  • 하악 대구치: 5개(각 교두부분)

형태 7-1-2	발육엽(Developmental lobe)을 정의할 수 있다. (B)

3. 교두(Cusp)와 교두정의 개념

① 구치부 교합면에 돌출된 융기부위
② 교두정: 교두에서 가장 돌출한 부분
③ 소구치: 2개(단, 하악 제2소구치는 2~3개)
④ 대구치: 상악 대구치(4개), 하악 대구치(5개)

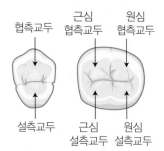

| 형태 7-1-3 | 교두를 설명할 수 있다. (A) |

4. 절단결절(Mamelon)

① 결절: 법랑질의 추가형성에 의해 치관에서 관찰되는 작고 둥근 돌출부
② 절단결절: 절치의 절단에 작고 둥근 법랑질의 융기된 돌출부, 맹출시에는 분명 곧 교모되어 없어짐

| 형태 7-1-4 | 절단결절을 설명할 수 있다. (A) |

5. 설면결절(Cingulum, 혀면결절, 치경결절, 기저융선)

① 전치 설면 치경 1/3부위에 나타나는 돌출부
② 정점은 약간 원심으로 위치

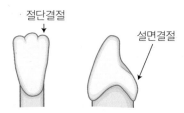

| 형태 7-1-5 | 설면결절을 설명할 수 있다. (A) |

6. 극돌기(가시돌기, Spinous process)의 개념 2019 기출

① 설면결절에서부터 절단연을 향하여 나오는 작은 돌출부
② 상악 전치부의 설면에 존재
   (상악 중절치의 설면에 1~3개 정도)

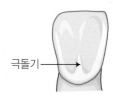

7. 융선(능선, Ridge)의 개념

- 치면에서 나타나는 선상의 돌출부위

① 변연융선(모서리능선, marginal ridge)
- 전치의 설면, 구치의 교합면의 근심 및 원심에 존재
- 근심변연융선, 원심변연융선

② 삼각융선(세모능선, triangular ridge)
- 구치의 교두정에서 교합면의 중심을 향해 내려오는 삼각형 모양의 융선

③ 횡주융선(가로능선, transverse ridge)
- 협측삼각융선과 설측삼각융선이 마주보고 연결되는 연합융선

④ 사주융선(빗김능선, oblique ridge=Diagonal ridge, 대각융선)
- 협측삼각융선과 설측삼각융선이 비스듬하게 연결되는 연합융선

⑤ 설면융선(혀면능선, lingual ridge)
- 견치 설면의 첨두에서 치경부로 향하는 돌출된 융선(견치 설측 – 2부분 나뉨)

⑥ 교두융선(도드리능선, cusp ridge)
- 구치의 각 교두정으로부터 근·원심, 협·설면으로 주행하는 융선

cf 연합융선: 삼각융선과 삼각융선이 서로 연결된 융선

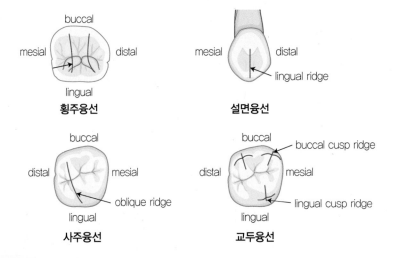

횡주융선   설면융선

사주융선   교두융선

8. 이상결절의 종류 `2022 기출`

- 부가적인 결절로 법랑질의 과잉발육으로 인해 나타나며, 교두보다 작고 불규칙적이며 비정상적인 돌출

① 개재결절(사이결절＝변연결절, Terra's tubercle)
- 상악 제1소구치 교합면의 근심변연융선에 나타나는 이상결절

② 카라벨리씨결절(Carabelli's tubercle, 제5교두)
- 상악 제1대구치 근심설측교두의 설측에 나타나는 이상결절
- 상악 제2유구치에도 나타남

③ 가성구치결절(어금니주위결절, Paramolar's tubercle)
- 상악 제2대구치 근심협측교두 협측이나 근·원심협측교두 사이에 볼 수 있는 이상결절

④ 후구치결절(큰어금니뒤결절, Distomolar's tubercle)
- 상악 제3대구치 원심측에 볼 수 있는 이상결절

개재결절 카라벨리씨결절 가성구치결절

> **형태 7-1-8**   이상결절을 종류별로 설명할 수 있다. (A)

9. 첨두(송곳니도드리끝, Tip of cusp)

① 견치의 절단에 존재
② 근원심경 중앙보다 약간 근심에 위치
③ 근심절단연의 길이가 원심절단연의 길이보다 짧음

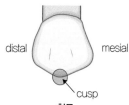

첨두

> **형태 7-1-10**   첨두를 설명할 수 있다. (A)

10. 치관에 존재하는 오목한 부위

① 구(고랑, groove): 교두와 교두, 융선과 융선, 교두와 융선 사이의 틈(발육구, 부구, 삼각구 등)

② 와(오목, fossa): 법랑질 표면에 있는 불규칙한 원형 또는 삼각형 형태의 오목한 부위

③ 소와(작은오목, pit): 와에서 발육구가 만나는 곳, 발육구가 끝나는 위치에 점상으로 가장 오목하게 들어간 부분

④ 교두간강(도드리사이공간, intercuspital space): 구치교합면을 근심과 원심에서 관찰했을 때 협측교두와 설측교두 사이에 형성되는 넓은 함몰부위

> **형태 7-2-1**   치관에 존재하는 오목한 부위를 열거할 수 있다. (A)

11. 교두간강의 개념

구치의 교합면에서 협측교두와 설측교두 사이의 넓은 함몰부위

> **형태 7-2-2**   교두간강을 설명할 수 있다. (B)

12. 구(Groove)의 개념

- 교두와 교두, 융선과 융선, 교두와 융선 사이의 틈

(1) 발육구(발육고랑, Developmental groove, Primary groove): 가장 주가 됨

① 치아의 발육엽에 의해 생긴 구

② 교두와 교두 사이, 융선과 융선 사이에 존재

(2) 부구(덧고랑, Secondary groove, Accessory groove)

① 발육구에 부가적으로 나타나는 얕은 선상의 구

② 발육구보다는 선명하지 않고 수와 위치가 일정치 않음

(3) 삼각구(세모고랑, Triangular groove)

① 삼각융선과 변연융선 사이에 존재

② 소와에서 협·설쪽으로 삼각형의 두 변과 같이 형성되는 선상의 함몰부위

> **형태 7-2-3**   구(Groove)를 종류별로 설명할 수 있다. (A)

13. 와(오목, Fossa)

① 법랑질 표면에 있는 불규칙한 원형 또는 삼각형 형태의 오목한 부위

② 전치: 설면와

③ 구치: 중심와, 근심와, 원심와

형태 7-2-4	와(Fossa)를 종류별로 설명할 수 있다. (A)

14. 소와(작은오목, Pit)

① 와에서 발육구가 만나는 곳, 발육구가 끝나는 위치에 점상으로 가장 오목하게 들어간 부분

② 협면소와: 하악 제1대구치

형태 7-2-5	소와(Pit)를 설명할 수 있다. (A)

제8장 | 치근의 형태

1. 치근면, 치근체, 치근첨

① 치근경: 법랑질과 백악질 경계 부위

② 치근첨: 치근 가장 끝부분

③ 치근체: 치근경에서 치근첨 사이

2. 치근의 형태

① 치근경에서 굵고 치근첨으로 갈수록 가늘어짐(일반적으로 원심으로 경사져 있음)

② 근원심이나 협설로 납작한 원추형

③ 치근첨공 존재: 치근첨에 있는 작은 구멍(치수강의 입구)

형태 8-2-1	치근의 형태를 설명할 수 있다. (B)

3. 치근의 수에 따른 분류 `2019 기출` `2020 기출` `2021 기출` `2022 기출`

(1) 단근치(Single root tooth): 1개의 치관과 1개의 치근

① 상·하악 전치(1~3), 상악 제1소구치를 제외한 소구치

② 유전치(A~C)

(2) 복근치(Complex root tooth, Double root tooth): 1개의 치관에 2개의 치근

① 상악 제1소구치(협측근, 설측근)

② 하악 대구치, 하악 유구치(근심근, 원심근)

(3) 다근치(Multiple root tooth): 1개의 치관에 3개 이상의 치근

① 상악 대구치(설측근, 근심협측근, 원심협측근)

② 상악 유구치(설측근, 근심협측근, 원심협측근)

형태 8-3-1	치근의 수에 따른 치근을 분류할 수 있다. (A)

4. 치근관의 분류

• 치근관: 치근 내부에 있는 치수강부분

(1) 단순치근관(Simple root canal): 1개의 치근 속에 1개의 치근관과 치근첨공이 있는 것

(2) 분지치근관(Divided root canal, Branch root canal): 1개의 치근에 치근관이 분지되어 있는 것

① 완전 분지치근관: 1개의 치근 내에 2개의 치근관이 완전히 분지되어 각각의 독립된 치근첨공을 보유하고 있는 것

② 불완전 분지치근관: 1개의 치근 내에 2개의 치근관으로 분지하나 점차 합쳐져 하나의 치근첨공을 나타내는 것

③ 측지 치근관: 치경부와 치근단에 가까운 치근관에서 직각에 가깝게 분지되어 치근의 바깥쪽으로 미세치근관이 나타나는 것

형태 8-4-1	치근관을 형태에 따라 분류할 수 있다. (B)

제9장 | 치아의 상징

1. 치아상징

같은 명칭의 치아라도 각각의 치아는 근심과 원심의 공통적인 형태학적 차이점으로 치아의 좌·우측을 구별함

| 형태 9-1-1 | 치아상징을 정의할 수 있다. (A) |

2. 우각상징(Angle symbol) 2021 기출

순면 또는 협면에서 볼 때 근심우각은 각이 작고 예각이며 원심우각은 각이 크며 둔각

| 형태 9-1-2 | 우각상징을 설명할 수 있다. (A) |

3. 만곡상징(Curve symbol) 2020 기출

전치부의 절단이나 구치부의 교합면에서 보면 근심부위가 원심부위보다 잘 발달되어 풍융도가 크고 돌출되어 있어 근심은 볼록하고 원심은 완만한 상태

| 형태 9-1-3 | 만곡상징을 설명할 수 있다. (A) |

4. 치근상징(Root symbol)

순면(협면)에서 볼 때 치아의 장축선은 교합면(절단연)과 직각을 이루지 않고 치근첨이 원심쪽으로 경사져 나타나는 것

| 형태 9-1-4 | 치근상징을 설명할 수 있다. (A) |

5. 치경선 만곡상징(Curvature of cervix symbol)

① 치근과 치관의 경계부인 치경선은 순(협)·설면에서는 치근을 향해 곡선을 이루며, 근·원심에서의 치경부위 만곡은 치관을 향해 곡선을 이룸

② 치경선 만곡은 근심면의 치경선 만곡이 원심면의 치경선 만곡보다 잘 발달되어 치경선 만곡의 정점이 치관쪽으로 더 큼(구치부보다 전치부에서 크게 나타남)

형태 9-1-5	치경선 만곡상징을 설명할 수 있다. (A)

6. 치아상징이 잘 나타나는 치아

① 우각상징: 측절치, 견치, 대구치(특히 상악 측절치에서 가장 뚜렷)
② 만곡상징: 견치, 상악 대구치
③ 치근상징: 대구치, 견치, 상악 측절치
④ 치경선 만곡상징: 전치부

제10장 | 절치

1. 절치의 크기 순서

상악 중절치 > 상악 측절치 > 하악 측절치 > 하악 중절치

형태 10-0-1	절치의 크기 순서를 설명할 수 있다. (A)

2. 절치에 존재하는 발육엽

① 발육엽(총 4개): 순면에 3개, 설면에 1개(근심순면·중앙순면·원심순면·설면발육엽)
② 발육구: 순면에 2개

형태 10-0-2	절치에 존재하는 발육엽을 설명할 수 있다. (B)

3. 절치의 치관과 치근길이

① 상악 치아: 근·원심경 > 순·설경
② 하악 치아: 근·원심경 < 순·설경
③ 절치 중 하악 측절치의 치근이 가장 깊(치근상징이 뚜렷)

| 형태 10-0-3 | 절치의 치관과 치근길이를 설명할 수 있다. (B) |

4. 절치의 치근

① 치근첨은 약간 원심측으로 경사짐
② 수실은 치관의 형태, 치근관은 치근의 형태

| 형태 10-0-4 | 절치의 치근을 설명할 수 있다. (B) |

5. 상악 중절치 일반적 특징

① 치경선 만곡도가 가장 큰 치아(근심: 3.5, 원심: 2.5)
② 근원심폭(8.5) > 순설폭(7.0): 상·하악 절치 중 가장 크고 넓은 치관 폭을 가짐

| 형태 10-1-1 | 상악 중절치의 발육단계를 설명할 수 있다. (B) |

6. 상악 중절치의 순면에 나타나는 구조물 2020 기출

| 순면 | 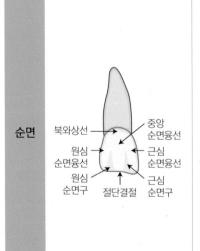 북와상선, 중앙 순면융선, 원심 순면융선, 근심 순면융선, 원심 순면구, 절단결절, 근심 순면구 | ① 부정장방형, U자형의 평편하고 풍융된 면
② 4개의 면 중 가장 큼
③ 4개의 연(근심연, 원심연, 절단연, 치경연)
　• 근심연이 가장 길고, 치경연이 가장 짧음
　• 근심연은 길고 직선형, 원심연은 짧고 곡선형
④ 3개의 발육엽
　• 각 엽의 중앙에는 융선이 존재
　• 근심순면융선, 중앙순면융선, 원심순면융선(중앙순면 융선의 발육이 가장 잘 발달)
⑤ 원심반부보다 근심반부가 넓고 풍융
⑥ 절단결절(mamelon): 치아 맹출 시 절단연에 3개의 작은 결절이 나타남
⑦ 2개의 발육구 존재: 근심순면발육구, 원심순면발육구
⑧ 2개의 우각(근심우각-날카롭고 예각, 원심우각-둔각)
⑨ 복와상선(비늘선, imbrication line)이 존재: 치경 1/3부 위의 중앙에서 치경선과 평행한 2~3개의 선상의 얕은 함몰부 |

| 형태 10-1-2 | 상악 중절치의 순면에 나타나는 구조물을 설명할 수 있다. (A) |

7. 상악 중절치의 설면에 나타나는 구조물 `2020 기출`

설면	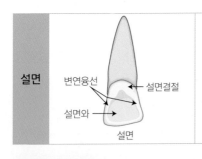	① 순면보다 작음 ② 치경부가 좁아져서 "V" shape ③ 설면와 형성: 변연융선, 치경결절에 의해 형성 ④ 근심변연융선 > 원심변연융선 ⑤ 설면결절은 원심측에 위치 ⑥ 극돌기 존재: 설면결절에서 절단을 향해 나타나는 1~3개의 돌기

> **형태 10-1-3** 상악 중절치의 설면에 나타나는 구조물을 설명할 수 있다. (A)

8. 상악 중절치의 절단의 형태 `2020 기출`

절단	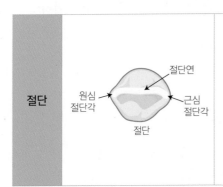	① 순설경 중앙에 위치 ② 치관: 근원심경 > 순설경 ③ 원심으로 가면서 약간 설측으로 경사 ④ 원심으로 가면서 순설경이 좁아짐(만곡상징) ⑤ 근원심경(Li) < 근원심경(La) ⑥ 순측(팽융): 근심반부 > 원심반부 ⑦ 설측: 설면결절의 위치가 원심 쪽에 위치 ⑧ 맹출 시에는 절단에 3개의 결절이 나타남

> **형태 10-1-4** 상악 중절치의 절단의 형태를 설명할 수 있다. (A)

9. 상악 중절치의 근·원심면의 비교

근심면	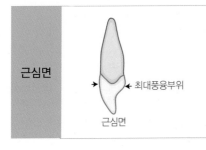	• 치경연이 저변이고 순측연과 설측연이 만나는 절단을 정점으로 하는 삼각형 형태 • 치경연은 구강 내 치아 중에서 만곡도가 가장 큼 • 접촉부위: 절단 1/3부위, 약간 순측에 위치

원심면	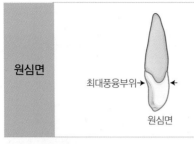	• 근심면보다 약간 작고 더 풍융 • 치경선의 만곡도는 근심면보다 약함(치경선 만곡상징) • 접촉부: 절단 1/3부위와 중앙 1/3부위의 경계에 위치

형태 10-1-5   상악 중절치의 근·원심면의 형태를 설명할 수 있다. (B)

형태 10-1-6   상악 중절치의 근·원심면의 접촉부위를 설명할 수 있다. (B)

10. 상악 중절치의 좌·우 구별법

① 근심절단우각: 예각, 원심절단우각: 둔각(우각상징)

② 절단은 근심에서 원심을 향해 경사

③ 순면에서 볼 때 원심반부보다 근심반부가 큼

④ 순면에서 볼 때 근심연은 길고 직선적이며, 원심연은 짧고 곡선적

⑤ 치경선만곡도: 근심면 > 원심면

⑥ 치근상징: (순면에서 보면) 치근의 장축이 원심쪽으로 경사

⑦ 절단측에서 볼 때 순측의 원심반부보다 근심반부가 풍융함(만곡상징)

⑧ 설면결절은 약간 원심측에 위치

형태 10-1-9   상악 중절치의 좌·우측을 구별할 수 있는 특징을 설명할 수 있다. (B)

11. 상악 측절치 특징   2019 기출

① 치관의 크기는 상악 중절치보다 작으나 외형은 거의 비슷

② 치아 발육에 변이 많음(선천결손빈도가 높음): 제3대구치 다음으로 형태변화가 심한 치아

③ 맹공이 형성되기도 하고, 사절흔이 나타나기도 함: 치아우식 발생증가

④ 우각상징이 가장 뚜렷함

⑤ 절치 중 좌·우 구별이 가장 뚜렷하게 나타남

형태 10-2-1   상악 측절치의 발육단계를 설명할 수 있다. (B)

12. 상악 중절치와 상악 측절치의 비교

구분		상악 중절치	상악 측절치
순면	치관폭	넓음	좁음
	근심절단각	예리	둥금
	원심절단각	둥금	매우 둥금
	근심연	직선	약간 곡선
	원심연	약간 곡선	더 곡선적
	형태	대체로 평탄	볼록한 편
설면	변연융선	설면결절이 약간 돌출	설면결절이 더 돌출
		설면와가 약간 함몰	설면와가 깊이 함몰
	맹공, 사절흔	없음	있음
접촉면	치경선만곡도	강함	약함
	설면결절	약간 풍융	매우 풍융
절단면	순측	약간 풍융	매우 풍융

형태 10-2-2	상악 측절치 순면에 나타나는 구조물을 설명할 수 있다. (A)

형태 10-2-3	상악 측절치 설면에 나타나는 구조물을 설명할 수 있다. (A)

13. 상악 측절치의 절단의 형태

절단	① 상악 중절치보다 절단이 더 두꺼움 ② 절단은 원심쪽으로 갈수록 설측으로 약간 경사 ③ 설면결절은 약간 원심쪽으로 치우쳐 있음

형태 10-2-4	상악 측절치의 절단의 형태를 설명할 수 있다. (A)

14. 상악 측절치 부위별 형태학적 특징

근심면	① 순측연과 설측연의 최대풍융부위: 치경 1/3부위 ② 상악 중절치에 비해 치경선 만곡이 더 약함 ③ 접촉부위: 절단 1/3부위와 중앙 1/3부위의 경계에 위치

원심면	① 근심면에 비해 작고 좁고 더 둥글고 치경선 만곡도 작음 ② 접촉부위: 중앙 1/3부위에 위치
치근과 치수강	① 단근치 ② 치근 길이는 중절치와 같으나 치관에 비해 치근이 긴 편 ③ 치근첨은 원심경사 ④ 치수강은 치아의 외형과 유사: 근심측 수각이 더 돌출

형태 10-2-5 상악 측절치의 근·원심면의 형태를 설명할 수 있다. (B)

형태 10-2-6 상악 측절치의 치수강을 설명할 수 있다. (B)

15. 하악 중절치 특징

① 구강 내 치아 중 가장 작은 치아(근원심경이 가장 작음)

② 좌우 대칭형, 좌·우감별이 가장 힘듦: 우각상징과 만곡상징이 가장 미약한 치아

③ 1치 대 1치 관계의 교합: 상악 중절치와만 교합

④ 좌·우 대칭적이어서 좌·우 구분이 가장 어려움

형태 10-3-1 하악 중절치의 발육단계를 설명할 수 있다. (B)

16. 하악 중절치의 순면에 나타나는 구조물

순면	① 순면의 외형: 부정장방형, 절단에서 치경측으로 향해 근원심폭이 줄어드는 형태
	② 근심절단우각과 원심절단우각의 위치가 비슷(좌우대칭)
	③ 우각상징이 잘 나타나지 않음
	④ 순면융선: 근심순면융선, 중앙순면융선, 원심순면융선(풍융도가 약함)
	⑤ 순면구: 근심순면구, 원심순면구
	⑥ 최대풍융부위: 절단 1/3부위
	⑦ 4개의 연
	  • 절단연: 수평주행
	  • 근심연, 원심연: 직선
	  • 치경연: 치근을 향하여 좌우가 대칭으로 불룩함

형태 10-3-2 하악 중절치의 순면에 나타나는 구조물을 설명할 수 있다. (A)

17. 하악 중절치의 설면에 나타나는 구조물

설면	① 변연융선과 설면결절의 발육이 약해 설면와 형태가 미약함 ② 순면과 설면의 크기가 거의 비슷함 ③ 치관의 길이는 순면보다 0.5 mm 정도 더 긺 ④ 최대풍융부위: 절단 가까이 ⑤ 치경선은 순면보다 치근 쪽으로 더 만곡 ⑥ 극돌기를 볼 수 없음 ⑦ 설면결절: 중앙에 위치

형태 10-3-3 하악 중절치의 설면에 나타나는 구조물을 설명할 수 있다. (A)

18. 하악 중절치의 절단의 형태

절단	① 좌우가 거의 대칭적인 형태(근심반부 = 원심반부) ② 근심에서 원심을 향해 수평주행 ③ 절단은 설측 경사: 절단에서 관찰 시 순측이 더 많이 보임 ④ 순·설폭 > 근·원심폭

형태 10-3-4 하악 중절치의 절단의 형태를 설명할 수 있다. (A)

19. 하악 중절치의 부위별 형태학적 특징 2021 기출

근심면	• 접촉부위: 절단 1/3부위 • 순측연과 설측연의 최대풍융부위: 치경 1/3부위
원심면	• 근심면과 형태가 거의 비슷 • 접촉부: 절단 1/3부위에 위치 • 근심면과 원심면이 대칭적인 형태(4개의 절치 중 유일함)
치근	• 단근치 • 근심면: 중앙부에 횡주하는 융선 • 원심면: 중앙부에 함몰된 구가 나타남 → 치근에서 좌·우측 구별이 더 뚜렷함

형태 10-3-5 하악 중절치의 근·원심의 특징과 접촉부위를 설명할 수 있다. (B)

형태 10-3-6 하악 중절치의 치근에 나타나는 융선과 구를 설명할 수 있다. (B)

형태 10-3-7 하악 중절치의 좌·우측을 구별할 수 있는 특징을 설명할 수 있다. (B)

20. 하악 측절치 특징

① 치근길이가 절치 중에서 가장 깊

② 심하게 설측으로 경사되어 위치되기도 하는데, 이 경우 crowding 발생

③ 근심반부와 원심반부가 하악 중절치와 달리 비대칭적

④ 하악 중절치보다 약간 크지만 형태는 비슷

⑤ 때로는 선천적 결손을 보임

⑥ 유측절치의 자리에서 정상으로 위치되거나 심하게 설측으로 경사: 치아총생(crowding)

형태 10-4-1	하악 측절치의 발육단계를 설명할 수 있다. (B)

21. 하악 측절치의 순면에 나타나는 구조물 2022 기출

순면	① 하악 중절치에 비해 근심반부와 원심반부가 비대칭적이나 외형은 비슷 ② 상악 절치에 비해 융선과 구의 발육은 미약 ③ 절단연은 근심에서 원심으로 가면서 치경측으로 더 경사 ④ 우각: 근심절단우각은 예각, 원심절단우각은 둔각 ⑤ 근심연: 길고 직선적, 원심연: 짧고 곡선적

형태 10-4-2	하악 측절치의 순면에 나타나는 구조물을 설명할 수 있다. (A)

22. 하악 측절치의 설면에 나타나는 구조물

설면	① 설면와가 하악 중절치에 비해 좀 더 뚜렷함 ② 설면결절의 발육 미약, 약간 원심측에 위치 ③ 근심변연융선은 직선적, 원심변연융선은 곡선적

형태 10-4-3	하악 측절치의 설면에 나타나는 구조물을 설명할 수 있다. (A)

23. 하악 측절치의 절단의 형태

근심면	• 접촉부: 절단 1/3부위에서 절단측에 가깝게 위치
원심면	• 근심면과 형태가 거의 비슷하나 약간 작음 • 접촉부: 절단 1/3부위에서 근심측보다 더 치경측에 가깝게 위치

절단	• 하악 치열궁의 곡선을 따라서 원심측이 약간 설측으로 경사 • 하악 중절치와 달리 직선으로 주행하지 않음

> **형태 10-4-4** 하악 측절치의 절단의 형태를 설명할 수 있다. (A)

24. 하악 측절치의 좌·우측 구별법

① 근심부 치경선 높이는 원심부 치경선 높이보다 높음

② 근심절단우각은 원심절단우각보다 더욱 예리하고 각상을 이룸

③ 절단측: 절단연의 원심부위가 약간 설측으로 위치

> **형태 10-4-5** 하악 측절치의 좌·우측을 구별할 수 있는 특징을 설명할 수 있다. (B)

25. 하악 중절치와 하악 측절치의 비교 2019 기출

구분		하악 중절치	하악 측절치
순면	치관폭	좁음	약간 넓음
		좌우 대칭적, 절단이 수평	좌우 비대칭, 절단이 약간 원심경사
	근심연과 원심연	직선적	근심연은 길고 직선적, 원심연은 짧고 곡선적
	근·원심우각	모두 예각	근심우각은 예각, 원심우각은 둔각
설면	설면결절	중앙에 위치	약간 원심에 위치
접촉면	근·원심면의 크기	근원심면의 크기가 비슷	근심면이 약간 큼
	접촉부위	근·원심면 모두 절단 1/3부위	근심 접촉부위는 절단 1/3부위, 원심 접촉 부위는 약간 치경측
절단	절단연	수평으로 주행	절단연의 원심측이 설측으로 경사
치근	길이	하악 중절치 < 하악 측절치	
치관의 형태		좌우 대칭	좌우 비대칭

> **형태 10-4-6** 하악 중절치와 하악 측절치를 비교하여 설명할 수 있다. (B)

제11장 | 견치

1. 견치의 치관

① 3개의 순측엽(근심순측엽, 중앙순측엽, 원심순측엽), 1개의 설측엽으로 구성

② 교정치료, 보철치료 시에 중요한 역할

③ 얼굴표정에 중요한 역할을 하는 치아

④ 자정작용이 용이(치아우식증과 치주병이 잘 생기지 않음)

⑤ 첨두의 위치: 약간 근심측에 위치

> **형태 11-0-1** 견치의 치관을 설명할 수 있다. (A)

2. 견치의 순설면의 특징

근·원심보다 순·설측이 더 두꺼움

> **형태 11-0-2** 견치의 순설면의 특징을 설명할 수 있다. (A)

3. 상악 견치의 특징 2022 기출

① 구강 내에서 치근의 길이가 가장 긴 치아

② 절치에 비해서 순설경이 근원심경보다 큼: 굵고 긴 원추형

③ 첨두를 기준으로 근심절단연과 원심절단연으로 구분

> **형태 11-1-1** 상악 견치의 발육단계를 설명할 수 있다. (B)

4. 상악 견치의 순면 구조물

순면	① 오각형의 형태: 4연(근심연, 원심연, 치경연, 절단연)으로 구성되나 첨두를 중심으로 근심절단연과 원심절단연으로 나뉘어짐 ② 첨두가 근심에 위치: 근심절단연은 원심절단연보다 짧음 ③ 근심반부가 원심반부보다 좁고 돌출되어 있음 ④ 원심절단우각은 근심절단우각보다 치경쪽에 가깝고 더 둔각임

순면	⑤ 중앙순면융선이 잘 발달되어 있음(3개의 발육엽으로 구성) ⑥ 최대풍융부: 근심연 – 절단 1/3과 중앙 1/3 경계, 원심연 – 중앙 1/3부위 ⑦ 복와상선 뚜렷

> **형태 11-1-2**   상악 견치의 순면을 구조물을 설명할 수 있다. (A)

5. 상악 견치 설면의 구조물 [2020 기출]

설면	① 순면보다 근원심폭이 약간 좁음(마름모형) ② 원심설면 부융선의 발육이 좋아 그 중앙부가 불쑥 튀어나와 있음 ③ 설면융선과 변연융선의 발달 ④ 융선에 의해 근심설면와, 원심설면와로 나뉨 ⑤ 1~3개의 극돌기(절치에서 보다 훨씬 뚜렷)

> **형태 11-1-3**   상악 견치 설면의 구조물을 설명할 수 있다. (A)

6. 상악 견치의 절단에서 첨두 위치

절단	① 근원심경보다 순설경이 더 크고 두꺼움 ② 풍융도: 근심반부 > 원심반부 ③ 만곡상징 뚜렷 ④ 원심절단연이 근심절단연보다 약간 설측으로 위치 ⑤ 첨두의 위치: 순설경 중앙에서 약간 순측으로, 근원심경 중앙에서 약간 근심에 위치 (근심절단연 < 원심절단연, 근심반부 < 원심반부)

> **형태 11-1-4**   상악 견치의 절단에서 첨두 위치를 설명할 수 있다. (A)

7. 상악 견치의 근·원심면의 접촉부위

    ① 근심면 접촉부위: 절단 1/3부위와 중앙 1/3부위의 경계

    ② 원심면 접촉부위: 중앙 1/3부위

> **형태 11-1-5**   상악 견치의 근·원심면의 접촉부위를 설명할 수 있다. (B)

8. 상악 견치의 치근의 특징

① 가장 긴 단근치

② 근·원심면에 얕고 넓은 함몰부가 있어 치조와에 잘 부착, 치아지지

③ 원추형, 1개의 수각

④ 치수실과 치수관의 경계가 명확하지 않음

| 형태 11-1-6 | 상악 견치의 치근을 설명할 수 있다. (A) |

| 형태 11-1-7 | 상악 견치의 치수강을 설명할 수 있다. (B) |

9. 상악 견치의 좌·우측을 구별할 수 있는 특징

① 첨두의 위치가 근원심경 중앙에서 약간 근심에 위치

② 근심절단연이 원심절단연보다 짧음(근심절단연 < 원심절단연)

③ 근심 접촉부가 원심 접촉부보다 절단측 가까이 위치

④ 절단에서 보았을 때 순면의 근심반부가 원심반부에 비해 만곡도가 큼

⑤ 순면에서 보았을 때 근심절단우각은 원심절단우각보다 작음(근심절단우각 < 원심절단우각)

⑥ 중앙순면융선은 순면의 중앙에서 약간 근심으로 치우쳐 있음

⑦ 치경선 만곡도(치경연)는 원심에 비해 근심이 큼

| 형태 11-1-8 | 상악 견치의 좌·우측을 구별할 수 있는 특징을 설명할 수 있다. (B) |

10. 하악 견치의 특징 2021 기출

① 상악 견치와 유사하지만 크기가 작음

- 치관폭(근원심폭경, 순설폭)이 좁고, 치관길이는 긺
- 융선과 구, 결절의 발육이 상악 견치보다 약함

② 구강 내에서 치관의 길이가 가장 긴 치아

③ 근심면, 원심면의 치경선 만곡도 차이가 가장 큰 치아

| 형태 11-2-1 | 하악 견치의 발육단계를 설명할 수 있다. (B) |

11. 하악 견치 순면의 구조물

순면	① 근심연: 길고 직선적, 원심연: 짧고 곡선적 ② 우각상징: 근심우각 – 예각, 원심우각 – 둔각 ③ 상악 견치보다 근원심 발육구와 순면의 풍융도가 적음 ④ 절단연: 상악 견치보다 경사도가 완만하고 첨두의 높이는 낮고 둔한 각 ⑤ 첨두의 높이는 상악 견치보다 낮고 둔한 각을 형성 ⑥ 첨두가 약간 근심에 위치: 원심절단연보다 근심절단연이 짧음 ⑦ 치관의 길이가 가장 긴 치아

형태 11-2-2	하악 견치 순면의 구조물을 설명할 수 있다. (A)

12. 하악 견치 설면의 구조물

설면	① 극돌기가 나타나는 빈도도 적음 ② 상악 견치와 비교할 때 변연융선, 설면결절, 설면융선 발육 미약(모든 융선발육이 미흡) ③ 설면융선에 의해 근심설면와와 원심설면와로 나눔 ④ 치관과 치근 부위도 좁고 직선에 가까움

형태 11-2-3	하악 견치 설면의 구조물을 설명할 수 있다. (A)

13. 하악 견치의 근·원심면 & 치근 특징

근심면	① 접촉부위: 절단 1/3부위, 순설중앙
원심면	① 접촉부위: 절단 1/3부위와 중앙 1/3경계부에서 치경 쪽
절단	① 치경결절은 약간 원심 쪽에 위치 ② 첨두: 근원심경에서 약간 근심과 설측에 위치(근심절단연 < 원심절단연) ③ 원심절단연이 근심절단연보다 더 설측으로 경사
치근	① 상악 견치보다 약간 짧음

형태 11-2-4	하악 견치의 근·원심면의 접촉부위를 설명할 수 있다. (B)

형태 11-2-5	하악 견치의 치근을 설명할 수 있다. (B)

14. 하악 견치의 좌·우측을 구별할 수 있는 특징

① 첨두의 위치가 근원심경 중앙에서 약간 근심에 위치

② 근심절단연이 원심절단연보다 짧음(근심절단연 < 원심절단연)

③ 근심 접촉부가 원심 접촉부보다 절단측 가까이 위치

④ 절단에서 보았을 때 순면의 근심반부가 원심반부에 비해 만곡도가 큼

⑤ 순면에서 보았을 때 근심절단우각은 원심절단우각보다 작음

⑥ 중앙순면융선은 순면의 중앙에서 약간 근심으로 치우쳐 있음

⑦ 치경선 만곡도는 원심에 비해 근심이 큼

형태 11-2-6	하악 견치의 좌·우측을 구별할 수 있는 특징을 설명할 수 있다. (B)

15. 상악 견치와 하악 견치의 비교

구분		상악 견치	하악 견치
길이	치관길이	10 mm	11 mm (치관의 길이가 가장 긺)
	치근길이	17 mm (치근의 길이가 가장 긺)	16 mm
순면		• 치관과 치근의 근원심연이 치경에서 예각으로 만남 • 윤곽이 복잡, 전체가 풍융	• 치관과 치근의 근원심연이 치경에서 거의 직선으로 만남 • 가늘고 길게 보임(외형이 단순)
설면(융선, 구)		발육상태 양호	발육이 약함
접촉면		순설경(8 mm)이 넓음	순설경(7.5 mm)이 좁음
절단		절단연의 경사도가 커서 첨두는 높고, 예리한 각을 이룸	절단연의 경사도는 완만하며 첨두는 낮고, 둔각을 이룸
첨두의 위치		근·원심경에서 근심측, 순설경에서 순측에 위치	근·원심경에서 근심측, 순설경에서 약간 설측에 위치
첨두		높고 예리한 각을 형성	낮고 둔함
치근의 근·원심 치근함몰		상악 견치 < 하악 견치	

형태 11-2-7	상악 견치와 하악 견치를 비교하여 설명할 수 있다. (B)

제12장 | 소구치(쌍두치, 전구치)

1. 소구치의 크기 순서

상악 제1소구치 > 상악 제2소구치 > 하악 제2소구치 > 하악 제1소구치

형태 12-0-1 소구치의 크기 순서를 설명할 수 있다. (A)

2. 소구치 치근의 수

① 단근치: 상악 제2소구치, 하악 제1, 2소구치
② 복근치: 상악 제1소구치(협측근 > 설측근)

형태 12-0-2 소구치의 치근의 수를 설명할 수 있다. (A)

3. 소구치에 형성되는 발육엽

협측 발육엽 3개 + 설측 발육엽 1개(하악 제2소구치는 3교두형: 설측 2개)

형태 12-0-3 소구치에 형성되는 발육엽을 설명할 수 있다. (B)

4. 소구치의 협측교두와 설측교두의 비율

① 상악 제1소구치 – 3 : 2(협측교두가 더 발달)
② 상악 제2소구치 – 1 : 1
③ 하악 제1소구치 – 3 : 1(견치화)
④ 하악 제2소구치 – 2 : 1(대구치화)

형태 12-0-4 소구치의 협측교두와 설측교두의 비율을 설명할 수 있다. (A)

5. 상악 제1소구치와 상악 제2소구치의 차이점

구분		상악 제1소구치	상악 제2소구치
협면	협측교두정의 위치	중앙에서 약간 원심에 위치	중앙 또는 약간 근심에 위치
	근·원심접촉부의 위치	원심이 더 교합측에 위치	근심이 더 교합측에 위치
	근·원심교두융선의 길이	근심 > 원심	근심 ≤ 원심
	근·원심반부의 크기	근심반부 > 원심반부	원심반부 > 근심반부
설면	설측교두의 치관길이	협측교두보다 약 1 mm 짧음	협측교두보다 약 0.5 mm 짧음
	설면교두의 발육	설면교두의 발육이 약함	설면교두의 발육이 양호
접촉면	협설측반부와 크기 비	3:2	1:1
	근심면 형태	• 변연융선이 비스듬히 주행 • 근심변연구 존재	• 변연융선이 치축방향에 직각되게 주행 • 변연구 없음
교합면	근·원심협측우각의 형태	근심협측우각은 둔각, 원심협측우각은 예각	근심협측우각은 예각, 원심협측우각은 둔각
	근심반부와 원심반부의 형태	비대칭	대칭
	교합면의 기복상태	• 융선, 구, 소와 등의 발육이 양호 • 근심변연융선상에 개재결절 존재	• 융선, 구, 소와 등의 발육이 약하나 변연융선의 발육은 좋음 • 중심구는 제1소구치보다 짧고 불규칙한 부구가 많음 • 개재결절 없음
치근	치근의 수	복근치(협측근 > 설측근)	단근치

> **형태 12-0-5**   상악 제1소구치과 상악 제2소구치를 비교 설명할 수 있다. (B)

6. 하악 제1소구치와 하악 제2소구치의 비교

구분		하악 제1소구치	하악 제2소구치
협면	치관	길다(8.5 mm)	짧고(8.0 mm) 넓다
	협면융선	뚜렷	약함
	기타	접촉점에서 치경측으로 좁아짐	치경부위가 넓음
설면	설측교두	매우 짧음(5.5 mm)	1개(7 mm) 또는 2개(7 or 6.5 mm)의 설측 교두가 있음
	기타	치관이 심하게 설측으로 경사져 교합면을 많이 볼 수 있음 좁음	교합면을 많이 볼 수 없음 넓음
근심면	치관	심하게 설측으로 경사	약간 설측으로 경사
	근심변연융선	위치가 낮고 경사	위치가 높고 수평적
	기타	협측교두보다 설측교두가 매우 짧음	협측교두보다 설측교두가 약간 짧음
교합면	면	좁음	넓음
	근심설측구	존재	없음
	횡주융선	뚜렷	약함
	교두	2개	2개의 교두형과 3개의 교두형 존재
	교두높이 차	3 mm	1~1.5 mm

형태 12-0-6   하악 제1소구치와 하악 제2소구치를 비교 설명할 수 있다. (B)

7. 상악 제1소구치 특징 2021 기출

① 2개 치근(협측근 > 설측근), 2개 교두(협측교두 + 설측교두)

② 우각상징, 만곡상징이 반대로 나타남

③ 1개의 횡주융선

④ 개재결절: 근심변연융선에 위치

⑤ 협측반부: 설측반부 = 3:2

⑥ 교합면에서 협측을 볼 때 원심반부는 풍융, 근심반부는 완만

형태 12-1-1   상악 제1소구치의 발육단계를 설명할 수 있다. (B)

8. 상악 제1소구치 협면의 형태

협면	① 협측교두정이 원심측에 위치 ② 근심교합연이 원심교합연보다 길고 경사도 심함 ③ 우각상징 반대: 원심협면우각 < 근심협면우각 ④ 근심연이 원심연보다 짧고 곡선적 ⑤ 3개의 협면융선, 2개의 협면구 ⑥ 중앙협면융선: 약간 원심측에 위치 ⑦ 근심반부 > 원심반부(긴 함몰부위 관찰)

형태 12-1-2 상악 제1소구치 협면의 형태를 설명할 수 있다. (B)

9. 상악 제1소구치 설면의 형태

설면	① 설측교두정은 약간 근심측에 위치 → 근심교합연 < 원심교합연 ② 협측교두보다 설측교두가 약 1 mm 정도 짧음 ③ 근심교합연(곡선적) < 원심교합연(직선적)

형태 12-1-3 상악 제1소구치 설면의 형태를 설명할 수 있다. (B)

10. 상악 제1소구치의 교합면에 나타나는 구조물 2021 기출

교합면	① 만곡상징 반대: 원심협측우각부가 근심보다 더 협측으로 풍융 ② 협측교두와 설측교두 크기의 비 = 3:2 ③ 협측교두정: 협면융선, 근심협측교두융선, 원심협측교두융선, 협측삼각융선 ④ 설측교두정(근심 쪽 위치): 설면융선, 근심설측교두융선, 원심설측교두융선, 설측삼각융선이 주행 ⑤ 협측삼각융선 + 설측삼각융선 = 횡주융선 ⑥ 변연융선: 근심변연융선 < 원심변연융선 ⑦ 개재결절(Terra's결절): 근심변연융선상의 협측에 생긴 소결절 ⑧ 소와: 근심소와, 원심소와 ⑨ 중심구: 근심과 원심소와 사이를 주행하는 구 ⑩ 근심변연구: 중심구가 근심변연융선을 넘어 근심면까지 연장되는 구 ⑪ 삼각구: 근심협측삼각구, 근심설측삼각구, 원심협측삼각구, 원심설측삼각구(삼각융선과 변연융선 사이의 구)

형태 12-1-4 상악 제1소구치의 교합면에 나타나는 구조물을 설명할 수 있다. (A)

11. 개재결절(Terra tubercle) 2020 기출

상악 제1소구치의 근심변연융선상에 형성되는 작은 결절

형태 12-1-5	개재결절(Terra tubercle)을 설명할 수 있다. (A)

12. 상악 제1소구치의 치근과 치수강의 형태

치근과 치수강	① 복근치: 협측근 > 설측근 ② 수실각(2개) ③ 수상저 有(소구치 중 유일)

형태 12-1-6	상악 제1소구치의 치수강을 설명할 수 있다. (B)

13. 상악 제1소구치의 좌·우측 구별법

① 협측교두정이 원심측에 위치: 근심교합연 > 원심교합연

② 설측교두정이 근심측에 위치: 근심교합연 < 원심교합연

③ 교합면에서 관찰 시 근심협측우각보다 원심협측우각이 풍융 → 만곡상징 반대

④ 근심에만 근심변연구 존재

⑤ 근심변연융선상에 개재결절 형성

⑥ 원심면은 제2소구치와 접촉하기 때문에 접촉부위가 큼

⑦ 원심교합면우각(예각) < 근심협면우각(둔각) → 우각상징 반대

⑧ 치경선만곡은 원심이 근심보다 약함

⑨ 협면에서 원심접촉부가 근심접촉부보다 교합면에 더 가까움

⑩ 협측교두정은 치관을 근·원심으로 2등분하는 선에 대하여 약간 원심측에 위치해 있고, 설측교두정은 근심측에 있음

형태 12-1-8	상악 제1소구치의 좌·우측을 구별할 수 있는 특징을 설명할 수 있다. (A)

14. 상악 제2소구치 특징

    ① 제1소구치와 유사하나 크기 작고 둥금

    ② 제1소구치에 비해 융선이나 구의 발육이 미약함

    ③ 협측교두와 설측교두 크기가 비슷

       (설측교두의 발육이 좋음, 협측반부 : 설측반부 = 1 : 1)

    ④ 협면의 외형은 상악 1소구치와 유사하나 전체적으로 둥근 편

    ⑤ 1개의 횡주융선

형태 12-2-1	상악 제2소구치의 발육단계를 설명할 수 있다. (B)

15. 상악 제2소구치 협면의 형태

협면	① 전체적으로 둥근 편이며, 대칭적임: 좌우 감별이 어려움 ② 협측교두정: 중앙 또는 약간 근심에 위치 ③ 근심교합연 길이가 원심교합연보다 약간 짧거나 비슷함 ④ 2개의 삼각융선: 협측삼각융선, 설측삼각융선 ⑤ 1개의 횡주융선: 협측삼각융선 + 설측삼각융선 ⑥ 융선과 구의 발육은 상악 제1소구치보다 약하여 불명확함

형태 12-2-2	상악 제2소구치 협면의 형태를 설명할 수 있다. (B)

16. 상악 제2소구치 설면의 형태

설면	① 소구치 중 설측엽의 발육이 가장 좋음 ② 설측교두정: 중앙에 위치 ③ 협측교두와 설측교두가 거의 같은 높이 ④ 협측교두보다 설측교두가 약 0.5 mm 짧음

형태 12-2-3	상악 제2소구치 설면의 형태를 설명할 수 있다. (B)

17. 상악 제2소구치의 교합면의 구조물

교합면	① 협측과 설측의 비율 = 1 : 1(협측반부 : 설측반부)
	② 근심반부와 원심반부가 대칭적
	③ 중심부가 짧고 부구가 많음
	④ 상악 제1소구치보다 융선, 구, 소와발육이 약함
	⑤ 변연융선이 상악 제1소구치보다 발육이 좋음
	⑥ 중심구는 제1소구치보다 짧고 불규칙
	⑦ 협측삼각융선 + 설측삼각융선: 1개의 횡주융선(중앙)
	⑧ 삼각구: 근심협측삼각구, 근심설측삼각구, 원심협측삼각구, 원심설측삼각구
	⑨ 근심변연융선상에 개재결절과 근심변연구가 없음

형태 12-2-4   상악 제2소구치의 교합면에 나타나는 구조물을 설명할 수 있다. (A)

18. 상악 제2소구치의 좌·우측을 구별할 수 있는 특징

① 협측교두정: 중앙 또는 근심측에 위치

② 설측교두정: 중앙에 위치

③ 근심면은 평탄하며, 원심면은 약간 풍융

④ 근심협측우각 < 원심협측우각(우각상징)

⑤ 치근첨이 원심측으로 경사짐(치근상징)

형태·12-2-5   상악 제2소구치의 좌·우측을 구별할 수 있는 특징을 설명할 수 있다. (B)

19. 하악 제1소구치 특징

① 설측교두의 발육이 약하고 크기가 작아서 견치에 가까운 치아(소구치의 견치화)

② 소구치 중에서 가장 발육이 약함(작음)

③ 협측교두는 설측을 향하여 심하게 경사짐

④ 협측반부 : 설측반부 = 3 : 1(설측교두의 발육이 매우 약함)

⑤ 접촉면 부위: 근심설면구가 있음

형태 12-3-1   하악 제1소구치의 발육단계를 설명할 수 있다. (B)

20. 하악 제1소구치 협면의 형태

협면	① 부등변오각형의 외형 ② 협측교두정: 약간 근심에 위치(근심교합연 < 원심교합연) ③ 근심연은 길고 직선적이며 원심연은 짧고 곡선적 ④ 3개의 융선, 2개의 구(중앙협면융선의 발육이 뚜렷함)

> **형태 12-3-2** 하악 제1소구치 협면의 형태를 설명할 수 있다. (B)

21. 하악 제1소구치 설면의 형태

설면	① 설측엽 발육이 소구치 중 가장 약함 ② 설측교두가 아주 작아 설측에서 보면 교합면이 모두 보임 → 소구치의 견치화 현상 ③ 근심설면구(= 근심설면발육구): 근심협측엽과 설측엽의 경계부에 존재 ④ 설측교두정이 협측교두정보다 작음

> **형태 12-3-3** 하악 제1소구치 설면의 형태를 설명할 수 있다. (B)

22. 하악 제1소구치 교합면의 구조물

교합면	① 다이아몬드형(마름모)의 형태 ② 협·설측 교두정: 모두 근심측에 위치 ③ 협측연 가장 길고 설측연이 가장 짧음, 협측교두 융선 뚜렷 ④ 4개의 삼각구 존재: 근심협측삼각구, 근심설측삼각구, 원심협측삼각구, 원심설측삼각구 ⑤ 협측삼각융선 + 설측삼각융선 = 횡주융선(약간 근심측에 위치) ⑥ 소와: 근심소와, 원심소와 ⑦ 협측교두: 설측교두 = 3 : 1

> **형태 12-3-4** 하악 제1소구치의 교합면에 나타나는 구조물을 설명할 수 있다. (A)

23. 하악 제1소구치의 좌·우측을 구별할 수 있는 특징

① 협면에서 볼 때 근심교합연이 원심교합연보다 짧음

② 설면에서 볼 때 설면의 근심 쪽에 근심설측구가 있음

③ 근심변연융선은 설측치경부 방향으로 경사져 있고 원심변연융선은 치축에 직각인 상태로 주행

④ 근심협측우각 < 원심협측우각(우각상징)

⑤ 치근첨이 원심측으로 경사짐(치근상징)

형태 12-3-6	하악 제1소구치의 좌·우측을 구별할 수 있는 특징을 설명할 수 있다. (B)

24. 하악 제2소구치 특징

① 하악 제1소구치보다 크고 설측교두의 발육이 좋음(대구치화 경향)

② 교합면의 변화가 심함(발육구 Y, U, H자형)

③ 설측교두가 2개인 3교두형(협측교두, 근심설측교두, 원심설측교두) → 발육엽: 협 3개 + 설 2개 설측교두가 1개인 2교두형(협측교두, 설측교두) → 발육엽: 협 3개 + 설 1개

④ 소구치 중 유일하게 중심와를 가짐

⑤ 협측반부 : 설측반부 = 2 : 1

형태 12-4-1	하악 제2소구치의 발육단계를 설명할 수 있다. (B)

25. 하악 제2소구치 협면

협면	① 하악 제1소구치와 비슷 • 차이점: 치관길이가 짧고 교두정은 약간 둔하나 전반적인 발육이 좋음 ② 협측교두정: 중앙이거나 약간 근심에 위치(근심교합연 < 원심교합연) ③ 협측교두융선의 경사도가 완만하고 둥근 형태 ④ 근심연(예각) > 원심연(둔각)

형태 12-4-2	하악 제2소구치의 협면의 형태를 설명할 수 있다. (B)

26. 하악 제2소구치의 2교두형과 3교두형 설면의 형태

설면	① 설측엽 발육양호, 하악 제1소구치보다 발육이 더 우수
	② 설측에 1개 또는 2개의 교두를 가짐
	③ 2교두형
	  • 1개 협측교두와 1개의 설측교두(설면구 없음)
	  • 설측교두의 교두융선과 원심변연융선 연결부위 약간 함몰
	④ 3교두형
	  • 1개 협측교두 + 2개 설측교두(근심설측교두 + 원심설측교두)
	  • 설측구 존재(약간 원심에 위치, 근심설측교두가 더 길고 넓음)

형태 12-4-3 하악 제2소구치의 2교두형과 3교두형 설면의 형태를 비교 설명할 수 있다. (B)

27. 하악 제2소구치 2교두형과 3교두형 교합면의 구조물 `2019 기출` `2022 기출`

교합면	① 제3대구치를 제외하고는 교합면의 변화가 가장 심한 치아
	② 2교두형: 중심구의 형태가 U자형과 H자형(설면구나 중심소와가 없음)
	  • 중심구: 근심소와에서 원심소와까지 연결
	③ 3교두형
	  • 하악 제2소구치에서 가장 많이 볼 수 있는 형태
	  • Y자형의 발육구에 의해 나타남
	  • 교두크기(협측교두 > 근심설측교두 > 원심설측교두)
	  • 3개의 와: 중심와(3개 소와 중 가장 깊음), 근심와, 원심와
	  • 발육구: 근심구 + 원심구 + 설면구
	  • 횡주융선 형성: 협측교두정과 근심설측교두정에서 삼각융선 주행

형태 12-4-4 하악 제2소구치의 3교두형 교합면에 나타나는 구조물을 설명할 수 있다. (A)

형태 12-4-5 하악 제2소구치의 2교두형 교합면에 나타나는 구조물을 설명할 수 있다. (A)

28. 하악 제2소구치의 치근

치근	① 단근치(2~3개의 수실각) ② 치근길이는 하악 제1소구치보다 약간 넓고 깊

형태 12-4-6 하악 제2소구치 치근의 수를 설명할 수 있다. (B)

29. 하악 제2소구치의 좌·우측을 구별할 수 있는 특징

    ① 협면: 근심교합연 < 원심교합연, 근심우각 < 원심우각

    ② 3교두형인 경우

        • 근심설측교두 > 원심설측교두

        • 설면구: 약간 원심에 위치

    ③ 높이: 원심변연융선 < 근심변연융선

형태 12-4-7	하악 제2소구치의 좌·우측을 구별할 수 있는 특징을 설명할 수 있다. (B)

제13장 | 대구치

1. 6세구치, 12세구치와 지치의 개념

    ① 6세구치: 제1대구치는 6세에 맹출하여 일컫는 말

    ② 12세구치: 제2대구치는 12세에 맹출하여 일컫는 말

    ③ 지치(사랑니): 제3대구치는 사춘기가 지난 시기에 맹출하므로 일컫는 말

형태 13-0-1	6세구치, 12세구치, 지치의 개념을 설명할 수 있다. (A)

2. 대구치의 발육엽의 수

    • 발육엽의 수는 교두의 수만큼 존재

    ① 상악 제1대구치: 4개

    ② 상악 제2대구치: 3 또는 4개

    ③ 상악 제3대구치: 4개

    ④ 하악 제1대구치: 5개

    ⑤ 하악 제2대구치: 4 또는 5개

    ⑥ 하악 제3대구치: 4개

형태 13-0-2	대구치의 발육엽의 수를 설명할 수 있다. (B)

3. 저작교두의 특징과 방향

① 대구치의 협·설 교두 중에서 저작에 관여하는 교두를 기능교두라고 함

② 저작교두는 교두정이 낮고 둥글며, 교합면 중앙 가까이로 위치하는 것이 특징

③ 상악 대구치는 설측교두, 하악 대구치는 협측교두가 저작교두에 속함

형태 13-0-3	저작교두의 특징과 방향을 설명할 수 있다. (A)

4. 상악 대구치와 하악 대구치의 협측교두와 설측교두의 높이

① 상악 대구치의 교두높이: 협측교두 > 설측교두

② 하악 대구치의 교두높이: 협측교두 < 설측교두

형태 13-0-4	상악 대구치와 하악 대구치의 협측교두와 설측교두의 높이를 비교 설명할 수 있다. (A)

5. 상·하악 대구치의 치근의 수와 명칭

① 상악 대구치의 치근: 다근치(3개 치근)

  • 1개의 설측근, 2개의 협측치근(근심협측근, 원심협측근)

② 하악 대구치의 치근: 복근치(2개 치근)

  • 근심치근, 원심치근

형태 13-0-5	대구치의 치근을 설명할 수 있다. (A)

6. 상악 제1대구치와 하악 제1대구치의 비교

항목	상악 제1대구치	하악 제1대구치
협·설경	11 mm	10.5 mm
근·원심경	10 mm	11 mm
교합면의 형태	변형된 평행사변형	부등변사각형(사다리꼴)
교두의 수	4개	5개
가장 큰 교두	근심설측교두	근심협측교두
가장 작은 교두	원심설측교두	원심교두

항목	상악 제1대구치	하악 제1대구치
삼각융선의 수	3개	4개
중심소와에서 끝나는 구	협측구(buccal groove)	설측구(lingual groove)
연합융선	1개의 사주융선	2개의 횡주융선
삼각구의 수	3개	3개
협면구의 수	1개	2개
설측구의 위치	원심쪽에 위치	중앙부에 위치
Carabelli's 결절	있음	없음
치근	다근치	복근치
치근의 수	3개	2개

형태 13-0-6 상악 제1대구치와 하악 제1대구치를 비교 설명할 수 있다. (A)

7. 상악 제1대구치와 상악 제2대구치의 비교

	상악 제1대구치	상악 제2대구치
교합면	① 치관의 외형이 평행사변형 ② 사주 융선이 뚜렷	① 치관의 외형이 현저한 평행사변형 ② 3교두형인 경우: 원심설측교두가 완전히 소실된 역삼각형 모양 ③ 사주융선의 발육이 약함 ④ 상악 제1대구치보다 근심협측우각과 원심설측우각은 더 예각, 원심협측우각과 근심설측우각은 더 둔각임

형태 13-0-7 상악 제1대구치와 상악 제2대구치를 비교 설명할 수 있다. (B)

8. 하악 제1대구치와 하악 제2대구치의 비교

	하악 제1대구치	하악 제2대구치
협면	• 근·원심경이 큼(11 mm) • 3개의 교두(근심협측교두, 원심협측교두, 원심교두) • 2개의 협면구	• 근·원심경이 약간 작음(10.5 mm) • 2개의 교두(근심협측교두, 원심협측교두) • 1개의 협면구

설면	• 설면구가 약간 원심에 치우쳐 주행하여 없어지거나 드물게는 설면소와를 형성	• 설면구가 중앙으로 주행하여 없어짐
근심면	협·설경이 넓음(10.5 mm)	협·설경이 약간 좁음(10 mm)
교합면	• 5개의 교두 • 치관의 외형이 5각형 • 근·원심연이 직선적, 설측으로 좁아짐 • 주 발육구는 Y형 • 교합면이 넓음	• 4개의 교두 • 치관의 외형이 4각형 • 근·원심연이 곡선적, 설측으로 좁아지지 않음 • 주 발육구는 +자형 • 교합면이 약간 좁음
치근	2개의 치근이 직선적으로 서로 벌어지고(복근치) 긴 길이(14 mm)	2개의 치근이 서로 모아져 원심경사가 되어 있고(복근치) 짧은 길이(13 mm)

> **형태 13-0-8** 하악 제1대구치와 하악 제2대구치를 비교 설명할 수 있다. (B)

9. 상악 제1대구치 특징

① 상악치아 중 제일 큼(상악 대구치 중 발육상태가 가장 좋음)

② 4개의 교두, 3개의 치근

③ 상악 치열 중 가장 먼저 맹출

④ 카라벨리씨 결절(제5교두): 근심설측교두에 위치

⑤ 1개의 사주융선

> **형태 13-1-1** 상악 제1대구치의 발육단계를 설명할 수 있다. (B)

10. 상악 제1대구치 협면의 구조물

협면	① 교합연이 길고 치경연이 짧은 부등변사각형: 교합연, 근심연, 원심연, 치경연 ② 협면구(협면의 중앙부에서 얕아짐)에 의해 근심협측교두와 원심협측교두로 나눔(5:5) ③ 근심협측교두 > 원심협측교두 ④ 협면소와 ⑤ 근심연: 거의 직선적, 풍융부는 교합 1/3과 중앙 1/3부위의 경계부 ⑥ 원심연: 둥근 외형선, 중앙 1/3부위가 가장 풍융 ⑦ 치경연: 치근을 향해 거의 직선에 가까운 만곡, 전치나 소구치 보다 약한 만곡 ⑧ 협면치경융선이 풍융하게 나타남

> **형태 13-1-2** 상악 제1대구치의 협면에 나타나는 구조물을 설명할 수 있다. (B)

11. 상악 제1대구치 설면의 구조물

설면	① 협면보다 풍융 ② 근심설측교두의 설면에는 제5교두의 결절(carabelli's 결절)이 나타남 ③ 근심연과 원심연은 우각 부위가 좀 더 둥글게 나타남 ④ 두 교두 사이의 긴 함몰부: 설면구(7:3) – 약간 원심측에 위치 　• 근심설측교두(7): 가장 크고 교두정은 둔각 　• 원심설측교두(3): 치관 길이도 약간 짧고, 낮고 둥근 교두정(발육이 약함) ⑤ 설측 교두: 저작에 직접 관여하는 기능교두 　• 제1대치의 4교두 중 가장 크며, 교두정은 둔각을 이룸

형태 13-1-3 상악 제1대구치의 설면에 나타나는 구조물을 설명할 수 있다. (B)

12. 제5교두(Carabelli's 결절)

• 근심설측교두의 설면에 작은 결절

형태 13-1-4 제5교두(Carabelli's 결절)를 설명할 수 있다. (A)

13. 상악 제1대구치 교합면의 구조물 2019 기출 2022 기출

교합면	(1) 외형 　① 평행사변형: 협측연, 설측연, 근심연, 원심연으로 구성 　② 근심협측우각과 원심설측우각은 예각, 근심설측우각과 원심협측우각은 둔각 (2) 교두 　① 협측교두는 뾰족, 설측교두는 둔한 편(근심이 더 발달) 　② 교두크기 순서: 근심설측 > 근심협측 > 원심협측 > 원심설측 　③ 근심설측교두: 원심설측교두 7 : 3 (6 : 4) (3) 융선 　① 교두융선 　　• 근·원심협측교두(4개): 각 교두정에서 십자형 교두융선 有(협면융선, 삼각융선, 근심교두융선, 원심교두융선)

교합면	• 원심설측교두(2개): 근·원심교두융선 有(원심설측삼각융선, 설측교두융선은 無)
	• 근심설측교두(3개): 근·원심교두융선, 근심설측삼각융선 有(설측교두융선 無)
	② 삼각융선(3개): 근심설측삼각융선, 근심협측삼각융선, 원심협측삼각융선
	③ 사주융선(1개) = 원심협측삼각융선 + 근심설측삼각융선 → 연합융선
	④ 변연융선(2개) – 근심변연융선은 원심변연융선보다 발육이 좋고 약간 높음
	
	(4) 구, 와, 소와
	① 와(3개): 중심와, 근심와(근심변연융선에서 바로 내측에 존재), 원심와
	② 소와(3개) – 중심소와(근심구, 원심구, 협측구)
	   • 근심소와(근심구, 근심협측삼각구, 근심설측삼각구, 근심변연구)
	   • 원심소와(원심구, 설측구, 원심협측삼각구, 원심변연구)
	③ 발육구(3개): 중심구(근심구 + 원심구), 협측구, 설측구
	④ 삼각구: 근심협측삼각구, 근심설측삼각구, 원심협측삼각구(원심설측삼각구 無)

형태 13-1-6	상악 제1대구치의 교합면에 나타나는 교두를 설명할 수 있다. (A)

형태 13-1-7	상악 제1대구치의 교합면에 나타나는 융선을 설명할 수 있다. (A)

형태 13-1-8	상악 제1대구치의 교합면에 나타나는 와(Fossa)와 소와(Pit)를 설명할 수 있다. (A)

형태 13-1-9	상악 제1대구치의 교합면에 나타나는 발육구, 부구(삼각구)를 설명할 수 있다. (A)

14. 상악 제1대구치의 치근의 명칭

치근	• 치근 크기(다근치, 3개): 설측근 > 근심협측근 > 원심협측근 • 치근분지부 위치: 치경선에서 치근첨 항해 약 4 mm (치근 1/3부위) • 치근삼각: 3개의 치근첨을 연결할 때 나타나는 삼각형모양

형태 13-1-10	상악 제1대구치의 치근의 분지분위를 설명할 수 있다. (B)

형태 13-1-11	치근삼각을 설명할 수 있다. (B)

15. 수각의 수

수각은 4개, 근심설측수각이 제일 큼

형태 13-1-12	상악 제1대구치의 치수강을 설명할 수 있다. (B)

16. 상악 제1대구치의 좌·우측을 구별할 수 있는 특징

① 치관은 근심설측과 원심협측 방향에서 압편된 형태
② 가장 큰 교두는 근심설측교두이고, 가장 작은 교두는 원심설측교두
③ 사주융선이 원심협측교두에서 근심설측교두로 비스듬히 주행
④ 카라벨씨 결절은 근심설측교두의 설면에 나타남
⑤ 근심면은 원심면보다 크고 평탄
⑥ 교합면에서 보았을 때 근심연은 직선적이고 원심연은 곡선적
  • 근심협측우각과 원심설측우각: 예각
  • 원심협측우각과 근심설측우각: 둔각

형태 13-1-13	상악 제1대구치의 좌·우측을 구별할 수 있는 특징을 설명할 수 있다. (A)

17. 상악 제2대구치 특징

① 상악 제1대구치보다 크기가 작고 발육도 약함: 원심설측교두가 소실된 3교두형이 나타나기도 함
② 교합면은 원심협측과 근심설측으로 압편도가 커서 근심협측우각과 원심설측우각은 상악1대구치보다 더 예각, 원심협측우각과 근심설측우각은 더 둔각
③ 융선이나 구의 발육은 약하나 부구는 더 많이 나타남
④ 원심경사: 1대구치 < 2대구치
⑤ 치근의 이개도: 1대구치 > 2대구치
⑥ 가성구치결절: 협면에 위치

형태 13-2-1	상악 제2대구치의 발육단계를 설명할 수 있다. (B)

18. 상악 제2대구치와 상악 제1대구치 협면의 비교

	상악 제1대구치	상악 제2대구치
협면	① 치관의 근·원심경이 큼 (10 mm) ② 2개의 협측교두의 높이가 같음 ③ 협면구의 위치: 근원심경의 중앙	① 치관의 근·원심경이 작음(9.0 mm) ② 원심협측교두 < 근심협측교두(협면구가 원심에 위치) ③ 융선의 형태가 뚜렷하지 않음 ④ 가성구치결절 존재(근심협측교두 또는 협측교두 사이) ⑤ 풍융도는 상악 제1대구치보다 강함

| 형태 13-2-2 | 상악 제2대구치와 상악 제1대구치의 협면을 비교 설명할 수 있다. (B) |

19. 상악 제2대구치와 상악 제1대구치 설면의 비교

	상악 제1대구치	상악 제2대구치
설면	① 근심설측교두의 설면에 Carabelli's 결절이 나타남 ② 원심설측교두 폭과 높이가 작음 (근원심경의 3/10 or 2/5)	① 원심설측교두가 제1대구치보다 작고 가끔 없는 경우도 있음(발육이 빈약) ② 카라벨리씨 결절이 나타나지 않음 ③ 설면구가 제1대치보다 원심측에 위치함

| 형태 13-2-3 | 상악 제2대구치와 상악 제1대구치의 설면을 비교 설명할 수 있다. (B) |

20. 상악 제2대구치의 교합면 형태

교합면	(1) 외형 　① 협설경이 근원심경에 비해 큼 　② 근간돌기: 치근이 이개되는 부위에 치경선이 치근을 향해 돌출 (2) 교두 　① 4교두형: 평행사변형(상악 제1대구치와 비슷) 　② 3교두형: 교합면의 외형이 역삼각형(원심설측교두 無) 　cf 상악 제1대구치에 비교 　　• 협·설경은 같으나 근·원심폭이 좁음 　　• 원심측교두 발육 미약 　　• 융선, 구 등은 불명확하고 부구는 더 많음 　　• 우각: 근심협측우각, 원심설측우각(더욱 예각) 　　　　　근심설측우각, 원심협측우각(더욱 둔각) (3) 융선, 구, 와, 소와 　　• 발육 미약 　　• 교두나 융선은 둥근 편이며 와나 구는 얕고 불규칙한 편

| 형태 13-2-4 | 상악 제2대구치의 교합면 형태를 설명할 수 있다. (A) |

21. 상악 제3대구치 특징

① 이상결절의 하나인 후구치결절(구치후결절, distomolar tubercle)이 원심면에 존재하기도 함

② 1치아 대 1치아 교합하는 치아(상악 제3대구치, 하악 중절치)

③ 상악 제1, 2, 3대구치의 가장 큰 차이점

- 원심설측교두가 제1대구치보다 제2대구치가 작고, 제3대구치에서는 사라지는 경우가 많음

④ 점점 퇴화하는 경향으로 맹출하지 않는 경우도 있음

⑤ 치근 길이 짧고, 다근치이지만 치근 이개도가 매우 작고 서로 융합되어 단근치로 나타나기도 함

| 형태 13-3-1 | 상악제3대구치 교합 시 1:1의 교합관계를 설명할 수 있다.(B) |

| 형태 13-3-2 | 후구치 결절을 설명할 수 있다. (B) |

22. 하악 제1대구치 특징

① 하악치아 중 가장 발육이 좋고 먼저 맹출하는 치아(치아우식증 호발)

② 넓이: 근·원심폭 > 협·설폭

③ 5개의 교두와 2개의 치근

| 형태 13-4-1 | 하악 제1대구치의 발육단계를 설명할 수 있다. (B) |

23. 하악 제1대구치 협면의 구조물

| 협면 | ① 교합연이 긴 사다리꼴 형태(교합연, 근심연, 원심연, 치경연)
② 3개의 엽(근심협측엽, 원심협측엽, 원심엽), 3개의 교두(근심협측교두, 원심협측교두, 원심교두), 2개의 발육구(근심협면구, 원심협면구) 존재
③ 근심협면구: 약간 근심측 위치, 원심협면구: 원심연 가까이 위치
④ 교두크기: 근심협측교두 > 원심협측교두 > 원심교두
⑤ 근심연: 거의 직선상, 원심연: 볼록하게 주행
⑥ 치경연: 교합연과 비슷하게 근심에서 원심으로 치근을 향하여 완만하게 만곡
⑦ 협면소와(1개): 근심협면구가 교합연과 치경연 사이 중앙에서 점상으로 끝나 생김, 치아우식증 호발부위 |

협면	⑧ 근간돌기: 치근이 분지되는 부위에 치경선이 치근을 향해 돌출되어 있음 ⑨ 협면치경융선: 치경 1/3부위에 근원심으로 풍융한 융기부위 ⑩ 협측교두 길이(기능교두) < 설측교두 길이

형태 13-4-2	하악 제1대구치 협면에 나타나는 구조물을 설명할 수 있다. (A)

24. 하악 제1대구치 설면의 구조물

설면	① 설면구에 의해 2부분으로 나뉨 • 설면구는 중앙으로 주행하다가 사라짐 ② 2개의 엽이 형성한 근심설측교두와 원심설측교두가 존재(교합연은 M자 모양) ③ 협측교두(기능교두)에 비해 설측교두가 더 뾰족하고 높음 ④ 협면보다 폭이 좁고 높이가 0.5 mm 높음

형태 13-4-3	하악 제1대구치의 설면에 나타나는 구조물을 설명할 수 있다. (B)

25. 하악 제1대구치 교합면의 구조물 2020 기출 2021 기출

교합면	(1) 외형
	  ① 불규칙한 부등변사각형, 근원심경 > 협설경
	  ② 우각: 근심협측우각·근심설측우각(예각), 원심협측우각·원심설측우각(둔각)
	
	(2) 교두
	  ① 교두높이: 근심설측교두 > 원심설측교두 > 근심협측교두 > 원심협측교두 > 원심교두
	  ② 교두크기: 근심협측교두 > 근심설측교두 > 원심설측교두 > 원심협측교두 > 원심교두(원심교두는 가장 작으면서 뾰족한 교두정을 가짐)
	  ③ 근심횡주융선: 근심협측교두의 삼각융선과 근심설측교두의 삼각융선의 연합
	  ④ 원심횡주융선: 원심협측교두의 삼각융선과 원심설측교두의 삼각융선의 연합
	
	(3) 와, 소와
	  ① 와(3개): 중심와, 근심와, 원심와
	  ② 소와(3개): 중심소와(근심협측구, 원심협측구, 설측구, 근심구, 원심구), 근심소와(근심구, 근심협측삼각구, 근심설측삼각구, 근심변연구), 원심소와(원심구, 원심설측삼각구, 원심변연구)
	  (원심와가 제일 얕고 불분명하고, 중심소와가 가장 깊음)

교합면	③ 삼각구(3개): 원심협측삼각구가 없음(근심협측삼각구, 근심설측삼각구, 원심설측삼 　　각구 有) ④ 발육구(4개): 중심구, 근심협측구, 원심협측구, 설측구 (4) 융선 ① 삼각융선(4개): 원심교두에는 삼각융선과 삼각구 없음 ② 횡주융선(2개): 근심횡주융선(근심협측삼각융선 + 근심설측삼각융선), 원심횡주융 　　선(원심협측삼각융선 + 원심설측삼각융선) ③ 근심변연융선이 원심변연융선보다 발육이 좋고 높이나 폭도 넓음

형태 13-4-4	하악 제1대구치의 교합면에 나타나는 교두를 설명할 수 있다. (A)

형태 13-4-5	하악 제1대구치의 교합면에 나타나는 융선을 설명할 수 있다. (A)

형태 13-4-6	하악 제1대구치의 교합면에 나타나는 와(Fossa)와 소와(Pit)를 설명할 수 있다. (A)

형태 13-4-7	하악 제1대구치의 교합면에 나타나는 발육구, 삼각구를 설명할 수 있다. (A)

26. 하악 제1대구치의 치근의 명칭

치근	① 복근치(근·원심방향) ② 근심근 > 원심근

형태 13-4-8	하악 제1대구치 치근의 분지부위를 설명할 수 있다. (B)

27. 하악 제1대구치의 좌·우측을 구별할 수 있는 특징

① 협면에서 보았을 때 근심협측우각은 예각, 원심협측우각은 둔각

② 교합면에서 보았을 때 근심변연은 직선적이고 원심변연은 곡선적

③ 가장 작은 교두는 원심교두

④ 근심면은 원심면보다 넓고 평탄

⑤ 근심변연융선은 원심변연융선보다 높음

⑥ 근심치근은 크고 원심치근보다 더욱 발달되어 있어 협설경이 큼

⑦ 교두나 융선은 근심측이 원심측보다 크고 발육이 좋음

형태 13-4-9	하악 제1대구치의 좌·우측을 구별할 수 있는 특징을 설명할 수 있다. (B)

28. 하악 제2대구치 특징

① 하악 제1대구치와 유사하나 전체적으로 크기가 작은 5교두형이나 원심교두가 결여된 4교두형이 나타남

② 협면에 2교두형일 때: 1개의 협면구가 약간 근심에 위치

③ 4교두형인 경우 각이 작은 둥근 사각형

④ 4교두형인 경우 원심협측교두가 가장 크고 원심설측교두가 가장 작음

⑤ 4교두형인 경우 + 형태의 발육구가 나타남

형태 13-5-1	하악 제2대구치의 발육단계를 설명할 수 있다. (B)

29. 하악 제2대구치 교합면의 구조물

교합면	① 교두의 수: 4개
	② 교두의 크기: 4개가 거의 같은 크기지만 원심협측교두가 약간 크고 원심설측교두 제일 작음
	③ 사각형으로 근심연은 곧은 편이고, 원심연은 둥근 편(원심교두는 없음)
	④ 근심연(직선적)과 원심연(곡선적)이 대략 평행하게 주행
	⑤ 횡주융선(2개)
	• 근심횡주융선(근심협측 삼각융선 + 근심설측 삼각융선)
	• 원심횡주융선(원심협측 삼각융선 + 원심설측 삼각융선)
	⑥ 삼각구(4개): 근심협측삼각구, 근심설측삼각구, 원심협측삼각구, 원심설측삼각구
	⑦ 와: 중심와, 근심와, 원심와
	⑧ 구: 근심구, 원심구, 협측구, 설측구
	⑨ 중심구, 협측구, 설측구가 서로 만나 +자형의 구 형태를 나타냄

형태 13-5-2	하악 제2대구치의 4교두형 교합면의 특징을 설명할 수 있다. (A)

제14장 | 유치의 개요

1. 유치의 수와 명칭

① 정의: 생후 6개월부터 치아가 맹출하여 24~36개월까지 1악 편측에 5개씩 갖게 되는 총 20개의 치아

② 영구치가 맹출하는 6세가 되면 탈락하므로 탈락치라고도 함

③ 유치의 종류(총 5종 20개): 1악 편측에 5개씩(5개 × 4 = 총 20개)

- 유절치(deciduous incisor): 2종 8개(유중절치(deciduous central incisor), 유측절치(deciduous lateral incisor))
- 유견치(deciduous canine): 1종 4개
- 유구치(deciduous molar): 2종 8개[제1유구치(deciduous first molar), 제2유구치(deciduous second molar)]

④ 영구치보다 치경융선, 설면결절이 뚜렷하고 치근이개도가 넓음

> **형태 14-1-1** 유치의 수와 명칭을 설명할 수 있다. (A)

2. 유치의 맹출 시기

구분		맹출 시기
상악	유중절치	생후 7 1/2개월
	유측절치	생후 8개월
	유견치	생후 16~20개월
	제1유구치	생후 12~16개월
	제2유구치	생후 20~30개월
하악	유중절치	생후 6 1/2개월
	유측절치	생후 7개월
	유견치	생후 16~20개월
	제1유구치	생후 12~16개월
	제2유구치	생후 20~30개월

> **형태 14-1-2** 유치의 맹출시기를 설명할 수 있다. (A)

3. 유치의 기능

　① 저작, 발음, 심미

　② 악골의 성장을 자극

　③ 간격유지와 교합 수준 유지

형태 14-1-3	유치의 기능을 설명할 수 있다. (A)

4. 유치와 영구치의 외적인 차이점과 내적인 차이점 2019 기출 2021 기출

(1) 외적인 차이점

　① 유치는 영구치보다 치관과 치근이 전체적으로 작음

　② 유치의 치관은 치근에 비해서 아주 짧음

　③ 유전치의 치관에서 치관길이에 대한 치관폭의 비율이 영구치에 비하여 큼

　④ 전치치관의 근·원심폭은 영구치보다 좁고, 유구치 치관의 근·원심폭은 영구치보다 넓음

　⑤ 유구치의 협·설면은 치근의 치경부 1/3부위가 근·원심으로 잘록함

　⑥ 인접면에서는 협면과 설면의 치경부 융선과 유전치 설면결절이 영구치보다 잘 발달되어 있음

　⑦ 유구치 인접면은 협면과 설면이 교합면을 향하여 심하게 경사져서 교합면의 협·설폭이 영구치보다 좁음

　⑧ 유치의 치근은 가늘고 길며 특히 유구치의 치근은 심하게 벌어져 이개도가 큼

　⑨ 유치의 색은 청백색 혹은 유백색이고, 영구치는 황백색 혹은 회백색임

　⑩ 우각상징은 유전치에서는 명확하나 유견치, 유구치에서는 영구치에서보다 불명확함

(2) 내적인 차이점

　① 법랑질이 영구치에 비해서 얇으며 두께가 비교적 일정함

　② 상아질도 얇아서 결과적으로 볼 때 수실이 큼

　③ 수각은 높고 특히 유구치의 근심수각이 더 큼

　④ 치근관이 영구치보다 가늚

형태 14-1-4	유치와 영구치의 차이점을 설명할 수 있다. (A)

제15장 | 유치의 각론

1. 상악 유중절치의 특징

① 영구치와 차이점: 치관길이보다 근원심폭이 더 넓음

② 유절치 중에서 가장 큼

- 설면: 설면결절, 변연융선, 설면와 잘 발달
- 치근 순설측 압편
- 영구치 비해 치수강 큼

③ 순면: 평탄, 절단연(근원심경 > 순설경): 거의 일직선

| 형태 15-1-1 | 상악 유중절치 치관을 설명할 수 있다. (B) |

| 형태 15-1-2 | 상악 유중절치 치근을 설명할 수 있다. (B) |

2. 상악 유견치와 영구치 견치와의 차이점

① 치관길이보다 근원심으로 넓은 치아

② 첨두는 중앙에서 약간 원심에 위치: 근심절단연 > 원심절단연 → 영구견치와 반대

③ 접촉부위인 양 우각부는 거의 동일한 위치

| 형태 15-5-3 | 영구치 상악 견치와의 차이점을 설명할 수 있다. (A) |

3. 상악 유견치와 하악 유견치와의 차이점

① 상악 유견치와는 달리 근·원심폭보다 치관길이가 더 깊

② 하악 유견치의 첨두가 근심에 위치: 원심절단연 > 근심절단연

③ 상악 유견치의 첨두는 원심에 위치: 근심절단연 > 원심절단연

④ 상악 유견치는 하악 유견치에 비해 치관과 치근의 길이가 깊

| 형태 15-6-4 | 상·하악 유견치와의 차이점을 설명할 수 있다. (B) |

4. 상악 제1유구치

① 상악 소구치와 외형이 비슷

② 대다수 4교두형(협측 2개, 설측 2개), 3교두형(협측 2개, 설측 1개, 원심설측교두 소실)

③ 사주융선(1개): 원심협측삼각융선 + 근심설측삼각융선

④ 와(3개): 중심와, 근심와, 원심와

cf 3개의 치근 보유: 설측근 > 근심협측근 > 원심협측근

| 형태 15-7-1 | 상악 제1유구치 치관을 설명할 수 있다. (B) |

5. 상악 제2유구치

① 상악 제1대구치와 비슷한 평행사변형

② 1개의 제5교두(Carabelli's 결절)도 존재

③ 4교두형(근심협측교두, 근심설측교두, 원심협측교두, 원심설측교두)

④ 사주융선: 원심협측교두에서 근심설측교두로 주행

⑤ 유치 중 가장 늦게 맹출

| 형태 15-8-1 | 상악 제2유구치 치관을 설명할 수 있다. (B) |

6. 상악 제1, 2유구치 비교

	상악 제1유구치	상악 제2유구치
치관의 길이	5.1 mm	5.7 mm
치근의 길이	10 mm	11.7 mm
협설경	8.5 mm	10 mm
치관의 근원심폭	7.3 mm	8.2 mm
치경의 근원심폭	5.2 mm	6.4 mm
협면구의 발육	제1유구치 < 제2유구치	
치근의 수	협측: 2, 설측: 1	협측: 2, 설측: 1

| 형태 15-8-3 | 상악 제1, 2유구치를 비교하여 설명할 수 있다. (B) |

7. 하악 제1유구치

① 상악 유구치와는 달리 근원심경이 협설경보다 더 큰 부등변사각형이고 협측연은 설측연보다 더 길며 근심연도 원심연보다 더 긺

② 4개의 교두가 있으며, 근심교두가 원심교두보다 더 잘 발달되어 있음

③ 횡주융선(2개): 근심쪽에 있는 횡주융선이 원심쪽에 있는 횡주융선보다 더욱 발달되어 있음

④ 발육구: 근심구, 원심구, 협측구, 설측구

| 형태 15-9-1 | 하악 제1유구치 치관을 설명할 수 있다. (B) |

8. 하악 제2유구치

① 5개의 교두가 존재

- 근심협측교두, 원심협측교두, 원심교두, 근심설측교두, 원심설측교두
- 3개의 협측교두는 하악 제1대구치와는 달리 크기가 거의 비슷하고 잘 발달되어 있음 (그 중 원심협측교두가 가장 크게 존재)

② 유치 중 교두 수 가장 많음

| 형태 15-10-1 | 하악 제2유구치 치관을 설명할 수 있다. (B) |

9. 하악 제1, 2유구치의 비교

하악 제1유구치	하악 제2유구치
• 치아의 형태가 영구치와 유치 중 어느 치아와도 닮지 않은 특이한 형태 • 4개의 교두(협측 2개, 설측 2개)가 존재 • 복근치로 근심치근과 원심치근이 존재 • 하악 제1소구치와 교환	• 치아의 외형이 하악 제1대구치와 유사 • 5개의 교두(협측 3개, 설측 2개)가 존재 • 치근은 근심치근과 원심치근이 존재 • 하악 제2소구치와 교환

| 형태 15-10-3 | 하악 제1, 2유구치를 비교하여 설명할 수 있다. (B) |

04 PART ▶▶

구강조직학

Oral Histology

DENTAL
HYGIENIST

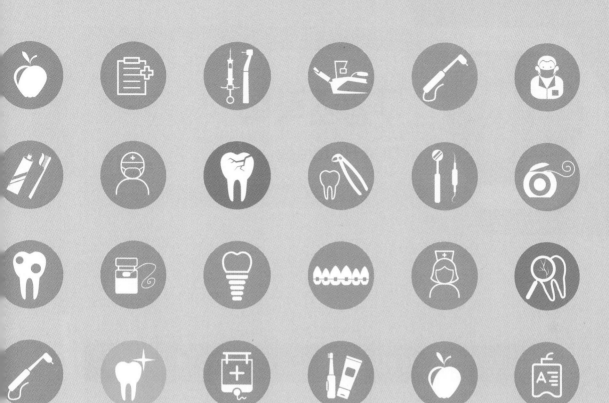

POWER 치과위생사 국가시험 핵심요약집 1권

PART 04

구강조직학
Oral Histology

제1장 | 조직학 소개 및 세포학 개론

1. 현미경의 종류

(1) 가시광선을 이용한 현미경

① 광학현미경: 집광렌즈가 빛을 모아서 조직에 조사 → 대물렌즈(1차 확대) → 접안렌즈(2차 확대) → 검경

② 위상차현미경: 물체를 통과한 빛이 물질의 굴절률의 차이에 의해 위상차를 갖게 되었을 때 이를 명암으로 바꾸어 관찰

③ 암시야현미경: 표본 내의 굴절률이 서로 다른 구조의 계면에서 산란하는 빛만으로 상을 맺는 현미경

(2) 비가시광선을 이용하는 현미경

① 투과전자현미경(TEM): 전자선을 접속하여 시료에 조사하여 시료를 투과한 전자선을 전자렌즈에 의해 확대하여 상을 얻는 것, 광학현미경과 같은 원리

② 주사전자현미경(SEM): 시료 표면을 전자선으로 주사하여 입체구조를 직접 관찰하는 기능을 가진 전자현미경, 치과에서 많이 사용(치아 표면 관찰)

| 조직 1-1-1 | 현미경의 종류를 설명할 수 있다. (B) |

2. 광학현미경 조직표본 제작법

① 고정(fixation): 단백질 응고(조직의 형태와 분자의 조성을 보호하기 위한 단계), 10% 포르말린

② 탈수(dehydration): 조직의 수분을 유기용매로 대체하는 단계

③ 투명(clearing): 파라핀을 조직에 침투시키기 위한 준비단계, xylene 사용

④ 포매(embeding): 적당한 경도를 부여, 파라핀 사용

⑤ 절단(박절, sectioning): 2~10 μm 두께로 절단

⑥ 염색(staining): 염색 단계, H-E 염색

⑦ 봉입(mounting): 물로 봉입

조직 1-1-2	광학현미경용 조직표본 제작법을 설명할 수 있다. (B)

3. 세포의 구성

(1) 세포의 핵: 세포의 생명활동 조절

① 핵소체(인): 둥근 호염기성 구조물, 리보좀을 합성하여 세포질로 보내는 역할

② 핵질: 핵에서 핵소체를 제외한 부분

③ 염색질(유전물질): 히스톤 단백질과 이중나선구조의 DNA가 정전기적으로 결합된 구조물

④ 핵막: 핵을 싸고 있는 막, 이중막

⑤ 핵공: 핵질과 세포질 사이에서 물질이동의 통로, 포유동물 3,000개~4,000개의 핵공

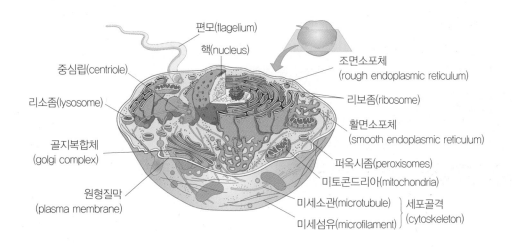

(2) 세포질: 세포내소기관 함유

(3) 세포막(원형질막)의 특징

① 구조(유동모자이크 구조): 두 층의 인지질 + 단백질 + 탄수화물, 단위막으로 구성

② 기능: 생체막, 물질의 선택적 투과

③ 두께: 6~10 nm

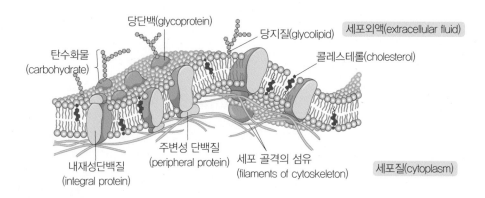

| 조직 1-1-3 | 세포를 정의할 수 있다. (B) |

4. 세포, 조직 및 기관의 특징

(1) 세포: 생명체의 가장 기본적인 단위

① 원핵세포와 진핵세포로 구분

② 진핵세포: 핵과 세포질로 구분, 세균(원핵세포)을 제외한 생명체의 가장 기본적인 단위

(2) 조직: 상피조직, 결합조직, 근조직, 신경조직

① 상피조직: 생체의 외표면과 내표면을 덮는 막모양의 조직

② 결합조직: 서로 다른 조직 사이를 결합시키는 조직

• 고유결합조직

• 특수결합조직: 연골조직, 골조직, 혈액조직과 림프조직

③ 근조직: 신체운동에 관여하는 조직

④ 신경조직: 자극감지와 자극전달의 기능을 수행하기 위해 특수화된 조직

(3) 기관: 조직들이 결합해서 복잡한 기능을 하는 기관을 형성

(4) 기관계: 표피계, 골격계, 근육계, 신경계, 내분비계, 순환기계, 림프 및 면역계, 호흡기계, 소화기계, 비뇨기계, 생식기계, 감각계 등

조직 1-1-4	세포, 조직 및 기관의 특징을 설명할 수 있다. (A)

5. 세포내소기관의 종류 및 기능

① 미토콘드리아: 세포의 동력 공장(ATP, 세포내호흡), 미토콘드리아 DNA 소유
② 세포질세망(형질내세망, 소포체): 생체가 필요한 대부분 물질 생산
   • 조면소포체(과립 형질내세망): 리보솜에 의한 단백질합성, 단백질의 저장 및 농축
   • 활면소포체(무과립 형질내세망): 지방합성, 콜레스테롤 대사, 간에서의 해독작용
③ 골지체: 세포질 내에서 만들어진 물질 분비기능, 용해소체 생산
④ 용해소체(리소좀, lysosome): 소화 기능
⑤ 리보솜: 단백질합성, 조면소포체 표면에 존재 or 유리
⑥ 미세소관: 세포의 전체적인 형태 유지
⑦ 중심소체: 세포분열 관여

조직 1-1-5	세포소기관의 특징을 설명할 수 있다. (B)

6. 세포의 유사분열 과정

(1) 간기: DNA 복제 시기

① G_1기(Gap 1 phase): 단백질과 세포소기관 합성, 세포 성장
② S기(Synthesis phase): 단백질합성과 DNA 복제(DNA양 2배)
③ G_2기(Gap 2 phase): 세포분열 준비(세포분열에 필수적인 단백질합성)

(2) 유사분열기: 2개의 딸세포 형성시기

① 전기: 중심소체의 분열, 핵막 및 핵소체의 소실, 염색체 형성
② 중기: 방추사가 각각 대응하는 염색체에 연결됨. 염색체의 적도면 배열, 염색체 수 헤아릴 수 있는 시기

③ 후기: 염색체 분리

④ 말기(종기): 염색체 소실, 핵막의 출현, 핵소체의 출현, 세포의 분열(2개의 딸세포 형성)

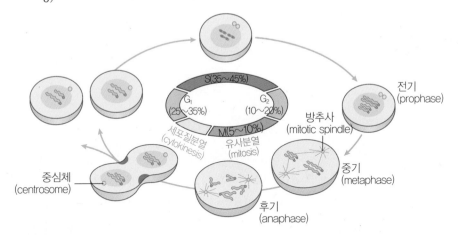

| 조직 1-2-1 | 세포의 유사분열 과정을 설명할 수 있다. (A) |

제2장 | 상피조직

1. 상피조직의 특성 2021 기출

① 혈관이 분포되어 있지 않아 결합조직으로부터 확산에 의한 영양공급

② 세포간질(세포사이물질)이 거의 없어 상피세포끼리 결합력이 강함(연접구조의 형태)

③ 특수하게 분화되어 있음: 보호, 흡수, 분비, 감각, 호흡 기능 등의 수행

④ 상피세포로부터의 유래: 털, 손톱, 선(샘), 법랑질

⑤ 재생속도가 매우 빠름(구강점막 > 표피)

| 조직 2-1-1 | 상피조직의 특징을 설명할 수 있다. (A) |

2. 상피조직의 분류 `2022 기출`

1) 기능적 분류

① 선(샘)상피: 분비물질을 생성하여 세포 밖으로 배출하는 상피(침샘, 위샘, 갑상샘 등)

② 보호(덮개)상피: 피부 또는 몸 장기의 표면을 덮는 상피

③ 감각상피: 감각기에 존재하면서 감각을 관장하는 상피(망막, 내이 등)

④ 흡수상피: 물질을 흡수하는 기능을 하는 상피(소장 표면 등)

⑤ 호흡상피: 흡입한 공기와 정맥혈 사이에서 가스를 교환하는 상피(폐포 등)

⑥ 수송상피: 이온, 아미노산, 수분 등을 능동적으로 수송하는 기능을 가진 세포(세뇨관 등)

2) 형태적 분류

(1) 중층상피

① 중층입방상피: 땀샘, 침샘 등

② 중층원주상피: 요도의 일부, 연구개의 상면

③ 중층편평상피: 피부(표피), 구강점막, 식도, 질, 항문 등

④ 이행상피: 신우, 요관, 방광 등을 덮고 있는 상피로 내강에 요가 충만하면 상피의 세포는 편평해지고 세포층이 엷어져서 2~3층의 편평상피처럼 보이나 내강이 빈공간이 되면 10여 층의 두터운 층이 되어 중층입방상피와 같은 형태가 됨

(2) 단층상피

① 단층편평상피: 폐의 호흡상피, 혈관 및 림프관의 내면

② 단층입방상피: 침샘의 도관, 갑상선, 위점막의 세포

③ 단층원주상피: 위에서 직장까지 소화관 내벽, 난관상피, 내법랑상피

④ 거짓중층원주섬모상피: 비강, 후두, 기관 등

> **조직 2-1-2** 상피조직을 기능과 형태에 따라 분류할 수 있다. (A)

3. 피부의 기본 구조와 기능

(1) 피부의 기본 구조

① 표피(상피조직): 각질층, 투명층(손과 발의 바닥쪽 표면에만 관찰), 과립층, 유극층, 기저층

② 진피(결합조직): 유두층, 망상층

(2) 피부의 기능

① 보호작용: 외부의 기계적 자극에 대한 완충작용, 수분의 과도한 내부침입이나 외부로의 방출 억제 역할 등

② 체온조절: 모세혈관의 확장, 수축에 의한 혈류량 변화

③ 감각기능: 외부환경 변화의 수용

④ 흡수작용: 피부에서의 여러 물질들의 생체 내부로의 흡수 기능

⑤ 비타민 D 합성

⑥ 얼굴(근육) 표정

조직 2-2-1 　피부의 기본 구조와 기능에 대해 설명할 수 있다. (A)

4. 표피(중층편평상피세포)의 구조

① 각질층: 핵소실, 미생물 침입의 방어벽 역할

② 투명층: 손과 발의 바닥 쪽 표면에서 관찰됨

③ 과립층: 각질을 구성하는 전구물질

④ 유극층: 표피에서 가장 두꺼운 층, 다각형의 형태이며 세포간교가 있음

⑤ 기저층: 진피와의 경계부위, 세포가 분열이 왕성하며 멜라닌 생성세포 존재

cf 기저층 + 유극층: 배아층

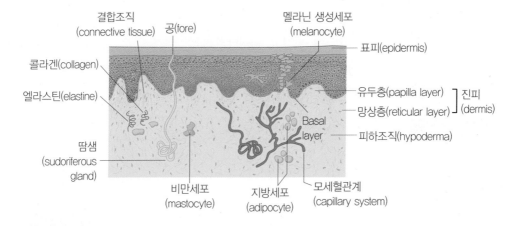

조직 2-2-2 　표피를 형성하는 구조물의 특징을 설명할 수 있다. (A)

5. 진피를 형성하는 구조물의 특징

① 유두층: 진피가 표피를 향해 돌출된 부위, 혈관과 신경이 가급적 표면에 쉽게 접근하기 위한 구조로 되어 있음

② 망상층: 유두층 아래에 존재, 굵은 섬유다발과 일부 탄력섬유(연령이 증가함에 따라 탄력섬유 감소)

> **조직 2-2-3** 진피를 형성하는 구조물의 특징을 설명할 수 있다. (B)

제3장 | 결합조직

1. 결합조직의 특징과 기능 `2020 기출` `2022 기출`

(1) 결합조직의 특징

① 세포간질이 많아 세포 사이 간격이 넓음

② 인체의 기본 조직 중 가장 많은 무게를 차지하고 있음

③ 대부분 재생이 가능함(연골세포 제외)

④ 혈관과 신경이 풍부함

⑤ 결합조직의 주체는 섬유모세포: 섬유단백질(교원, 탄력, 세망섬유 등) 생성

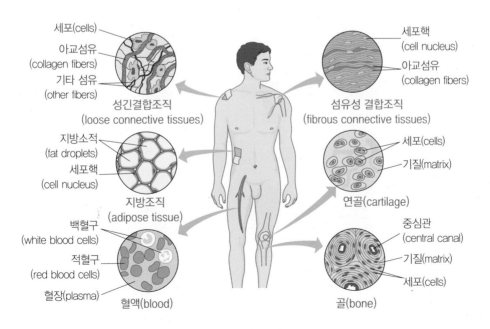

(2) 결합조직의 기능

① 생체지지: 골과 연골에 의한 골격 형성

② 장기의 피복과 보호 기능: 장기의 피복과 골에 의한 장기의 보호

③ 방어: 대식세포나 호중구에 의한 포식작용과 형질세포와 B림프구에 의한 항체 생성

④ 수복: 염증과 외상회복 후의 흉터 형성이나 골절이나 발치 후의 골·연골 형성

⑤ 운반: 혈액에 의한 산소, 이산화탄소, 영양소, 호르몬 등의 운반

> **조직 3-1-1** 결합조직의 구조와 특징을 설명할 수 있다. (A)

2. 결합조직 세포의 기능 2021 기출

① 섬유모세포, 연골모세포, 골모세포: 결합조직의 섬유와 무형질의 생성

② 형질세포: 항체생성(B림프구에서 유래)

③ 림프구: T림프구(세포성 면역반응), B림프구(체액성 면역반응)

④ 대식세포: 염증 및 식균작용(포식작용)

⑤ 비만세포: 알레르기(히스타민)와 관계된 과민반응, 항응고인자(헤파린) 함유

⑥ 호염기성백혈구(호염기구): 히스타민(알레르기) & 헤파린 함유

⑦ 호산성백혈구(호산구): 알레르기 반응, 체내의 기생충에 대한 면역 반응

⑧ 호중성백혈구(호중구): 포식작용

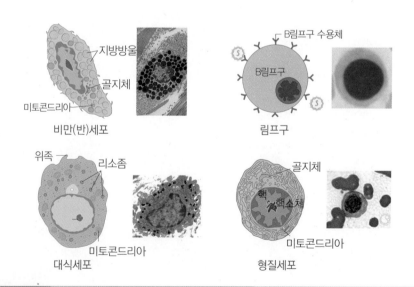

비만(반)세포

림프구

대식세포

형질세포

> **조직 3-1-3** 결합조직을 구성하는 세포를 설명할 수 있다. (A)

3. 결합조직을 구성하는 섬유

(1) 교원섬유(아교섬유)

① 큰 장력을 가짐

② 건이나 인대와 같이 인장력이 요구되는 조직에 많음

③ 생체 전 단백질의 30% 차지

④ 콜라겐 단백질의 집합체

(2) 탄력섬유

① 신축성이 요구되는 혈관벽, 인대, 탄력연골, 피하조직, 점막하조직에 많이 분포

② 치은을 제외하고 치아와 치아주위조직에는 존재하지 않음

③ 피부의 진피와 건에는 적음

④ 엘라스틴 단백질의 집합체

(3) 세망섬유

① 은친화성섬유

② 림프성 및 조혈기관에 분포

③ 레티큘린 단백질의 집합체

조직 3-1-4	결합조직을 구성하는 섬유를 설명할 수 있다. (A)

제4장 | 기타조직

1. 연골조직

1) 특징

① 혈관, 림프관, 신경 등이 존재하지 않음 → 대사율이 낮고 대사물질의 회전이 늦음

② 골조직에 비해 치유속도가 느림

③ 연골세포는 중간(배)엽에서 기원

④ 장골의 성장기에는 연골이 존재하며(골단연골), 이 연골이 후에 뼈로 전환

⑤ 연골막의 혈관으로부터 영양을 공급

2) 구성

- 연골단위 = 세포영역 + 연골소강(+ 연골세포)

① 연골세포: 연골소강 내의 연골세포는 약간 둥그스름하고, 핵은 구형 또는 타원형임

② 연골기질: 염기성 염료인 hematoxylin에 염색됨

- 진한 염색부위: 세포영역(영역바탕질)
- 연한 염색부위(영역간 기질, 영역 사이 바탕질): 세포영역과 세포영역 사이

③ 연골막: 치밀결합조직, 혈관 풍부

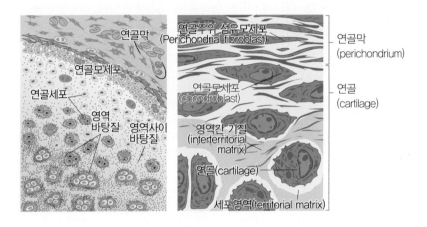

3) 종류

(1) 초자(유리)연골

① 인체에 가장 많이 분포하는 연골

② 소량의 아교섬유만이 존재하고 수분이 많음

③ 다른 연골과 마찬가지로 혈관이나 림프관 뿐만 아니라 신경섬유도 없으며 유주세포들도 존재하지 않음

④ 관절연골, 늑연골, 비연골, 기관연골 등에 존재

⑤ 퇴행성변화인 칼슘염이 쉽게 축적이 일어남. 그러나 탄력연골은 거의 일어나지 않음

(2) 섬유연골

① 연골막이 없음

② 건(힘줄) 또는 인대와 함께 무게나 힘을 지탱하는 역할

③ 독자적으로 존재하지 않고 유리연골, 인대 또는 건에 이어져 있음

④ 척추사이원반(disc), 악관절의 관절원반, 치골결합 등에 분포

(3) 탄력연골

① 유리연골과 비슷하나 기질에 탄력섬유가 다량 분포

② 유리연골과는 달리 나이가 들어도 거의 석회화되지 않음

③ 귓바퀴, 외이도, 후두개 등에 분포

조직 4-1-1	연골조직의 특징을 설명할 수 있다. (B)

2. 골조직의 구조와 특징

1) 구조

(1) 골막: 치밀결합조직, 영양공급·보호·재생기능

(2) 골질

① 치밀골: 골층판 형성
  - 하버스층판: 하버스관을 중심으로 동심원상으로 둘러싸고 있는 층판

    (골단위 = 하버스계통: 하나의 하버스관 주위에 있는 층판계)
  - 개재 층판: 골단위 사이를 주행하고, 인접하는 골단위를 결합하고 있는 층판
  - 외기초층판: 골막과 연결됨, 평행으로 주행하는 층판계
  - 내기초층판: 골수와 연결됨, 평행으로 주행하는 층판계

② 해면골: 골소주로 구성, 혈관 없음, 골수강 형성

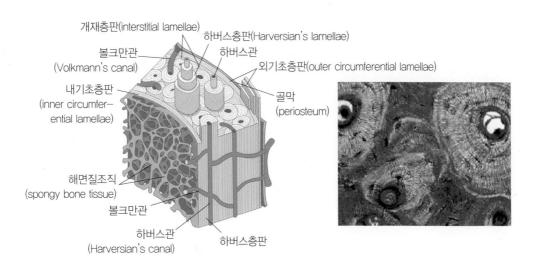

개재층판(interstitial lamellae)
하버스층판(Harversian's lamellae)
볼크만관
(Volkmann's canal)
하버스관
외기초층판(outer circumferential lamellae)
내기초층판
(inner circumfer-
ential lamellae)
골막
(periosteum)
해면질조직
(spongy bone tissue)
볼크만관
하버스관
(Harversian's canal)
하버스층판

2) 특징

① 저장기능, 조혈기능, 보호기능, 지지기능

② 특수한 형태의 결합조직

- 뼈를 형성하는 골모세포: 세포돌기 형성
- 골소강 안에 있는 골세포와 돌기를 수용하는 골세관이 존재
- 기질에 석회염인 수산화인회석(hydroxyapatite) 결정을 함유하고 있음
- 인접한 골소강의 열과 열 사이의 부분을 골층판이라고 함
- 백악질과 매우 유사한 구조

③ 평생 동안 골의 파괴와 부가라고 하는 길항적 과정을 통해 끊임없이 개조됨

④ 대사가 활발한 조직

- 혈관과 신경이 풍부하여 재생과 치유가 원활함

⑤ 혈관과 신경이 지나는 하버스관과 볼크만관이 있어 그 자체에서 영양을 공급받음 →
치유빠름

> **조직 4-2-1**   골조직의 구조와 특징을 설명할 수 있다. (A)

3. 골격근, 평활근, 심장근의 차이

구분	평활근	골격근	심근
세포의 형태	긴 방추형	긴 원주형	부정형
핵	1개(중심에 위치)	다핵(주변에 위치)	1~2개(중심에 위치)
재생능력	있음	있음	없음
가로무늬근(횡문근)	없음	있음(가늚)	있음(굵음)
수축	불수의적(자발적)	수의적	불수의적(자발적)
지배신경	자율신경	체신경	자율신경

> **조직 4-3-2**   골격근, 평활근, 심장근의 차이를 설명할 수 있다. (B)

제5장 | 일반발생

1. 발생 1주 형성 구조물

(1) 수정과 착상: 수정(난관팽대부) → 분할(난할) → ··· → 오디배(상실배) → 포배기

(2) 포배기

① 포배강: 자궁강에 도달한 오디배에 액체가 증가하여 만든 큰 공간

② 영양막: 포배강 형성으로 인하여 표면에 배열된 세포층 → 태아막 및 태반

③ 배자모체: 포배강 형성으로 인하여 만들어진 내부세포집단 → 배자

(3) 자궁도착 → 착상시작

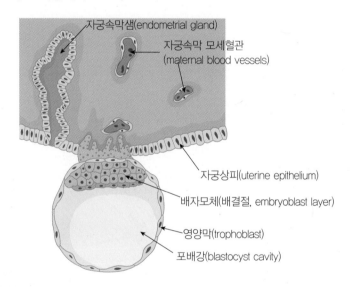

| 조직 5-1-1 | 수정과 착상과정을 설명할 수 있다. (B) |

2. 발생 2주 형성 구조물

① 이층배자반 형성: 배자 내배엽 + 배자 외배엽

② 양막강: 배자 외배엽과 영양막 사이의 작은 공간 형성 → 양수로 채워짐

③ 난황낭: 1차 난황낭, 2차 난황낭

④ 휴저막과 배외체강

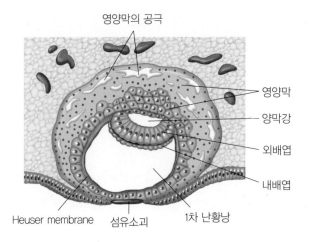

영양막의 공극

영양막
양막강
외배엽
내배엽

Heuser membrane 섬유소괴 1차 난황낭

조직 5-1-2	이배엽성 배반의 형성 과정을 설명할 수 있다. (A)

3. 발생 3주 형성 구조물

(1) 발생 3주

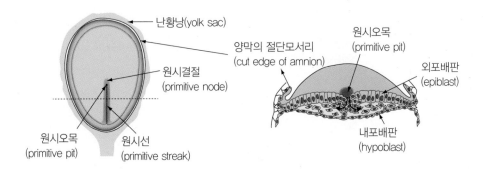

난황낭(yolk sac)

양막의 절단모서리
(cut edge of amnion)

원시오목
(primitive pit)

외포배판
(epiblast)

원시결절
(primitive node)

내포배판
(hypoblast)

원시오목
(primitive pit)

원시선
(primitive streak)

① 삼배엽성 배반 형성: 배자 내배엽 + 배자 중배엽(원시선과 원시결절 부위에서 외배
  엽세포들이 내부로 이동하면서 외배엽과 내배엽 사이에 새로운 세포층 형성함) + 배
  자 외배엽
② 원시선: 태생 15~16일 외배엽의 표면에 생성된 불투명한 선, 배반의 꼬리쪽
③ 척삭: 배반의 정중선상에서 머리쪽으로 이동하는 세포 → 척주
④ 척삭전판: 배자 머리쪽의 외배엽과 내배엽이 밀착된 부분 → 구강
⑤ 배설강판: 배자 꼬리쪽의 외배엽과 내배엽이 밀착된 부분 → 항문, 외생식기의 일부
⑥ 신경판 → 신경구 → 신경능선세포, 신경관 형성

(2) 발생 4주~8주: 배자기 혹은 기관형성기, 선천성 기형발생

| 조직 5-1-3 | 삼배엽성 배반의 구조와 형성 과정을 설명할 수 있다. (A) |

4. 외배엽의 발달과정과 외배엽성 기관

① 위치: 배자원반 위판층

② 미래조직: 표피(구강점막), 눈, 귀(외이), 신경계, 감각상피, 신경조직, 상피조직

③ 치아조직: 법랑질

| 조직 5-2-1 | 외배엽의 발달과정과 외배엽성 기관들을 설명할 수 있다. (A) |

5. 중배엽성과 내배엽성 기관

	중배엽	내배엽
위치	위판층의 이동세포	배자원반의 아래층
미래조직	진피·골·혈액·연골 등의 결합조직, 근육조직, 상피조직	호흡기계통과 소화기계통의 내피, 배설기관(간, 허파, 방광, 이자 등) 상피조직

| 조직 5-3-2 | 중배엽성, 내배엽성 기관들을 설명할 수 있다. (A) |

제6장 | 얼굴과 구강의 발생

1. 얼굴을 형성하는 5개의 돌기

① 비전두돌기(1개): 구와의 상방에 있는 하나의 큰 돌기

② 상악돌기(2개): 구와의 양쪽에 있는 한 쌍의 융기

③ 하악돌기(2개): 구와 아래쪽에 있는 한 쌍의 융기, 좌우가 융합하여 하나의 융기 형성

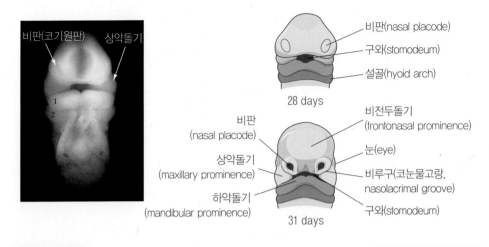

비판(코기원판) 상악돌기

비판(nasal placode)
구와(stomodeum)
설골(hyoid arch)

28 days

비전두돌기 (frontonasal prominence)
눈(eye)
비루구(코눈물고랑, nasolacrimal groove)
구와(stomodeum)

비판 (nasal placode)
상악돌기 (maxillary prominence)
하악돌기 (mandibular prominence)

31 days

조직 6-1-1 얼굴을 형성하는 돌기에 대하여 설명할 수 있다. (A)

2. 입술(구순)의 형성 과정 [2019 기출] [2022 기출]

- 형성시기: 발생 4주~12주말

① 하악돌기 + 하악돌기: 하악, 하순
② 상악돌기 + 내측비돌기, 내측비돌기 + 내측비돌기: 상순, 인중, 콧등(일부), 일차구개
③ 상악돌기 + 하악돌기: 뺨(구열의 폭 결정)
  - 거구증: 상악돌기와 하악돌기의 융합부전
  - 소구증: 상악돌기와 하악돌기의 과다한 융합

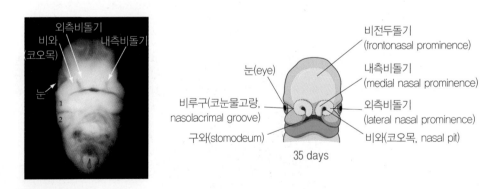

외측비돌기
비와(코오목)
내측비돌기
눈

비전두돌기 (frontonasal prominence)
내측비돌기 (medial nasal prominence)
외측비돌기 (lateral nasal prominence)
비와(코오목, nasal pit)

눈(eye)
비루구(코눈물고랑, nasolacrimal groove)
구와(stomodeum)

35 days

조직 6-1-2 입술(구순)의 형성 과정을 설명할 수 있다. (A)

3. 구개 및 구강의 형성 2020 기출

① 일차구개(전상악골): 내측비돌기 융합하여 상순의 후방에서 형성한 삼각형의 돌출부

② 일차구강: 구강과 비강은 교통하고 있음, 구강 용적이 작아 혀가 전 용적을 차지하고 있음

③ 이차구개: 좌우 구개돌기와 비중격이 유착되어 형성

④ 이차구강: 구강의 용적이 물리적으로 증대됨, 구강과 비강은 완전히 분리됨

조직 6-2-1	구개의 형성 과정을 설명할 수 있다. (A)

4. 안면을 형성하는 돌기의 융합부전 2021 기출

① 구순파열: 상악돌기와 내측비돌기(or 내측비돌기와 내측비돌기)의 융합부전

② 구개파열: 좌우 구개돌기와 비중격의 융합부전

③ 거구증: 상악돌기와 하악돌기의 융합부전

④ 소구증: 상악돌기와 하악돌기의 과다한 융합

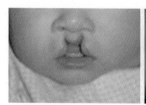 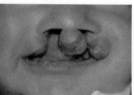 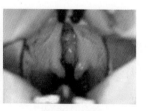

양측성 불완전 구순구개열   양측성 완전 구순구개열   완전형 구개열

조직 6-2-2	구순열 및 구개열의 원인을 설명할 수 있다. (A)

제7장 | 치아의 발생

1. 치판과 진정판의 형성

(1) 치판: 태생 6주경, 상피의 비후 → 상피의 점막고유층(간엽조직, 신경능선세포)으로 함입

① 혀쪽으로 비스듬히 함입

② 그 주위에는 간엽세포가 모임

③ 치배 형성

(2) 전정판(순구판): 태생 7주경

　① 수직으로 함입

　② 세포가 모이는 현상 볼 수 없음

　③ 구강전정 형성(입술과 잇몸 사이의 함요부분)

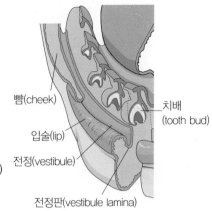

빰(cheek)

입술(lip)

전정(vestibule)

전정판(vestibule lamina)

치배 (tooth bud)

조직 7-1-1　치판과 전정판에 대하여 설명할 수 있다. (A)

2. 신경능선세포의 중요성　2019 기출

(1) 신경주름 융합 → 신경관 형성 → 양쪽 신경주름의 안쪽 모서리 일부의 신경외배엽세포 상피 친화력 증가 + 주변세포에 대한 부착성 상실

(2) 신경능선세포 형성

- 얼굴 및 입부위에 있는 연골, 뼈, 인대 등을 포함하는 결합조직 성분의 주요 기원
- 신경관과 표면외배엽 사이에서 납작하고 다소 불규칙한 형태의 신경능선을 형성

　① 척수신경절과 자율신경계통의 신경절 형성

　② 뇌신경 신경절의 일부 형성

　③ 말초신경 신경집, 연질뇌척수막(leptomeninx), 색소세포, 부신속질, 머리의 결합조직 형성

　④ 치주조직 형성(백악질, 고유치조골, 치주인대 등)

(3) 발생학적 특성

　① 위치: 이동된 신경외배엽

　② 미래조직: 신경계통의 일부, 머리와 목의 중간엽세포, 치아조직을 포함한 머리와 목의 중간엽

　③ 치아조직: 상아질, 치수, 백악질, 치주인대, 치조골 형성

조직 7-1-3　신경능선세포의 중요성을 설명할 수 있다. (A)

3. 뇌상기 치배의 특징

(1) 치배 형성기

① 발생 6주~7주: 구강점막상피가 증식·비후되고 치판과 전정판이 형성됨

② 치판의 앞쪽이 융기되어 둥그스름해짐

(2) 뇌상기 치배: 발생 8주, 치배를 형성하는 시기로 치판은 전구(싹)모양으로 관찰됨

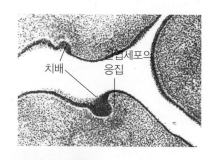 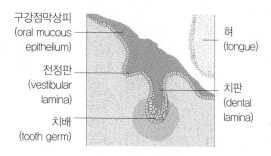

조직 7-2-1	뇌상기(싹시기) 치배의 특징을 설명할 수 있다. (A)

4. 모상기(모자시기) 치배의 특징 2020 기출

① 발생 9주

② 상피성부분의 모양이 모자모양과 비슷한 형태를 띰(치아기 혹은 법랑기라 명명함)
- 내법랑상피
- 외법랑상피
- 성상세망(법랑수): 내법랑상피와 외법랑상피 사이에 위치, 상피조직의 모양이
  결합조직의 형태를 가짐

③ 치유두와 치소낭 형성

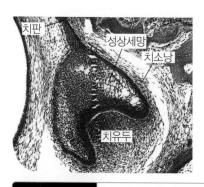 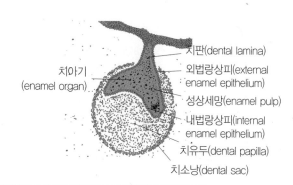

조직 7-2-2	모상기(모자시기) 치배의 특징을 설명할 수 있다. (A)

5. 종상기(종시기) 치배의 특징

　① 발생 12주~14주(전기)

　② 내법랑상피가 함입되고, 외법랑상피는 계속 증식하면서 치관 및 치근을 형성하는 시기

　③ 법랑기: 내법랑상피와 성상세망(법랑수) 사이에 중간층이 형성됨

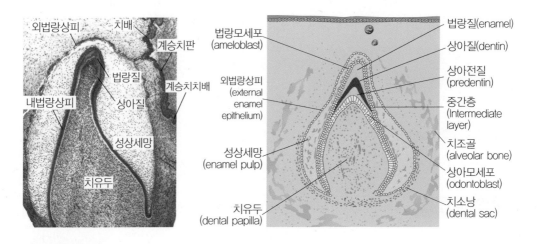

조직 7-2-3	종상기(종시기) 치배의 특징을 설명할 수 있다. (A)

6. 발생학적 측면의 법랑질과 상아질 형성

　(1) 상아질 형성: 절단연과 교두정 부위로부터 치경부쪽으로 진행

　　① 치유두로부터 유래(내법랑상피의 유도)

　　② 경조직 중 가장 먼저 발생

　　③ 상아전질: 석회화되지 않은 기질

　　④ 법랑질보다 먼저 분비활동을 시작함으로 더 두꺼움

　　⑤ 상아질을 만든 상아모세포는 치수에 존재(2차 & 3차 상아질 형성) → 재생 가능

　(2) 법랑질 형성

　　① 내법랑상피세포부터 유래(상아전질의 유도)

　　② 법랑기의 4가지 층(외법랑상피, 법랑수, 중간층, 내법랑상피) → 역할 끝낸 후 퇴축 법랑상피 형성

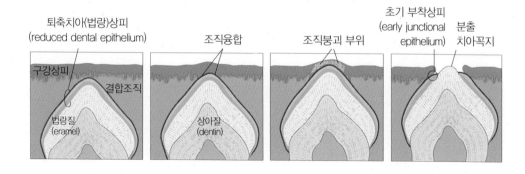

퇴축치아(법랑)상피
(reduced dental epithelium)
조직융합
조직붕괴 부위
초기 부착상피
(early junctional epithelium)
분출 치아꼭지

구강상피
결합조직
법랑질
(eramel)
상아질
(dentin)

③ 법랑질을 형성한 법랑모세포는 사라짐 → 재생 불가능

조직 7-2-5	법랑질과 상아질의 형성 과정을 기술할 수 있다. (A)

7. 법랑모세포와 상아모세포의 형성

① 뇌상기: 치배 중에서 법랑기(상피성 부분)가 나무싹 같은 모양

② 모상기: 상피성 부분과 간엽성 부분으로 구분
  - 상피성 부분(법랑기=치아기): 내법랑상피, 법랑수(성상세망), 외법랑상피
  - 간엽성 부분(혈관 출현): 치유두, 치소낭

③ 종상기
  - 상피성 부분(혈관 출현): 내법랑상피 → 법랑모세포로 분화
  - 간엽성 부분: 치유두 → 상아모세포·치수로 분화, 치소낭 → 백악질·치주인대·고유치조골로 분화

조직 7-2-6	법랑모세포와 상아모세포를 설명할 수 있다. (A)

8. 치아를 구성하는 조직의 기원 2021 기출

(1) 법랑기

① 외법랑상피: 법랑기관의 보호

② 내법랑상피: 법랑모세포로 분화

③ 성상세망(법랑수): 법랑바탕질의 생성

④ 중간층: 석회화에 필요한 알칼리성 인산효소 함유

(2) **치유두**: 상아모세포 및 치수로 분화

(3) **치소낭**: 백악모세포로 분화

> **조직 7-2-7**   치아를 구성하는 조직의 기원을 설명할 수 있다. (B)

9. 치근의 형성 과정

① 헤르트비히 상피근초가 치유두의 상아모세포 분화 유도
② 치근상아질 형성
③ 기저막 및 헤르트비히 상피근초 붕괴
④ 노출된 치근 상아질에 의한 치소낭 세포가 백악모세포로 분화

> **조직 7-3-1**   치근의 형성 과정을 설명할 수 있다. (A)

10. 헤르트비히 상피근초(Hertwig's epithelial root sheath)의 특징 및 역할

> 2020 기출

① 치경고리(내법랑상피와 외법랑상피)가 증식하여 형성됨
② 치근에 존재하는 치유두의 상아모세포로 분화를 유도하여 치근 상아질 형성
③ 치근의 외형 형성
④ 치근상아질 형성 후 상피근초가 붕괴된 후 남아 있는 세포 → 말라세즈 상피잔사(epithelial cell rest of Malassez) 형성: 치성낭종으로 진행될 수도 있음

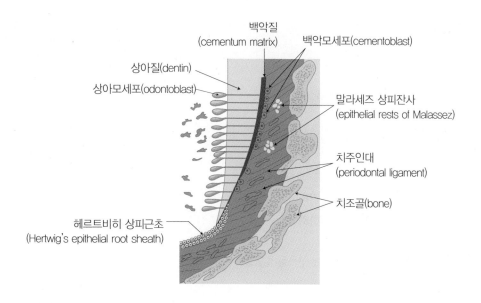

백악질
(cementum matrix)
백악모세포(cementoblast)
상아질(dentin)
상아모세포(odontoblast)
말라세즈 상피잔사
(epithelial rests of Malassez)
치주인대
(periodontal ligament)
치조골(bone)
헤르트비히 상피근초
(Hertwig's epithelial root sheath)

조직 7-3-2	Hertwig의 상피근초와 Malassez의 상피잔사를 설명할 수 있다. (A)

11. 백악질의 형성 과정 2022 기출

① 헤르트비히 상피근초(뿌리집)가 붕괴되면 치근에서 백악모세포(백악질) 형성
② 치근상아질의 유도에 의한 치소낭의 세포가 백악모세포로 분화됨
③ 상피근초 역할 종료 → 변성, 분산, 분화(치소낭세포의 백악모세포로의 분화)
→ 치주인대로 흡수 혹은 세포 덩어리 형성(말라세즈 상피잔존물)
cf 치관부의 내법랑상피, 외법랑상피, 법랑수와 중간층의 세포도 임무가 끝나면 변성하여 퇴축법랑상피가 됨

조직 7-4-1	백악질의 형성 과정을 설명할 수 있다. (A)

제8장 | 구강 연조직

1. 구강점막의 기본 구조 2019 기출

구분	피부	구강점막
상피조직 (중층편평상피)	표피: 진성각질층 (기저층-유극층-과립층-각질층)	점막상피: 진성각질층, 착각질층, 비각질층
결합조직	진피	점막고유층
	피하조직	점막하조직(반드시 존재하는 것은 아님)

조직 8-1-1　구강점막의 기본 구조를 설명할 수 있다. (A)

2. 구강점막의 분류

　(1) 저작점막

　　① 치아와 함께 저작 시에 직접 교합압을 받고 음식물과의 마찰도 가장 많이 일어나는 강인한 점막

　　② 가동성이 적고 씹기에 견디는 경도가 있음

　(2) 이장점막(피복점막)

　　① 교합압이 그다지 노출되어 있지 않고 점막하조직의 탄력성이 높은 부위

　　② 가동성 부여

　(3) 특수점막

　　① 설유두가 발달되어 있음

　　② 미뢰라는 특수한 미각수용기 함유

조직 8-1-2　구강점막의 종류를 열거하고 각각의 특징을 설명할 수 있다. (A)

3. 구강점막의 조직학적 특징 2020 기출 2021 기출 2022 기출

　(1) 저작점막

　　① 각화된 중층편평상피

　　② 점막고유층이 두텁고 치밀한 치밀성 결합조직

③ 점막하층이 없거나 적음

④ 점막고유층 또는 점막하층은 치조골 또는 구개골의 골막과 결합

⑤ 부착치은, 경구개 등

(2) 이장점막

① 비각질의 중층편평상피

② 교합압이 덜 노출된 부위

③ 유두의 키가 작고 폭이 넓음

④ 점막하조직 있음

⑤ 분포: 볼, 치조점막, 혀의 아랫면, 구강저, 연구개의 점막 등

⑥ 융기그물의 수가 적고 덜 뚜렷함

(3) 특수점막: 설유두 포함

조직 8-1-3　　구강점막의 조직학적인 특성을 설명할 수 있다. (A)

---

4. 치은의 조직학적 특징

① 점막상피에서 각화를 볼 수 있음

② 유두의 키가 현저하게 큼

③ 점막하조직이 없음

④ 점막고유층과 치조골의 골막이 직접 유착된 점막성 골막의 상태로 되어 있음

조직 8-2-5　　치은의 조직학적 특성에 대하여 설명할 수 있다. (B)

---

5. 치조점막의 특징

① 각화되어 있지 않음

② 점막고유층이 점막상피를 향해 돌출한 유두가 있음

③ 점막하조직이 존재함

6. 치아치은 결합조직

• 치면과 치은조직 사이의 결합: 열구상피와 접합상피

(1) 열구상피

　① 중층편평상피

　② 치은열구 형성: 비각화 상태

　③ 치은열구액 분비

(2) 접합상피

　① 열구상피가 연장된 부위

　② 상피부착: 헤미데스모솜(반부착점)

조직 8-2-1	치아치은접합을 설명할 수 있다. (A)

7. 치은의 분류

(1) 변연치은(유리치은)

　① 각 치아의 치은 모서리에 존재, 치아를 둘러싸고 있으나 치표면에 직접 부착되어 있지 않은 잇몸의 부분

　② 변연치은과 부착치은의 경계에는 유리치은구라는 얕은 고랑 존재

(2) 부착치은(저작점막)

　① 치근 주위의 뼈에 단단히 부착되어 있는 치은

　② 점채(stippling, 점몰) 존재하나 염증발생 시 소실

(3) 치간치은(치간유두)

　① 인접한 치아 사이에 있으면서 부착치은으로부터 뻗어 나온 부분

　② 유리치은과 부착치은이 공존

(4) 치간함몰부치은(Col)

　① 치주질환 형성에 중요하며 주로 구치의 넓은 치간치은에 존재

　② 보통 전치와 연관된 치간조직에는 존재하지 않음

조직 8-2-2	유리치은과 부착치은의 특징을 설명할 수 있다. (B)

8. 설유두의 종류

(1) 사상유두(실유두)

① 표면이 실과 같이 가느다랗게 몇 가닥으로 나뉘어져 있음

② 상피는 두껍게 각화되어 있기 때문에 설배의 표면이 희게 보임

③ 설유두 중 가장 숫자가 많고 설배의 전면에 분포하고 미뢰가 존재하지 않음

(2) 용상유두(심상유두)

① 혀 끝이나 혀 가장자리에 비교적 많고 수는 사상유두보다 훨씬 적음

② 둥글고 붉은 버섯 모양으로 육안으로도 잘 보임

③ 미뢰 있음

(3) 유곽유두(성곽유두)

① 가장 크나 수는 적어 사람은 10개 정도

② 설배의 뒤쪽에 있는 분계구 앞에 줄지어 있음

③ 미뢰 있음

(4) 엽상유두(잎새유두)

① 혀의 측면 가장자리의 뒤에 있음

② 사람에 있어서는 발달이 나쁘나 토끼나 원숭이 등은 잘 발달해 있음

③ 혀 끝이나 혀의 측면에 많음

④ 미뢰 있음

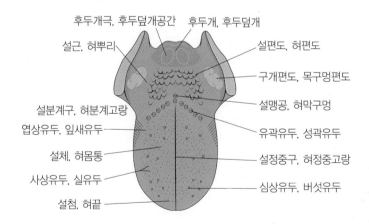

조직 8-3-2	혀유두의 종류와 특징을 설명할 수 있다. (B)

9. 대타액선의 기본 구조

구분	이하선	설하선	악하선
개구부위	상악 제2대구치 교합면 높이의 볼점막	구강저의 설소대 근처	구강저의 설소대 근처
선조관	짧음	드물거나 없음	김
개재관	김	매우 짧거나 없음	짧음
분비꽈리	장액성	장액성 + 점액성(대부분)	장액성 + 점액성

> **조직 8-4-2** 대타액선을 설명할 수 있다. (B)

제9장 | 치아의 조직

1. 법랑질의 특징 `2022 기출`

① 혈관과 신경 존재하지 않음

② 법랑모세포의 Tomes 돌기(guiding factor, 법랑바탕질이 침착되는 길 제시)로부터 법랑 전질 분비

- 치관이 된 부위의 절단연(혹은 교합연) 쪽에서 먼저 형성됨

③ 법랑소주의 집단체로 법랑기의 내법랑상피세포에서 분화됨

④ 백색, 반투명(법랑질의 투명도와 두께에 따라 반영되는 색깔 차이) → 황색(상아질색 반영)

⑤ 절단연(전치)와 교두(구치)가 가장 두껍고 치경부로 갈수록 얇아짐

⑥ 가장 단단한 조직(but 살아 있는 조직은 아니다 → 한 번 손상을 받으면 다시 회복되지 않으나 재석회화 과정은 거침)

⑦ 성분: 유기질(1%: amelogenin과 enamelin), 무기질(96~98%), 수분(2%)

⑧ 체내에서 가장 경화된 결정체(모스 경도 6~7)

> **조직 9-1-1** 법랑질의 특징을 설명할 수 있다. (A)

2. 법랑소주의 특징

① 법랑모세포의 Tomes 돌기의 출현에 의해 생성(법랑질이 완성되면 Tomes 돌기 상실)

② 법랑질 표면으로 갈수록 굵어짐(1:2)

③ 원기둥모양(굵기: 3~4 μm)

④ Hematoxylin의 염색: 법랑소주, 소주간질, 소주초(기둥껍질)

⑤ 법랑소주의 횡단면의 형태

  • 표층: key hole형(head−상아질을 향함, tail−법랑질 표층)

  • 심층과 중층: arch형(U자형), tail 부분이 불명확

⑥ 4개의 법랑모세포로부터 1개의 법랑소주 형성

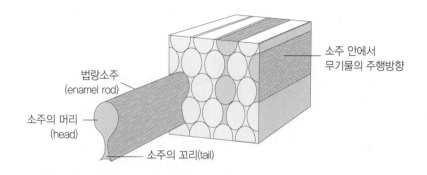

소주 안에서
무기물의 주행방향

법랑소주
(enamel rod)

소주의 머리
(head)

소주의 꼬리(tail)

조직 9-1-2	법랑소주의 형성과 주행방향을 설명할 수 있다. (B)

3. 치아의 부위별 성장선 `2020 기출` `2021 기출`

(1) 법랑질 성장선: 횡문, 레찌우스선조, 주파선조, 신생선

  ① 횡(선)문: 가로무늬근, 법랑소주를 가로지르는 선, 하루 4 μm 성장

  ② 레찌우스선조: 잘 발달된 횡선문이 이어진 것, 사람의 영구치에서 뚜렷이 나타남

  ③ 주파선조: 레찌우스 선조가 법랑질 표면에 도달하는 부위 표면에 형성된 얕은 고랑

  ④ 신생선: 레찌우스선이 출생에 의해 생긴 선

(2) 상아질 성장선: 에브너선, 안드레젠선, 오웬외형선, 신생선

(3) 백악질 성장선: 정지선, 반전선

조직 9-1-3	법랑질의 성장선에 대하여 설명할 수 있다. (A)

4. 법랑질의 조직학적 구조물　2019 기출

　① 법랑소주: 법랑질을 형성하고 있는 기둥모양의 구조물

　② 헌터-슈레거띠: 법랑질을 강화하기 위한 구조, 법랑질 안쪽층 1/3~1/2 영역

　③ 법랑총: 법랑-상아질 경계 근처의 풀숲과 같은 구조물, 저석회화 형태

　④ 법랑엽판: 법랑-상아질 경계 근처로부터 법랑질 표면에 이르는 줄기와 같은 구조물, 저석회화 형태

　⑤ 법랑방추: 상아모세포 돌기의 일부가 법랑질 내의 상피 사이로 침입하여 발생한 구조물

　⑥ 법랑소피: 구강에 맹출한 치아의 법랑질 표면을 덮고 있는 유기성의 얇은 막

　⑦ 주파선조: 레찌우스선조가 법랑질 표면에 도달하는 부위의 표면 끝부분에 형성된 얕은 고랑

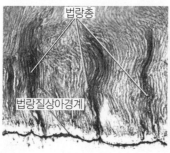 

조직 9-1-4	법랑총, 법랑엽판의 특징을 설명할 수 있다. (A)

5. 상아질의 특징

　① 치아의 경조직 중 가장 두껍고 상아모세포에 의해서 생성

　② 치유두에서 분화하여 상아질이 형성됨

　③ 치수가 존재하는 한 상아질은 평생 형성됨

　④ 치관의 상아질은 법랑질로 덮이며, 치근에는 백악질로 덮임

　⑤ 법랑질보다는 약하고 무기질 함량이 더 낮아서 모스경도계로 5~6

　⑥ 무기질 70%, 유기질(교원섬유 93%) 20%이면 수분이 10%

　⑦ 시간이 지남에 따라 색깔변화(황백색 → 진한 노란색 → 검은색)

조직 9-2-1	상아질의 특징을 설명할 수 있다. (A)

6. 상아세관의 구조와 특징

① 굵기와 수는 연령과 상아질의 부위에 따라 다름

② 젊은 사람은 고령자의 것보다 굵음

③ 표층 가까이에서 분지되어 있음

④ 상아세관 속에는 톰스섬유(상아섬유)라 불리우는 상아모세포의 돌기가 들어 있음

⑤ 치관의 중앙부와 치근에서는 직선으로 주행하지만 치경부에서는 S자 상으로 구부러 져 있음

- 일차만곡: S자형(치경부에 쉽게 관찰 가능함)
- 이차만곡: 일차만곡 내의 작은 S자형 곡선

⑥ 치수에 가까울수록 밀도가 높아짐(표면적 때문)

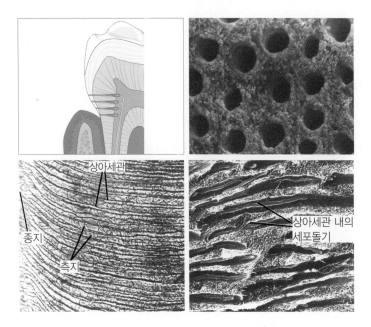

| 조직 9-2-2 | 상아세관의 특징을 설명할 수 있다. (A) |

7. 상아질의 성장선

① 에브너선: 치아의 외형에 평행한 성장선

② 오웬외형선: 에브너선 층판의 일부

③ 신생선: 출생 시의 스트레스에 의한 광화 장애 반영

④ 안드레젠선: 하루동안 만들어지는 상아질의 두께

| 조직 9-2-3 | 상아질에서 관찰되는 구조물을 설명할 수 있다. (B) |

8. 생성시기에 따른 상아질 종류 `2019 기출` `2022 기출`

(1) 1차 상아질

① 치근 형성 전 만들어진 상아질

② 치수실의 외형 형성성

(2) 2차 상아질

① 치근 형성 후 만들어진 상아질(치아가 완성된 후에 만들어진 상아질)

② 1차 상아질에 비해 상아세관 수가 감소하고 상아세관의 배열이나 주행도 불규칙적이고 많이 굴곡되어 있음

③ 상아질의 치수측 전면에 걸쳐 형성됨

④ 완만하지만 평생 동안 형성됨

(3) 3차 상아질(수복상아질, 반응상아질, 병적 제2상아질)

① 치아의 병적인 상황(교모, 마모, 우식 및 파절 등 상아질의 실질결손)에서 상아모세포가 반응하여 방어적으로 만들어진 상아질

② 자극받은 기간과 강도에 따라 형성양이 결정됨

③ 2차 상아질보다 더욱 불규칙한 주행방향을 나타내고 수도 감소되며, 때로는 상아모세포가 봉입되어 있는 경우도 있음

| 조직 9-2-4 | 상아질의 종류를 설명할 수 있다. (A) |

9. 상아세관을 중심으로 한 상아질

① 상아세관: 치수강에서 상아법랑경계까지 관통하고 있는 가는 관

② 관주상아질(관내상아질): 석회화 정도가 특히 높은 상아질, 고령화됨에 따라 상아세관의 내경이 좁아짐

③ 관간상아질: 관주상아질 사이를 메우고 있는 상아질, 상아질 대부분을 구성

④ 구간상아질: 융합한 석회화구 사이공간 부분의 저석회화 상아질

⑤ 톰스과립층: 치근 부위의 백악−상아 경계부근에 발현되는 소형의 석회화구(과립)가 층판형으로 연속됨

⑥ 사대(사로, 죽은 띠): 급성 자극을 받은 부위의 상아세관 내 세포돌기가 퇴축 또는 소멸되어 공기로 채워져 빛을 난반사하기 때문에 형성된 구조물

조직 9-2-5   관주상아질, 관간상아질을 설명할 수 있다. (A)

10. 경화상아질 `2020 기출`

① 투명상아질
② 외부의 자극이 장기간에 걸쳐 가해져 상아세관이 폐쇄되어 형성된 상아질
③ 관주(내)상아질이 다량 형성되어 상아세관이 폐쇄되어 형성됨
④ 고령자의 치근과 정지우식증에서 흔히 관찰

조직 9-2-6   경화상아질을 설명할 수 있다. (A)

11. 치수의 기능과 특성

(1) 치수의 기능

① 상아질의 형성(2차 & 3차) 및 유지 기능
② 감각기능
③ 상아질 영양공급(신경과 혈관 존재)
④ 염증과 면역반응(소성결합조직)
⑤ 상아모세포 재생 기능

(2) 치수의 특징

① 치유두에서 유래하는 소성섬유성결합조직(성긴섬유성결합조직)
② 구성세포: 섬유모세포, 상아모세포, 미분화간엽세포, 기타 결합조직 구성 세포 (백혈구 등)
③ 미분화간엽세포: 상아모세포, 섬유모세포로 분화 가능
④ 치수강의 외형은 상아질의 외형과 일치
⑤ 혈관과 신경이 존재

(3) 치수의 퇴행성 변화

① 치수의 섬유화 진행

- 교원섬유 증가
- 섬유간질, 조직액과 세포의 수는 감소
② 치수강 용적 감소
③ 치수석 또는 상아질립 형성

> **조직 9-3-1**   치수의 기능과 특성을 설명할 수 있다. (A)

12. 치수를 구성하는 세포

① 섬유모세포: 치수 내 가장 많은 세포, 섬유단백질 생성
② 미분화간엽세포: 상아모세포 & 섬유모세포 분화
③ 백혈구(면역반응과 염증반응): 림프구, 형질세포, 대식세포, 비만세포 존재
④ 상아모세포

> **조직 9-3-2**   치수에 존재하는 세포를 설명할 수 있다. (B)

13. 치수 표면층의 구조   2019 기출

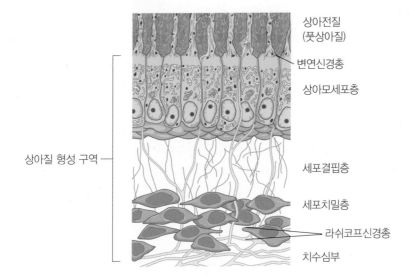

상아전질
(풋상아질)

변연신경층

상아모세포층

상아질 형성 구역

세포결핍층

세포치밀층

라쉬코프신경층

치수심부

(1) 상아모세포층

① 치수 외벽을 덮고 있음(치수의 가장 표면층)

② 상아전질과 접해 있는 층

③ 상아전질 사이에 변연신경총이 존재

(2) 세포희박층(와일층)

① 치수세포의 분포 밀도가 매우 낮음

② 신경섬유가 밀집되어 있음

(3) 세포치밀층

① 치수세포가 밀집되어 있는 층

(4) 치수심부

cf 세포희박층과 세포치밀층 부근: 상아모세포하신경총 또는 라쉬코프신경총 존재

조직 9-3-3	치수의 표층 구조를 설명할 수 있다. (A)

14. 백악질의 성질 및 특징

(1) 물리화학적 성질: 65% 무기질, 23% 유기질, 12% 수분

(2) 부위, 나이 및 기능에 따라 두께의 차이가 있음

① 치근단(단근치)과 치근 분기부에서 가장 두꺼움

② 치경부의 백악법랑경계가 가장 얇음

(3) 치주인대 섬유(샤피섬유)와 결합하여 치아를 악골에 고정시킴

(4) 발생학적 특징: 치소낭(치아주머니)로부터 발생

(5) 조직학적 특징

① 백악(질)세포: 백악질 소강 내 존재, 백악모세포가 기질에 갇힘

② 백악(질)세관: 세포돌기가 함유 → 치주인대를 향하고 있음(영양분 공급을 받기 위해)

③ 신경과 혈관이 없음

- 조직개조나 흡수 등의 대사가 낮음(치주인대로부터 영양분 공급받음)
- 감각 또한 느끼지 못한다는 것이 골과 차이가 있음

| 조직 9-4-1 | 백악질의 특징을 설명할 수 있다. (A) |

15. 백악질의 성장선

(1) 반전선

① 무기질 흡수 후에 무기질 형성이 이루어진 부위

② 윤곽이 불규칙적임

(2) 정지선

① 무기질 형성이 중단되었다가 다시 진행된 후에 생성

② 윤곽이 매끄러움

| 조직 9-4-2 | 백악질의 성장선에 대하여 설명할 수 있다. (B) |

16. 백악-법랑경계부의 접촉관계

① 서로 맞닿아 있는 경우: 30%

② 백악질과 법랑질이 접촉하지 않아 상아질이 노출된 경우: 10%

③ 백악질이 법랑질을 덮고 있는 경우: 60~65%

　• 헤르트비히 상피근초의 적절하지 않은(시간적으로 늦음) 붕괴로 인한 것으로 추정

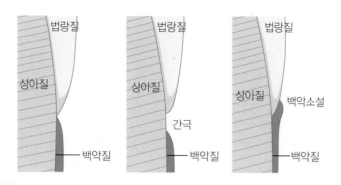

| 조직 9-4-3 | 백악법랑경계에 대하여 설명할 수 있다. (A) |

17. 무세포성 백악질(1차 백악질)과 유세포성 백악질(2차 백악질) `2019 기출` `2021 기출`

(1) 무세포성 백악질

① 치아의 형성과 맹출 시 생성됨

② 조직 중에 세포를 함유하고 있지 않음

③ 치경부 1/3에는 여러 층으로 침착됨

④ 생성속도가 느림

⑤ 샤피섬유가 굵은 다발을 형성하고 기질 내에서 다수 매몰됨

⑥ 두께의 변화 없음

(2) 유세포성 백악질

① 치아가 맹출한 후 기능에 적응하기 위해 생성됨

② 기질 중에 백악세포를 함유

③ 치근단 부위와 다근치의 치근 분지부에서 가장 두꺼움

④ 샤피섬유가 가늘고 수도 적음

⑤ 시간이 지남에 따라 층이 더해질 수 있음(두꺼워짐)

| 조직 9-4-4 | 1차 백악질과 2차 백악질에 대하여 설명할 수 있다. (A) |

18. 치주인대의 특징

① 백악질을 통해 치아를 둘러싸고 있는 치조골에 부착시키는 작용

② 방사선사진: 치주공간(0.4~1.5 mm)

③ 치밀섬유성 결합조직: 아교섬유로 구성

④ 신경과 혈관존재: 백악질에 영양공급

⑤ 충격흡수장치 및 자극에 대한 감각수용기의 역할

⑥ 치소낭으로부터 유래

⑦ 백악치조섬유(주섬유): 결합조직의 굵은 섬유다발이 치주인대 속을 주행하고 있으면 그 양단은 치조골과 백악질을 고정

⑧ 임상적 변화: 두께는 연령이 증가할수록 좁아지며, 섬유모세포, 골모세포 및 백악모세포의 수 또한 감소함

> **조직 9-5-1** 치주인대의 기능과 특징을 설명할 수 있다. (A)

19. 치주인대를 구성하는 세포

① 섬유모세포

② 백악모세포

③ 골모세포와 파골세포

④ 파치세포

⑤ 말라세즈 상피잔존물

⑥ 미분화간엽세포

⑦ 백혈구

> **조직 9-5-2** 치주인대에 존재하는 세포를 설명할 수 있다. (A)

20. 치주인대의 주섬유군

① 치조정섬유군: 치조정에서 시작하여 치경부의 백악질까지 여러 각도로 퍼져 나가 삽입, 가장 적음

② 수평섬유군: 치조정의 치근단쪽 고유치조골에서 시작하여 수평으로 주행하여 백악질에 삽입, 측방운동에 저항

③ 사주섬유군: 고유치조골에서 시작하여 치근단쪽을 향해 비스듬히 주행하여 섬유, 수직 교합압에 가장 효과적으로 저항

④ 치근단섬유군: 치근단 부위의 백악질에서 시작하여 그 주변의 고유치조골에 삽입,

치아의 기울어짐과 탈락 방지

⑤ 치근간섬유군: 다근치, 치아의 기울어짐과 회전 및 탈락에 저항함

⑥ 치간인대(횡중격섬유군): 치아와 치아 사이의 치조골 상부를 주행하는 섬유군

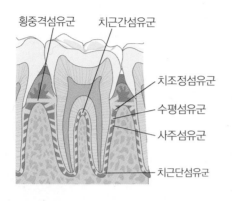
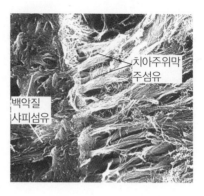

| 조직 9-5-3 | 치주인대의 주섬유의 특징을 설명할 수 있다. (B) |

21. 샤피(Sharpey's) 섬유

① 외래성 섬유다발

② 치아 존재 부위: 백악질, 치조골

| 조직 9-5-4 | Sharpey's 섬유를 설명할 수 있다. (B) |

22. 치조골의 특징

① 발생학적 측면

- 악골의 일부로서 형성된 부분 → 지지치조골
- 치아의 발생에 따라 치소낭의 결합조직에서 유래하는 부분 → 고유치조골

② 치아를 지지하고 치아에 가해지는 압력을 분산 및 흡수하는 역할

③ 샤피섬유 함유 有

④ 백악질에 비해 쉽게 개조되어 교정적 치아이동이 가능함

| 조직 9-6-1 | 치조골의 특징을 설명할 수 있다. (A) |

23. 치조골의 분류

(1) 고유치조골(경판)

- 치조의 얇은 바깥벽을 형성과 골질이 치밀하기 때문에 X선 투과상이 낮음(치조백(경)선)
- 사판이라고도 부름: 치주인대에 분포하는 혈관과 신경이 통과하는 많은 구멍이 있음
  ① 속상골(섬유속골)
    - 치아인대에 직접 접하는 층을 구성하는 뼈
    - 치주인대의 주섬유가 연장된 샤피섬유다발이 박혀 있음
  ② 층판골
    - 고유치조골의 외층을 이룸
    - 주로 평행하게 배열되어 있는 기초층판으로 구성되지만 소수의 골층판도 존재

(2) 지지치조골

① 상악골의 치조돌기와 하악골의 치조부분에서 고유치조골을 지지(간접적 치아지지)
② 치밀골과 해면골로 분류됨
③ 치밀골의 두께와 높이는 각 치아에 따라 차이가 큼

조직 9-6-2	고유치조골과 지지치조골을 설명할 수 있다. (B)

조직 9-6-3	경판의 특징을 설명할 수 있다. (A)

05 PART ▶▶

구강병리학

Oral Pathology

DENTAL
HYGIENIST

POWER 치과위생사 국가시험 핵심요약집 1권

PART 05

구강병리학
Oral Pathology

제1장 | 구강 병소의 진단과 생검

1. 생검의 필요성

① 병소 일부 절제 → 병리 및 조직학적 검사를 통한 진단
② 이상 소견이 의심되면 일반 조직의 증식인지 종양인지를 체크
③ 추적관찰

> **병리 1-1-3** 생검의 필요성에 대하여 설명할 수 있다. (A)

2. 생검의 적응증

① 진단이 어려운 경우
② 수술 중 의심되는 신생물
③ 낭성 병소
④ 구강점막의 적색·백색 변화(백반증·홍반증)
⑤ 점막상피의 과각화
⑥ 만성 궤양성 병변
⑦ 의심되는 원인 제거 → 2~3주 남아 있는 궤양

> **병리 1-1-4** 생검의 적응증에 대하여 설명할 수 있다. (A)

3. 생검 시 주의 사항

① 괴사부위는 피해야 함: 세포 모양 확인 불가

② 병소부위에서 경계부를 포함하여 샘플링을 해야 함(병변부위와 건전부위 함께 채취)

③ 병소가 넓을 때는 의심되는 여러 부위를 채취

④ 충분한 양을 채취해야 하나 인접부위의 신경과 혈관 등의 손상은 최소화해야 함

⑤ 채취 조직은 변성이 될 수 있으므로 바로 고정액에 담아야 함

⑥ 기구에 의한 조직 변형이 일어나지 않도록 주의해야 함

⑦ 마취제는 병소부위에 직접 주입되지 말아야 함

병리 1-1-5 | 생검 시 필요한 요구 조건에 대하여 설명할 수 있다. (A)

4. 생검의 종류 `2019 기출`

① 절제생검: 병소 크기가 작은 경우에 전체를 외과적으로 절제하여 한 번에 완전하게 검사하는 방법

② 절개생검: 병소 크기가 큰 경우에 조직의 일부만을 잘라내어 검사하는 방법

③ 펀치생검: Punch 포셉을 사용하여 조직을 떼어내어 검사하는 방법

④ 침생검: 침을 이용하여 가늘고 길게 조직을 뽑아 검사(주로 실질장기 채취 시 활용)

⑤ 천자흡인생검: 특수한 투과침 사용, 표면에서 가까운 장기의 조직을 천자하여 채취 후 검사

⑥ 박리세포진단법: 탈락세포를 채취하여 검사

병리 1-1-8 | 생검의 종류에 대하여 설명할 수 있다. (A)

5. 조직표본 제작과정

① 고정(fixation): 조직의 형태와 분자의 조성을 보호하기 위한 단계, 10% 포르말린 사용

② 탈수(dehydration): 조직의 수분을 유기용매로 대체하는 단계

③ 투명(clearing): 파라핀 또는 수지 용매를 조직에 침투시키기 위한 준비단계, xylene 사용

④ 포매(embeding): 적당한 경도를 부여하기 위한 단계, 파라핀 사용

⑤ 절단(박절, sectioning): Microtome에 의해 절단(약 4~6 μm 두께)

⑥ 염색(staining): 대부분의 조직은 색이 없으므로 염색하는 단계, Hematoxylin-Eosin 염색(HE 염색)

⑦ 봉입(mounting): 물로 봉입

| 병리 1-1-9 | 조직표본 제작과정에 대하여 설명할 수 있다. (B) |

제2장 | 염증과 수복

1. 염증의 5대 징후 2020 기출

① 발적: 모세순환계의 혈류 증가
② 발열: 모세순환계의 혈류 증가
③ 종창: 유해자극이 있는 곳으로 혈장 성분이 삼출됨으로써 야기
④ 동통: 종창에 의한 부분적 압력 증가 → 국소적 감각신경 말단부위의 압박
⑤ 기능상실: 조직 파괴와 동통, 신경장애로 부분적인 기능 저하(혹은 상실)

| 병리 2-1-1 | 염증의 5대 증상을 설명할 수 있다. (A) |

2. 염증 의미와 원인

(1) 염증의 정의

① 생체의 다양한 자극에 대한 국소적 방어작용
② 혈관이 있는 결합조직의 복합적인 반응: 안구 각막이나 연골은 염증 반응이 일어나지 않음
③ 혈관 밖 조직으로 백혈구와 체액의 축적을 유도하는 것
④ 염증의 전신 증상: 발열, 백혈구 수 증가, 급성기 단백질의 혈장 수치 증가
⑤ 3대 병변: 조직의 변질, 순환장애와 삼출, 조직의 증식

(2) 염증의 원인

① 물리적 자극: 기계적 자극(압박, 외상 등), 열자극, 방사선, 자외선 등
② 화학적 자극: 외인성 물질(산·알칼리, 약물 등)과 내부 대사물질(요산 등)

③ 생물적 자극: 병원미생물과 기생충

④ 면역학적 반응: 면역계의 이상반응

| 병리 2-1-2 | 염증의 원인을 열거할 수 있다. (A) |

3. 삼출액과 여출액

① 여출액: 염증 이외의 원인에 의해 혈관에서 조직 내로 흘러 나오는 현상(정상적 의미)

② 삼출액: 혈관의 투과성 증가로 인한 혈장과 단백질이 손상 조직 내로 흘러나오는 현상

	여출액	삼출액
투명도	투명	혼탁
세포성분 함유량	적다	많다
fibrin 함유량	적다	중등도
비중	낮음(혈장 성분 多)	높음(혈장 + 단백질 + 세포)

| 병리 2-1-3 | 삼출액에 대하여 설명할 수 있다. (A) |

4. 염증에 관여하는 세포 2021 기출 2022 기출

- 염증의 초기: 대부분 호중구

- 염증의 후기: 림프구, 형질세포, 대식세포 수 증가

cf 백혈구 증가증: 6~24시간(호중구, 급성), 24~48시간(단핵구, 만성), 알레르기(호산구), 바이러스(림프구)

① 호중구

- 급성염증의 초기에 가장 많이 나타나는 염증세포

- 염증발생 시 혈관 밖으로 유주하고 화학주성에 따라 항원(이물질)에 이동하고 부착하여 탐식함

② 호산구

- 기관지 천식 등의 알레르기성 질환 및 기생충 질환 등에 의한 수가 증가

③ 호염기구, 비만세포

- 혈액 내 매우 소량 존재(호염기구: 혈액, 비만세포: 전신조직 산재)

- 조직 내 이 세포들은 기능적으로 동일함

④ 림프구
- T 림프구: 흉선 유래, 세포성면역 관여, B세포에 대한 협조기능(보조T세포), 억제기능(억제T세포), 살해기능(독성T세포, 암세포와 바이러스 감염세포를 살해)
- B 림프구: 체액성면역에 관여, 형질세포로 분화하여 항체(면역글로불린)생성

⑤ 단핵구
- 순환 혈액에 존재
- 염증 시 모세혈관 밖으로 나와 조직 내 대식세포로 분화하여 포식작용

> **병리 2-1-4** 급성염증에 관여하는 세포에 대하여 설명할 수 있다. (A)

5. 급성 염증과 만성 염증 `2019 기출`

(1) 급성 염증
① 병변의 경과(1주~10일)가 빠름
② 염증의 5대 징후가 뚜렷
③ 삼출이 현저 → 부종
④ 호중구와 단핵구가 중심

(2) 만성 염증
① 병변의 결과(수 주~수개월)가 늦음
② 증상이 뚜렷하지 않음
③ 삼출은 현저하지 않음(세포 증식, 조직 수복)
④ 임파구(림프구), 형질세포, 대식세포가 중심

> **병리 2-1-5** 급성·만성 염증을 구분할 수 있다. (A)

6. 육아조직

① 모세혈관이 풍부한 새로운 결합조직
- 섬유모세포(섬유소와 교원섬유 분포)가 풍부한 유약한 결합조직
- 염증세포 침윤됨: 대식세포, 호중구, 림프구, 형질세포 등

② 상처가 치유되는 과정에서 볼 수 있는 유연하고 과립상인 선홍색의 조직
③ 반흔조직으로 변하면서 염증이 소멸됨

④ 만성 염증인 경우: 육아조직이 결절을 이루어 육아종을 형성하기도 함

cf 켈로이드(keloid): 육아조직의 과잉성장(재생이 결손부위를 남을 정도)

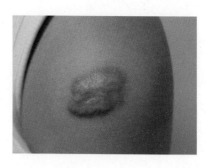

병리 2-1-9 육아조직에 대하여 설명할 수 있다. (A)

7. 1차 치유와 2차 치유 비교

구분	1차 치유	2차 치유
조직 파괴정도	거의 없는 경우	파괴와 결손이 심각한 경우
봉합	가능	불가능
미생물 침입(감염)	위험성 낮음	매우 위험
혈병	극소량 생성	다량 생성
육아조직	거의 형성되지 않음	다량 형성
반흔(흉터)조직	반흔조직 ↓, 정상조직 기능 유지	반흔조직 ↑, 정상조직 기능상실

병리 2-1-10 1차·2차 상처치유를 설명할 수 있다. (A)

제3장 | 면역반응

1. 면역반응의 종류

(1) 선천성 면역

① 자연면역: 선천적으로 방어벽을 이루는 것

② 특이성이 없음

③ 면역기억도 성립되지 않음

(2) 후천적 면역(특이적 면역)

① 체액성면역: B림프구 → 형질세포 → 항체(면역글로불린) 및 기억세포 형성

② 세포성면역: T림프구, 보조 T림프구·억제 T림프구·세포독성 T림프구 생성

병리 3-1-1 면역반응에 대하여 설명할 수 있다. (B)

제4장 | 면역학적 구강 질환

1. 면역학적 구강 질환

① 아프타성 궤양   ⑤ 전신성홍반성루프스

② 다형홍반   ⑥ 심상성 천포창

③ 편평태선   ⑦ 베체트증후군

④ 쇼그렌증후군

병리 4-1-1 면역학적 구강질환을 열거할 수 있다. (B)

2. 재발성 아프타 궤양의 원인

① 자가면역

② 호르몬 결핍

③ 알레르기

④ 촉진인자: 외상(치과치료 후: 국소마취 등), 스트레스

⑤ 전신질환과 연관: 베체트증후군, 크론병, 주기성 호중구 감소증 등

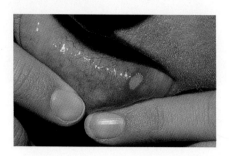

| 병리 4-1-2 | 재발성 아프타 궤양의 원인을 설명할 수 있다. (A) |

3. 재발성 아프타(Recurrent aphtous ulcer) 궤양의 임상증상

(1) 증상

① 연조직 질환(회백색의 섬유소막)

② 붉은 테두리가 있으며, 통증은 심함(같은 부위에 궤양 발생)

③ 여성 多, 10~30세에서 호발(청소년에게 호발)

④ Canker sore: 단순포진과 유사하나 수포가 없음

(2) 분류

① 소아프타(aphtous minor)
- 1 cm 미만의 작고 얕은 궤양(1개~수(5)개 이하의 궤양)
- 통증(궤양 : 작열감, 쓰라림) → 자연치유(7~10일)
- 호발부위: 비각화 점막(주로 전방부)

② 대아프타(aphtous major)
- 1 cm 이상의 큰 병소(1~2개의 궤양)
- 호발부위: 연구개의 후방과 구협 전방부(주로 후방부)
- 반흔 형성(병소가 깊음)

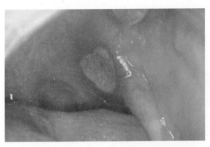
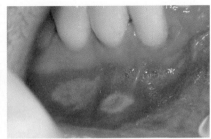

③ 포진성궤양 = 헤르페스아프타궤양(herpetiform ulcer)

- 단순포진바이러스에 의한 궤양과 비슷하여 포진형이라 불림(오진 가능)
- 호발부위: 선(gland)을 포함한 점막에서 발견, 각화점막(매우 드묾)
- 병소의 크기(1~3 mm)에 비해 극심한 통증이 특징
- 다발성궤양

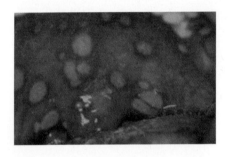

병리 4-1-3	재발성 아프타 궤양의 임상증상을 설명할 수 있다. (A)

4. 편평태선(Lichen planus) 2019 기출 2022 기출

① 원인불명의 피부질환(피부 + 구강, 염증성 질환)

② 면역학적 질환(대부분 양측성 질환): 스트레스(촉진인자)

③ 협점막 多, 중년 여성에게서 호발

④ 전암병변: 편평상피세포암의 발생과 관련(상피의 비정형이나 이형성을 보임, 점막상피에 각화 또는 착각화 진행)

⑤ 피부병터: 2~4 mm의 구진(솟음) 양상을 띠며 위컴선조(미세한 그물모양의 흰선)가 나타날 수 있음

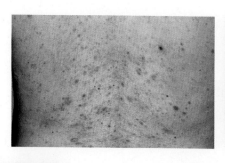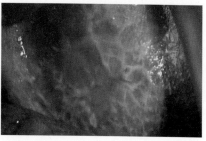

| 병리 4-1-6 | 편평태선에 대하여 설명할 수 있다. (A) |

5. 베체트 증후군(베체트 병, Behcet's syndrome) `2020 기출`

(1) 특징: 구강, 생식기, 눈 중 두 가지 이상에서 궤양과 염증 발현 시 의심해야 할 질환

  ① 구강점막: 재발성 아프타(소아프타) 보임

  ② 생식기의 궤양

  ③ 피부병변: 구진, 반점성 혹은 농포성 피부병소 발생

  ④ 안구 염증, 광선눈동통, 결막염, 포도막염

  ⑤ 통증이 있고 재발이 잘 되는 자가면역질환

(2) 원인 불명(가족력이 있음)

(3) 치료: 스테로이드 사용

| 병리 4-1-7 | 베체트 증후군(베체트 병)에 대하여 설명할 수 있다. (A) |

제5장 | 감염성 질환

1. 구강결핵(Oral tuberculosis)

  ① 만성 육아종성 질환

  ② 원인 균주: *Mycobacterium tuberculosis*

    • 긴조에 매우 강한 세균

    • 그람양성의 호기성 미생물

    • 항산균 – 염색되면 산이나 알코올로 탈색하기 어려움

③ 폐의 일차성 감염(원발성 감염) → 만성 경과(림프나 혈액을 따라 다른 장기로 확대: 속립성 결핵)

- 구강병변: 주로 궤양과 통증
- 호발부위(폐에서 구강점막으로 전파): 혀, 치은

④ 감염증상: 기침, 열, 오한, 체중감소, 피로감 등

⑤ 호중구와 대식세포에 탐식되어도 동 세포 내에서 증식 가능

⑥ 공기 통한 감염 예방: 안면보호구 및 마스크 착용

⑦ 일차병소가 재활성화될 수 있음

⑧ BCG 예방접종

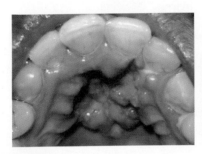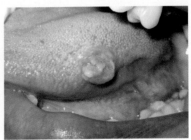

병리 5-1-2   구강 결핵에 대하여 설명할 수 있다. (A)

2. 구강매독(Oral syphilis) `2021 기출`

① 원인 균주(세균): *Treponema pallidum* (나선균 = 스피로헤타)

- 태반을 통해 태아에 감염(자궁 내에서 사망 혹은 선천성 기형 유발)
- 피부의 작은 상처와 점막(혹은 수혈)을 통해 신체 내부로 침투함
- 건조나 온도에 매우 민감

② 선천성 기형 유발

- 법랑질 저형성증: 허친슨절치(절단연에 절흔 생성) 및 상실대구치(교두 대신 오디 모양)
- 실질성 각막염
- 내이성 난청

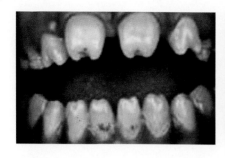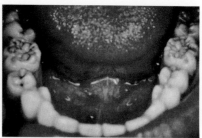

③ 임상증상
- 1기: 경성하감(감염 有), 매독의 초기 궤양(무통·경화성·부식성 구진이 발생)
- 2기: 구강병소-점막반(감염 有), 장미진(장미색 발진), 다발성·무통·회백색의 반상
- 3기: 고무종(감염 無, 파괴적인 병소), 매독 특유의 결절(→ 궤양형성)

④ 페니실린 치료

⑤ 특수 현미경 사용(암시야 현미경): 구강 내 정상적인 트레포네마도 존재(확진 주의)

병리 5-1-4 　구강매독에 관하여 설명할 수 있다. (A)

3. 구순포진바이러스(Herpes simplex)

① 바이러스 질환: 사람을 숙주로 하는 헤르페스바이러스

② 최초로 감염된 구강질환(6개월~6세 호발): 원발성 포진성 치은구내염
- 피부와 각화점막에 다발성 수포성 병변 유발(동통, 홍반 및 종창성 치은) → 미란
→ 가피: 1~2주 내 자연 치유(흉터를 남기지 않고 치유됨)

③ 재발 원인(재발성 단순포진)
- 일광 과다 노출, 발열, 면역억제, 생리, 스트레스와 불안 등
- 감염된 사람과 직접 접촉에 의한 전염

④ 분류: 감염이 엄격히 구분되지 않고 있는 상황
- 제1형(HSV-1): 얼굴, 입술, 눈 등에 감염(소아기)
- 제2형(HSV-2): 성기, 요도에 감염(성교에 의한 성기 감염, 사춘기 이후)

⑤ 생인손(whitlow, 포진성 표저, 손가락 끝에 종기가 나서 곪는 병) 유발

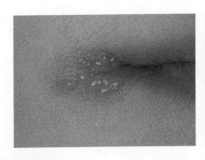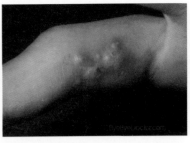

> **병리 5-1-5**   구순포진의 원인에 대하여 설명할 수 있다. (A)

> **병리 5-1-6**   구순포진의 임상증상을 설명할 수 있다. (A)

4. 칸디다의 발생 요인

① 국소적 요인: 균교대현상(장기간의 화학요법제 투여), 의치에 의한 물리적 자극, 구강 건조증

② 전신적 요인: 숙주의 면역기능저하(고령자, 장기이식자, AIDS나 악성 종양환자 등)

> **병리 5-1-8**   칸디다증의 원인에 대하여 설명할 수 있다. (A)

5. 칸디다증(모닐리아증, 아구창)의 임상증상 2020 기출

① 진균성 질환: *Candida albicans*

② 상재미생물에 의한 기회감염증

- 내인성 감염, 기회감염증, 균교대현상
- 의치를 사용하는 사람에게서 호발

③ 증상

- 병소에 회백색 혹은 유백색 막이 점이나 지도모양으로 부착: 뺨의 안쪽, 입술 점막, 혀 등
- 구각미란 유발
- 점막상피의 표층, 특히 각화층 또는 착각화층에 칸디다의 침입 확인

④ 형태: 위막성칸디다증, 홍반성칸디다증, 만성위축성칸디다증(의치구내염), 만성증식성칸디다증(칸디다 백반증), 구각구순염

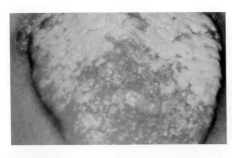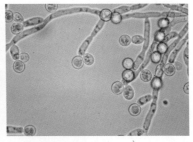

병리 5-1-9 　칸디다증의 임상 증상을 설명할 수 있다. (A)

제6장 | 치아의 손상

1. 치아의 기계적 손상의 종류

① 교모: 저작력에 의해 치아의 구조물이 닳아 없어지는 현상

② 마모: 반복적인 기계적 습관으로 치아가 닳아 없어지는 현상

③ 굴곡파절: 과도한 측방력으로 인해 치경부에 쐐기모양의 병소 발생

④ 침식증: 산 등의 화학물질의 작용으로 인해 치아 경조직이 탈회되는 현상

⑤ 기타(퇴행성 변화)

- 치수강 좁아짐
- 백악질의 두께는 두꺼워짐
- 치수 섬유화 진행
- 연령이 증가할수록 법랑질의 우식 저항성 증가

병리 6-1-1 　치아의 기계적 손상의 종류를 열거할 수 있다. (B)

2. 교모(Attrition)에 의한 경조직 손상 　2021 기출

① 생리적 마모

② 저작력(교합)에 의해 발생

③ 발생부위(연령과 비례): 절단면, 교합면, 인접면

④ 유치와 영구치 모두 발생하며 진행속도가 느림

⑤ 절연결절 및 교두에 생리적 마모: 제3(수복, 병적제2)상아질 형성

⑥ 상아질지각과민증 유발

⑦ 원인: 식습관(섬유질 성분 多 → 촉진), 이갈이, 씹는 담배 등

병리 6-1-2   교모에 대하여 설명할 수 있다. (A)

3. 마모(Abrasion)에 의한 경조직 손상

① 반복적인 기계적 습관

② 발생부위: 치경부(소구치, 견치의 순면)의 쐐기상 결손

③ 특징

- 치은퇴축이 있는 부위의 치근면에 V자 모양의 홈
- 제3상아질(수복상아질) 형성

④ 원인

- 과다한 압력, 마모성 치약, 뻣뻣한 칫솔
- 습관성 마모: 파이프 담배 흡연자, 미용사, 유리공, 관악기 연주자

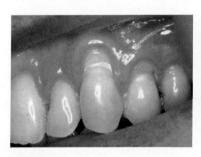 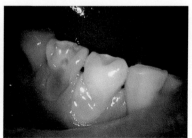

병리 6-1-3   마모에 대하여 설명할 수 있다. (A)

4. 침식증(Erosion)에 의한 경조직 손상

① 화학적 손상: 화학적 작용(산)에 의해 치아의 경조직이 상실되는 것(세균과 무관함)

② 인접면, 교합면, 설면, 순면에서 발생

③ 여러 치아에서 발생하며 범위가 넓음

④ 제3상아질 형성

⑤ 환자

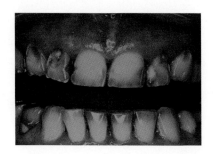

- 산을 사용하는 작업장(화약공장, 도금공장, 배터리공장, 청량음료공장)
- 레몬, 오렌지, 귤 등 과다섭취자
- 만성적 구토 환자, 거식증 환자, 임신 등

병리 6-1-4   침식에 대하여 설명할 수 있다. (A)

5. 굴곡파절(Abfraction)에 의한 경조직 손상

① 치아에 가해지는 측방 교합압에 의해 치경부의 경조직이 깨어져 나가는 현상

② 원인: 편측저작, 이갈이, 교합의 이상

③ 특징: 마모증에 비해 상대적으로 깊고 좁은 V자 형태의 치경부 결손

④ 치료: 복합레진 혹은 글래스아이오노머 수복제, 수복치료 + 교합조정

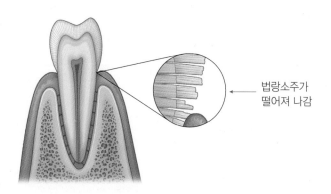

법랑소주가
떨어져 나감

병리 6-1-5   굴곡파절에 대하여 설명할 수 있다. (A)

제7장 | 치수 및 치근단 질환

1. 치수염의 원인 2022 기출

① 물리적 요인: 기계 자극(마모, 외상, 치아균열 등), 온도 자극(연마 시 마찰열 등)
② 화학적 요인: 상아질 소독제, 치수 수복재 등
③ 생물학적(세균학적) 요인: 우식원성 세균 및 생산물(독소)

병리 7-1-1 치수염의 원인을 설명할 수 있다. (A)

2. 치수 병변의 분류 2019 기출

(1) 치수염

① 가역성 치수염: 치수충혈
② 비가역성 치수염
  • 급성 치수염
  • 만성 치수염: 만성 궤양성치수염(치수궤양), 만성 증식성치수염(치수식육)
③ 치수괴사: 치수의 생활력을 상실한 상태, 타진에 민감한 반응, 뜨거운 음식 → 가스 팽창(통증)
  • 감염성 치수괴사: 우식증이 주 원인, 심한 통증과 전신증상
  • 비감염성 치수괴사: 외상성 사고, 치아변색

(2) 치수의 퇴행성 변화: 석회화 변성, 섬유화 변성, 위축 변성, 내흡수

병리 7-1-2 치수염의 종류를 열거할 수 있다. (A)

3. 가역성 치수염과 비가역성 치수염의 구분

구분	가역성 치수염	비가역성 치수염
통증의 양상	자극제거 후 사라짐	자극제거 후에도 오랫동안 지속
	예통(sharp pain)	둔통(dull pain)
자극 유무	한냉, 열, 단음식	외부 자극없이 자발통
기왕력	최근의 치과치료, 치경부 마모증	광범위한 수복물, 치수복조, 깊은 우식증, 외상

구분	가역성 치수염	비가역성 치수염
전기치수검사반응	낮은 전류에서 반응	낮은 전류 또는 높은 전류에서 반응
타진반응	음성(대부분)	양성(치근단 치주염 진행 시)
연관통	없음	있음
환자의 체위	영향 없음	영향받음(누운 자세에서 통증이 증가)
원인 치아	쉽게 확인됨	모호함
방산통	없음	안면 및 다른 치아까지 확대
특징	원인 제거 → 회복되는 치수염	치료 수행 후에도 회복되지 않는 치수염

> **병리 7-1-3**   가역성 치수염과 비가역성 치수염을 구분할 수 있다. (A)

4. 급성·만성 치수염의 구별

(1) 급성 치수염

① 염증의 진행이 빠름

② 동통이 현저함

③ 자극을 제거해도 통증이 지속됨

(2) 만성 치수염

① 염증의 진행이 완만하고 증상이 분명하지 않음

② 개방성 치수염(치수노출)

> **병리 7-1-4**   급성·만성 치수염을 구별할 수 있다. (A)

5. 급성 치수염의 특징   2020 기출

- 원인: 깊은 우식와(세균 침입)
- 둔통 혹은 매우 강한 통증
- 자발통, 박동통, 방산통(연관통 있음), 지속통, 심야통
- 냉자극(초기) → 열자극(시간 경과 후 화농이 있는 경우: 냉수 등이 통증 완화)
- 치아의 정출감과 타진통이 심해짐
- 호중구의 현저한 침윤
- 치료: 발수와 근관치료, 치아발거

(1) 급성 장액성 치수염

① 초기 치수염으로 염증세포 침윤과 충혈, 삼출에 의한 경미한 염증

② 단 것, 신 것, 찬 것 등의 자극받을 경우 강한 통증

③ 자극이 사라지면 통증 없어짐

④ 동요도와 타진반응 없음

(2) 급성 화농성 치수염

① 세균의 증식과 다수의 호중구가 침윤

② 심한 통증

③ 자발통, 지속통, 방산통, 박동통, 심야통 → (지속) → 괴사

④ 뜨거운 자극은 통증을 증가시키고 냉자극에 의해서는 통증이 완화(초기에는 냉자극에 대한 통증이 강하나 화농이 많이 진행된 경우에는 냉수를 입에 머금거나 젖은 수건 등으로 습포하면 통증이 완화됨)

(3) 상행성 치수염: 치주낭 저부의 염증 발생 → 치근단공 or 부근관을 통해서 치수로 파급

병리 7-1-5   급성 치수염에 대하여 설명할 수 있다. (A)

6. 만성 치수염 [2021 기출] [2022 기출]

- 노인의 치아에서 호발
- 3차 상아질 형성 촉진
- 독성 세균의 침입이 미약하거나 약한 경우 발생
- 수복된 치아나 서서히 진행되는 우식증을 지닌 치아에서 발생

(1) 만성 궤양성치수염(치수궤양)

① 우식이 진행되어 치아 경조직이 탈락되고 치수가 외부로 노출되어 궤양성 병변을 보임

② 자발통 없음(치수내압이 높지 않음), 음식물 압입(경도의 통증, 불쾌감)

③ 심부: 육아조직

(2) 만성 증식성치수염(치수식육)

① 노출된 치수에 육아조직 증식이 나타나는 치수염: 우식와 형성 → 치수노출 → 육아조직 증식

② 자발통 없고 궤양이 형성되기도 함

③ 기계적 자극에 의해 쉽게 출혈됨

     • 어린이의 유구치에 주로 나타나는 병소(범발성 급성 우식) → 풍부한 혈액공급(어린이: 치근단공이 흔히 넓게 열려 있음, 재생능력 증가)

• 영구치 구치부 호발(성인에게서 관찰 힘듦)

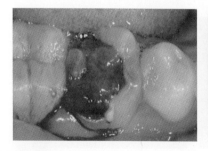 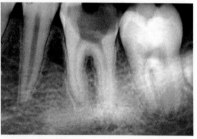

| 병리 7-1-6 | 만성 치수염에 대하여 설명할 수 있다. (A) |

7. 치근단 질환의 원인

• 치아우식이나 외상으로 인해 치수에 염증, 감염, 만성 증식성 치수염, 치수괴사 등이 만성적으로 지속되었을 때 형성

① 물리적 원인: 근관치료기구, 교합이상(수복물 과잉 충전)

② 화학적 원인: 근관소독제, 근관충전제

③ 생물학적 원인: 염증 및 괴사병변 관련 세균, 세균 생산 독소

| 병리 7-1-9 | 치근단 질환의 원인을 설명할 수 있다. (A) |

8. 급성 치근단 농양(급성 치조농양 = 급성 치근단 주위농양)

① 급성 치근단 치주염에서 이행

　• 급성으로 유발·진행(염증진행속도 빠름)

② 심한 통증 호소(전신증상 수반: 체온상승, 불쾌감)

　• 심한 통증 유발(이환치아: 생활치 또는 실활치)

③ 정출감과 동요감(다른 치아와 교합 시 심한 통증)

④ 타진 시 매우 민감한 반응(열, 냉, 전기적 자극에 반응 미약)

⑤ 유치: 영구치 형성 장애 유발(터너치아 발생: 하악 소구치에 호발)

⑥ 호중구와 림프구의 침윤, 염증 주변부 치조골흡수

　• 치료하지 않으면 화농성삼출액이 인접조직으로 빠르게 확산됨: 골수염, 상악동염, 봉와직염 등

⑦ 방사선 소견: 뚜렷한 변화 확인 불가(치주인대 약간 넓어짐)

⑧ 치료: 치수강 개방, 발치한 후 배농

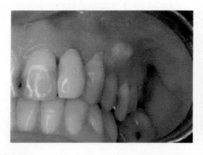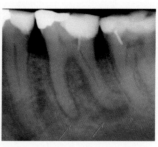

병리 7-1-10	급성 치근단 농양에 대하여 설명할 수 있다. (A)

9. 만성 치근단 농양(만성 치조농양 = 만성 치근단 주위농양)

① 만성화된 병변에서는 대개 증상이 없고 교합통과 타진통도 미약함

② 림프절의 종창과 압통 없음

- 치조골의 흡수파괴 → 치주인대강 확대(구상 또는 반구상의 X선 투과상 보임)
- 내압 감소: 삼출액 감소

③ 치근단부: 농양 및 육아조직 확인, 병변부 치조골과 치근에서는 흡수 일어남

④ 누공형성과 지속적인 배농이 특징

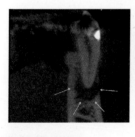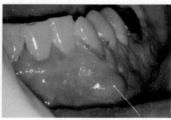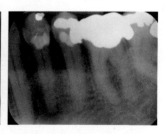

병리 7-1-11	만성 치근단 농양에 대하여 설명할 수 있다. (A)

10. 치근단 육아종

① 국소적으로 형성된 만성 육아조직의 덩어리

② 이환치: 무수치, 처치치아, 잔근 상태의 치아

③ 치수괴사 후에 발생하는 가장 흔한 병변(치수염 → 치근단 병변으로 진행)

④ 무증상, 교합통·타진통 미약

⑤ 타원 또는 원형의 방사선 투과상

⑥ 치밀결합조직으로 구성된 외측 피막과 중심의 육아조직으로 구성(치근의 백악질과 결합)

⑦ 치아형성 조직의 잔류물인 Malassez 상피잔사가 나타남

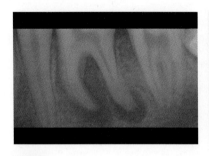 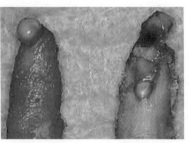

병리 7-1-12   치근단 육아종에 대하여 설명할 수 있다. (A)

11. 치근단 낭종

① 이환치: 무수치, 처치치아, 잔근 상태의 치아

② 이장상피형성: 말라세즈 상피잔사로부터 유래

③ 무증상, 교합통과 타진통 없음(특이 증상 없음)

④ 비교적 경계가 확실한 방사선투과상, 악골에서 가장 흔한 낭

⑤ 중심내강(낭종강, 콜레스테로 결정 함유) = 상피조직(중층편평상피) + 육아조직 + 섬유성조직

⑥ 치근단낭을 발치할 때 완벽히 제거하지 않으면 잔류낭 형성

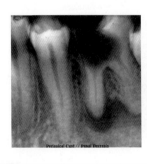 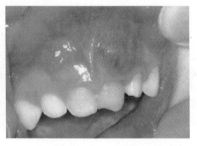

병리 7-1-13   치근단 낭종에 대하여 설명할 수 있다. (A)

제8장 | 골내 치성 감염성 질환

1. 악골 골수염 2022 기출

(1) 악골의 골수에서 볼 수 있는 염증성 병변

① 모든 연령층에서 발생: 영유아(구개점막 감염 > 근단성 치주염), 상악에 주로 발생

② 성인: 상악보다는 하악(제3대구치)에서 많이 보임

③ 치아 사이에 급성 변화 및 누공 형성, 국소성 경화성, 미만성 경화성

(2) 원인

① 치근단 농양에 의한 감염: 근첨병소 감염

② 악골의 골절

③ 균혈증

④ 수술 후: 발치부위의 염증 발생 → 악골(턱뼈)로 퍼짐

⑤ 치주염

⑥ 원인균: 포도상구균과 연쇄상구균

> **병리 8-1-1**   악골 골수염에 대하여 설명할 수 있다. (A)

2. 급성 골수염 2022 기출

① 악골: 동통, 연조직으로 확대(구강점막과 피부에 발적)

② 치아의 동요, 국소림프절의 종창, 백혈구 증가 등

③ 부골형성, 농양주위의 골은 파골세포에 의해 흡수, 염증성 부종과 호중구 침윤 등

④ 발생 후 2주가 지나면 방사선투과상이 나타남

> **병리 8-1-2**   급성 골수염에 관하여 설명할 수 있다. (A)

3. 만성 골수염

• 급성 골수염의 속발증, 파제트병 등이 원인이 됨

① 만성 화농성 골수염: 경도의 동통과 종창, 미만성 방사선 투과상

② 만성 경화성 골수염: 골수에 골질형성, 국소성 또는 미만성의 방사선 불투과상

병리 8-1-3   만성 골수염에 관하여 설명할 수 있다. (B)

4. 국소적 경화성 골수염

① 경화성 골염
② 경미한 감염(우식치아, 수복치아) → 치근단 주위 골조직의 변화(방사선 불투과상)
③ 하악 제1대구치에서 호발
④ 무증상(대부분)
⑤ 젊은 연령층에서 호발

병리 8-1-4   국소적 경화성 골수염에 대하여 설명할 수 있다. (B)

5. 치조골염(건성 발치와)

① 발치와의 세균성 감염: 발치 후에 나타나는 흔한 합병증
② 원인: 혈병 탈락(세균에 의한 파괴, 과도한 흡입과 세척) → 치조골 노출 → 세균 감염 → 2~3일 후 동통, 악취, 국소림프절 종창, 미각 이상 등
③ 촉진인자: 불량한 구강상태, 흡연, 경구용 피임약 복용, 난발치
④ 호발부위: 하악 제3대구치
⑤ 치료: 발치와 세척, 유지놀 함유한 드레싱, 항생제 및 진통제 처방

병리 8-1-6   치조골염 또는 건성 발치와에 대하여 설명할 수 있다. (A)

6. 발치창의 치유 과정

① 발치 당일: 혈병 형성
② 발치 후 2~3일: 급성 염증반응
③ 2~4일: 섬유모세포와 내피세포 증식 → 육아조직 형성
④ 4~7일: 재상피화(상피세포 증식)
⑤ 1주(7일): 골흡수세포(by 파골세포)

⑥ 2주(10~15일): 골모세포 증식, 발치와에서 신생골이 형성되기 시작

⑦ 4주 이후(20일~6개월): 골개조와 완전한 치유

> **병리 8-1-7**　　　발치창의 치유 과정을 설명할 수 있다. (A)

제9장 | 구강의 발육장애

※ 구강조직발생학 참고: 구순(파)열, 구개(파)열

제10장 | 치아의 발육장애

1. 치아의 수 이상

(1) 완전 무치증: 유전성 외배엽 이형증

(2) 부분 치아 결손

① 원인: 유전성 외배엽 이형성증, 인류의 퇴화현상, 외상, 감염, 방사선조사(치배 파괴), 내분비이상 등

② 한 개 또는 몇 개의 치아가 선천적으로 결여된 경우

③ 영구치(상·하악 제3대구치 > 상악 측절치 > 제2소구치), 유치(상악 유측절치)

④ 가족적 성향(유전적 요인)

(3) 과잉치

① 치판에서 과잉의 치배가 형성되거나 이미 존재하는 치배가 다수의 치배를 형성

② 유치와 영구치 모두 발생

③ 상악 > 하악, 영구치 > 유치(상악 유절치가 多)

④ 정상치아보다 작고 매복된 경우가 많음

⑤ 정중치 > 제4대구치 > 소구치 > 측절치

⑥ 다발성 과잉치의 원인: 쇄골두개이형성증, 가드너증후군

⑦ 원인: 인접치의 맹출지연, 변위에 의한 총생과 부정교합, 치은염·치주염 등

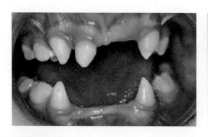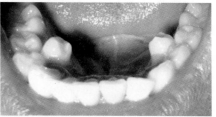

병리 10-1-1 치아 수의 이상 중 과잉치에 대하여 설명할 수 있다. (A)

2. 치아의 크기 이상

(1) 왜소치

① 진성 전체성 왜소치
- 뇌하수체호르몬의 결핍에 따른 소인증에서 볼 수 있음
- 모든 치아가 정상 크기보다 작은 경우

② 상대성 전체성 왜소치
- 치아의 크기는 정상이지만 악골이 너무 커서 상대적으로 치아가 작아 보임
- 유전

③ 국소성 왜소치
- 상악 측절치와 상악 제3대구치에서 흔히 나타남
- 쐐기형 측절치(peg lateralis): 측절치가 왜소치일 때 쐐기모양으로 나타남

(2) 거대치

① 진성 전체성 거대치: 상당히 드물고, 뇌하수체성 거인증에서 가끔 볼 수 있음

② 상대성 전체성 거대치: 악골의 크기가 정상이거나 작은 경우에 정상보다 큰 치아를 가진 경우

③ 국소성 거대치: 편측성 안면비대증에서 나타날 수 있음

병리 10-1-2 왜소치에 대하여 설명할 수 있다. (B)

병리 10-1-3 거대치에 대하여 설명할 수 있다. (B)

3. 쌍생치(Germination teeth) 2020 기출

① 한 개의 치배가 불완전한 두 개의 치배(치아) 형성

② 치관은 두 개로 분리되지만 치근과 치수강은 하나임(2개 치관 + 1개 치근)

③ 호발부위: 유치(하악 유전치) > 영구치(상악 전치)

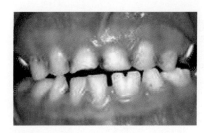 

one bud

병리 10-1-4 쌍생치에 대하여 설명할 수 있다. (A)

4. 융합치(Fusion teeth) 2019 기출

① 두 개의 치배가 합쳐져 발생하는 현상

• 보통 두 개의 치아가 있어야 할 자리에 하나의 큰 치관 형성

• 별개의 치수강을 가짐

② 일반적으로 초기 융합: 치관 + 치근 융합, 치배 발육 후기 융합: 치관만 융합되거나 치근만 융합

③ 원인: 유전적 요인, 외부의 압력, 총생

④ 호발부위: 전치부, 유치 > 영구치

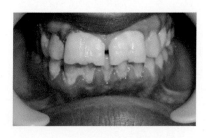 

two buds

병리 10-1-5 융합치에 대하여 설명할 수 있다. (A)

5. 유착치(Concrescence teeth)

① 치근이 완성된 후 두 개의 인접한 치아가 백악질에 의해서만 결합

  • 치아가 맹출하기 전이나 맹출한 후에 발생

② 원인: 총생, 외상

③ 발생 부위: 상악 구치부와 인접한 과잉치 사이

two buds

병리 10-1-6   유착치에 대하여 설명할 수 있다. (A)

6. 치내치(함입치, Dens in dente)

① 치관부분이 광화되기도 전에 법랑기가 치관 내부로 함입되어 깊은 설측와를 형성

  • 하나의 치아 내에 또 하나의 치아가 들어 있는 것처럼 보임

  • 소와, 깊은 함몰부의 기저는 결함을 가지고 있는 법랑질과 상아질로 구성

② 맹출 직후 우식이 진행되기 쉬우며, 보통 하나의 치아에만 이환됨

  • 치수가 노출되어 치수염, 치수괴사 및 치근단 치주염이 발생할 위험이 높음

③ 호발부위: 상악 측절치

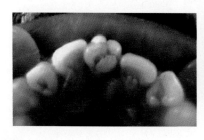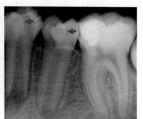

병리 10-1-7   치내치에 대하여 설명할 수 있다. (A)

7. 치외치(Dens evaginatus)

① 교합면에 부수적인 법랑질 교두(법랑질, 상아질, 치수로 구성) 형성
- 치아 발육 중에 법랑상피가 바깥쪽으로 과잉증식
- 교합력에 의해 이상결절이 파괴되면 치수가 노출되어 치수염 야기

② 호발부위: 상·하악 소구치에서 호발

③ 교합에 문제 발생 시 제거해야 함

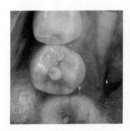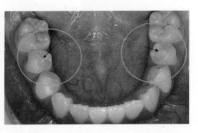

병리 10-1-8   치외치에 대하여 설명할 수 있다. (A)

8. 법랑진주(Enamel pearl)

① 작은 구형의 법랑질 덩어리가 치근 표면에서 발생
- 백악질 치근 분지부나 치경부(주로 치근면에 돌출된 형태로 존재)
- 법랑모세포가 비정상적인 위치에 존재하면서 법랑질을 만들어서 형성된 것

② 호발부위: 상악 대구치

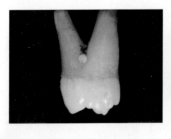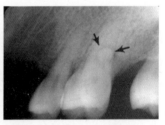

병리 10-1-9   법랑진주에 대하여 설명할 수 있다. (A)

9. 탈론교두

① 절치 설면에 독수리 발톱모양의 돌출된 과잉교두
② 상악 혹은 하악의 영구 전치

> **병리 10-1-10**　탈론교두에 대하여 설명할 수 있다. (B)

10. 장수치

① 황소치아와 같이 치관이 길고 치수 바닥과 치근분지부가 치근단 가까이로 치우쳐 있어 치수강이 커진 치아 발육이상
② 유치와 영구치에 모두 발생

> **병리 10-1-11**　장수치에 대하여 설명할 수 있다. (B)

11. 만곡치

① 치관부나 치근이 비정상적인 각을 나타내거나 구부러진 상태
② 치근 발육 중 치배에 가해진 외상으로 발생

> **병리 10-1-12**　만곡치에 대하여 설명할 수 있다. (B)

12. 치아 구조의 이상을 일으킬 수 있는 원인

(1) 외상

① 유치에 가해진 외력이 발육 중인 영구치배에 영향
② 호발부위: 상악 절치

(2) 염증

① 유치의 근단성 치주염이 그 아래에 위치한 영구치배에 영향
② 상악 중절치와 상·하악 소구치에서 호발
③ 터너치아(Tuner 치아)
  • 국소의 염증(감염)에 의한 법랑질형성 부전치아
  • 변화가 1~2개의 치아에 한정
  • 좌우 양측 치아에 대칭적으로 나타나지 않음

(3) 영양장애와 전신적 질환: 법랑질형성 부전, 석회화 부전 등이 나타남

(4) 선천매독

  ① 매독은 감염된 모체로부터 태반을 통해 태아에 수직 감염됨

  ② 선천매독의 3가지 징후: 실질성 각막염, 내이성 난청, 허친슨(Huchinson) 치아

  ③ 법랑질저형성

    • 영구치 절치(허친슨 치아): 절단연에 반월상 결손

    • 제1대구치: 상실대구치(mulberry molar) 형성

(5) 불소: 반상치

(6) 유전: 법랑질형성 부전증

> **병리10-1-13**　치아 구조의 이상을 일으킬 수 있는 원인을 설명할 수 있다. (B)

13. 법랑질 형성부전증

  ① 저형성형: 비정상적인 두께를 가진 법랑질형성(법랑모세포 기능 약화)

  ② 저석회화형: 석회화과정의 문제로 인한 저석회화 현상(두께는 정상)

  ③ 미성숙형: 법랑질 결정체의 불완전한 석회화 현상(저석회화보다는 경도가 높음)

> **병리 10-1-14**　법랑질 형성부전증에 대하여 설명할 수 있다. (B)

14. 법랑질 저형성의 원인　2022 기출

(1) 발열성 질환과 비타민 결핍 → 법랑모세포에 영향 → 법랑질 표면에 소와 형성

  ① 발열성 질환: 홍역, 수두, 성홍열

  ② 비타민 결핍: 비타민 A,C,D 결핍

  ③ 주로 영구 중절치, 측절치, 견치와 제1대구치에 영향

(2) 국소적 감염이나 외상

  ① 유치 치근단 감염에 따른 영구치배의 법랑모세포에 영향

  ② 터너치아 유발

    • 호발치아: 상악 절치, 하악 소구치

    • 법랑질 색깔: 노란색 or 갈색으로 변색, 소와 형성

(3) 선천성 매독

　① 태반을 통한 선천성 매독 유발

　② 영구절치와 제1대구치 법랑질 저형성 유발

　　• 허친슨절치: 절단연에 절흔 형성

　　• 상실대구치: 교두 대신 작은 구형의 법랑질 형성

(4) 법랑질 형성부전증

　① 유전적 인자에 의한 법랑모세포의 기능과 법랑질 기질의 석회화 이상

(5) 불소섭취

　① 치아불소증

　② 반상치: 불소농도가 높은 경우 법랑기질의 석회화 방해

병리 10-1-16	법랑질 저형성에 대하여 설명할 수 있다. (A)

15. 치아의 맹출이상

(1) 조기맹출

　① 선천치(출생치): 출생 시 이미 맹출한 유치

　② 신생치: 생후 30일 이내에 조기 맹출

　　• 하악 유중절치

　③ 영구치의 조기맹출: 유치의 조기탈락, 성적 조숙, 갑상선기능 항진증, 유전적 요인 등

(2) 맹출지연

　① 유치 맹출지연

　　• 전신적 요인: 구루병, 갑상선기능 저하증, 쇄골두개 이형성증, 크레틴병

　　• 국소적 요인: 치은섬유 증식증

　② 영구치 맹출지연

　　• 원인: 유치의 만기잔존, 영구치배의 위치부정, 맹출 공간부족, 쇄골두개 이형증 등

(3) 매복치

　① 호발부위: 상·하악 제3대구치 > 상악 견치 > 하악 제2소구치 > 과잉치

　② 원인: 공간부족, 유치조기상실(협소한 공간), 치배위치와 맹출방향의 이상, 매복치 자체의 크기와 형태이상, 악골과의 유착, 매복치의 낭종과 종양

③ 합병증: 인접치아의 치근 흡수, 감염(치주적인 문제와 개구장애 유발), 연관통, 함치
성낭종 형성, 매복치의 외측성 흡수 등

병리 10-1-18 매복 치아에 대하여 설명할 수 있다. (B)

제11장 | 치성 낭종

1. 치성 낭(Periapical cyst)

(1) 낭종의 정의

① 비정상적 병적 주머니: 상피로 이장된 낭벽과 액체를 갖는 내강(공동)으로 구성

② 상피의 외측: 섬유성 결합조직 존재

(2) 구강영역의 낭종의 분류

① 치성낭: 치아발육과 연관된 낭

• 치성낭의 발생기원: 말라세즈 상피잔사, 퇴축법랑상피, 치판 잔사

② 비치성낭: 치아발육과 연관없는 낭

③ 위낭(가성낭): 상피 낭 없음(점액낭)

병리 11-1-1 치성 낭에 대하여 설명할 수 있다. (A)

2. 치성낭의 종류

① 골내낭: 함치성낭, 치성각화낭, 측방치주낭, 치근단낭, 잔류낭, 석회화 치성낭

② 골외낭: 맹출낭, 치은낭

병리 11-1-2 치성낭의 종류를 열거할 수 있다. (A)

3. 치근단 낭

① 치아우식과 치수감염에 의해 말라세즈 상피잔사 자극 → 낭 형성

② 실활치아의 치근단에 있는 말라세즈 상피잔사에서 유래

　• 이장상피(낭벽): 포말세포 관찰

　• 낭종액: 콜레스테롤 결정함유, 담황색 혹은 황갈색

③ 성인의 악골내 낭의 절반차지

　• 경계가 뚜렷한 방사선 투과상

　• 산소결핍성 액화성 괴사

④ 치근단 육아종에서 진행되어 발생됨

⑤ 대부분 무증상, 2차 감염(동통, 종창, 발적 유발: 악골의 팽윤과 안면종창 유발)

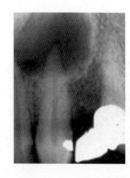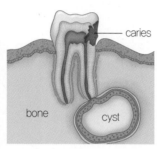

병리 11-1-3	치근단 낭에 대하여 설명할 수 있다. (A)

4. 잔류낭(Residual cyst) 2021 기출

① 치근단낭과 관련된 치아를 발거한 후에 완전히 제거가 되지 못해서 그 위치에 낭이 남아서 나타나는 것

② 무증상

③ 치근단낭과 달리 염증은 거의 나타나지 않음

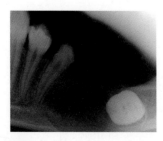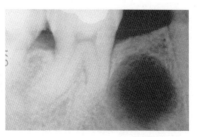

병리 11-1-4	잔류낭에 대하여 설명할 수 있다. (A)

5. 함치성 낭(Dentigerous cyst) `2019 기출` `2022 기출`

① 치관이 형성된 후 퇴축법랑상피에서 유래하는 낭

- 낭의 내강 내에 치관 함유(미맹출 치아, 매복 치아)
- 치관과 퇴축법랑상피 사이에 조직액이 축적되어 있는 낭

② 호발: 젊은 성인(10대~30대), 남성 > 여성, 매복치나 미맹출치아 연관(하악 제3대구치, 상악 정중부, 상악 견치부)

③ 매복치의 치관을 포함한 경계가 명확한 방사선 투과상

④ 미 제거 시 종양이 발생할 수 있는 위험요소 내포

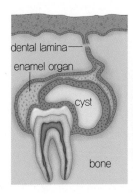 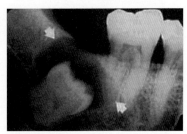

병리 11-1-5	함치성 낭에 대하여 설명할 수 있다. (A)

6. 치성 각화낭(Odotogenic keratocyst)

① 치판의 잔사에서 유래

- 각화 또는 착각화 중층편평상피에 이장된 낭

② 호발: 20~30대(유아에서 노인까지 다양한 연령층에서 발생), 성별 차이 없음, 하악(60~80%) 제3대구치

③ 경계가 명확한 방사선 투과성병소

- 광범위한 병소: 치아이동, 치아 흡수
- 하악 후방부 다발성 병소: 모반기저세포암증후군(골린증후군) 의심

④ 25~40% 치아 포함: 함치성낭종과 구별하기가 어려움

⑤ 재발하기 쉬움: 부속낭종(딸낭종) 존재, 얇고 찢어지기 쉬운 낭벽 구조

⑥ 다발성으로 나타날 경우 모반기저세포암증후군을 의심해야 함

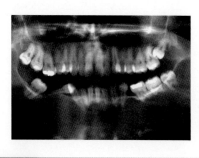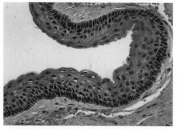

병리 11-1-6 치성 각화낭에 대하여 설명할 수 있다. (A)

7. 석회화 치성낭(Calcifying odontogenic cyst)

① 치성 유령세포종양 = 치성 상피성 유령세포종양

② 낭벽에 석회화와 종양성 증식(치성종양)을 동반함

- 경계가 뚜렷한 방사선 투과상 + 부정형의 불투과상 물질

③ 낭종벽에 유령세포가 나타남

- 이물 거대세포를 동반한 육아조직 보임

④ 비종양성의 낭(86%~98%) 혹은 치성 유령세포종양(종양 형태)

⑤ 호발: 10~30대, 무통성 팽창, 매복치와 치아종을 수반, 전치부와 제1대구치에서 호발

병리 11-1-7 석회화 치성낭에 대하여 설명할 수 있다. (B)

8. 맹출낭(Eruption cyst)

① 함치성낭의 일종

② 맹출 중인 치아에 형성되는 치성낭

③ 10세 이하의 어린아이에게서 발견

④ 골외낭: 치은점막이 부드럽고 투명한 종창으로 관찰됨

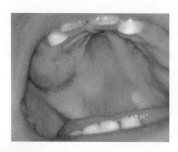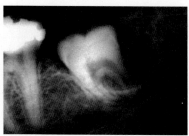

병리 11-1-8 맹출낭에 대하여 설명할 수 있다. (B)

9. 측방 치주낭 및 치은낭

(1) 치은낭: 치판 잔사 유래, 치은에 생기는 치성 발육성 낭종, 연조직낭

① 신생아 치은낭: 상악 > 하악

② 성인 치은낭: 유리치은과 부착치은에서 발생, 40~50대, 하악 견치~소구치 부위

(2) 측방 치주낭: 치판 잔사 유래

① 발육성 치성낭으로 치판 잔사 유래

② 무증상, 남성 및 하악 소구치와 견치부위에서 호발

병리 11-1-10 측방 치주낭 및 치은낭에 대하여 설명할 수 있다. (B)

제12장 | 비치성 낭종

1. 점액류(점액낭, Mucocele)

① 구강 내 연조직에서 나타나는 가장 흔한 낭

② 기원: 소 타액선, 도관

• 타액선 도관이 파열되어 점액이 연조직으로 유출되어 발생하는 낭

• 이장상피가 없음(가성낭)

③ 원인: 타액선의 감염, 치석, 타석 등으로 인한 도관 파열

④ 호발부위: 하순(협점막 > 구강저 > 혀 전방부 > 구개 > 상순)

⑤ 호발: 어린이와 청소년(모든 연령에서 발생할 수 있음)

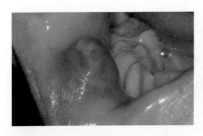 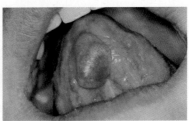

병리 12-1-3 점액류에 대하여 설명할 수 있다. (A)

2. 하마종(두꺼비종, Ranula) 2020 기출

① 구강저에서 발생하는 점액낭

② 설하선과 악하선 등 대타액선의 도관 폐쇄 또는 절단

③ 점액낭보다 큼

④ 정중부의 측방에 위치

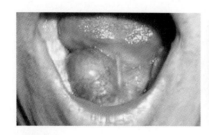 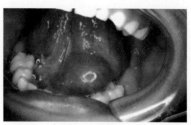

병리 12-1-4 하마종에 대하여 설명할 수 있다. (A)

3. 유피낭과 유표피낭

• 발생기의 외배엽의 함입 또는 후천적인 외상에 의한 상피의 함입으로 발생하는 낭

① 유피낭: 피부의 부속기(피지선, 한선 등)가 관찰됨

② 유표피낭: 피부부속기가 없음

병리 12-1-6 유피낭, 유표피낭에 대하여 설명할 수 있다. (B)

제13장 | 종양

1. 양성 종양과 악성 종양 2021 기출

특성	양성 종양	악성 종양
성장속도	느림	빠름
성장양상	확장성	침윤성
피막	○	×
전이	×	○
재발	드물다	흔하다
세포분열	적다	많다
전신에 미치는 영향	경미하다	강하다
예후	양호	불량
분화	좋음	나쁨

병리 13-1-4 양성·악성 종양에 대하여 설명할 수 있다. (A)

제14장 | 치성 종양

1. 치성종양

① 치아 형성에 관여하는 조직에서 유래한 종양

② 기원에 따른 분류

- 상피성 종양: 치성상피에서 유래하는 종양
- 간엽성 종양: 간엽조직에서 유래하는 종양
- 혼합성 종양: 치성상피와 간엽조직 모두에서 유래하는 종양

병리 14-1-1 치성종양에 대한 정의를 설명할 수 있다. (A)

2. 치성종양의 분류 2021 기출

① 상피성 치성종양: 법랑모세포종, 선양 치성종양, 석회화 상피성 치성종양, 석회화 치성낭

② 혼합성 치성종양: 복합치아종, 복잡치아종

③ 간엽성 치성종양: 치성섬유종, 치성점액종, 양성 백악모세포종

병리 14-1-2	치성종양의 분류와 그에 속한 종양을 열거할 수 있다. (A)

3. 법랑모세포종(Ameloblastoma)

① 악골내 법랑기 또는 치판(치제)에서 유래(조직소견: 법랑기와 유사)
  • 법랑기와 유사한 조직소견: 주변부(법랑모세포: 입방모양) + 중심부(성상세망: 별모양)
② 호발: 20~40대의 하악 대구치부(특히, 제3대구치)
③ 발육: 느림, 동통: 없음(무통성 → 팽창 → 치아변위, 안면변형, 치근흡수 진행)
④ 양성 상피성종양이나 악성종양처럼 침윤성 증식과 전이를 유발하는 경우도 있음
⑤ 비누거품(벌집모양) 같은 다방성 방사선 투과상 보임: 재발 흔함
⑥ 단방성은 예후가 좋음

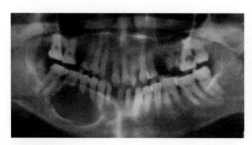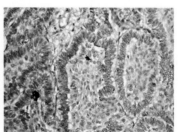

병리 14-1-3	법랑모세포종에 대하여 설명할 수 있다. (A)

4. 선양 치성종양(Adenomatoid odontogenic tumor) 2020 기출

① 법랑기에서 유래하는 양성 상피성종양
② 호발: 10대 젊은 여성, 상악 전치부(매복치아를 수반)
  • 매복치아를 가진 경우(미맹출 견치부) 함치성 낭종과 구별하기 어려움
③ 재발없음
④ 조직학적 특징
  • 선관양구조와 꽃다발 모양(화관상)의 구조(호산성물질 함유)
  • 종양 내에는 작은 석회화물질이 보임: 투과·불투과 혼합병소

  • 종양 주위에는 섬유성 피막 형성

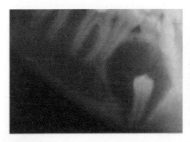 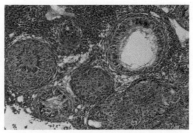

병리 14-1-4 선양 치성종양에 대하여 설명할 수 있다. (A)

5. 석회화 상피성 치성종양

① 핀드버그 종양

② 치성종양의 1% 미만(골내병소)

  • 다양한 크기의 미만성 방사선 불투과상(눈보라처럼 보임)

  • 다각형 상피세포, 내부(둥근 구조의 석회화 종괴)

③ 호발: 40대 남녀, 하악 대구치, 매복치와 연관됨, 무통성 종창

④ 재발이 잘 되지만 전이는 일어나지 않음

  • 피막이 불안전함

병리 14-1-5 석회화 상피성 치성종양에 대하여 설명할 수 있다. (B)

6. 치아종(Odontoma) 2019 기출

(1) 혼합성 치성종양

① 치배의 형성이상에서 생기는 가장 흔한 발육 기형

② 무증상, 20대 이전의 젊은 사람(성별 차는 없음)

③ 치아종 내부: 법랑질, 상아질, 치수, 백악질로 구성

(2) 분류

① 복합치아종

  • 상악 전치 호발

  • 정상치아와 유사하게 배열(법랑질, 상아질, 백악질로 배열)

② 복잡치아종
  • 상악 전치와 하악 구치 호발
  • 치아조직 불규칙적인 배열을 하고 있어 복잡함

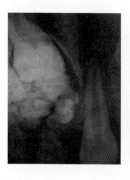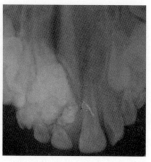

| 병리 14-1-6 | 치아종에 대하여 설명할 수 있다. (A) |

7. 양성 백악모세포종(백악질종)

① 백악질 증식을 특징으로 하는 병변
  • 세포성분이 적은 백악질 다량 형성
② 호발: 10~20대, 남성, 하악 대구치의 치근단 주위
③ 피질골의 팽창을 일으킴
④ 치근에 매달린 구형의 방사선 불투과성 종괴를 둘러싼 방사선 투과상 확인
⑤ 개조현상 뚜렷함: 반전선 관찰 가능

| 병리 14-1-7 | 백악모세포종에 대하여 설명할 수 있다. (B) |

8. 석회화 치성낭

① 낭벽의 석회화와 종양성 증식(상피성 치성종양)
  • 중층편평상피(낭벽)에 유령세포(핵이 없고 핵이 있던 공간 有) 존재
② 호발: 10대~30대, 국소적 무통성 팽창, 전치부와 제1대구치, 매복치와 치아종 수반
③ 부정형의 방사선 불투과성 물질

| 병리 14-1-8 | 석회화 치성낭에 대하여 설명할 수 있다. (B) |

제15장 | 비치성 종양

1. 비치성 종양

(1) 정의: 치아 형성 조직에서 유래하지 않는 종양

(2) 종류

① 상피성 양성종양: 구강유두종, 색소세포성모반

② 비상피성 양성종양: 섬유종, 골종, 양성 타액선종양

③ 악성 비치성 종양: 편평세포암종, 골육종

④ 전암병소: 구강백반증, 구강홍반증, 일광구순염

병리 15-1-1 비치성 종양에 대하여 설명할 수 있다. (A)

2. 구강유두종(Oral papilloma)

① 상피성 양성종양

- 점막의 중층편평상피가 유두상으로 증식(손가락모양)
- 중심부: 섬유성 결합조직 출현
- 중층편평상피의 각화 또는 착각화 진행

② 원인: 만성 자극 및 유두종 바이러스 감염

③ 호발: 30~50대(중년), 혀·연구개·협점막·치은·구순에서 형성, 무통증

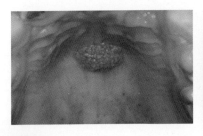 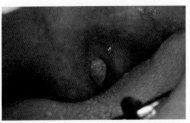

병리 15-1-3 구강유두종을 설명할 수 있다. (A)

3. (자극성)섬유종(Fibroma)

① 구강에서 가장 흔한 양성 비상피성 종양

- 국소적인 자극이나 손상에 반응하여 섬유모세포와 교원섬유가 증식한 것

② 원인: 협점막의 교합으로 인한 손상(궤양을 일으키기도 함)

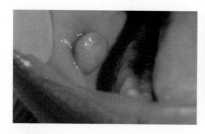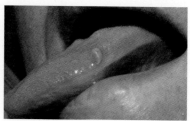

| 병리 15-1-4 | 섬유종에 대하여 설명할 수 있다. (A) |

4. 골종

① 치밀골 및 해면골이 증식되는 양성 비상피성 종양

② 방사선 불투과성 종괴형성(악골의 팽창, 안모변형)

| 병리 15-1-5 | 골종에 대하여 설명할 수 있다. (B) |

5. 전암 병소

(1) 구강백반증(Oral leukoplakia)

① 문질러도 제거되지 않는 백색반점

- 구강의 편평세포암종으로 이행되는 전암병소: 증식성 사마귀모양의 백반증
- 기저층 상피 이형성(5~25%), 표피 과각화 및 유극세포층 증식으로 인한 백색 병터

② 호발: 40대 이후 유병률 증가(평균: 60세), 반드시 생검 추진

③ 상피내암(상피 이형성이 상피 전체를 침범한 경우)으로 진행

④ 원인

- 외인성 인자: 흡연(백반증 80%: 흡연자), 음주(상승효과), 자외선(하순 백반증 유발), 감염(칸디다, 매독), 외상(만성적인 기계적 자극 → 입 안 점막의 각화 유도)
- 내인성 인자: 영양부족, 철결핍성 빈혈 등

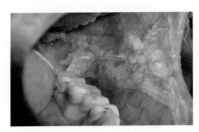 

(2) 구강홍반증(Oral erythroplakia)

① 구강 내 붉은 반점: 상피의 각질층이 부족하여 하방의 미세혈관이 돌출되어 붉은색으로 보임(백반증보다는 드문 병소)

② 호발: 흡연을 하는 남자, 노인(65~74세), 다발성 병소 발생(구강저, 혀, 연구개)

③ 60~90%가 상피 이형성(추적관찰 필요), 상피내암, 침윤성 편평상피암종 보임 → 반드시 생검 실시

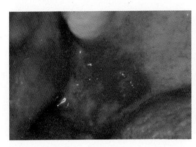 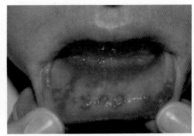

(3) 일광구순염

① 태양광선의 자외선에 오랜 시간 노출되어 생기는 질환

• 자외선 노출시간 및 피부색소의 양과 관련하여 발생

② 호발: 하순 > 상순, 나이 든 사람 뿐 아니라 젊은 사람에서도 생길 수 있음

③ 약 20%의 병소에서 암으로 이행

④ 편평상피세포의 위축, 과각화, 상피 이형성

| 병리 15-1-6 | 전암 병소에 대하여 설명할 수 있다. (A) |

6. 편평세포암종

① 구강 내 암종의 95% 이상(상피성 종양, 악성 비치성 종양)

② 조기 발견이 매우 중요함: 5년 생존율이 낮음

③ 원인

- 외인성: 흡연(비흡연자에 비해 2~3배 발생률이 높음), 음주(상승효과), 감염(매독 등), 부적합 보철물, 우식치아의 날카로운 경계부, 방사선(자외선, X선)

- 내인성: 영양부족, 철결핍성 빈혈

④ 호발: 40대 이후의 남성, 전암병소(백반증과 홍반증이 보임)

⑤ 궤양형성, 상피 이형성(결합조직 내로 침윤), 각질진주, 세포간질(섬유성 결합조직 + 염증세포의 침윤)

| 병리 15-1-10 | 편평세포암의 원인을 열거할 수 있다. (A) |

06 PART ▶▶

구강생리학

Oral Physiology

DENTAL
HYGIENIST

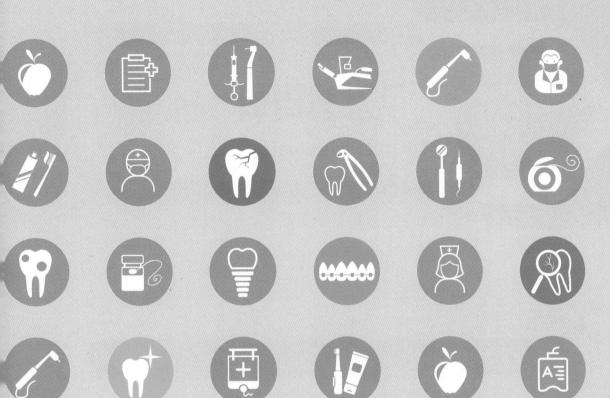

POWER 치과위생사 국가시험 핵심요약집 1권

PART 06

구강생리학
Oral Physiology

제1장 | 생명체의 특성

1. 생체의 항상성

(1) 항상성: 외부나 체내 환경의 변화에 대해 형태적 상태, 생리적 상태를 안정된 범위로 유지하여 개체로서의 생존을 유지하는 성질

(2) 항상성 유지의 원리

① 호르몬 분비량의 조절 원리

- 피드백 기구: 호르몬에 의한 호르몬을 분비하는 내분비기관의 기능 억제 및 촉진

② 길항작용

- 자율신경: 교감신경과 부교감 신경
- 호르몬: 인슐린과 글루카곤의 길항적 작용 등

(3) 조절작용

① 혈당량 조절(혈액 속 포도당의 양 조절)

- 고혈당: 인슐린 분비 촉진
- 저혈당: 글루카곤 분비 촉진(간에서 글리코겐 분해 촉진)

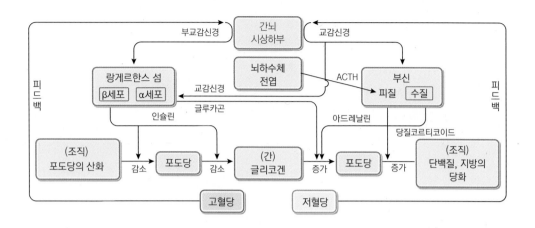

② 체온조절

- 추울 때: 열 발생량 증가, 열 방출량 감소
- 더울 때: 열 발생량 감소, 열 방출량 증가

③ 체액의 농도 조절

- 체액의 농도 높을 때: 간뇌 → 뇌하수체 후엽(항이뇨호르몬 분비 증가) → 신장(물 재흡수 촉진) → 오줌량 감소
- 체액의 농도 낮을 때: 간뇌 → 뇌하수체 후엽(항이뇨호르몬 분비 감소) → 신장(물 재흡수 감소) → 오줌량 증가

생리 1-1-2	생체의 항상성에 대하여 설명할 수 있다. (A)

제2장 | 세포와 물질이동

1. 세포의 구조

① 세포는 선택적 투과성을 가진 세포막에 의해 둘러싸여 있음

② 생체의 구성

- 세포 → 조직 → 기관 → 기관계 → 개체
- 세포: 생명의 구조적·기능적 기본 단위
- 조직: 동일한 방향으로 분화한 세포가 일정한 질서에 의해 형성된 하나의 집단체
- 기관: 몇 개의 조직이 모여 일정한 기능을 할 수 있게 된 것
- 기관계: 서로 관련 기능을 하는 기관들을 일괄해서 일컬음

③ 적당한 환경 하에서 독립적으로 살 수 있는 가장 작은 생명단위

④ 인체를 구성하는 기능적, 구조적 기본단위

⑤ 체내에는 약 200여 종의 세포가 존재

⑥ 기능: 저장, 에너지 공급, 노폐물 처리, 생산 등

⑦ 크기: 직경 10~100 μm

⑧ 구성

- 핵
- 세포질: 소포체, 리보좀, 골지체, 미토콘드리아, 리소좀 등

생리 2-1-1	세포의 구조를 설명할 수 있다. (B)

2. 세포소기관의 종류와 기능

(1) 세포의 핵: 세포의 생명활동 조절

① 핵소체(인): 둥근 호염기성 구조물, 리보좀을 합성하여 세포질로 보내는 역할

② 핵질: 핵에서 핵소체를 제외한 부분

③ 염색질(유전물질): 히스톤 단백질과 이중나선구조의 DNA가 정전기적으로 결합된 구조물

④ 핵막: 핵을 싸고 있는 막, 이중막

⑤ 핵공: 핵질과 세포질 사이에서 물질이동의 통로, 포유동물 3,000개~4,000개

(2) 세포내소기관의 종류 및 기능

① 미토콘드리아: 세포의 동력 공장(ATP, 세포내호흡), Symbiosis (공생설)

② 세포질세망(형질내세망, 소포체): 생체가 필요한 대부분 물질 생산

- 조면소포체(과립 형질내세망): 단백질합성
- 활면소포체(무과립 형질내세망): 지방합성, 콜레스테롤 대사, 간에서의 해독작용

③ 골지체: 세포질 내에서 만들어진 물질 분비기능, 용해소체 생산

④ 용해소체(리소좀, lysosome): 소화기능(세포 내로 침입한 바이러스와 박테리아, 그리고 대사활동을 통해 생성된 노폐물을 제거)

⑤ 리보좀: 단백질합성, 조면소포체 표면에 존재 혹은 세포질에 유리(80S=60S+40S)

⑥ 미세소관: 세포의 전체적인 형태 유지

⑦ 중심소체: 세포분열 관여

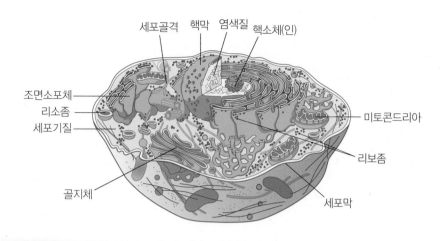

| 세포골격 | 핵막 | 염색질 | 핵소체(인) |

조면소포체
리소좀
세포기질

미토콘드리아

리보좀

골지체

세포막

3. 세포막의 구조와 기능 <kbd>2019 기출</kbd>

(1) 세포막의 특성

① 세포의 가장 바깥쪽에 있는 막으로 외부환경과 분리

② 세포 보호, 세포 형태유지

(2) 세포막의 구성

① 단위막, 인지질 2중층

② 지질(인지질, 당지질, 콜레스테롤), 단백질(막관통 및 주변 단백질), 탄수화물(소량)

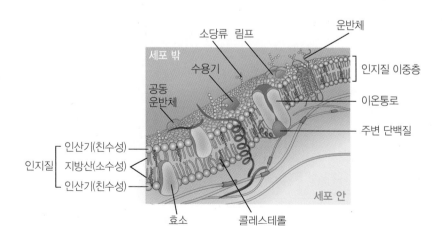

소당류　림프　운반체

세포 밖

수용기　인지질 이중층

공동
운반체　이온통로

주변 단백질

인산기(친수성)
인지질　지방산(소수성)
인산기(친수성)

세포 안

효소　콜레스테롤

(3) 세포막의 기능

 ① 세포 내·외의 경계

 ② 세포 내·외막의 물질이동 조절

 ③ 세포 내·외의 항상성 유지

(4) 세포막의 선택적 투과성

 • 세포막의 선택에 의해서 특정 물질만 투과 → 외부환경의 변화로부터 세포보호

(5) 세포막을 통한 물질의 운반

 ① 수동적 이동

  • 세포막 내에서 ATP의 소비없이 전기, 화학적 힘의 이동

  • 확산, 삼투, 여과

 ② 능동적 이동

  • 세포막이 운반체와 에너지를 사용하면서 농도 경사와는 반대로 물질을 이동

  • Na^+-K^+를 pump, 장 흡수세포의 포도당 흡수

생리 2-1-3   세포막의 구조와 기능을 설명할 수 있다. (A)

---

4. 세포의 물질이동 [2021 기출]

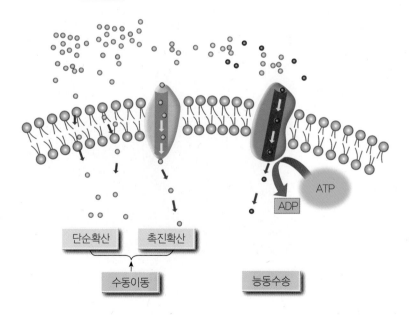

(1) **수동적 이동**: 농도경사를 따라 이동물질이 무작위적으로 이동함에 따라 나타나는 현상
으로써 결국엔 특정 공간에 균일하게 퍼지는 현상

　① 확산: 고농도에서 저농도로의 분자나 이온의 이동

　　ⓐ 단순확산: 비극성 분자들은 비교적 쉽게 확산에 의해 통과함

　　ⓑ 촉진확산: 단백질을 캐리어로 이용하는 극성 유기성 분자들의 막투과 방법

　　　– 채널 혹은 운반체 단백질에 적합한 분자만 선별하여 확산 이동

　　　– 이온과 같은 극성분자들은 지질막을 통해 확산될 수 없으며 세포막에 존재하는
　　　　막관통 단백질의 일종인 채널단백질을 통해 이동

　　　– 단순한 채널단백질을 통과하기 어려운 커다란 극성분자들은 특수한 이동단백질
　　　　(특정 수송단백질)의 도움을 받아야 세포막을 통과할 수 있음

　② 삼투현상: 농도구배에 따라 반투과성막을 통한 용매(물)의 이동

(2) **능동적 이동(수송)**: 농도경사에 역행

　① 나트륨과 칼륨과 같은 물질이동

　② 농도 차이를 역행해야 하기 때문에 에너지(ATP)를 사용해야 함

생리 2-1-4	세포의 물질이동을 설명할 수 있다. (A)

제3장 | 신경과 근육

1. 신경세포의 구조: 뉴런(Neuron)

(1) 신경계의 구조·기능의 기본단위

(2) 구조

　① 세포체

　　• 과립성 세포질이 대부분

　　• 그 속에 미토콘드리아, 니슬소체, 신경원섬유, 골지체 및 핵이 존재

　② 수상돌기

　　• 세포체로 자극을 전달

　　• 이웃 뉴런의 축삭돌기 말단과 접속

③ 축삭돌기
- 신경섬유로서 세포체에서 나오는 1개의 긴 돌기
- 축삭돌기 표면은 전기 절연체인 수초로 덮여 있음
- 세포체로부터 자극이 전달됨

④ 수초: 전기절연체

⑤ 랑비에르 결절(신경섬유마디): 슈반세포와 슈반세포 사이의 공간, 신호전달(나트륨이온이 신경을 통과할 수 없어 새로운 활동전위가 생기지 않게 되므로 중간 중간 수초에 둘러싸여 있지 않은 부분), 도약전도

(3) 시냅스: 뉴런과 뉴런 또는 뉴런과 효과기 세포의 접속부

① 시냅스 흥분전달
- 전달: 축삭말단으로 신경흥분 전달 → 세포 밖의 칼슘이온이 세포 안으로 유입 → 세포 속으로 들어간 칼슘은 소포에 작용하여 신경전달물질을 세포 밖으로 유리시킴 → 신경전달물질은 시냅스 간격으로 확산되어 나감 → 시냅스 후 섬유막의 수용기에 부착(결합) → 이온통로를 열어 시냅스 후 막이 전압변화 유발 → 신경전달물질 분해되면 이온통로 닫힘

② 종류
- 흥분성 시냅스(흥분성 전달물질): 아세틸콜린
- 억제성 시냅스(억제성 전달물질): 감마-아미노뷰틸산(GABA)

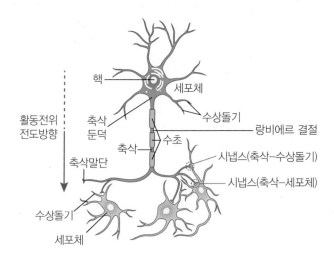

| 생리 3-1-1 | 신경세포의 구조를 설명할 수 있다. (A) |

2. 신경세포의 기능

(1) 시냅스의 일반적 특성

① 앞 신경세포의 축삭말단과 다음 세포의 연결부위

② 축삭말단과 수상돌기(dendrite), 세포체(soma), 축삭(axon) 사이에 존재

③ 시냅스 전 신경세포에서 시냅스 후 신경세포로 한 방향으로 작용

(2) 시냅스의 기능적 분류: 전달물질에 따라 흥분 또는 억제 신호를 전달

① 흥분성 시냅스: 시냅스 이전 뉴런에서 방출된 신경전달물질이 시냅스 이후 막을 탈분극시킴

② 억제성 시냅스: 흥분성 시냅스와는 반대로 신경전달물질이 시냅스 이후 막을 과분극시킴

(3) 신경섬유

① 수초의 유무에 따른 뉴런의 구분

- 유수신경: 축삭이 수초에 싸여 있는 신경. 척수동물의 대부분의 신경
- 무수신경: 축삭이 수초에 싸여 있지 않은 신경. 무척추동물의 신경

② 랑비에르 결절

- 미엘린이 중단된 마디부분
- 수초로 감겨 있지 않은 영역으로 축삭돌기의 막이 노출
- 흥분의 전도속도가 빠름

(4) 흥분 전달: 흥분전도의 3원칙

① 양방향전도: 신경섬유의 한 점을 자극하면 흥분은 그 점에서 시작하여 두 방향으로 전도

② 절연전도: 어느 섬유가 흥분하더라도 그 흥분은 이웃의 다른 섬유에 결코 옮기지 않음

③ 불감쇠전도: 섬유의 직경이 일정하면 전도속도는 전도하는 동안 일정

(5) 도약전도: 수초로 둘러싸인 유수신경은 수초가 없는 부분인 랑비에르 결절에서만 전도가 일어나므로 전도 속도가 매우 빠른데, 이를 도약 전도라 함

생리 3-1-2	신경세포의 기능을 설명할 수 있다. (A)

3. 자율신경계의 종류와 기능

(1) 말초신경계

① 체성신경계(뇌신경 12쌍, 척수신경 31쌍)

- 12쌍 중 4개는 부교감신경을 가지고 있음(동안신경(제3뇌신경), 안면신경(제7뇌신경), 설인신경(제9뇌신경), 미주신경(제10뇌신경))

② 자율신경계: 교감신경과 부교감신경으로 구분

(2) 자율신경계

① 교감신경

- 에너지 발산 및 신체활동하기에 적합한 상태 유지
- 간(글리코겐분해촉진), 부신(아드레날린과 노르아드레날린 분비), 입모근 수축, 피부혈관 수축

② 부교감신경

- 교감신경과 길항작용
- 누선(분비촉진)

구분	심장박동	호흡	동공	방광	침분비	소화	혈관	혈압
교감	촉진	촉진	확대	확장	억제	억제	수축	상승
부교감	억제	억제	축소	수축	촉진	촉진	확장	하강

생리 3-1-3 자율신경계의 종류와 기능을 설명할 수 있다. (A)

4. 신경과 근 사이의 연접

① 자극에 의해 신경섬유가 흥분되면 전기적 자극이 일어나 신경섬유를 따라 전도됨

② 신경종말에 있는 미세한 연접소포(synaptic vesicles)들에 저장되어 있던 아세틸콜린(acetylcholine)이 신경근육연결부분으로 분출

③ 아세틸콜린이 근육형질막에 도달하여 다시 전기의 흐름을 일으켜 가로세관(t-tubule)을 따라 근육세포 전체로 순식간에 전달되어 수축을 하게 됨

생리 3-1-4 신경과 근육 사이의 흥분전달방식을 설명할 수 있다. (A)

5. 중추신경계(뇌)

(1) 대뇌: 사고의 중추, 뇌 전체 무게의 80%

  ① 전두엽: 자발적인 행동, 운동통제, 공격성

  ② 두정엽: 통증의 인지, 온도와 촉각, 맛의 인지, 체성감각

  ③ 후두엽: 시각정보의 인지

  ④ 측두엽: 청각의 정보에 대한 평가

(2) 간뇌

  ① 시상(3/4 차지), 시상하부, 뇌하수체

  ② 체온, 수분섭취 및 음식물 섭취 조절의 중추, 항이뇨호르몬과 옥시토신 생성

(3) 뇌간 = 중뇌, 교뇌(뇌교), 연수

  ① 중뇌: 자세유지 및 청각의 반사중추

  ② 교뇌: 연수와 함께 호흡의 중추 역할, 중뇌와 연수 사이 뛰어나온 부위

  ③ 연수: 심장, 반사, 호흡의 중추

(4) 소뇌: 몸의 균형유지 및 운동기능

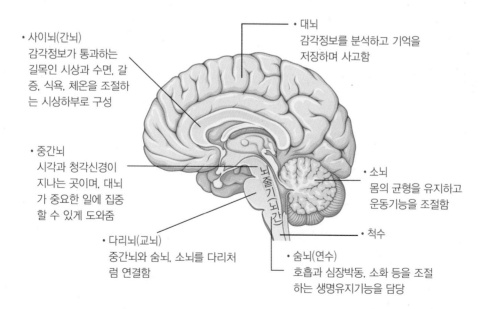

- 사이뇌(간뇌)
감각정보가 통과하는 길목인 시상과 수면, 갈증, 식욕, 체온을 조절하는 시상하부로 구성

- 대뇌
감각정보를 분석하고 기억을 저장하며 사고함

- 중간뇌
시각과 청각신경이 지나는 곳이며, 대뇌가 중요한 일에 집중할 수 있게 도와줌

- 소뇌
몸의 균형을 유지하고 운동기능을 조절함

- 척수

뇌줄기(뇌간)

- 다리뇌(교뇌)
중간뇌와 숨뇌, 소뇌를 다리처럼 연결함

- 숨뇌(연수)
호흡과 심장박동, 소화 등을 조절하는 생명유지기능을 담당

생리 3-1-5	중추신경계의 종류와 기능을 설명할 수 있다. (B)

6. 기계적 감각의 종류와 감각수용기

① 촉각: 마이스너소체 – 느린 진동과 질감(촉각), 메르켈원반 – 일정한 압력과 질감(촉각)

② 통각: 유리신경말단

③ 온각: 루피니소체(피부의 신경자극을 받아들임)

④ 냉각: 크라우제소체(저온)

⑤ 진동감각: 파치니소체 – 강한 압력과 빠른 진동

생리 3-1-6 기계적 감각의 종류와 감각수용기를 구별할 수 있다. (B)

7. 근육의 종류와 기능

구분	평활근	골격근	심근
세포의 형태	긴 방추형	긴 원주형	부정형(가지를 침)
핵	1개(중심에 위치)	다핵(주변에 위치)	1~2개(중심에 위치)
재생능력	있음	있음	없음
가로무늬(횡문)	없음	있음(가늘다)	있음(굵다)
수축	불수의적(자발적)	수의적	불수의적(자발적)
지배신경	자율신경	몸 운동신경	자율신경

생리 3-1-7 근육을 종류와 기능을 설명할 수 있다. (B)

8. 근 수축의 기전 `2020 기출`

(1) 근의 미세구조

① 필라멘트(단백질): 근섬유 > 근원섬유 > 필라멘트

• 굵은 필라멘트: 미오신 분자

• 가는 필라멘트: 액틴, 트로포닌, 트로포미오신 분자

② 근원섬유: 근세포 내에 다수가 세로로 뻗는 지름 1 μm 내외의 원통형 미세구조물

• A띠: 어둡게 보임

• I띠: 밝게 보임

• Z띠: I띠의 중앙에 있는 부분

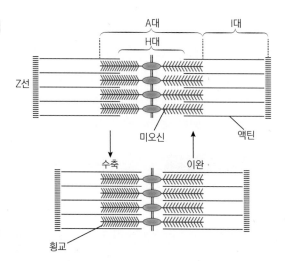

- cf 근절: 1개의 Z띠에서 다음 Z띠까지
  - 근육이 자극을 받으면 액틴이 미오신 사이로 미끄러져 들어감(활주설)
  - 근절과 I대, H대는 짧아지지만 A대는 변함이 없음(Z선을 기준으로 나누어지는 각각의 단위를 근원섬유마디 혹은 근절(sarcomere)이라고 부름)

(2) 근형질내세망과 T세관

① 근형질내세망: 다수의 근원섬유 다발을 감싸는 망상구조, 칼슘이온 풍부

② T세관: 일정한 간격의 근섬유 막에서 세포 내를 향해 가는 관

- cf 삼련구조: T세관이 양쪽의 근형질내세망 사이에 끼인 부분, 근수축을 일으키는 칼슘(Ca^{2+})의 방출에 관여

(3) 근육의 수축-이완: ATP의 분해가 일어남(에너지가 소모됨)

① 아세틸콜린이 활동전위를 일으키자 활동전위는 근막을 따라 T세관으로 이동

② 근형질내세망의 칼슘채널을 열고 칼슘 방출

③ 칼슘이온이 트로포닌과 결합하여 결합부위를 열어줌

④ 미오신의 머리 부위 부착하여 수축 시작

⑤ 근육의 이완: 활동 전위가 사라지면 Ca^{2+}은 근소포체로 능동 수송 → 액틴 필라멘트에 결합했던 Ca^{2+}이 사라지면 원래의 위치로 이동

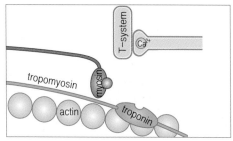

트로포마이오신과 트로포닌이 액틴에 붙으면 마이오신이 결합하는 것을 방해한다.

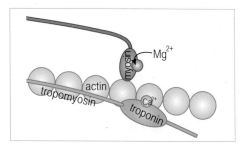

트로포닌이 칼슘이온과 결합하면, 트로포마이오신을 액틴섬유로부터 분리시켜 미오신이 결합할 수 있다.

(4) 근의 피로

　① 물질의 소모: 글리코겐 감소(ATP 생성 부족), 산소 부족

　② 물질의 생성: 젖산 생성(pH 변화) 등

　cf 근 수축 시 변화: 젖산 생성, 글리코겐 감소, 근형질내세망 칼슘 방출, 액틴–미오신 필라멘트 결합

> **생리 3-1-8**　골격근의 수축과 이완 기전을 설명할 수 있다. (A)

제4장 | 혈액과 순환

1. 혈액의 성분과 기능

　① 심장의 펌프작용에 의해 혈관 내를 순환하는 액상조직

　② pH 7.4 (약칼리성), 비중 1.05~1.06

　③ 혈장 55%와 혈구 45%(대부분 적혈구)로 구성

　　ⓐ 혈장: 알부민(혈액 삼투압 조정), 면역글로불린(생체 방어)

　　ⓑ 혈구: 적혈구, 백혈구, 혈소판

　　　• 적혈구

　　　• 백혈구

　　　• 혈소판

　　　　– 무핵, 부정형의 세포

　　　　– 혈소판 수: 1 mm^3 당 20만~40만

　　　　– 월경 시 감소하고 임신 시에 증가함

　　　　– 혈관 손상 시 내부에서 섬유소원, 트롬빈 등 각종 화학물질을 분비하여 혈관 수축작용(지혈작용)과 혈소판 응집작용

　④ Hct (hermatocrit): 혈액 전체에서 차지하는 적혈구 성분의 비율

> **생리 4-1-1**　혈액의 성분과 기능을 설명할 수 있다. (A)

2. 적혈구의 구조와 기능 2021 기출

① 핵이 없는 원반형의 세포로 중앙부가 오목함(산소와의 접촉면적 최대화)

② 혈액 1 mm^3 당 약 500만 개

③ 평균 수명: 120일

④ 산소운반기능: 헤모글로빈(혈색소, Hb = 300만 개/적혈구 1개) 색소단백질이 관여
  - 철 이온을 포함한 단백질로 산소와 결합할 수 있는 성질

⑤ 용혈: 적혈구가 삼투압보다 낮은 용액에서 파괴되어 헤모글로빈이 나오는 상태 (0.9% 생리식염수 활용 = 등장성 용액)

생리 4-1-2   적혈구의 구조와 기능을 설명할 수 있다. (A)

3. 백혈구의 종류와 기능 2022 기출

① 핵이 있는 세포

② 정상인의 백혈구 수: 1 mm^3 당 7,000개~10,000개

③ 종양, 바이러스, 세균 및 기생충에 대한 방어역할

④ 종류
  - 호중구: 50~70%, 포식작용, 염증반응 시 제일 먼저 발견되는 세포
  - 호산구: 2~4%, 식작용(탐식작용이 약함), 기생충 및 알레르기 반응과 관련
  - 호염기구: 1% 미만, 과민반응(히스타민 등), 헤파린 함유(혈액응고 저지작용)
  - 단핵구: 2~8%, 호중구보다 강한 탐식작용, 대식세포로 분화
  - 림프구: 20~30%, B 림프구 & T 림프구

생리 4-1-3   백혈구의 종류와 기능을 설명할 수 있다. (A)

4. 혈액응고 기전 2019 기출

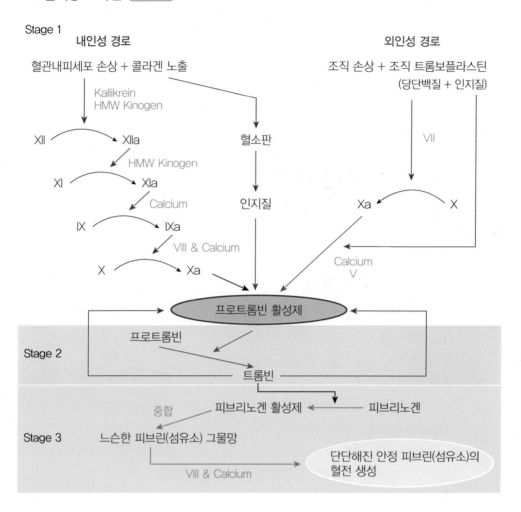

Stage 1

내인성 경로   외인성 경로

혈관내피세포 손상 + 콜라겐 노출   조직 손상 + 조직 트롬보플라스틴
(당단백질 + 인지질)

Kallikrein
HMW Kinogen

XII → XIIa   혈소판   VII

HMW Kinogen

XI → XIa

Calcium   인지질   Xa ← X

IX → IXa

VIII & Calcium

X → Xa   Calcium
V

프로트롬빈 활성제

Stage 2   프로트롬빈 → 트롬빈

중합   피브리노겐 활성제 ← 피브리노겐

Stage 3   느슨한 피브린(섬유소) 그물망

VIII & Calcium → 단단해진 안정 피브린(섬유소)의
혈전 생성

① 혈관수축(초기): 지혈 불가능
② 1차 지혈과정: 혈소판의 부착과 응집
    • 혈소판이 혈관의 아교질에 부착(혈소판 마개 형성)
③ 2차 지혈과정: 응집된 혈소판에 피브린이 엉기면서 혈전 형성
    • 10개 이상의 혈액응고인자가 관여하여 섬유소원(피브리노겐)이 섬유소(피브린)로
      활성화(by 트로빈)
    • 혈소판 마개와 섬유소가 엉켜서 완전한 지혈

생리 4-1-4	혈액응고 기전을 설명할 수 있다. (A)

5. 혈액순환계

(1) 순환계

① 폐순환(소순환): 우심실 → 폐동맥 → 폐 → 폐정맥 → 좌심방

② 체순환(대순환): 좌심실 → 대동맥 → 전신(모세혈관) → 대정맥 → 우심방

(2) 혈관의 종류와 기능

① 정맥: 동맥과 모세혈관계를 통해 순환한 혈액이 다시 심장으로 되돌아가는 통로, 정맥혈의 검붉은 색이 피부에 비쳐 보이면 푸르게 보임

② 동맥: 허파를 거쳐 산소가 풍부해진 혈액을 온 몸의 조직에 공급하는 혈관

③ 모세혈관: 동맥과 정맥 사이를 연결하며 주변 조직과 산소, 영양분 및 물질 교환을 담당하는 혈관

생리 4-1-6	혈액순환계에 대하여 설명할 수 있다. (B)

6. 혈액형과 수혈

검사결과	A형	B형	AB형	O형
항·A 항체와의 반응	응집 ○	응집 X	응집 ○	응집 X
항·B 항체와의 반응	응집 X	응집 ○	응집 ○	응집 X

● 응집 X 　 ● 응집 ○

ABO 혈액형 검사(혈구형)

검사결과	A형	B형	AB형	O형
A형 혈구와의 반응	응집 X	응집 ○	응집 X	응집 ○
B형 혈구와의 반응	응집 ○	응집 X	응집 X	응집 ○

● 응집 X 　 ● 응집 ○

ABO 혈액형 검사(혈청형)

① A형인 사람은 적혈구 표면에 A형 항원이 있고 혈청 내에 항B 항체가 존재하므로, 혈구형 검사에서는 항A 항체 시약과 응집을 일으키고 혈청형 검사에서는 B형 혈구와 응집을 일으킴

② B형인 사람은 적혈구 표면에 B형 항원이 있고 혈청 내에 항A 항체가 존재하므로, 혈구형 검사에서는 항B 항체 시약과 응집을 일으키고 혈청형 검사에서는 A형 혈구와 응집을 일으킴

③ AB형인 사람은 적혈구 표면에 A형 및 B형 항원 모두 있고, 혈청 내에 항A 및 항B 항체 모두 없으므로, 혈구형 검사에서는 항A 및 항B 항체 시약과 모두 응집을 일으키고 혈청형 검사에서는 A형 및 B형 혈구 모두와 응집을 일으키지 않음

④ O형인 사람은 적혈구 표면에 A형 및 B형 항원 모두 없고 혈청 내에 항A 및 항B 항체 모두 있으므로, 혈구형 검사에서는 항A 및 항B 항체 시약과 모두 응집을 일으키지 않고 혈청형 검사에서는 A형 및 B형 혈구 모두와 응집을 일으킴

생리 4-1-5 혈액형과 수혈에 대해서 설명할 수 있다. (B)

7. 혈압

(1) 최고혈압(수축기혈압)

① 심장이 수축할 때 최대의 압력으로 송출하려고 하는 압력

② 정상 120 mmHg (110~130 mmHg)

(2) 최저혈압(확장기혈압)

① 심장의 확장기에도 혈류를 유지할 수 있는 압력

② 정상 80 mmHg (65~85 mmHg)

(3) 맥압

① 최고혈압과 최저혈압의 차

② 정상 40~50 mmHg

생리 4-1-8 혈압에 대하여 설명할 수 있다. (B)

1. 호흡과 관련된 용어

① 호흡운동: 외부로부터 산소를 몸 안으로 받아들이고 이산화탄소를 배출하는 운동

② 외호흡(폐호흡): 외부공기와 혈액과의 사이에서 이루어지는 가스교환

③ 내호흡(조직호흡): 조직세포와 혈액과의 사이에서 이루어지는 가스교환

④ 흡식: 공기가 폐로 들어가는 것

⑤ 호식: 공기가 폐에서 나가는 것

⑥ 흉식호흡: 내외 늑간극의 작용에 의해 흉곽의 확장 또는 축소가 일어나는 호흡

⑦ 복식호흡: 횡격막을 상하로 하여 이뤄지는 호흡

⑧ 들숨(흡식)

- 횡격막 수축: 횡격막이 복강쪽을 내려감 → 내압이 낮아짐(폐포 확장)
- 외늑간극의 수축: 늑골이 위로 올라감 → 흉강 용적 확대
- 복부근육 이완
- 폐의 팽창

⑨ 날숨(호식)

- 내늑간극의 수축과 외늑간근의 이완
- 횡격막 이완
- 폐의 위축

> **생리 5-1-1** 호흡에 관련된 용어에 대한 정의를 설명할 수 있다. (A)

2. 폐의 용적과 환기의 기전

(1) 폐용적

① 1회 호흡용적: 안정상태에서 1회 호흡 시 들이마시거나 내쉬는 공기의 양

② 흡식예비용적(예비들숨량): 안정상태에서 들숨 후 최대로 더 들이마실 수 있는 공기의 양

③ 호식예비용적(예비날숨량): 안정상태에서 날숨 후 최대로 더 내보낼 수 있는 공기의 양

④ 잔기용적: 최대한 날숨이 끝난 후 폐와 기도에 남아 있는 공기의 양

(2) 폐용량

① 흡식용량(들숨용량): 안정 시 호식이 끝난 후 최대로 들이 마실 수 있는 공기의 양(1회 호흡용적 + 예비들숨량)

② 기능적 잔기용량: 정상의 호흡 시 폐 내에 남아 있는 공기의 양(예비날숨량 + 잔기용적)

③ 폐활량(폐용량): 최대로 숨을 들이 마신 들숨 후에 최대로 내쉴 수 있는 공기의 양(1회 호흡용적 + 예비들숨량 + 예비날숨량)

④ 총 폐활량(총 폐용량): 최대로 들숨하였을 때 폐 내의 공기를 수용할 수 있는 양(폐활량 + 잔기용적)

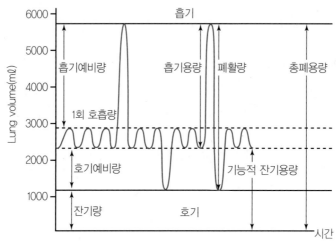

정상호흡과 최대한의 흡기와 호기 동안의 폐용적과 용량

1. 매 호흡 시 들이마시거나 내쉬는 공기의 양은 약 500 ㎖이다.
2. 1회 호흡량까지 들이마신 후 최대한의 노력을 하여 추가로 더 들이마실 수 있는 공기의 양을 흡기예비량이라 하며 약 3,000 ㎖이다.
3. 정상적으로 숨을 내쉰 후 최대한의 노력을 하여 추가로 더 내쉴 수 있는 공기량을 호기예비량이라 하며 약 1,100 ㎖이다.
4. 최대한의 노력으로 내쉰 후에도 폐속에 남아 있는 공기량을 잔기량이라 하며 약 1,200 ㎖이다.
5. 정상적으로 공기를 내쉰 후 최대한 노력하여 들이마실 수 있는 공기의 양은 약 3,500 ㎖(1 + 2)이다.
6. 정상적으로 공기를 내쉰 후 폐 내에 남아 있는 공기의 양은 약 2,300 ㎖(3 + 4)이다.
7. 최대한으로 공기를 들이마신 후 최대한으로 내쉴 수 있는 공기의 양을 폐활량이라 하며 약 4,600 ㎖(1 + 2 + 3)이다. 1회 호흡량(1) + 흡기예비량(2) + 호기예비량(3)
8. 최대한의 노력으로 들이마셨을 때 폐 내에 존재하는 공기의 양을 총폐용량이라 하며 약 5,800 ㎖이다.

생리 5-1-3   환기기전에 대하여 설명할 수 있다. (B)

3. 폐포와 조직의 가스교환

① 폐포와 조직의 세포에서 기체 교환이 이루어지는 원리: 분압 차이

② 폐: 산소 ↑, 이산화탄소 ↓, 조직: 이산화탄소 ↑, 산소 ↓

③ 산소는 폐포에서 조직으로 확산되는 것이고 이산화탄소는 조직에서 폐포로 확산됨

④ 헤모글로빈의 산소 포화도에 영향을 미치는 요인: pH, 온도, 분압(산소분압이 높고 중성이고 저온일 때 헤모글로빈의 산소포화도가 높음)

| 생리 5-1-4 | 폐포와 조직의 가스교환에 대하여 설명할 수 있다. (A) |

제6장 | 에너지 대사와 체온

1. 체열생산과 손실

(1) 체열의 생산

① 체열 생산기관: 골격근(운동 시 최대 열 발생기관), 간, 온도작용, 기초대사, 근육운동, 갑상선 호르몬의 작용, 아드레날린의 작용
② 탄수화물 4 cal/g, 지방 9 cal/g, 단백질 4 cal/g 열량 발생

(2) 체열의 발산

① 복사: 60%, 열이 떨어져 있는 물체에 전달되는 것
② 전도: 3%, 찬 공기에 노출되면 피부로부터의 열 발산 촉진
③ 대류: 12%, 주위 공기 흐름에 영향을 받는 것
④ 증발: 25%, 고온환경, 격렬한 운동

| 생리 6-1-3 | 체열생산과 손실을 설명할 수 있다.(A) |

2. 체온조절 기전

① 시상하부에는 체온조절 중추가 있어 현재의 체온과 기준치를 비교하여 오차를 좁히기 위해 체열을 생산 또는 발산
② 온각뉴런
   • 혈관확장
   • 발한을 일으키는 흥분을 발생하여 열손실을 촉진
③ 냉각뉴런
   • 혈관수축
   • 닭살을 일으켜 흥분을 발생하며, 열손실을 억제

④ 열생산을 위한 말초신경계: 운동신경과 교감신경

⑤ 내분비계: 시상하부–뇌하수체–갑상선·부신피질·부신수질

⑥ 교감신경이 방출하는 노르에피네프린은 갈색지방조직에 작용해서 신속하게 열을 생산

⑦ 호르몬에 의한 열생산: 늦게 나타나며, 순환에 관여

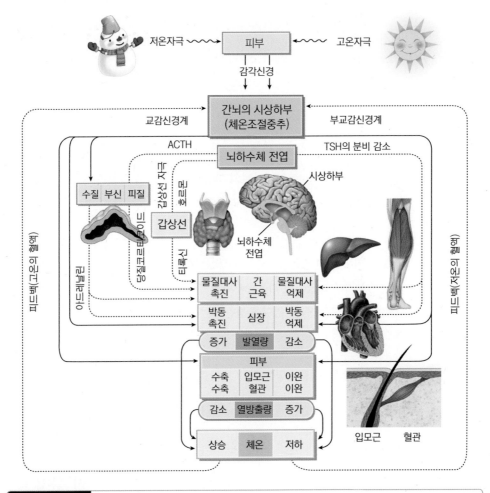

| 생리 6-1-4 | 체온조절 기전을 설명할 수 있다. (B) |

1. 위액의 성분과 작용 [2021 기출]

① 위액 1,500 ㎖~2,500 ㎖/1일
② 염산: 가스트린 호르몬에 의해 조절, 위액 0.3%~0.5%, pH 1.0~1.5, 살균작용, 펩시노겐 및 프로레닌 활성화(펩신, 레닌으로 전환), 음식물 부패 방지
③ 펩신: 단백질분해효소
④ 레닌: 수용성단백질(casein)을 응결시켜 펩신작용을 원활하게 함
⑤ 점액성분(mucin): 위점막 보호

| 생리 7-1-2 | 위액의 성분과 작용을 설명할 수 있다. (A) |

Part 06

구강생리학

2. 췌장액의 성분과 작용

① 알칼리성, 소화액을 분비하는 외분비선과 호르몬을 분비하는 내분비선 존재
② 관련 효소
  • 당질분해효소: amylase
  • 단백질분해효소: trypsin, chymotrypsin, carboxypeptidase
  • 지방분해효소: lipase (steapsin)

| 생리 7-1-3 | 췌장액의 성분과 작용을 설명할 수 있다. (B) |

3. 담즙의 성분과 작용

① 500~800 ㎖/1일, 간세포에서 생성, pH 7.8~8.6 (황금색)
② 십이지장에 분비되어 지방질을 유화함으로서 리파아제에 의한 지방 분해 및 흡수를 돕는 작용
③ 담즙색소: 혈색소가 분해되어 만들어진 것(빌리루빈)
④ 세크레틴(십이지장벽) 호르몬에 의해 조절

| 생리 7-1-4 | 담즙의 성분과 작용을 설명할 수 있다. (B) |

4. 장액의 성분과 작용

① 단당류 및 아미노산 단위로 분해: 알칼리성

• 당질분해효소: 말타아제, 사카리다아제, 락타아제

• 단백질분해효소: 이미노펩티다아제, 디펩티다아제

생리 7-1-5	장액의 성분과 작용을 설명할 수 있다. (B)

5. 소장의 기능

(1) 소장의 기능

① 소화와 흡수

② 길이가 6 m 정도로 길고, 굵기는 대장에 비해서 가늚

③ 소장 벽의 융털은 모두 펼칠 경우 테니스 코트 한 개가 만들어질 정도로 엄청난 표면 적을 지니기 때문에 소화된 영양소를 매우 빠르게 흡수할 수 있음

• 이자액: 소화의 마지막 단계가 이루어져서 아미노산, 포도당의 생성

• 소장 벽의 융털 안에 있는 모세혈관: 아미노산, 포도당, 수용성 비타민 흡수

• 소장 벽의 융털의 암죽관: 지방산, 글리세롤, 지용성 비타민 흡수

(2) 소장의 운동

① 연동운동

• 십이지장과 공장 상부에서 관찰

• 음식물의 이동

② 분절운동

• 윤상근의 수축으로 인해 발생

• 소장의 전반에 걸쳐 발생(내용물을 죽상으로 만들어 소화액과 잘 혼합하게 하는 운동)

• 합쳐지고 나뉘어지는 운동

③ 진자운동

• 종주근이 수축·이완됨으로 발생

• 장축을 따라 전후·좌우로 흔들면서 미즙과 소화액을 혼합(장 내용물과 소화액의 혼합)

• 소화작용과 영양물질 흡수

생리 7-1-6	소장의 기능에 대하여 설명할 수 있다. (A)

6. 소장에서의 소화와 흡수작용

① 3대 영양소 분해효소가 있어 흡수

- 탄수화물: 포도당, 과당, 갈락토오스 단위로 분해 → 문맥(모세혈관) 흡수
- 단백질: 아미노산 단위로 분해 → 문맥(모세혈관) 흡수
- 지방: 지방산과 글리세린으로 분해 → 림프관 흡수

② 모세혈관: 수용성 비타민(비타민 B군과 C)

③ 암죽관: 지용성 비타민(비타민 A, D, E, K)

생리 7-1-7	소장에서의 소화와 흡수작용을 설명할 수 있다. (B)

7. 대장의 기능

① 물과 전해질의 흡수

- 일반적으로 배탈이 났다(장염)고 말하는 것은 병원균 감염에 의해서 대장의 물 흡수가 제대로 이루어지지 않는 경우를 말하며, 물이 흡수되지 않고 그대로 빠져나가기 때문임

② 대장균에 의한 비타민 생산과 흡수

- 대장 상재 세균들이 일부의 노폐물이나 독소를 우리 몸에 필요한 물질로 바꿔주면 대장에서 흡수하는 것
- 사람의 몸에 전혀 쓸모없는 물질을 유용한 물질로 바꾸고, 이를 흡수하여 재활용하게 함

③ 대변 저장기능

생리 7-1-8	대장의 기능에 대하여 설명할 수 있다. (A)

8. 대장의 운동과 흡수

(1) 대장의 운동

① 분절운동

- 맹장, 상행결장에서 시작하여 항문 쪽으로 이동
- 내용물은 잘 혼합되고 수분과 전해질은 효율적으로 흡수됨

② 연동운동

- 식후에 현저(음식물이 이동)
- 분절운동에 비해 그 빈도가 낮음

(2) 대장의 소화와 흡수

① 소화효소는 분비되지 않음

② 소장에서 대부분 흡수되고 난 나머지의 수분과 전해질이 흡수됨

> **생리 7-1-9**   대장에서의 소화와 흡수작용을 설명할 수 있다. (B)

제8장 | 배설

1. 신장의 요 생성과 요량 조절   2020 기출

- 기능단위: 약 200만 개의 네프론
- 신소체(사구체, 보우만주머니) + 세뇨관(근위세뇨관, 헨레고리, 원위세뇨관, 집합관)

(1) 사구체 여과

① 대동맥을 거쳐 콩팥동맥으로 들어온 혈액은 신피질에 존재하는 사구체를 지나는 동안 여과 → 보우만주머니로 나옴(혈장의 1/5이 사구체 막을 통과하여 보우만주머니로 이동)

② 단백질을 제외한 거의 모든 혈장성분이 이곳에서 여과된 다음 보우만강으로 나와 원뇨가 됨

③ 하루에 약 180ℓ의 원뇨가 여과되어 나옴

(2) 세뇨관 재흡수

① 여과된 원뇨 → 세뇨관(필요 성분: 포도당, 아미노산, 물, Na^+, Cl^- 등은 재흡수, 불필요성분: K^+, H^+, NH_3 등의 이온은 분비) → 요(오줌) → 신우

② 180ℓ 원뇨 → 여과 → 약 1ℓ 요(여과된 원뇨의 99.5%는 재흡수)

③ 재흡수된 물질은 세뇨관 주위의 모세혈관으로 들어가서 혈액과 혼합

(3) 요량 조절: 뇌하수체 후엽(조절 중추) → 항이뇨 호르몬의 양 증가 → 네프론에 신호를 보내 물의 재흡수를 촉진 → 요량 감소

2. 세뇨관의 기능 **2022 기출**

① 신체가 필요한 성분 재흡수
- 포도당, 단백질 및 아미노산 등: 근위세뇨관 완전히 재흡수
- 나트륨: 근위세뇨관에서 전체 재흡수량의 7/8이 재흡수되며, 나머지 1/8이 원위세뇨관에서 전체 재흡수

② 불필요한 성분 분비
- 칼륨: 근위세뇨관에서 완전히 재흡수되고, 원위세뇨관에서 다시 분비(오줌에 있는 칼륨은 사구체에서 여과된 여과액 내에 있던 칼륨이 아님)
- 세라틴 및 우레아: 세뇨관에서 재흡수가 거의 없고 분비됨

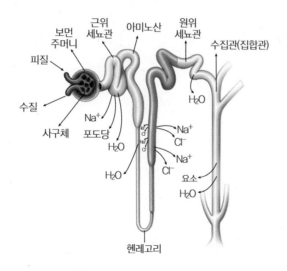

생리 8-1-3   세뇨관의 기능에 관하여 설명할 수 있다. (B)

3. 노폐물의 생성과 배설

① 간: 암모니아를 요소로 전환하는 기관
② 폐: 이산화탄소(날숨으로 배설)
③ 신장: 요소(오줌으로 배설)
- 암모니아는 단백질의 분해로 생성
- 지방, 탄수화물, 단백질의 분해: 공통적으로 이산화탄소와 물 생성

Part 06

구강생리학

제9장 | 내분비

1. 내분비선의 위치와 종류

(1) 내분비선의 종류

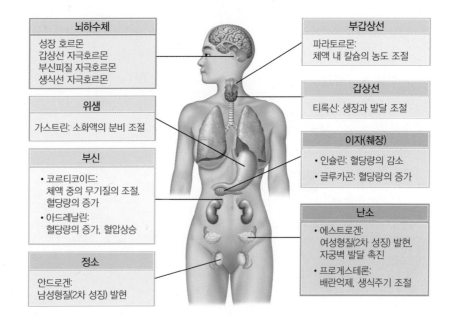

뇌하수체
성장 호르몬 갑상선 자극호르몬 부신피질 자극호르몬 생식선 자극호르몬

위샘
가스트린: 소화액의 분비 조절

부신
• 코르티코이드: 　체액 중의 무기질의 조절. 　혈당량의 증가 • 아드레날린: 　혈당량의 증가, 혈압상승

정소
안드로겐: 남성형질(2차 성징) 발현

부갑상선
파라토르몬: 체액 내 칼슘의 농도 조절

갑상선
티록신: 생장과 발달 조절

이자(췌장)
• 인슐린: 혈당량의 감소 • 글루카곤: 혈당량의 증가

난소
• 에스트로겐: 　여성형질(2차 성징) 발현, 　자궁벽 발달 촉진 • 프로게스테론: 　배란억제, 생식주기 조절

(2) 호르몬의 특성

① 신호전달속도가 느림

② 혈액에 의해 운반되므로 작용 범위가 넓고 효과가 오래 지속됨

③ 대부분은 간뇌의 조절을 받음

2. 뇌하수체 호르몬 `2020 기출`

(1) 뇌하수체 전엽호르몬

① 성장호르몬: 신체발육 등 성장 촉진

② 프로락틴: 유즙 분비 촉진

③ 부신피질 자극호르몬: 당질코르티코이드 분비 촉진

④ 갑상선 자극호르몬: 갑상선 호르몬 분비 촉진

⑤ 생식선 자극호르몬: 난포 성숙, 황체 형성

(2) 뇌하수체 후엽호르몬: 시상하부가 확장된 신경조직

① 항이뇨호르몬(바소프레신): 신장에서 수분 재흡수 촉진(요량 감소)

② 옥시토신: 자궁근육 수축

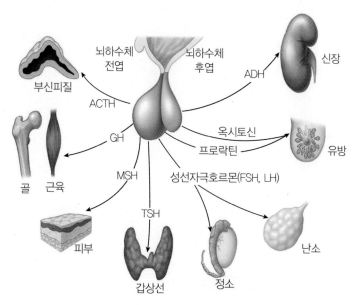

| 생리 9-1-3 | 뇌하수체 호르몬의 생리작용을 설명할 수 있다. (A) |

3. 갑상선 호르몬 `2019 기출`

(1) 생리작용

• 뇌하수체에서 갑상선 자극호르몬 분비됨

① 티록신: 신체의 발달, 열 생산과 대사 조절

② 칼시토닌: 혈중의 칼슘 농도를 저하(골 흡수 억제), 칼슘 배출 증가(신장)

(2) 분비조절 기전

① 티록신 농도 증가 → 갑상선 자극호르몬 분비 억제 → 티록신 감소

② 티록신 농도 감소 → 갑상선 자극호르몬 분비 증가 → 티록신 증가

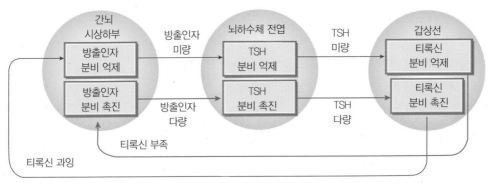

피드백에 의한 티록신의 분비 조절

(3) 분비이상에 의한 병태

① 갑상선기능 항진증: 그레이브스 병(=바세도우씨병)

② 갑상선기능 저하증: 크레틴병(선천적)

• 동작이 느려지고 추위를 많이 탐

• 체중 증가

• 심박출량 및 심박수 감소

> **생리 9-1-4**   갑상선 호르몬의 생리작용과 관련질환을 설명할 수 있다. (A)

4. 부갑상선 호르몬 [2021 기출] [2022 기출]

(1) 생리작용

① 파라토르몬

• 혈중의 칼슘농도 상승(골흡수 촉진)

• 칼슘 재흡수 촉진(신장)

② 칼시토닌과 길항작용

(2) 분비조절 기전

① 칼시토닌은 혈중 칼슘을 뼈로 운반시키고 파라토르몬(PTH)는 뼈의 칼슘을 혈액으로 운반하므로 두 호르몬이 길항작용에 의한 조절

② 혈중 칼슘농도가 감소 → PTH가 증가 → 혈중 칼슘농도 유지

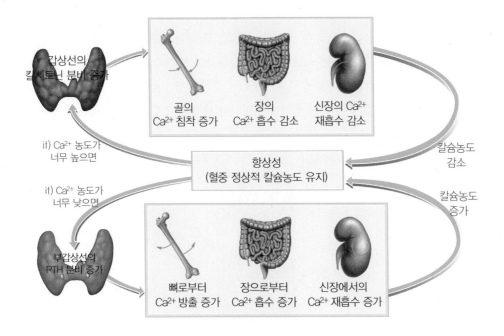

(3) 기능장애 시 관련 질환

① 부갑상선기능 저하
  • 칼슘 부족 → 힘이 없고 뼈가 아픔, 근육경련(테타니 증세)
  • 치아 형성에 장애가 생기거나 치아가 쉽게 마모됨(치아 형성기 어린이의 치아형성 부전)

② 부갑상선기능 항진(낭포성 섬유성 골염)
  • 칼슘 침착에 의한 결석(골흡수 촉진), 뼈의 칼슘 상실에 따른 골절(골다공증), 근력 감퇴 등

| 생리 9-1-5 | 부갑상선 호르몬의 생리작용과 관련질환을 설명할 수 있다. (A) |

5. 부신수질 호르몬

(1) 생리작용

(스트레스) 시상하부 자극 → 교감신경 흥분 → 부신수질 자극호르몬 분비

① 에피네프린(아드레날린): 심박수 및 심박출량 증가, 혈당치 상승
   - 분비 저하: 자세변화에 따른 어지러움증(by 혈액순환장애)
   - 과다 분비: 심장박동 촉진, 초조불안 증상, 땀 분비 촉진, 만성 피로
② 노르에피네프린(노르아드레날린): 혈압 상승(말초혈관 수축)
   - 과다 분비: 심혈관 계통에 무리가 옴
   - 분비 저하: 부신기능장애에 의한 분비저하 시 상황에 민첩하게 반응하지 못함

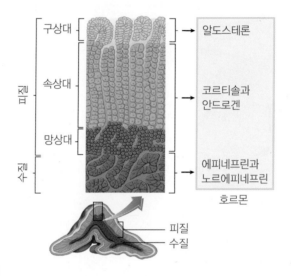

(2) 분비조절 기전

- 스트레스 → 시상하부(자율기능의 종합중추) 자극 → 교감신경 활성화 → 부신수질(에피네프린 분비 증가) → 혈압 상승 → 혈당 상승 → 적응력 증가)

생리 9-1-6	부신수질 호르몬의 생리작용과 관련질환을 설명할 수 있다. (A)

6. 부신피질 호르몬

(1) 생리작용

(스트레스) 시상하부 자극 → 뇌하수체 전엽(방출호르몬) → 부신피질 자극호르몬 분비

① 코르티솔
- 스테로이드 호르몬으로 포도당의 대사에 영향을 주기 때문에 글루코코르티코이드 (glucocorticoid)라고도 함
- 항염증작용, 진통효과(항 스트레스 작용), 혈당치 상승
- 기능항진: 쿠싱증후군(보름달 얼굴, 고혈압, 비만 등)
- 기능저하: 에디슨병(만성 피로증후군, 저혈압 등)

② 알도스테론
- 신장에 작용하여 나트륨 재흡수(체내 저장)와 칼륨 배출을 촉진

(2) 분비조절 기전

스트레스 → 시상하부 자극 → 뇌하수체 전엽 자극 → 부신피질 자극호르몬 분비 증가 → 부신피질 호르몬(코르티솔) 방출 증가 → 적응력 증가

생리 9-1-7   부신피질 호르몬의 생리작용과 관련질환을 설명할 수 있다. (A)

7. 췌장호르몬의 생리작용 2022 기출

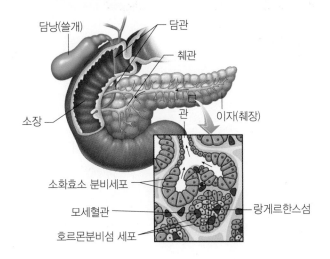

외분비선(소화액 분비)과 내분비선(호르몬 분비)의 이중 역할을 하며 뇌하수체의 조절을 받지 않음

① 인슐린
- 랑게르한스섬 β세포 생산
- 포도당에서 글리코겐을 생산 → 혈당치 저하(혈당↑ : β세포 인슐린 분비 촉진 → 글리코겐화 → 혈당 저하)
- 포도당의 세포내 저장을 촉진 → 혈당치 저하
- 지방조직: 지방합성 촉진, 근육조직: 단백질 합성 촉진

② 글루카곤
- 랑게르한스섬 α세포 생산
- 인슐린과 길항작용: 혈당 상승

③ 소마토스타틴
- 랑게르한스섬 δ세포 생산
- 인슐린과 글루카곤이 분비를 모두 억제

생리 9-1-8　췌장 호르몬의 생리작용과 관련질환을 설명할 수 있다. (A)

제10장 | 생식 생리

1. 남성호르몬과 여성호르몬

(1) 남성호르몬

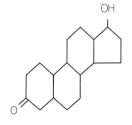
테스토스테론

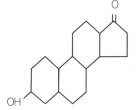
데히드로에피안드로스테론(DHEA)

① 남성호르몬은 테스토스테론을 주성분으로 하고, 미량인 데히드로에피안드로스테론 (부신에서도 분비됨) 등도 포함함
② 정소에서 분리된 테스토스테론이 남성호르몬으로서 가장 강력하고 대표적 작용을 함
③ 오줌으로는 아직도 작용성이 있는 안드로스테론·데히드로이소안드로스테론이 배출

되는데, 이 두 가지 물질은 여성의 오줌 속에도 있음

④ 남성호르몬의 분비와 생식샘 자체의 발육은 뇌하수체 전엽호르몬의 지배를 받음

(2) 여성호르몬

① 여성호르몬은 난소에서 분비되는 난포호르몬인 에스트로겐(estrogen)과 황체호르몬인 프로게스테론(progesteron)을 말함.

- 에스트로겐은 생리, 임신, 그리고 폐경에 이르는 여성의 일생을 조절하는 여성 호르몬으로 인체의 에스트로겐 농도는 뇌에서 간장, 뼈에 이르기까지 광범위한 조직과 기관에 영향을 미치며, 특히 자궁, 비뇨기, 유방, 피부, 그리고 혈관들이 유연성과 정상상태를 유지하는데 에스트로겐이 필요함

- 프로게스테론은 수정된 난자를 자궁에 착상시키고 보호하는 등 임신의 유지에 중요한 역할을 함

② 난소는 스스로 호르몬을 생산하지는 못하며, 뇌하수체 전엽에서 분비되는 난포자극호르몬(FSH: Follicle stimulating hormone)과 황체형성호르몬(LH: Luteotropic hormone)의 명령에 따라 이 두 호르몬을 생산함

- 난소는 난포 자극호르몬(FSH)의 자극을 받아 난포를 성숙시키고 난포호르몬을 분비

- 황체 형성호르몬(LH)의 명령에 따라 황체를 형성하고 황체호르몬을 생산

| 생리 10-1-1 | 남성 및 여성호르몬에 대하여 설명할 수 있다. (B) |

제11장 | 치아의 생리

1. 치아경조직의 화학적 조성

① 법랑질: 무기질 96%, 유기질 3%, 수분 1%(KHN 300~400, 모오스 경도 6~7)

② 상아질: 무기질 70%, 유기질 20%, 수분 10%(KHN 60~150, 모오스 경도 5~6)

③ 백악질: 무기질 65%, 유기질 23%, 수분 12%(KHN 86, 모오스 경도 4~5)

| 생리 11-1-1 | 치아경조직의 화학적 조성을 설명할 수 있다. (B) |

2. 치아경조직의 물리적 성질

① 주요성분: 칼슘 > 인 > 탄산염

② 미량성분: 마그네슘, 나트륨, 칼륨, 철, 염소, 아연, 불소 등

③ Hydroxyapatite (HA, 수산화인회석, $Ca_{10}(PO_4)_6(OH)_2$)

- 칼슘과 인은 주로 HA결정으로 존재
- 법랑질 HA의 틈새에 수분 함유
- 상아세관에 세관내액 존재

④ 법랑질 속 유기질: 아멜로제닌(amelogenin), 에나멜린(enamelin)

⑤ 상아질 속 유기질: 콜라겐(collagen)

생리 11-1-2	치아경조직의 물리적 성질을 설명할 수 있다. (B)

3. 치아경조직의 생리작용

① 치아의 대사는 매우 느림(재석회화 느림)

② 상아질: 치수에 존재하는 상아모세포의 의해 형성

- 경화상아질 형성
- 2차 & 3차 상아질 형성
- 관내(주)상아질 형성

③ 치아의 기능: 발음, 섭식, 심미, 공격과 방어

생리 11-1-3	치아경조직의 생리작용에 대해 설명할 수 있다. (A)

4. 치아에서의 비타민 결핍증

① 비타민 A 결핍

- 태생기: 법랑질 흰 반점 형성, 치아 파절
- 법랑모세포, 상아모세포의 위축과 변성 → 석회화 불량 및 상아질 형성 장애
- 골침착에 따른 골조직의 두께 증가(파골세포 비활성화 및 조골세포 형성)
- 신경변성

② 비타민 C 결핍

- 치아 발생의 시기와 순서가 불규칙해짐

- 법랑질형성 부전 및 상아질의 석회화 부전
- 치수변성
- 골다공증 및 치주조직 퇴축
③ 비타민 D
- 결핍: 상아질 석회화 장애(칼슘과 인의 흡수 저하)
- 과잉: 치근막과 치은에 비정상적인 석회화 형성

생리 11-1-5 치아에서의 비타민 결핍증을 설명할 수 있다. (B)

5. 치아의 형성 시 호르몬의 작용

(1) 부갑상선 호르몬

① 혈중 칼슘과 인의 농도 조절
② 기능저하: 치아의 형성부전
③ 기능항진: 치아에서 칼슘이 빠져나오지 못함

(2) 갑상선 호르몬

① 물질대사, 성장발육 촉진
② 기능저하: 크레틴병, 치아발생 지연, 유치의 맹출지연 → 영구치 형성 및 맹출지연, 영구치 맹출 후 기능저하 경우 치아에는 거의 영향을 받지 않음
③ 기능항진: 유치의 조기 탈락, 영구치의 조기맹출

(3) 뇌하수체 호르몬: 기능저하 시 치아의 발육지연, 때때로 맹출 완전 정지

(4) 타액선 호르몬(파로틴): 기능저하 시 상아질의 석회화부전

cf 석회화 관여: 칼시토닌·파로틴·비타민 D_3, 악골과 치아의 발육 및 성장 관여: 성장호르몬·티록신·성호르몬

생리 11-1-6 치아형성과 호르몬의 작용을 설명할 수 있다. (A)

6. 치수의 기능과 생리작용 2022 기출

① 치아 형성, 석회화, 맹출에 중요 역할
② 상아모세포 존재: 수복기능(2차/3차 상아질 형성 → 각종 침습에 대한 방어벽 구축)

③ 감각기능

④ 영양공급

| 생리 11-1-7 | 치수의 생리적 작용에 대하여 설명할 수 있다. (B) |

7. 상아질-치수복합체

① 상아모세포를 축으로 하는 상아질과 치수의 기능적 구조

② 이들은 치수와 상아세관 사이에 영양분을 포함하여 조직액과 이온의 이동을 조절

| 생리 11-1-8 | 상아질-치수복합체에 대하여 설명할 수 있다. (B) |

제12장 | 구강영역의 감각

1. 감각수용기의 종류와 기능

① 특수감각: 시각, 청각, 미각, 후각, 평형감각

② 체성감각

• 표면감각(피부, 점막): 촉각, 압각, 온각, 냉각, 통각

• 심부감각(근육, 힘줄)

③ 내장감각(장기감각)

| 생리 12-1-1 | 구강영역의 감각 용어에 대한 용어를 설명할 수 있다. (B) |

2. 구강영역 감각수용기의 종류와 기능

① 압각(촉각): 치아 감각수용기 = 치수, 치주인대

• 전치의 촉각역치: 약 1 gw

• 제1대구치 촉각역치: 약 8~10 gw

② 교합감각: 역치는 두께가 다른 금속면 또는 고무조각을 물게 하여 측정

③ 위치감각: 치아에 자극을 가했을 때 어떤 치아가 자극을 받았는지 알아내는 감각

④ 치수감각: 치수신경이 흥분해서 일어나는 감각(통각), 자극 종류와 관계가 없음

⑤ 연관통(관련통): 어느 장기의 통증이 다른 부위의 통증으로 나타날 때

> **생리 12-1-2** 구강영역 감각수용기의 종류와 기능을 설명할 수 있다. (A)

3. 치아의 위치감각

① 치아에 자극을 가했을 때 어떤 치아가 자극을 받았는지 알아내는 감각

② 다른 감각과 달리 감수영역이 단일 치아에 국한되는 경향

③ 치수염의 통증의 정위(치통 착오 발생): 부정확

- 치통착오: 치통의 원인 치아가 뒤바뀌는 것(치수염 자발통)

④ 변연성 치주염: 정확(치주인대의 감각전달 경로는 많고 중복이 적음)

⑤ 절치부의 정위: 매우 민감함

> **생리 12-1-3** 치아의 위치감각에 대하여 설명할 수 있다. (A)

4. 치아의 교합감각 2020 기출

① 역치는 두께가 다른 금속면 또는 고무조각을 물게 하여 측정

② 상하의 치아로 물체를 물었을 때 물체의 크기나 단단한 정도를 식별하는 감각

- 치주인대와 교근과 악관절에서의 감각정보를 종합

- 8~35 µm의 작은 물체 감지

- 치아 장축 방향보다 측방자극에 대해 약 3~4배 민감함

③ 교합감각에 의한 두께의 지각 역치

- 정상치열 약 0.02 mm, 총의치 장착자 약 0.6 mm

- 총의치 장착자: 치주인대 수용기가 없어 구강감각기능 저하

> **생리 12-1-4** 치아의 교합감각에 대하여 설명할 수 있다. (A)

5. 치아의 치수감각

① 치수신경이 흥분해서 일어나는 감각은 주로 통각이며, 자극의 종류에 관계가 없음

② 온도자극: 온도의 절대치보다는 온도변화의 폭과 속도가 감각성립 인자

- 온각: 세관내액 팽창, 치수쪽으로 방출

- 냉각: 세관내액 수축, 치수로부터 흡수

생리 12-1-5 치아의 치수감각에 대하여 설명할 수 있다. (A)

6. 구강점막 감각 기능 2021 기출

(1) 표면감각(피부, 점막): 촉각, 압각, 온각, 냉각, 통각

① 통각: 유리신경말단(자유신경종말)

- 가장 많은 부분 차지

- 미각에 관여

② 촉각(예민): 마이스너소체(압각), 메르켈소체

③ 온각: 루피니소체

- 피부(입술) > 구강점막 > 혀

- 전치부에 집중, 치은 협점막 이행부위에는 존재하지 않음

- 연령이 증가함에 따라 온각 둔화

④ 냉각: 크라우제소체

- 구치부로 갈수록 감소, 연구개에서 예민

⑤ 압각: 파치니소체(큰 압력)

cf 얼굴과 입술, 손가락끝, 손바닥에 분포하는 감각점: 통점 $100\sim200$개$/cm^2$ > 압점 50개$/cm^2$ > 촉점 25개$/cm^2$ > 냉점 $6\sim23$개$/cm^2$ > 온점 3개$/cm^2$

(2) 미각과 갈증감각

① 미각: 미뢰

② 갈증감각

(3) 공간감각

① 점막에 접촉하는 물체를 지각하는 감각

② 감각의 크기: 어린아이 > 어른

③ 구강영역: 혀끝 > 입술 > 연구개

④ 치아영역: 중절치(87%) > ... > 제2대구치(34%)

cf 적당자극: 각 수용기에 적합한 자극

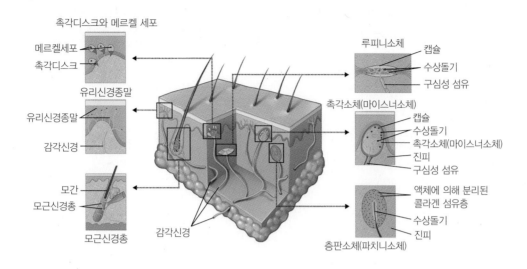

촉각디스크와 메르켈 세포
메르켈세포
촉각디스크
유리신경종말
유리신경종말
감각신경
모간
모근신경총
모근신경총
감각신경

루피니소체
캡슐
수상돌기
구심성 섬유

촉각소체(마이스너소체)
캡슐
수상돌기
촉각소체(마이스너소체)
진피
구심성 섬유

액체에 의해 분리된
콜라겐 섬유층
수상돌기
진피
층판소체(파치니소체)

생리 12-1-8	구강점막 감각의 기능을 설명할 수 있다. (A)

7. 과민성 상아질 2019 기출

(1) **정의**: 정상치아에 불쾌감을 주는 열, 기계적 혹은 화학적 자극에 의해 노출된 상아질이
   매우 심한 통통을 느낄 때 자극감수성이 항진된 상태

(2) **발생원인**: 냉수, 불량한 잇솔질, 감미식품

(3) **치료법(완화방법)**

   ① 치면의 치면세균막 제거(가벼운 증상) → 재석회화 → 지각 과민 둔화

   ② 상아세관내 작용

   • 유산알미늄 함유 치약 사용: 상아세관 개구부를 좁힘으로써 증상 억제

   • 상아세관 폐쇄: 아이오노머 시멘트 바르거나 8% 염화아연액 이온 도입

   • 상아세관내액 이동 억제: paraformaldehyde 함유 치주붕대 첨부(치수 이차상아질
     형성)

생리 12-1-9	과민성상아질의 발생원인과 완화방법을 설명할 수 있다. (B)

제13장 | 치주조직 생리

1. 치은의 기능

① 구강점막의 일부분

② 치아를 구강환경으로부터 차단하고 보호하는 기능: 치주인대, 치조골, 백악질의 보호

③ 저작 시 교합압을 일부 흡수

④ 음식물의 원활한 이동

⑤ 간접적으로 치아를 지지하는 기능

⑥ 음식물의 성상을 감지 → 위험물을 미리 알아냄

⑦ 음식물의 치아 사이에 편입 방지

생리 13-1-1　치은의 기능을 설명할 수 있다. (A)

2. 치조골의 구성과 기능

• 동적 평형유지: 개조에 의해 항상 흡수와 형성이 동시에 진행

(1) 고유치조골(치조백선): 치주인대로부터 신경과 혈관이 통과하는 구멍이 있음(사관)

① 속상골: 치주인대에 접하는 층, 치주인대의 주섬유가 연장된 샤피 섬유다발이 박혀 있음, 외측의 층판골보다 훨씬 석회화되어 있음

② 층판골: 고유치조골의 외층을 이룸, 소수의 골층판 존재

(2) 지지치조골: 고유치조골을 지지하고 있는 부위

① 피질골(치밀골): 골의 치밀질 또는 피질 부위

② 해면골: 해면질의 골소주 존재

　🔵cf 입술 쪽에는 고유치조골과 피질이 일체가 되어 해면질은 볼 수 없음

생리 13-1-2　치조골의 구성과 기능을 설명할 수 있다. (A)

3. 치주인대의 기능 `2020 기출`

① 치아를 지지하고 고정하는 기능: 치근을 치조골에 결합시킴

② 교합압의 분산 및 완충기능

③ 감각수용기

④ 경조직의 형성과 흡수 기능: 파골세포, 백악모세포, 골모세포 등

⑤ 영양공급: 백악질 및 치조골

⑥ 저작운동의 반사적 조절기능

생리 13-1-3	치주인대의 구성과 기능을 설명할 수 있다. (A)

4. 백악질의 구성과 기능

① 뼈와 유사하나 혈관, 신경, 림프관이 없는 조직

② 치주인대(샤피섬유)를 통해 치아를 악골에 고정시키는 기능

③ 무세포성 백악질과 유세포성 백악질로 구분

- 1차 백악질(무세포성 백악질): 치아를 지지하는 역할

- 2차 백악질(유세포성 백악질): 치아의 이동에 대한 보상작용

생리 13-1-4	백악질의 구성과 기능을 설명할 수 있다. (A)

제14장 | 교합과 저작

1. 교합에 관련된 용어

(1) 교합

① 상·하악 치아가 맞물린 상태

② 음식물을 저작할 때 힘을 발휘하는 기준위

③ 하악운동의 기준위

④ 치아의 위치나 상·하악의 상대적 위치관계에 영향받음

(2) 최대교합: 상·하악 치아가 최대의 접촉면접을 가지고 교합

(3) 최대교합위: 최대교합 시 하악위

(4) 교합만곡: 상·하악 치아의 교합면을 연결했을 때 수평면이 아니라 만곡을 나타냄

(5) 중심교합위(CO)

① 상·하악 치아를 주체로 하여 이루어지는 상·하악간의 상대적인 위치관계

② 상·하악 치아의 교합면이 최대로 접촉한 상태

③ 하악두가 중심위에 있을 때 중심교합위가 중심위보다 0.5~1.0 mm 전방에 위치

④ 치아위

(6) 중심위(CR)

① 하악와에 대한 하악과두의 상대적인 위치관계

② 재현 가능한 위치관계

③ 인대와 저작근의 정상적인 기능을 발휘한 경우에 얻어짐

(7) 안정위

① 안정공간: 안정위 시 상·하악 치아 사이 1~3 mm 정도의 간격

② 하악의 무게와 폐구근의 수축력이 만나는 점에서 하악위가 결정

③ 안정된 상태에서 얼굴을 수직으로 했을 때 하악의 가장 자연스러운 위치

④ 안정위 적용

- 교정 시 상·하악 기능분석 및 치아이동에 이용
- 의치환자의 안정위

생리 14-1-1	교합과 관련된 용어를 설명할 수 있다. (B)

2. 하악반사 종류와 특징(구강악안면 영역의 반사활동) 2019 기출 2022 기출

- 감각수용기가 자극을 받아서 일어나는 흥분이 중추에서 변환되어 의식화되지 않고 효과기에 일정한 반응을 일으키는 것
- 반사궁: 수용기에서 효과기까지의 경로

(1) 개구반사

① 감각신경에서 운동신경으로 자극이 전달되어 반사운동이 일어나 개구되는 것

② 회피(방어)반사: 혀 혹은 협점막을 깨물었다거나 돌을 씹었을 때 일어나는 반사

③ 폐구근의 이완에 의한 반사(개구근 흥분은 없는 상황임)

(2) 하악반사

① 턱끝을 아래로 툭 쳐서 급히 폐구근을 신전시키면 폐구근이 수축하여 입을 다무는 반사

② 폐구군에 의한 신전반사: 개구근에는 근방추가 존재하지 않기 때문에 신전반사는 일 어나지 않음

③ 단일시냅스반사 → 신속히 일어남

④ 잠복시간: 6~8 msec (매우 짧음)

⑤ 생리적 안정위 유지, 저작력 조절

　　cf) 안정위: 물이나 타액을 삼킨 직후에 나타나는 하악의 안정위를 정하고 이 위치로 부터 1~3 mm 폐구한 하악위치를 가지고 교합고경(치아를 교합했을 때 상·하악간 거리)으로 하고 있음

(3) 치주인대-저작근반사

① 치아에 지속적인 힘을 가하면 서서히 폐구근의 활동이 활발해지는 반사: 단단하나 쉽게 부서지는 물체를 깨물 경우 물체가 부서질 때 폐구근의 활동이 일정 기간 감소

② 치주인대에 있는 감각수용기가 흥분해서 유발되는 반사

③ 저작상태에 따라 미묘하게 조절: 단단한 것을 물었을 때 치아나 악골에 무리한 힘이 가해지지 않도록 함

(4) 폐구반사

① 설근 부위에 유연한 물체를 접촉시키거나 이 부위에 물방울을 떨어뜨리면 하악이 천 천히 올라가면서 폐구됨

② 연하반사에 수반되어 일어나는 현상

| 생리 14-1-2 | 하악반사의 종류와 특징을 설명할 수 있다. (A) |

3. 저작근의 작용

운동	상하 운동		운동 방향	
	개구운동	폐구운동	전진운동	후퇴운동
관련 근육	• 외측익돌근 상두 • 악이복근 • 악설골근 • 이설골근	• 교근 • 측두근 • 내측익돌근	• 외측익돌근 • 전측두근 • 교근천부	• 후측두근 • 교근심부 • 악이복근 • 악설골근

생리 14-1-3　저작근의 작용에 대하여 설명할 수 있다. (B)

4. 저작의 기능(역할)

① 기계적 소화작용

② 식괴 형성

③ 맛의 의미 및 저작의 심리적 만족감 제공

④ 타액분비촉진과 저작기관 발달

⑤ 뇌의 활성화

⑥ 구강청정 작용

⑦ 구강조직 혈류순환 촉진

⑧ 심리적 만족감 및 이물질 인식을 통한 제거

⑨ 이물질을 발견하여 제거하는 작용

생리 14-1-4　저작의 기능에 대하여 설명할 수 있다. (A)

5. 입술(구순) 기능

① 구순운동: 구순 또는 그 주변에 있는 근육 등의 근수축에 의한 운동

② 음식물의 구강외 방출 방지

③ 음식물이나 기타 물체의 물기 기능

④ 구강 내 음압 형성기능: 흡유기능 등을 가능하게 함

⑤ 물체성질의 인식

⑥ 발음 형성

⑦ 전치부 치열 형성과 유지

6. 볼의 기능

(1) 특징

① 구강의 외벽 형성

② 외면의 피부와 내면의 점막 사이에 근육과 지방조직으로 구성됨

③ 볼의 운동: 협근의 활동에 의한 운동(제7뇌신경 안면신경 지배) – 협근의 감각 둔함

   • 하악 제2대구치 근방(Kiesow영역, 통각에 둔함)

(2) 기능

① 간접적 분쇄기능: 음식물을 구치 교합면상으로 이동

② 음식물 저장 기능

③ 설압에 대항: 구치열을 형성·보존하는 역할

④ 입김 형성

7. 혀의 기능

(1) 기능

① 감각수용기관

   • 미각기능

   • 촉각과 압각을 통한 위치 식별 및 물체의 성질 파악

   • 타액 분비촉진

   • 손가락 끝과 함께 체내에서 가장 예민하고 독특한 수용기

② 운동기관: 분쇄 보조 기능(음식물과 타액의 혼합 등), 식괴 형성 및 이동

③ 발음기관: 혀의 모양 변화를 통한 자음과 모음 발음

Part 06

구강생리학

(2) 설근과 혀의 운동

외래설근	이설근	혀 내밀기, 혀 중앙부를 아래로 당김
	설골설근	혀 후퇴(후상방), 혀 가장자리를 아래로 당김
	경돌설근	혀 후퇴(후상방), 설배를 높임
	구개설근	목구멍 축소, 연구개를 내림
내래설근	상종설근	혀 단축, 혀 끝을 올림
	하종설근	혀 단축, 혀 끝을 내림
	횡설근	혀의 폭을 좁혀 길게 함
	수직설근	혀의 폭을 넓혀 평탄하게 함

생리 14-1-7 혀의 기능을 설명할 수 있다. (B)

8. 교합력과 저작력 2020 기출

(1) 교합력: 치아 교합면에 가해지는 힘(연령, 성별, 치아부위에 따라 상이함)

① 최대교합력은 20대가 가장 큼

② 연령이 증가하면 감소

③ 남성이 여성보다 강함

④ 순서: $M_1 > P > C > I$

⑤ 무치악은 유치악의 1/2 교합력

⑥ 상·하악 간의 거리 영향: 최대교합력 15~20 mm 개구 시(교합면에 대한 수직방향 10° 이내)

⑦ 신경계의 조절 기전

- 저작근과 치근막의 감각수용기 흥분 → 하악반사, 치주인대–저작근 반사 → 폐구근 활동촉진 or 억제

(2) 저작력: 음식물을 저작할 수 있는 능력

① 치아의 수, 교합 및 치열의 상태의 영향

② 치주조직·저작근·악관절·타액의 분비 상태의 영향

③ 심리적 상태(저작습관, 연령, 공복감 등)의 영향

생리 14-1-8 교합력과 저작력을 비교할 수 있다. (A)

9. 저작능률 측정법

(1) 자기 평가법: 질문조사표 활용

(2) 객관적 평가법

  ① 시료분쇄량측정법

    • Manly의 저작치: 땅콩 3.0 g을 20회 저작하여 10 mesh sieve (체) 통과량

$$저작치 = \frac{체를\ 통과한\ 시료의\ 건조중량}{표준\ 건조중량} \times 100\%$$

    • 이론적 근거: 성인 평균 저작치(78%), 총의치 사용자 저작치(35%)

    • 저작능률 = (20회 / 저작치 78%를 얻기 위한 피검자의 저작횟수) × 100%

    • 총의치자의 저작능률 = 약 23%(정상치열자의 1/4)

  ② 분쇄시료 표면적 측정법

    • 시료표면에 흡착되기 쉬운 염색제를 사용하여 저작 전·후의 염색제 흡수의 차이 확인

  ③ 당 용출량 측정법

    • 껌을 저작할 때 나오는 당의 용출량을 측정하는 방법

  ④ 교합면적 측정법

    • 치아의 교합 및 저작 면적을 측정하는 방법

생리 14-1-9	저작능률 측정법을 설명할 수 있다. (B)

제15장 | 타액과 구강건강

1. 타액선의 구조와 종류

(1) 이하선

  ① 부교감신경(타액분비 촉진)의 지배

  ② 장액세포로 구성

(2) 설하선과 악하선

  ① 교감신경(타액분비 억제)의 지배

② 장액세포(악하선 多)와 점액세포(설하선 多)로 구성(점조도 ↑)

(3) 소타액선

① 구강점막하에 산재(구순선, 협선, 구개선, 구치선, 설선)

② 신경지배 없음

③ 대부분 혼합선: 외측설선(장액선), 구개선과 후설선(점액선)

생리 15-1-1 타액선의 구조와 종류를 설명할 수 있다. (B)

2. 타액의 기능 2020 기출

① 소화작용: Amylase (전분을 덱스트린이나 맥아당(maltose, 이당류)으로 분해)

② 윤활작용: Mucin (구강점막을 매끄럽게, 저작·연하·발음기능을 원활)

③ 점막의 보호작용: Mucin, 수분, EGF (상피성장인자) 등

④ 용해(매)작용: 수분(물질을 용해)

⑤ 완충작용: 중탄산염(탄산수소염), 인산염, 고히스티딘 펩티드 등

⑥ 재석회화(재광화)의 작용: 칼슘 농도와 인산 농도 포화유지(스타테린, 산성프롤린 단
백질 등)

⑦ 청정작용(자정작용): 구강청결, 세균부착억제(SIgA, mucin)

⑧ 항균작용: Lysozyme, lactoferrin, SIgA, 로단화합물 등

⑨ 배설작용: 유독물질(요소, 암모니아, 납, 수은, 창연 등)을 타액으로 배설

⑩ 체액 조절작용: 체액 감소 → 수분생성 감소(타액 하루에 1.5 ℓ)

⑪ 내분비작용: Parotin 분비(뼈나 치아의 발육을 촉진, 노화현상 억제)

생리 15-1-2 타액의 기능을 설명할 수 있다. (A)

3. 타액의 조성과 특성 2021 기출

(1) 타액분비량

① 평균 1 ℓ~1.5 ℓ

② 안정시의 분비량 0.1 ㎖~0.9 ㎖/min

③ 연령, 계절 및 시간별로 상이함

④ 안정 시 분비량: 악하선(65%), 이하선(23%), 설하선(4%)

⑤ 자극 시 분비량: 악하선(63%), 이하선(34%), 설하선(3%)

(2) 타액의 물리적 성상

① 점도(뮤신의 함유량에 의해 결정): 설하선 > 악하선 > 이하선

② 비중: 1.004~1.009

③ 무색, 무미, 무취

④ 악하선에서 대부분을 분비

(3) 타액의 pH: pH 5.5~8.0(평균 pH 6.38)

(4) 타액의 성분

① 수분: 99.2~99.5%

② 유형성분

- 유기물(0.4~0.5%): 뮤신(당단백질), 효소(라이소자임, 아밀라아제 등)
- 무기물(0.1~0.3%): NaCl, KCl, NaHCO, Na_2HPO_4, NaH_2PO_4, $CaCO_3$, $CaHPO_4$ 등

| 생리 15-1-3 | 타액의 조성과 특성을 설명할 수 있다. (A) |

4. 타액선의 신경지배

(1) 타액분비의 원인: 미각자극, 구강점막과 치주인대의 접촉자극, 압력자극, 구강점막의 온도자극 및 통증자극 등

(2) 미각자극: 신맛 > 짠맛 > 쓴맛 > 단맛

(3) 감각자극의 전달

① 삼차신경, 안면신경, 설인신경, 미주신경

② 위와 십이지장 점막의 자극 → 미주신경의 감각신경섬유가 관여

(4) 대타액선은 자율신경의 지배를 받음

① 부교감신경: 타액분비 촉진(타액선의 혈관 확장), 장액성인 다량의 타액 분비

② 교감신경: 타액분비 억제(타액선의 혈관 수축), 점성이 높은 소량의 타액 분비

| 생리 15-1-4 | 타액선의 신경지배를 설명할 수 있다. (A) |

5. 타액의 분비 기전

- 타액분비의 기능단위 = 선방부 + 도관부
- 선방부의 세포: 장액세포와 점액세포로 구성

(1) 선방부의 분비 기전

① 자율신경의 흥분이 신경의 종말에 도달하면 전달물질을 방출

② 선 세포의 기저측 세포막에 존재하는 수용체를 활성화

③ 선 세포내 Ca^{2+} 저장기관으로부터 Ca^{2+}을 방출

④ Ca^{2+}은 기저측의 K^+채널과 선방강측의 Cl^-채널을 열어줌

⑤ 선방강으로 나온 Cl^-은 세포간질이 Na^+을 불러들여 $NaCl$ 생성

⑥ 삼투압 증가됨: 선 세포 내에서 수분을 이동시켜 등장성의 원타액을 생성

(2) 원타액을 바꾸는 도관부 기전

① 원타액이 선조관과 분비관을 흘러나가는 동안 Na^+와 Cl^-는 도관부 세포에 의해 재흡수되어 저장성 타액으로 변화

② K^+와 HCO_3^-이 분비되어 첨가됨

> **생리 15-1-5**   타액 분비 기전을 설명할 수 있다. (A)

6. 타액과 관련된 질환 `2019 기출` `2022 기출`

(1) 구강질환 예방효과

① 타액과 치아우식증: 타액의 완충작용, 항탈회작용, 재석회화작용, 청정작용, 항균작용

② 타액과 치주질환: 타액물질 중 점막보호, 항균작용 물질

(2) 타액과 전신질환

① 쉐(쇼)그렌 증후군
- 구강 내 건조증 유발
- 건조성 각막염
- 결합조직 병변 유발

② 바이러스성 질환
- B형 간염바이러스, AIDS 바이러스, 유행성이하선염바이러스, 헤르페스바이러스, 인플루엔자바이러스 등
- 항바이러스 타액물질: 분비형 IgA, mucin → 바이러스의 점막부착 저해

생리 15-1-6   타액과 관련된 질환을 설명할 수 있다. (A)

제16장 | 미각과 후각

1. 미각의 종류

① 기본 미각: 단맛, 신맛, 짠맛, 쓴맛, 매운맛(미각이 아니라 통각 일부), 감칠맛

② 혀 각 부분에 있는 미뢰들은 구조적으로 비슷하나 기본 미각에 대한 감수성이 서로 다름

  • 구분은 다소 불명확함(혀 끝: 단맛, 협 앞부분: 짠맛, 혀 옆 부분: 신맛, 혀 뒷부분: 쓴맛)

③ 실제로 맛을 느끼는 데에는 기본 미각 외에 후각, 촉각, 온도 감각이 복합적 작용

생리 16-1-1   미각의 종류에 대하여 설명할 수 있다. (A)

2. 미뢰의 분포영역

① 미각을 수용하는 최초의 단계(맛을 느끼는 수용기로서의 미세포 존재, 5~20개/1개 미뢰)

② 맛물질은 미공을 통하여 미각세포를 자극

③ 10,000개/성인의 혀: 45세 이후 연령증가에 따라 점차 감소함

④ 사상유두에는 미뢰가 존재하지 않음

⑤ 유두의 측면과 정상부에 퍼져 있음

생리 16-1-2   미뢰의 분포영역을 설명할 수 있다. (B)

3. 미각과 미각물질

① 신맛: 수소이온(H^+), 혀의 가장자리

② 짠맛: 무기 음이온(Cl^-, Br^-, I^-, SO_4^{-2}, NO_3^-), 양이온(Na^+, K^+, NH^{4+}, Li^+)

  • NaCl은 9~12 mm 넣으면 단맛(우유에 약간의 소금은 단맛 유발)

  • 혀 전반에 걸쳐 차이 없음

③ 단맛: $-CH_2OH$기를 함유한 당류(자당, 맥아당 등), 혀 끝

④ 쓴맛: 알카로이드와 중금속염, 설근부

생리 16-1-3	맛과 관련된 화학구조를 설명할 수 있다. (B)

4. 미각장애(미맹)

① 대다수의 사람이 맛을 느끼는 화학물질에 대해 맛을 느끼지 못하는 현상

② 미맹을 측정하는 화학물질: PTC (phenylthiocarbamide)

  • 정상인은 쓴맛

③ 동양인 집단 미맹 출현 빈도: 10~15%

생리 16-1-4	미맹에 대하여 설명할 수 있다. (B)

5. 미각역치

(1) 특징

① 맛을 느끼는 최저농도(미각역치)는 물질에 따라 다름

② 역치농도는 개인차가 심함

  • 연령의 증가가 영향받음(미뢰 수의 감소, 미각장애)

  • 저작운동이나 타액분비 기능 저하

  • 구강점막의 염증 및 점막상피의 각화 정도 등

③ 가장 지각역치가 낮은 부분(민감)

  • 단맛: 혀끝, 신맛: 혀 가장자리, 쓴맛: 설근부

④ 동일 물질이라도 혀의 부위에 따라 느끼는 미각이 다름 ⓔⓧ saccharine

⑤ 미각물질의 농도뿐만 아니라 자극기간에도 영향

⑥ 온도에 따라 맛의 정도가 다름
- 단맛: 20도 이하에서 급격히 둔하됨
- 신맛: 거의 변화가 없음(고온일 때 역치가 높음)
- 짠맛과 쓴맛: 저온일 때 역치가 낮아지나 온도가 상승함에 따라 역치가 높아짐

(2) 역치
① 일반역치: 어떤 맛인지 알 수 없는 농도
② 특수역치: 어떤 맛인지 판별할 수 있는 농도, 판단역치(물과 구분 가능 농도)와 지각 역치로 구분
③ 미각역치: 맛을 알 수 있는 최저농도

(3) 미각의 신경지배
① 혀 앞쪽 2/3: 안면신경의 고삭신경
② 혀의 후방 1/3: 설인신경
③ 인두, 후두, 식도 상부: 미주신경
④ 연구개부: 대추체신경

| 생리 16-1-5 | 미각역치에 대하여 설명할 수 있다. (A) |

6. 미각장애의 원인

① 연령증가에 따른 생리적 변화
② 내분비계 기능이상
③ 정신적 또는 심리적 요인
④ 소화기능의 병적 변화
⑤ 후각장애
⑥ 의치 장착자

| 생리 16-1-6 | 미각장애의 원인을 설명할 수 있다. (A) |

제17장 | 연하, 구호흡 및 구취기전

1. 연하(연하중추: 연수) 2019 기출 2021 기출

(1) 정의: 식괴, 타액, 기타 물질을 입에서 위로 보내는 것

(2) 연하운동의 단계: 연하는 수의적으로 시작되어 불수의적으로 완성되는 복잡한 행위

① 1단계(구강단계): 음식물이 구강에서 인두로 이송되는 단계, 수의 운동 단계, 구순이 닫히고 상하 치아는 교합함

② 2단계(인두단계, 반사성단계): 인두~식도까지의 단계(연하반사), 불수의 단계, 1초 이내

→ 음식물이 혀 후방에 도달하여 인두, 연구개, 후두개에 접촉

→ 반사적으로 설근 상승

→ 설근부의 음식을 인두 깊은 쪽으로 밀어냄

→ 연구개는 상방으로 상승해 비강을 폐쇄

→ 설골과 후두는 전상방으로 상승하고 후두개는 하방으로 내려가 기관을 폐쇄시킴

→ 호흡/발성은 일순간 정지(연하성 무호흡)

cf 치과치료 시 인두부위(인두, 연구개)에 기구를 떨어뜨릴 경우, 환자는 반사적으로(무의식적으로) 삼켜 문제를 일으킬 수 있음

③ 3단계(식도단계): 식도~위까지의 단계, 불수의 단계, 식도의 연동운동

(3) 이상연하와 부정교합

① 혀 내밀기형 이상연하: 개교 등의 교합이상 발생

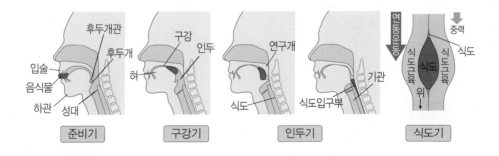

준비기   구강기   인두기   식도기

| 생리 17-1-1 | 연하과정을 설명할 수 있다. (A) |

2. 구토의 원인과 증상

(1) 정의: 위로 들어간 유해물질과 불필요한 물질을 반사적으로 체외로 배출하는 운동

(2) 생리적 의의

　① 생체방어 수단의 일종

　② 예외: 임신 시·배 멀미·뇌질환, 설근·연구개·인두 자극

(3) 구토의 과정

　① 구토 전 증상: 타액분비, 발한, 안면창백, 호흡수와 맥박수의 증가

　② 복근 수축: 깊은 흡식

　③ 흡식에서 호식으로 전환 시 위의 윤상근 수축, 복근 재수축

　④ 구강이 열리고 → 식도역류 → 구강외 배출

(4) 구토의 원인

　① 구강점막이나 위점막의 기계적 혹은 화학적 자극

　② 위나 장의 감염, 손상, 음식물의 자극

　③ 내이의 자극

　④ 뇌손상

> **생리 17-1-2** 구토의 원인과 증상에 대하여 설명할 수 있다. (B)

3. 구취의 특징과 원인

(1) 특징

　① 구강내 세균에 의해 단백질이 분해되면서 만들어진 휘발성화합물(황화수소, methyl-mercapton 등)에 의해 발생

　② 연령이 증가함에 따라 더 심해지는 경향이 있음

　③ 성별에 따라 다름

　④ 개인차가 심함(기상 시, 식간, 식후, 음주 후, 흡연 후 등)

　⑤ 병적 구취와 심인성 구취가 있음

(2) 원인

　① 치태 및 설태(미생물 *Fusobacterium nucleatum*의 대사산물)

② 타액분비 저하 및 구호흡에 의한 구강건조

③ 우식

④ 치주질환 및 구강연조직 염증산물

⑤ 기타 내과적 질환

생리 17-1-3	구취의 원인에 대하여 설명할 수 있다. (A)

4. 구호흡의 특징과 장애현상

(1) 원인에 따른 분류

① 비성 구호흡

- 비인강(비강과 인두 사이)질환에 의한 통기장애
- Adenoid 비대, 축농증, 비중격이 만곡된 환자

② 치성 구호흡

- 구순 폐쇄가 곤란한 사람(상악돌출, 개교가 있는 사람)

③ 습관성 구호흡: 습관적 구호흡

- 손가락 깨물기, 손톱 깨물기

(2) 구호흡 장애현상

① 치열형성이상(구강 내압 변화), 구강악안면 발육이상, 구강건조(치태축적)

② 구호흡의 특징적 안모: Adenoid 안모(어린이), 인두편도가 비정상적으로 비대해지는 병

- 구순과 그 주위가 느슨하고 하순이 두꺼움
- 상악돌출과 하악후퇴
- 입이 열림: 구순이나 구강점막이 건조하여 타액의 자정성 상실
- 치면세균막 축적 및 전치부 치은에 종창이나 염증 발생

생리 17-1-4	구호흡의 특징과 장애현상을 설명할 수 있다. (A)

1. 후두의 구조

(1) **후두**: 구강과 기관 사이의 공간지대

(2) **후두의 구성**: 3종의 후두연골(갑상연골, 피열연골, 윤상연골)과 6쌍의 후두근과 성대

 ① 갑상연골: 성문(glottis)으로 알려진 것, 피부에서 촉지

 ② 윤상연골: 갑상연골의 하부, 좌우에 한 쌍의 작은 관절로 됨

 ③ 피열연골: 환상연골의 후부상면에 좌우 1쌍이 있음

(3) **성대**: 피열연골의 성대돌기와 갑상연골의 내각 사이에 늘어져 있는 연조직, 좌우 1쌍

 ① 좌우의 성대 공간, 성문은 피열연골의 움직임에 따라 넓어지고 좁아짐

 ② 성문의 개폐, 성대의 긴장은 후두근에 의해 이루어짐

(4) **후두근과 그 작용**

 ① 윤상갑상근: 수축 시 – 갑상연골이 전방으로 기울어져 성대는 긴장

 ② 갑상피열근(외측부): 성대 폐쇄

 ③ 후윤상피열근: 수축 시 → 성문 열림

 ④ 외측윤상피열근: 수축 시 → 성문 폐쇄

 ⑤ 피열근: 양측 피열연골을 고정, 성문 폐쇄

 ⑥ 성대근: 발성근, 성대를 선택적으로 긴장시키거나 이완시킴

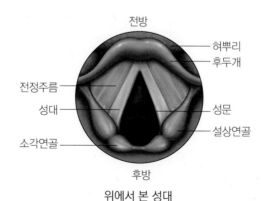

위에서 본 성대

생리 18-1-1   발성기관의 구조를 설명할 수 있다. (B)

2. 치과임상과 발음장애

① 구개파열: k, g 발음 불명확

② 상악 전치 결손: s, d 발음 불명확(폐쇄음의 발음장애)

③ 부정교합

- 심한 개교: s, d 발음 불명확

- 상악 및 하악 전돌: s, z 발음 불명확

④ 총의치: t, d 발음 불명확

생리 18-1-4	발음장애에 대하여 설명할 수 있다. (A)

구
강
생
리
학

07 PART ▶▶

구강미생물학

Oral Microbiology

DENTAL
HYGIENIST

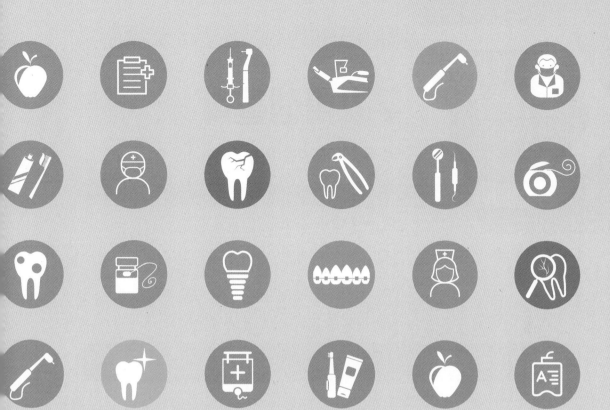

POWER 치과위생사 국가시험 핵심요약집 1권

PART 07

구강미생물학
Oral Microbiology

제1장 | 미생물학 입문

1. 미생물의 정의

① 육안으로 관찰 불가능 혹은 분화되어 있지 않음

② 생명체(세포로 이루어져 있음), but 바이러스는 세포가 아닌 입자의 개념
- 원핵세포: 세균
- 진핵세포: 원생동물, 조류, 곰팡이(> 효모)

③ 유성생식과 무성생식을 통한 개체 형성

> **미생물 1-1-1** 미생물의 정의를 설명할 수 있다. (A)

2. 미생물 성상

(1) 원핵생물

① 세균(박테리아)

② DNA는 핵양체로 전자현미경에 의해 관찰됨

③ 독립적으로 존재하는 작은 원형모양 DNA인 플라스미드를 가진 것도 있음
- 비염색체성 DNA
- 전염력을 가진 물질

④ 이분열로 증식

(2) 바이러스

    ① DNA 혹은 RNA 중 하나를 가짐

    ② 숙주(동물, 식물, 곤충, 세균 등) 세포 내에서만 증식하는 미소입자

    ③ 에너지 생산은 숙주에 의존함

(3) 조류

    ① 물 속에서 생육

    ② 광합성에 의해 산소를 방출

    ③ 대부분 단세포이지만 다세포성인 것도 있음

(4) 원생동물

    ① 단세포성이며 광합성을 하지 않는 진핵생물

    ② 동물적 성질을 보이는 생물(의학분야: 원충이라 부름)

(5) 진균

    ① 비광합성

    ② 세포벽을 가진 진핵생물

    ③ 곰팡이, 효모, 버섯 등

       • 효모: 단세포생물, 세균보다 크고 발아법에 의하여 증식

       • 사상균: 다세포생물, 가장 전형적인 곰팡이로 균사를 가짐

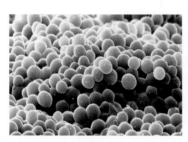

효모

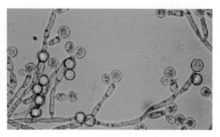

사상균

미생물 1-1-2 미생물의 종류와 특징을 설명할 수 있다. (B)

제2장 | 미생물의 형태

1. 원핵생물과 진핵생물의 비교 2020 기출 2021 기출

성상	원핵생물	진핵생물
주요 생물	세균	조류, 진균, 원충, 동식물
크기	0.5~4 μm	> 5 μm
DNA	1개, 환상	복수(선형)
이분열증식	+	−
핵막	−	+
미토콘드리아	−	+
산화적인산화(에너지 생성)	세포막	미토콘드리아
리보좀(솜)	70S (30S + 50S)	80S (40S + 60S)
골지체	−	+
세포벽(펩티도글리칸)	+	− (세포벽은 존재함)

미생물 2-1-1 원핵세포와 진핵세포의 차이점을 설명할 수 있다. (A)

2. 세균의 명명법

① 이명법 사용: 속명과 종명을 조합하여 이탤릭체로 표기

② 속명의 첫 글자: 대문자, 종명: 모두 소문자

③ 속명: 생략 가능, 종명: 생략 불가능, 예시 *S. mutans*

④ 예외: 속명이 형용사로 사용되거나 집합명사로 사용될 때에는 이탤릭체로 쓰지 않고 첫글자도 대문자로 쓰지도 않음

- 속명의 형용사로 사용: clostridial spore, staphylococcal toxin
- 속명의 집합명사로 사용: salmonelle, streptococci

미생물 2-1-2 세균의 명명법을 설명할 수 있다. (B)

3. 세균의 일반적 특성

① 단세포생물

② 이분법으로 증식

③ 리보솜은 존재하나 핵막은 없음

④ 비광합성이며 인공배지에서 잘 증식

- 인공배지에서 생육 불가능 세균: 매독균, 나균, 리켓챠, 클라미디아 등

⑤ 광학현미경으로 관찰 가능

⑥ 핵외 유전자 함유: 플라스미드(모든 세균이 가지고 있는 것은 아님)

미생물 2-1-3 세균의 일반적인 특성을 설명할 수 있다. (A)

4. 세균의 구조와 기능 `2019 기출` `2020 기출` `2021 기출` `2022 기출`

1) 세포 표층

① 협막

- 세포벽 외측이나 외막에 존재하는 다당류(점액성물질)

- 식세포의 식균작용을 빠져나가는 경우가 있어 중요한 병원성 인자임: K항원

- 세균식별 및 항체생성 유도 → 백신 항원으로 이용

- 세균의 보호작용, 세균의 영양분, 세균 내의 수분 유지

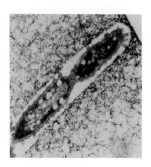

② 세포벽

- 세균 고유의 형태 유지

- 펩티도글리칸으로 구성

- 두께: 그람음성균(2 nm) < 그람양성균(15∼80 nm)

③ 외막

- 그람음성균 특유의 막구조

- 리포다당(LPS) 함유: 리피도 A + 코어(core) 올리고당 + O−다당

- 부착 및 골흡수 촉진에 기여

- 내독소 역할: O항원

④ 세포막(세포질막)

- 그람양성균 세포막(그람음성균: 내막 + 외막)
- 펩티도글리칸 층 바로 아래 존재
- 인지질과 단백질로 이루어진 8 nm 정도 두께의 막 구조
- 전자전달계 효소 존재: 미토콘드리아에 해당하는 기관이 없어 전자전달효소가 세포막에 존재 → 에너지(ATP) 생산
- 메소솜: 세포막의 일부가 세포질 내에 함입된 막양 구조물

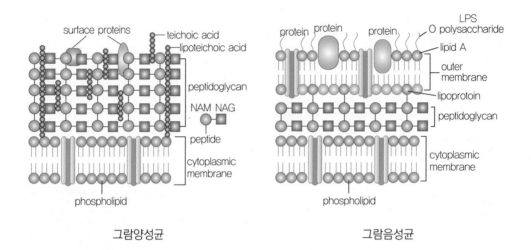

그람양성균   그람음성균

⑤ 페리플라즘 간극

- 그람음성균에 존재: 내막과 외막 사이의 공간
- 여러 종류의 가수분해효소, 세포벽 합성효소, 유해물질 분해효소 등 생리학적으로 중요한 물질 함유

2) 세포 표면의 돌기

① 편모

- 세균 표면에 단백질로 된 긴 부속기관
- 세균의 적극적인 운동(장소의 이동)에 관여
- 종의 특이적인 항원성을 가짐: H항원
- 편모의 수와 부착부위에 따른 분류: 단모성, 양모성, 속모성, 주모성

② 섬모

- 편모보다 가늘고 짧은 돌기

- 핌블리에(fimbriae): 미생물이 부착되는데 쓰이는 부속기관
- 필리(pili): 성섬모, 미생물을 배우자 세포와 연결시켜 DNA를 교환하는 접합의 경우에 사용되는 부속기관(유전정보의 교환)

3) 세포질 내 구조물

(1) 핵

① 진핵생물의 핵과 달리 핵막으로 쌓여 있지 않음

② 핵양체(nucleoid)라고도 불림

(2) 리보좀(솜)

① RNA와 단백질로 이루어짐

② 침강계수 $70S = 30S + 50S$

③ 단백질 합성에 관여

(3) 플라스미드

① 일부 세균에서 발견되는 작은 비염색체성 DNA분자

② 핵외 유전자: 세포질에 존재하고 염색체 DNA에 대해서 독립적으로 존재

③ 한 세균에서 다른 세균으로 전달될 수 있음: 전염성을 가진 물질

- 항생제 내성균 생성(슈퍼박테리아 탄생)

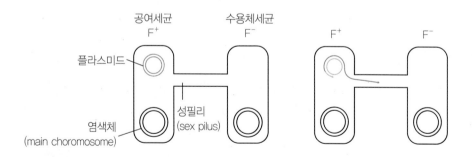

미생물 2-1-4 세균의 구조와 각각의 기능을 설명할 수 있다. (A)

5. 그람양성세균과 그람음성세균의 비교

구분	그람양성세균	그람음성세균
그람염색	보라색	분홍색
외막	−	+
내독소(LPS)	−	+
세포벽(펩티도글리칸층)	두꺼움	얇음
원형질막공간(페리플라즘간극)	−	+
세포(질)막	+	+

미생물 2-1-5 그람음성균과 그람양성균의 세포벽의 특성을 설명할 수 있다. (A)

6. 세균 분류를 위한 그람 염색법

방법	그람양성	그람음성
1. 슬라이드 글라스에 세균을 열로 고정시킨다.	○○○	○○○
2. 크리스탈 바이올렛으로 1분간 염색 후, 물로 수세(crystal violet)	●●●	●●●
3. 그람 요오드로 1분간 처리 후 수세(Gram's iodine)	●●●	●●●
4. 아세톤이나 에탄올로 탈색 후, 물로 수세	●●●	○○○
5. 염기성의 푹신이나 사프라닌(분홍색)으로 1분간 대조염색 후, 물로 수세 (basic fuchsin, safranin)	●●●	●●●
6. 말린 후 유침유(immersion oil)를 떨어뜨린 후 검경	●●●	●●●

세균 ○ 크리스탈 바이올렛/요오드 복합체 ●
그람양성(짙은 보라) ● 그람음성(분홍색) ●

∴ 그람양성균: 보라색, 그람음성균: 분홍색

미생물 2-1-6 그람 염색의 과정을 설명할 수 있다. (B)

7. 세균의 아포(포자) 구조와 기능

① 일부 세균 중 생육조건이 부적당할 시 형성되는 휴지기 세포

② *Bacillus*와 *Clostridium* 등이 생성: 내생포자(세포 내부에서 생성)

③ 건조, 고온(사멸: 121℃, 20 min, 1 atm), 광선, 소독제 등에 저항

④ 균종을 동정하는 데 활용(위치에 따라 중앙성, 편재성, 단재성)

⑤ 수분함량이 극도로 낮음

내생포자(세균)　　　　　　외생포자(곰팡이)

| 미생물 2-1-7 | 아포의 구조와 기능을 설명할 수 있다. (B) |

8. 세균의 증식 곡선

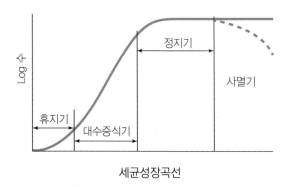

세균성장곡선

(1) 유도기(지체기, 잠복기, 휴지기)

① 새로운 환경조건에 적응하는 단계

② 균 수의 증감을 보이지 않는 시기

(2) 대수증식기

　① 생균 수가 대수적으로 증가하는 시기

　② 1회 분열에 필요한 시기는 세균마다 다름: 대장균(20 min), 결핵균(24 hr)

(3) 정지기

　① 균 수의 변화가 없는 시기

　② 영양분의 결핍과 대사산물의 유해수준 증가로 인해 증식과 사멸해가는 수가 동일한 시기

(4) 사멸기(쇠퇴기): 사멸하는 균의 수가 증가하는 시기

> **미생물 2-1-8**　　세균의 증식곡선의 특성을 설명할 수 있다. (B)

9. 세균의 증식에 영향을 미치는 환경요소

(1) 영양

　① 종속영양세균: 유기물질을 필요로 하는 미생물

　② 독립영양세균: 무기물만으로 생육할 수 있는 미생물

(2) 온도: 병원성미생물의 최적온도 37℃

　① 저온균: 10℃~20℃ 증식

　② 중온균: 20℃~40℃ 증식

　③ 고온균: 50℃~60℃ 증식

(3) pH (수소이온농도)

　① 호산성균: 산성조건에서 증식하는 균

　② 호중성균: 중성의 조건에서 증식하는 균

　③ 호염기성균: 염기성의 조건에서 증식하는 균

(4) 산소

　① 편성(절대)호기성균: 증식에 산소가 절대적으로 필요로 한 세균, 결핵균

　② 통성혐기성균 = 조건무산소성균: 산소의 유무에 관계없이 증식하지만 없는 편이 증식에 좀 더 양호한 세균, 황색포도상구균·연쇄상구균·장내세균

　③ 편성(절대)혐기성균: 산소가 없는 상태에서만 증식이 가능하며 산소가 있으면 사멸하는 균, 포르피로모나스·클로스트리디움

④ 미호기성균: 저산소 분압 하에서 증식하는 균, 임균

(5) 수분

① 대사활동 시 매개체 역할

② 건조에 민감한 세균: 매독균, 건조 내성을 가진 세균: 결핵균

| 미생물 2-1-9 | 세균의 증식에 영향을 미치는 환경요소를 설명할 수 있다. (A) |

10. 세균, 바이러스와 마이코플라즈마 등과의 비교

구분	세균	마이코플라즈마	리켓챠	클라미디아	바이러스
DNA와 RNA	+	+	+	+	−
리보좀	+	+	+	+	−
세포벽(뮤라민산 함유)	+	−	+	+	−
이분법	+	+	+	+	−
인공배지 생육	+	+	−	−	−
항생물질에 대한 감수성	+	+	+	+	−

| 미생물 2-1-10 | 마이코플라즈마의 일반적인 특성을 설명할 수 있다. (B) |

11. 바이러스의 특징 2019기출문제

① 세균보다 훨씬 작은 미생물: 세균 세포내 증식 바이러스(박테리오파아지)

② 세균여과기 통과: 세균(0.2 μm~10 μm), 바이러스(0.02 μm~0.2 μm)

③ 일반적 광학현미경으로 관찰할 수 없음(전자현미경 관찰 가능)

④ 미토콘드리아와 같은 세포내 소기관을 지니고 있지 않음
  • 자체적인 에너지 생산기구나 단백질 합성기구가 결여

⑤ 편성(절대)세포내기생체: 세포 외에서는 바이러스입자로 존재

⑥ 핵산으로 DNA 혹은 RNA 중 하나만 존재
  • 캡시드라 불리는 단백질 껍질에 둘러싸여 있음(뉴클레오캡시드 = 캡시드 + 핵산)
  • 캡시드는 캡소미어라고 불리는 구조단위로 구성됨

⑦ 인공배지에서 자라지 않으며 특유의 증식사이클 가짐

⑧ 항생물질에 감수성 없음

⑨ 인터페론에 감수성이 있음

<table>
<tr><td>미생물 2-2-1</td><td>바이러스의 일반적인 특성을 설명할 수 있다. (A)</td></tr>
</table>

12. 바이러스의 구조와 기능

① 핵산: DNA 혹은 RNA 중 하나만을 가짐

  • 핵산 + 캡시드 = 뉴클레오캡시드

② 단백질

  • 바이러스 구성 단백질의 대부분은 캡소미어가 차지

  • 캡소미어라고 불리는 구조단위로 구성

  • 캡시드는 감염세포 흡착에 관여하며 숙주특이성에 기여함

③ 외막

  • 외막이 존재하는 바이러스와 존재하지 않은 바이러스가 있음

  • 지질, 단백질, 소량의 탄수화물로 구성

  • 바이러스가 숙주세포에서 증식한 후 세포에서 나올 때 숙주의 세포막을 가짐

④ 바이러스 입자의 구조(20면체 모양)

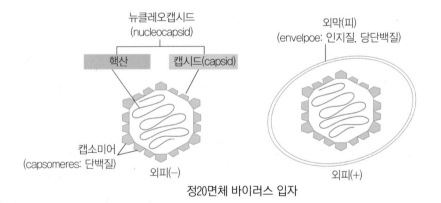

정20면체 바이러스 입자

<table>
<tr><td>미생물 2-2-2</td><td>바이러스의 구조와 각각의 기능을 설명할 수 있다. (B)</td></tr>
</table>

13. 바이러스의 감염과 증식단계

(1) 바이러스의 증식단계

   ① 흡착: 숙주세포에 부착

   ② 침투(입): 숙주세포 내로 침입

   ③ 탈각: 캡시드 단백질이 제거가 되면서 핵산이 유리됨

   ④ 게놈으로부터 mRNA전사 및 mRNA로부터 바이러스 단백질 합성

   ⑤ 게놈의 복제

   ⑥ 조합 및 방출

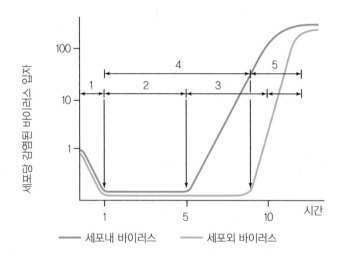

(2) 바이러스 감염과 세포

  ① 용해감염

    • 바이러스가 증식한 결과 감염세포가 파괴되어 용해되고 세포 내에서 바이러스가 방출되는 경우

    • 병원성 바이러스

  ② 지속감염

    • 감염세포를 사멸시키지 않고 공존하면서 계속 증식하는 양식

    • B형 간염바이러스

  ③ 형질전환감염

    • 용해감염과는 전혀 반대로 바이러스 감염에 의해 세포가 무제한으로 증식하는 경우

    • 종양바이러스

④ 잠복감염

- 바이러스 핵산이 세포내 지속적으로 존재하지만 성숙된 바이러스 입자가 검출되지 않는 경우
- 헤르페스바이러스

미생물 2-2-3 바이러스의 증식과정을 설명할 수 있다. (B)

14. 진균의 일반적 특성 2020 기출

① 균사를 형성하는 사상균형과 균사를 형성하지 않고 타원형 형태를 가진 단세포성의 효모형이 있음

- 균사: 실모양(사상)모양 형성
- 균사체: 균사 덩어리
- 사상형(균사 형성) & 효모형(균사 형성하지 않음)

② 세포내소기관을 함유하고 있음

③ 세포벽 소유: 세균의 세포벽과는 조성이 다름(만난 + 키틴 + 1,3-β-D글루칸)

④ 하등한 진핵세포

⑤ 종속영양생명체: 외부로부터 유기물질 섭취

⑥ 비광합성이며 운동성이 없음

⑦ 포자형성: 환경조건이 불리한 경우

⑧ 호기성 내지 통성혐기성임

⑨ 무성생식 및 유성생식을 통해 증식

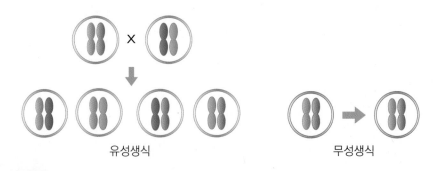

유성생식   무성생식

미생물 2-3-1 진균의 일반적인 특성을 설명할 수 있다. (A)

제3장 | 감염

1. 감염의 구분

(1) 증상감염(현성감염): 숙주가 미생물에 감염된 후 징후가 나타나는 경우

(2) 무증상감염(불현성감염)

① 감염되더라고 징후가 나타나지 않는 경우

② 잠복감염: 무증상감염이 장기간 계속되어 병원미생물과 숙주가 서로 평형관계를 유지하는 상태

(3) 내인성 감염

① 원래 숙주가 가지고 있던 미생물(정상플로라, 상재미생물총)이 원인이 되는 경우

② 치아우식증, 치주질환, 방선균증

(4) 외인성 감염: 외부에서 침입한 병원미생물이 원인이 되는 경우

(5) 급성 감염: 감염된 후 발병하기까지 걸리는 시간이 짧음

(6) 만성 감염

① 숙주가 병원미생물에 감염된 후 병원미생물이 장기적으로 숙주에 남아 있는 경우

② 병원미생물 외에도 환경이나 숙주의 영향받음

(7) 감염원

① 감염원: 질병을 옮기는 근원

② 보균자: 증상은 없지만 병원체를 가지고 있는 사람

③ 무증상보균자: 감염되었지만 감염되었는지조차 모르는 경우

미생물 3-1-1	현성감염과 불현성 감염을 설명할 수 있다. (B)
미생물 3-1-2	내인성 감염과 외인성 감염을 설명할 수 있다. (B)
미생물 3-1-3	급성 감염질환과 만성 감염질환을 비교하여 설명할 수 있다. (B)
미생물 3-1-4	보균자를 설명할 수 있다. (B)

2. 감염에 관여하는 미생물측 인자(숙주와 기생체의 상호작용)

(1) 부착성(정착성): 표면구조물

① 생체에 부착하는 능력

② 섬모, 리포테이코익산 등

(2) 침습성: 효소생산능

① 부착한 후 조직 내에 침입하여 확산해 나가는 능력

② 히알루론산 분해효소(hyaluronidase), 혈장응고효소(coagulase), 활성효소(catalase) 등

(3) 증식성

① 숙주에 대항하여 증식할 수 있는 능력

② 협막, 식세포 살균작용 등

(4) 독소생산성

① 독소를 생산하는 능력

② 내독소(LPS)와 외독소(단백질성분)

> **미생물 3-2-1** 감염에 관여하는 미생물의 독성인자를 설명할 수 있다. (A)

3. 감염에 관여하는 숙주측 인자

(1) 선천면역(비특이적 방어기구)

① 피부와 점막의 구조

② 체액성 방어인자

- Lysozyme: 세포벽 분해효소
- Interferon: 바이러스 억제 단백질
- 보체: 혈청 당단백질, 병원미생물 제거

③ 세포성 방어인자: 백혈구(호중구, 대식세포 등)

④ 정상세균총

(2) 획득면역(특이적 방어기구)

① 체액성 면역: B림프구(골수에서 활성화), 항원−항체반응

② 세포성 면역: T림프구(흉선에서 활성화)

> **미생물 3-2-2** 감염에 관여하는 숙주의 방어기전을 설명할 수 있다. (A)

4. 멸균방법

(1) 건열멸균

① 160~180℃의 고온으로 30~60분 동안 유지

② 금속제품, 유리기구(시험관, 접시 등), 가위, 메스, 스켈러

(2) 고압증기멸균

① 고압증기로 멸균하는 방법(1기압, 121℃, 15~20 min)

② 치과계에서 가장 많이 이용되고 있는 방법

(3) 방사선멸균

① 방사선 조사를 통한 미생물 사멸

② 장기간 보관하고 멸균에 효능이 뛰어남(but 고가, 취급의 어려움)

③ 플라스틱재료 등

(4) 자외선멸균

(5) 가스멸균: EO (Ethylene oxide) gas, FA (Formaldehyde) gas

미생물 3-3-1	치과진료에 주로 사용되는 멸균방법을 설명할 수 있다. (B)

제4장 | 면역

1. 선천 면역과 후천(획득) 면역의 특성 2021 기출

(1) 선천 면역(자가면역)

① 미생물 감염 전부터 존재한 면역

② 비특이적 면역

③ 병원균에 대해 신속하게 반응하는 1차 방어 역할

- 물리적·화학적 장벽

- 식세포(미생물의 패턴인식)

④ 반복 감염 시 동일한 반응을 보임

- 이물질에 대한 특이성과 선택성 없음

(2) 후천성 면역(적응면역)

① 미생물 감염 후 유도됨

② 반응하는 데 시간이 필요함

③ 반복 감염 시 미생물 항원을 기억함

- 빠르고 강력하게 반응함

- 항원 특이성 있음

④ 특이적 면역

- 체액성 면역: B 림프구가 T 림프구의 도움을 받아 형질세포로 분화해 항체 생산

- 세포성 면역: T 림프구에 의한 반응

미생물 4-1-1　선천면역과 획득면역의 특징을 설명할 수 있다. (A)

2. 수동면역과 능동면역

① 수동면역

- 모체(태반, 초유, 모유)로부터 항체를 받아 생긴 신생아면역(자연수동면역)

: IgA

- 뱀에 물렸을 때, 항독소를 주사하여 독소를 중화시키는 경우(인공수동면역)

- 항원특이성은 있으나 면역학적 기억력은 없음

② 능동면역

- 미생물의 직접적 감염을 통해 생긴 면역(자연능동면역)

- 예방접종을 통해 형성된 적응면역(인공능동면역)

미생물 4-1-2　수동면역과 능동면역의 특징을 설명할 수 있다. (A)

3. 비특이적 면역반응과 특이적 면역반응　2020 기출　2022 기출

(1) 비특이적 면역반응(선천면역)

① 미생물 감염 전부터 존재함: 미생물에 비선택적으로 작용함

② 신속하게 반응함(수시간)

③ 반복 감염 시 동일한 반응을 보임

④ 기계적, 물리적, 화학적 장벽

⑤ 식세포(미생물 패턴인식): 호중구, 단핵구, 대식세포 등

(2) 특이적 면역반응(적응면역, 후천성면역)

① 미생물 감염 후 유도됨: 특정 미생물에만 작용함

② 반응하는데 시간이 필요함(수일)

③ 반복감염 시 미생물 항원을 "기억"함: 면역학적 기억

④ 빠르고 강력한 반응(반복감염 시)

⑤ 항원 특이 수용체(항체) 관여: 항원 특이성

⑥ B림프구와 T림프구에 의해서 야기

미생물 4-1-3 비특이적 면역반응과 특이적 면역반응의 특징을 설명할 수 있다. (A)

4. 항체의 종류와 특징 2022 기출

(1) IgG

① 혈청 중에 가장 다량 함유(75~80%)

② 태반을 통과하는 유일한 면역 글로불린: 신생아면역

③ 신생아의 혈중에는 모체 유래의 IgG가 함유

④ 3~6개월에 최저로 되며 그 후에는 신생아 스스로가 생산

⑤ 항원이 침투하면 IgM보다 늦게 생산(1차 응답) → 다시 한번 같은 항원이 들어오면 짧은 잠복기에 다량 장기간 생산(2차 응답)

(2) IgM

① 항원 자극 때에 가장 빨리 일과성으로 생산(5량체)

② IgM 항체를 검출함으로써 감염증의 초기 감염의 진단 가능

(3) IgA

① 유즙, 타액, 모유, 눈물 등의 외분비물에 가장 많이 존재

② 분비형 IgA는 점막표면의 감염방어 면역의 주역

③ 이량체(분비성일 경우)

(4) IgD

① 혈중에 소량 함유

② B세포 표면에 존재하고 있으며, B세포의 분화에 기여

(5) IgE

① 혈청 내에 매우 낮은 농도로 존재

② 즉시형과민반응: 비만세포와 호염기구에 부착한 항원이 이들의 세포에서 히스타민 등의 물질이 방출되게 하여 Anaphylaxis형의 즉시형과민증을 일으킴

종류(Class)	기본구조	기능
IgG		• 미생물 및 독소로부터 혈관 외 조직을 보호함
IgM		• 혈류 내 미생물에 대한 제일차 보호작용 • 일차 면역반응 시 생성됨
IgA		• 점막표현의 보호
IgD		• 림프구 기능에 영향을 미침
IgE		• 장내 기생체에 대한 보호작용 • 알러지 반응의 증상을 일으킴

Secretory component   J chain   Disulphide bridge

미생물 4-1-4   항체(면역글로불린)의 종류와 특성을 설명할 수 있다. (A)

5. 면역에 관여하는 세포의 종류와 특성

(1) 백혈구의 종류 및 기능

① 호중구: 40~70% 차지, 포식작용, 급성 염증 현저히 침윤

② 호산구: 기생충 감염 시 증가

③ 호염기구: 헤파린과 히스타민 함유, 즉시 과민반응

④ 대식세포: 식균작용(많은 리소좀 함유)

⑤ B림프구(체액성 면역): 형질세포로 분화하여 항체생성

⑥ T림프구(세포성 면역): 세포매개면역 담당

⑦ 비만세포: 표면에 IgE 수용체가 존재하여 결합 시 알레르기의 원인 물질(히스타민) 분비

(2) 기타 선천성 면역에 관여하는 단백질

① 보체

- 불활성화 상태로 순환하는 혈청단백질
- 여러 경로로 활성화되며 세균, 진균, 바이러스 등에 의해서도 활성화됨
- 포식작용을 돕고 염증반응을 일으킴
- 그람음성세균의 세포막을 직접 손상시키거나 파괴할 수도 있음

② 인터페론

- 바이러스에 의해 감염된 세포가 합성하는 단백질
- 주변의 세포에 작용하여 바이러스 감염에 저항하는 상태를 유도하는 기능을 가진 사이토카인

| 미생물 4-1-5 | 면역에 관여하는 세포의 종류와 특성을 설명할 수 있다. (A) |

6. 체액성 면역과 세포성 면역

T 림프구 (흉선: 성숙)	억제 T림프구		세포성 면역
	독성 T림프구	항원제거(감염세포, 암세포 등 제거)	
	기억 T림프구		
	보조 T림프구 (도움 T림프구)	B 림프구에게 도움을 주어 형질세포로의 분화를 촉진함	
B 림프구 (골수: 성숙)	형질세포	항체생산	체액성 면역
	기억세포	2차 침입 시 항원인식, 형질세포와 기억세포로 분화됨	

| 미생물 4-1-6 | 체액성 면역과 세포성 면역의 특징을 설명할 수 있다. (A) |

7. 과민반응의 종류

특성	1형	2형	3형	4형
형	아나필락시스 (IgE 매개반응)	세포 상해	면역복합체	T세포 의존, 지연형
세포	비만세포 호염기성세포	적혈구, 백혈구, 혈소판	숙주의 조직세포	숙주의 조직세포
작용 기전	약리학적 활성물질 방출	보체에 의함	면역복합체에 의한 조직이나 혈관의 상해	림포카인 생성
예	아나필락시스	수혈 부작용	아튜스 반응	감염 알레르기

미생물 4-1-7	과민반응의 특징과 종류를 설명할 수 있다. (B)

제5장 | 항미생물 화학요법

1. 이상적인 항생제

- 병원미생물 등에 대하여 감수성을 보이는 물질

① 미생물에 대한 선택적 독성

② 숙주에 대한 독성의 최소화

③ 살균 능력

④ 혈청 내에서의 긴 반감기

⑤ 조직에 고르게 분포

⑥ 혈청단백질과의 낮은 친화력

⑦ 경구와 비경구 투여 가능성

⑧ 다른 약제와 해로운 상호작용이 없음

미생물 5-1-1	항미생물제를 설명할 수 있다. (B)

2. 항미생물제의 항균 스펙트럼

① 화학요법제가 어떤 종류의 미생물에 대해 항균력을 보이는지 체크하는 방법

② 약제가 항균력을 발휘하는 미생물의 범위

③ 살균(멸균)작용, 정균작용과 소독작용
- 살균작용: 미생물을 완전히 죽이는 작용
- 정균작용: 미생물의 증식을 하지 못하게 하는 작용
- 소독작용: 병원성 미생물을 일부 죽이는 작용

| 미생물 5-1-2 | 항미생물제의 항균스펙트럼에 대해 설명할 수 있다. (B) |

3. 페니실린계 항생물질

① 베타-락탐계열 항생제: β-락탐환을 가짐
② 투여방법에 따른 효율 향상과 내성균주의 대응, 스펙트럼의 광범위화를 위한 개량
③ 분류: 기본적인 페니실린계 항생제와 β-lactamase 저항성 항생제로 구분
④ 세균의 세포벽 합성 저해제
⑤ 경구 투여 시 부작용이 적기 때문에 치과영역에서 널리 사용됨(대량요법 가능)
⑥ 부작용: 알레르기성 과민증, 세균에 대한 내약성 생김
cf 반코마이신 내성균: VRSA, 메티실린 내성균: MRSA

| 미생물 5-2-2 | 페니실린계 제제의 특성을 설명할 수 있다. (B) |

4. 세팸계 항생물질

① 베타-락탐계열 항생제: β-락탐환을 가짐
② 페니실린 항생제에 대한 알레르기를 가진 환자들에게 세파로스포린계 항생제 투여
(1~4세대 구분)
③ 세균의 세포벽합성 저해제(치과: 1~2세대까지 주로 사용)
④ 부작용: 알레르기 반응
⑤ Aminoglycoside계 항생물질이나 이뇨제와 병용으로 신장의 장애유발과 발작 등의
중추신경계 부작용 유발 가능

| 미생물 5-2-3 | 세팸계 제제의 특성을 설명할 수 있다. (B) |

5. 테트라사이클린계 항생물질

① 세균의 단백질 합성 저해제: 70S 리보좀의 30S 서브 유닛과 결합

② 그람양성 및 음성균, 리켓챠, 클라미디아, 마이코플라즈마에도 항균력을 보임

③ 리켓챠, 클라미디아, 마이코플라즈마 감염증의 제1선택약

④ 부작용: 균교대현상, 치아착색(황갈색), 법랑질형성 부전, 위장장애, 골의 발육부전 등
(어린아이와 임산부 사용금지)

⑤ 내성균이 증가하고 있는 추세임

⑥ 종류: 테트라사이클린(tetracycline), 미노사이클린(minocycline), 독시사이클린(doxy-cycline)

> **미생물 5-2-4** 테트라사이클린계 제제의 특성을 설명할 수 있다. (A)

6. 마크로라이드계통 항생물질

① 세균의 단백질 합성 저해: 70S의 50S 서브유닛과 결합

② 그람양성균과 그람음성혐기성간균에 효과

③ 리켓챠, 클라미디아, 마이코플라즈마에 우수한 항균력

④ 종류: 에리스로마이신(erythromycin), 조사마이신(josamycin)

⑤ 페니실린 알레르기 환자에 사용

⑥ 부작용: 위장장애

> **미생물 5-2-5** 마크로라이드계 제제의 특성을 설명할 수 있다. (B)

제6장 | 병원성 세균

1. 포도상구균

(1) 특징

① 황색포도상구균(*S. aureus*), 표피포도상구균(*S. epidermidis*), 비병원성포도상구균(*S. saprophyticus*)

② 그람양성 통성혐기성균

③ 편모나 아포는 없음(무아포)

④ 고농도(3~10%)의 NaCl 첨가배지에서 생육

⑤ 식중독 또는 화농성 질환의 원인균

⑥ Catalase 양성

⑦ 병원내 감염과 내성균(MRSA, VRSA) 문제 발생

(2) *S. aureus* (황색포도상구균)

① 상재균총(피부, 비공점막 등)으로 수술 후 상처 감염

② 건조에 강하고 원내기구, 침구, 손가락 등을 통해 확산됨

③ 그람양성균: 협막, 테이코익산 존재

④ 7.5% 식염 존재 하에서 생육(내식염성)

⑤ 내성균 발생: 원내감염(MRSA, VRSA)

⑥ 병원성

- 피부나 조직의 화농성 질환의 원인: 균혈증, 패혈증으로 진행
- 식중독 유발: 장관독(내열성: 100℃, 30 min, 내산성)이 부착된 음식 섭취
- 독소성 쇼크 증후군: 발열, 발진, 혈압강하, 다발성 장기부전, 쇼크

| 미생물 6-1-1 | 포도상구균의 특성을 설명할 수 있다. (A) |

2. 연쇄상구균의 특징

① 협막 형성은 균종에 따라 다르며 운동성은 없음(편모 없음)

② 아포 형성하지 않음

③ 그람양성, 통성혐기성균

④ Catalase시험 음성균

⑤ 화농성 피부질환 원인균

⑥ 혈액 첨가배지에서 잘 생육(일반 한천배지에는 증식이 잘 안 됨)

⑦ 분류(적혈구 파괴)

- α형 용혈연쇄상구균(불완전용혈연쇄상구균, 녹색연쇄상구균):
  Streptococcus pneumonia (폐렴균)
- β형 용혈연쇄상구균(용혈연쇄상구균): 병원성이 가장 강함, *Streptococcus pyogenes*
- γ형 연쇄상구균(비용혈연쇄상구균)

| 미생물 6-1-2 | 연쇄상구균의 특성을 설명할 수 있다. (A) |

제7장 | 병원성 바이러스

1. 콕사키바이러스의 특징

(1) 특징

① 피코르나바이러스과 중 Enterovirus에 속함

② 정20면체모양, RNA 바이러스

③ 미국 뉴욕주 콕사키지구의 소아마비 유행 조사할 때 붙여진 이름

  • 소아의 변에서 발생

④ 증상: 손과 입 안에 물집이 생김, 무균성 수막염, 소아마비 증세를 나타냄

(2) 종류

① 포진성 구협염(헤르판기나)

  • 급성 구협염

  • 초여름 영유아에게서 많이 나타나며 자주 유행함

  • 갑작스런 고열, 구내염과 인두염을 주요 증상으로 함

  • 구강 내 앞쪽과 치은 부위에는 나타나지 않음

  • 증상: 구협(연구개 뒤쪽) 등에 소수포 발생 → 소궤양 형성

② 수족구병

  • 여름과 가을철에 흔히 발생

  • 입 안의 물집과 궤양, 손과 발의 수포성 발진을 특징으로 하는 질환

③ 무균성 수막염

  • 세균 외의 감염에 의해 발열, 두통, 구토 등 수막 자극 증상을 나타내는 것

미생물 7-1-6　　콕사키바이러스의 특성을 설명할 수 있다. (B)

2. A형, B형과 C형 간염 바이러스의 특성

구분	A형 간염	B형 간염	C형 간염
전염 경로	오염된 물과 음식	수혈, 오염된 주사, 성교	수혈, 오염된 주사, 성교
간암 가능성	없음	있음	있음
만성화	없음	있음(1~10%)	강함(약 40~50%)
예방 백신	있음	있음	없음
핵산 구조	RNA	DNA	RNA
발병형태	돌발성(급격히 발증)	잠행성(서서히 발증)	돌발성
합병증	황달	황달, 간암, 간경화	황달, 간암, 간경화

> **미생물 7-1-8** 간염바이러스의 종류와 특성을 설명할 수 있다. (A)

제8장 | 병원성 진균 및 원충

1. 트리코모나스의 특성

① 편모충류(원충 = 원생동물): 4~6개의 편모를 세포의 끝부분에 가짐

② 숙주: 사람

③ 기생부위: 질(여성), 전립선(남성)

- 여성: 질염의 원인

③ 전파: 직접적인 접촉을 통해서 일어나며 보통 성 관계를 통해 전파됨

④ 구강 트리코모나스

- 구강 내에 상재하는데 치주질환이 진행되면 검출률이 높아짐
- 키스 같은 직접적인 접촉에 의해 감염됨

> **미생물 8-1-4** 트리코모나스의 특성을 설명할 수 있다. (B)

제9장 | 구강환경과 미생물

1. 구강환경의 특징

① 영양분의 지속적 공급: 타액, 음식물, 치은열구액

② 원활한 수분 공급: 타액의 98%~99% 수분

③ 중성: pH 6.8~7.2

④ 온도: 37℃ 전후

⑤ 치아맹출에 따른 산소분압의 변화: 호기성균, 통성혐기성균, 혐기성균 성장

⑥ 면역학적 특성: 치은열구액, 타액 등

| 미생물 9-1-1 | 구강환경의 특징을 설명할 수 있다. (A) |

2. 구강미생물의 생장에 영향을 미치는 요인

인자	주요 내용
구강의 온도	적정한 구강의 온도
음식	화학적 조성, 물리적 성질, 섭취빈도
타액	분비량, pH균형, 항균인자
치은열구액	항균성분
미생물 상호작용	일부는 유익하며 일부는 해로움
기체환경	상대적 산소농도가 종의 분포를 구분하는 데 도움이 됨
숙주인자	전신질환, 항생제 복용, 구강위생지수

| 미생물 9-1-2 | 구강미생물의 생장에 영향을 미치는 요인을 열거할 수 있다. (B) |

3. 타액의 항미생물적 효과

① 기계적 세척: 99.5% 수분

② Lysozyme: 세포벽 결합력을 끊음으로써 살균효과를 나타냄

③ Peroxidase (과산화효소): 열에 불안정한 항균효소(과산화수소 존재)

④ Lactoferrin: 열안정성 단백질, 세균성장 시 필요한 철 이온과 결합하여 세균이 철을 이용하지 못하게 하여 성장을 억제

⑤ 아그레가티박터 엑티노미세템코미탄스에 대해 살균효과를 보이며 LPS의 작용을 억제

⑥ 다형핵백혈구(호중구): 포식작용

⑦ 분비성 IgA (SIgA): 이량체, 미생물이 숙주표면에 부착하는 것을 방지

| 미생물 9-1-4 | 타액의 항미생물인자를 설명할 수 있다. (A) |

4. 구강의 미생물 생태계

균군	균의 분포(%)			
	플로라의 부위			
	설배	타액	치면	치은열구
구균				
통성혐기성 G(+)구균	44.8	46.2	28.2	28.8
연쇄상구균	38.3	41	27.9	27.1
mutans 연쇄상구균	±	−~+	±~+++	−~++
sanguinis 연쇄상구균	++	++	+++	++
*S. salivarius*군	+++	+++	−	−
*S. milleri*군	−	−	+	++
편성혐기성 G(+)구균	4.2	13.0	12.6	7.4
통성혐기성 G(−)구균	3.4	1.2	0.4	0.4
편성혐기성 G(−)구균	16.0	15.9	6.4	10.7
간균				
통성혐기성 G(+)간균	13.0	11.8	23.8	15.3
편성혐기성 G(+)간균	8.2	4.8	18.4	20.2
통성혐기성 G(−)간균	3.2	2.3	−	1.2
편성혐기성 G(−)간균	8.2	4.8	0.4	16.1
스피로헤타	−	−	−	1.0

G(+): 그람양성, G(−): 그람음성

① 설배, 치아표면, 치은열구, 그리고 타액 등이 플로라의 생태적 특징을 결정

② 연쇄상구균은 가장 큰 비율을 차지함

• 뮤탄스(mutans)연쇄상구균군: 치면에 상재, 설배나 타액에 적음

• 상귀니스(sanguinis)연쇄상구균군: 설배·타액·치면·치은열구 등에 상재

• *S. salivarius*: 설배나 타액에 상재, 치면이나 치은열구에 적음

③ 혐기성 간균: *Veillonella* sp.

④ 스피로헤타

- 운동성 나선균

- 치은열구 플로라의 특징적인 세균

- 급성 괴사성궤양성 치은염 시 증가

    cf 치아우식증: 연쇄상구균 & 유산균 증가, 치주질환: 그람음성세균 증가

> **미생물 9-2-1** 구강미생물의 생태학적 변이과정을 설명할 수 있다. (B)

5. 구강미생물총 형성에 영향을 미치는 인자

(1) 미생물요인

① 공생작용

- 다른 균이 생성한 비타민 K의 *Porphyromonas gingivalis* (치주질환원인균) 이용

- 연쇄상구균이 당을 대사하여 배출한 젖산을 *Veillonella* sp. 이용

② 길항작용

- 구강 상재 미생물의 대사산물인 산 축적: 유산균과 내산성 세균의 증가

(2) 숙주요인

① 타액 내 총 세균수의 변동: 타액유량의 변화(식전과 식후, 식사에 따른 저작, 수면 등)

② 연령에 따른 변화: 모자간의 균의 전파, 치아의 맹출, 의치의 착용 등

③ 생활습관에 따른 변화: 숙주의 건강상태, 당 섭취량, 약물복용(항생제 등)

④ 입안관리에 따른 변화: 자가관리(잇솔질 등), 전문가관리(스케일링, 치근활택술 등)

> **미생물 9-2-2** 구강미생물총 형성에 영향을 미치는 인자들에 대해서 설명할 수 있다. (A)

6. 획득피막(페리클, mucin)의 구성성분과 침착기전

(1) 페리클의 구조와 조성

① 타액성분이 치아표면에 직접 흡착되어 형성되는 균일한 두께(0.3~1.0 nm)의 피막

- 무세포성, 무구조, 미생물이 거의 없음

- 페리클 후기: 세포벽 성분 검출

② 성분: 아미노산과 당 = 당단백질(고프로린당단백)

③ 보철물이나 구강점막 표면에도 형성됨

(2) 페리클의 역할

① 법랑질을 덮음으로써 물리적인 방어벽 역할: 치면 보호

② 음식물과 치아 사이의 윤활재 역할

③ 고프로린단백은 칼슘이온과 결합하는 성질 소유: 재석회화 촉진

④ 법랑질에 선택적 침투성 부여: 산이 침투하기 어려움

⑤ 구강세균과 특이적으로 결합하는 리셉터 분자 소유

- 구강세균의 부착 촉진 → 플라그 형성
- 플라그 세균의 영양분으로 작용

(3) 페리클의 세균의 부착

① 소수성 성분: 뮤탄스 연쇄상구균 등의 세포표층에는 강한 소수성 성분이 있음

② 점착성다당체(세포외다당류 형성): 글루코스전이효소(glucosyltransferase)를 통한 불용성 글루칸 생성

③ 섬모: 부착성에 기여

④ 공응집소: 후기 군집세균 정착

- 2종류 이상의 균이 서로 결합하여 응집하는 현상(세균 간의 특이적인 응집)

| 미생물 9-3-1 | 획득피막의 구성성분과 부착기전을 설명할 수 있다. (B) |

7. 플라그의 구조와 기능

(1) 치면세균막의 특징

① 70~80% 수분 + 20~30% 고형성분(단백질, 탄수화물 등)

② 점착성 다당체(불용성 글루칸)

- 부착성이 높아 세균을 응집시킴
- 뮤탄스 연쇄상구균이나 그 외 구강연쇄상구균이 분비하는 글루코스전이효소(설탕을 기질로 활용)에 의한 불용성 세포외 다당체

③ 플라그 내부를 외부로부터 보호하는 방어벽 역할

④ 타액에 의한 항균작용 및 완충작용 억제

⑤ 산의 확산 방지

⑥ 주위 세균의 영양원

(2) 초기플라그와 성숙플라그의 비교

구분	초기 플라그	성숙 플라그
그람염색상	양성균 출현	음성균 출현
균의 형태	구균 주체	구균, 간균, 스피로헤타
산소감수성	통성혐기성균	통성 및 편성혐기성균
질병과의 관련성	보이지 않음	우식과 치주염의 병인이 될 수 있음

① *Streptococcus* 종이 가장 우세함

② *Fusobacterium* sp. 와 혐기성그람음성간균(치주질환원인균) 등의 혐기성균이 증가

③ 스피로헤타 등의 운동성 세균이 증가

④ 시간이 지남에 따라 세균의 종류는 변함

(3) 치면세균막 형성과정 요약

① 획득피막(페리클) 형성: 세균 부착 → 미세집락 형성

② 불용성 글루칸 및 미세집락 형성

③ 공동응집: *Fusobacterium* sp.(다양한 세균과의 결합능력 소유, 공동응집의 주체)

　• 2종류 이상의 세균 간의 특이한 응집(결합)현상

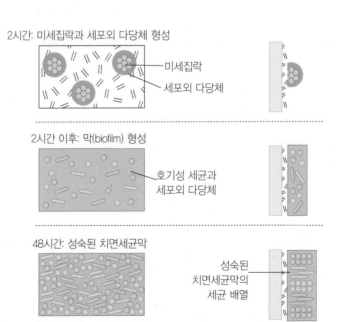

| 미생물 9-3-2 | 치면세균막 형성과 성숙과정을 설명할 수 있다. (A) |

8. 치은연상 플라그와 치은연하 플라그 비교

구분	치은연상 플라그	치은연하 플라그
그람염색상	양성균이 우세	음성균이 우세
균의 형태	구균을 포함해 다양	간균과 스피로헤타가 우세
산소감수성	통성혐기성균이 많음	편성혐기성균이 우세
에너지원	탄수화물	단백질
운동성	플라그 기질에 부착	운동성 세균이 다수
질병과의 관련	우식과 치은염의 원인이 될 수 있음	치은염과 치주염의 원인이 될 수 있음

> **미생물 9-3-3** 치은연상 치면세균막과 치은연하 치면세균막을 설명할 수 있다. (B)

제10장 | 치아우식과 미생물

1. 치아우식의 발생기전

(1) 발생기전

① 치면에 부착된 구강 내 치아우식원성세균의 대사산물인 산에 의해 법랑질, 상아질, 백악질 등과 같은 경조직이 파괴되는 감염성 질환

② 이환율이 매우 높은 질환

③ 치근치아우식: 치주염 이환 → 치조골 흡수, 치은퇴축 → 치근노출 → 치근치아우식 발생률 ↑

(2) 법랑질 치아우식의 특징

① 치아표면에 정착된 치아우식원성 세균의 대사산물인 젖산에 의해 유발됨

② pH가 5.5 이하로 저하되면 법랑질의 표층의 탈회 진행

③ 뮤탄스 연쇄상구균(mutans streptococci)이 주요 원인균

- 점착성을 가진 불용성 글루칸 생성
- 치아우식 부위에서 분리빈도가 가장 높음

④ 소와열구부는 부착능이 없는 세균도 정착이 가능함

⑤ 법랑질 치아우식의 초기증상: 백반 형성

⑥ 물질대사가 거의 없고 신경주행도 없음

⑦ 법랑모세포 소실로 인해 재생 불가능함

2. *Streptococcus mutans*의 특징   2019 기출

① 그람양성 통성혐기성균
② 젖산(유산) 생성
③ 내산성균(pH 4.0 이하에서도 생육 가능함): 산 적응력이 뛰어남
④ 설탕을 기질로 하여 글루코스전이효소(균체외 효소)에 의해 불용성글루칸 형성
⑤ 치면부착: 섬모양구조물(표면 부착구조물)
⑥ MSB 한천배지(MS 한천배지(5% 설탕 함유) + 15% 설탕 + 바시트라신 0.2 unit/mℓ)를 활용하여 배양
⑦ 플라그와 타액을 비롯해 구강 내에서 가장 많이 검출되는 균
⑧ 균혈증 유발

제11장 | 치주질환과 미생물

1. 치주질환의 특징

① 내인성 감염
② 세균성 감염질환: *A. actinomycetemcomitans, Prevotella intermedia, Porphyromonas gingivalis*
③ LPS(내독소)와 협막 소유: 치조골흡수 및 면역작용 방해

2. 내독소와 외독소의 비교

구분	외독소	내독소
관련 균주	그람양성과 음성 구별 없음	그람음성균에만 있음
독성 성분	단백질	LPS(지질다당류)
독성 세기	강함(일반적으로 치명적임)	약함
작용	균 종에 따라 다양함	균 종과 상관없이 비슷함
특징	균체 내에서 합성되어 균체 밖으로 분비	외막 구성성분으로 주로 균체가 파괴되었을 때 방출

미생물 11-1-4   치주질환을 일으키는 세균의 내독소와 외독소를 설명할 수 있다. (A)

3. *A. actinomycetemcomitans*의 특징   2020 기출

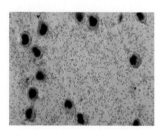

① 협막소유: 식균작용 방해, 치조골 흡수

② 내독소(LPS): 골흡수 활성

③ 선택배지: 내부에 별모양의 구조를 보임

④ 그람음성 통성혐기성 간균

- 증식: CO_2 필요(호기적 성장 시, 호이산화탄소성 세균)

⑤ 국소형 유년성치주염의 치주낭에서 높은 빈도로 분리

⑥ 방선균과 함께 자주 분리되는 세균

⑦ 외독소 루코톡신(LT, Leukotoxin) 생산: 다형핵백혈구와 단핵구에 독성

미생물 11-1-6   *Actinobacillus*(*Aggregatibacter*) *actinomycetemcomitans*의 특성을 설명할 수 있다. (A)

4. *Porphyromonas gingivalis*의 특성(속명 _monas는 간균임)   2021 기출

① 성인성(만성) 치주염의 치주낭에서 높은 빈도로 분리

② 혈액평판배지에서 흑색색소를 형성하는 혐기성 그람음성간균(증식에 헤민(hemin)과 비타민 K 필요)

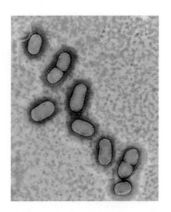

③ 협막이 있어 대식세포 등의 식균작용 방해

④ 면역글로불린 분해효소(단백분해효소) 함유: IgA,
　IgG 분해

⑤ 섬모에 의한 세포 부착: 점막상피나 적혈구 부착능

⑥ LPS (내독소) 함유: 골흡수 활성, 부착성 부여

⑦ 단백분해효소 생산: 콜라게나아제, 트립신양효소
　(gingipain), 히아루로니다아제 등

미생물 11-1-7　*Porphyromonas gingivalis*의 특성을 설명할 수 있다. (A)

5. *Prevotella intermedia* 특성　2022 기출

① 혐기성 그람음성간균

② 혈액평판배지에서 흑색색소를 형성하는 간균
　• 증식에 헤민(hemin)과 비타민 K 필요

③ 협막이 있어 대식세포 등의 식균작용 방해

④ 섬모에 의한 세포부착: 점막상피나 적혈구 부착능

⑤ LPS (내독소) 함유: 골흡수 활성, 부착성 부여

⑥ 단백분해효소 생산: 콜라게나아제, 면역글로불린 분해효소 등

⑦ 사춘기성 치은염 또는 임신성 치은염 야기: 호르몬에 의해 생육 촉진

⑧ 급성 괴사성궤양성 치은염에서도 스피로헤타와 함께 병소에서 수 증가

미생물 11-1-8　*Prevotella intermedia*의 특성을 설명할 수 있다. (A)

제12장 | 기타 구강감염과 미생물

1. *Candida albicans*의 특징　2022 기출

① 기회감염을 유발하는 진균: 내인성 감염, 기회감염증, 균교대증

② 상재미생물총: 사람의 구강, 장관, 피부, 질 등에 상재

③ 이형성진균: 효모형 또는 균사형 성장

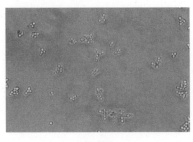

효모형   균사형

④ 구강점막의 칸디다증: 급성 위막성 칸디다증, 의치성 구내염, 홍반성 칸디다증

⑤ 발병원인

- 국소적 요인: 균교대현상(장기간의 화학요법제 투여)
- 전신적 요인: 숙주의 면역기능저하(고령자, 장기이식자, AIDS, 악성 종양환자 등)

미생물 12-1-1 구강 칸디다증 원인균의 특성과 증상을 설명할 수 있다. (A)

2. 스피로헤타와 감염증 2019 기출

(1) *Treponema pallidum*의 특징

① 그람음성의 가늘고 긴 나선형의 혐기성미생물

② 건조에 매우 약함

③ 운동 기관: 편모 가짐(축삭)

④ 생체 외에서는 장시간 생존이 어려움

⑤ 인공배지에서 배양 불가능(토끼 고환 사용)

⑥ 수직감염(태반): 태반이 생기기 4개월까지 치료

⑦ 매독 원인균: 사람의 성행위에 의한 접촉감염(구강성교 전염 가능)

⑧ 페니실린으로 치료

cf 구강 트레포네마: 치은열구와 치주낭 내에 상재

(2) 감염증

① 선천성 매독 유발

- 허친슨절치: 치관은 맥주통 모양, 절단연 부위는 반달모양

- 상실대구치
- 내이성난청
- 실질성각막염

② 단계별 증상
- 1단계(2~10주): 초기 경결 → 궤양화된 경성하감
- 2단계(12~13주 후): 콘딜로마, 림프절 종창, 관절염, 골수염, 피부발진(장미진) 등
- 3단계(3년): 고무종(고무정도의 경도로 통증과 압통 없음)
- 4단계(10년): 신경매독으로 진행

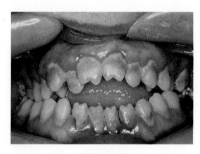

허친슨절치

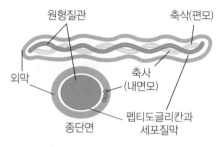

스피로헤타의 구조

미생물 12-1-2 구강 매독 원인균의 특성과 증상을 설명할 수 있다. (A)

3. *Mycobacterium tuberculosis*의 특징 및 증상

① 결핵의 병원성 인자(건조에 매우 강함)
② 그람양성의 호기성 미생물
③ 항산균: 염색되면 산이나 알코올로 탈색되기가 어렵기 때문
④ 주요 감염 장기: 폐(흡입감염), 만성 경과(림프나 혈액을 따라 다른 장기로 확대)
⑤ 구강: 구강점막의 결핵성 궤양, 악골·악관절·타액선결핵 등이 유발됨
⑥ BCG 예방접종(튜베르쿨린 반응으로 감염 여부 확인)
⑦ 호중구와 대식세포에 탐식되어도 동 세포 내에서 증식 가능

미생물 12-1-3 구강 결핵 원인균의 특성과 증상을 설명할 수 있다. (A)

4. *Actinomyces* 종의 특징 2020 기출

① 그람양성 무아포성 통성혐기성균(*A. israelli* = 혐기성균)

② 사람 구강의 상재균총: 내인성 감염

③ 방선균증의 원인균: 세균에 기인한 만성화농성농양 혹은 육아종성 감염증

　• 종창은 경결을 동반하며 좀 더 진행되면 하나 또는 여러 개의 누공 형성됨

　• 호발부위: 하악 대구치 아래의 악골

④ 세균임에도 불구하고 사상 또는 분지상 형태를 가짐

⑤ 면역력이 저하되었을 때 만성화농성질환을 일으킴: 좁쌀 모양의 균 덩어리(유황과
립: 사상균사가 보임)

⑥ 골 손실을 동반한 치주조직의 피괴를 일으킴

⑦ 복합감염

⑧ 치근단 우식 시 뮤탄스 연쇄상구균과 함께 보임

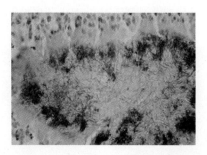

Part 07

구강미생물학

미생물 12-1-4　방선균증 원인균의 특성과 증상을 설명할 수 있다. (A)

5. HSV (Herpes simple V.)의 특징 2019 기출

(1) 사람을 숙주로 하는 헤르페스바이러스

(2) 피부와 점막에 특징적인 수포성 병변 유발 → 미란 → 가피

(3) 원인: 첫 감염은 대부분 불현성 감염이며, 잠복된 바이러스는 발열, 스트레스 및 과로
등으로 인해 재발됨

　① 중증감염증, 전신쇠약, 악성 종양, 장기이식 등에 의해 재발

　② 지속감염, 평생감염, 잠복감염, 회귀감염

(4) 분류: 1형과 2형의 감염이 엄격히 구분되지 않고 있는 상황임

  ① 제1형(HSV-1)

    • 주로 삼차신경절에 잠복하여 얼굴, 입술, 눈 등에 발증(소아기)

    • 1~3세의 소아에게 많이 발생

    • 발열이 3~4일 지속됨

    • 통증이 심하고 음식 섭취가 곤란함

  ② 제2형(HSV-2)

    • 주로 자율신경절에 잠복하여 성기, 요도에 발증

    • 성교에 의한 성기 감염, 사춘기 이후 발생

(5) 감염경로

  ① 수직감염: 태반을 통한 감염, 임신말기나 출산기의 산도 병소로부터 감염

  ② 수평감염: 의료종사자의 접촉감염 등

(6) 빈발부위: 구순 헤르페스 재발(대체로 10일 이내 자연치유)

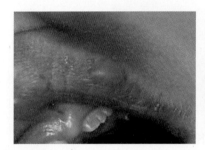 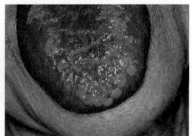

구순포진   암환자(단순포진)

미생물 12-1-5 단순포진 바이러스 감염증 원인 바이러스의 특성과 증상을 설명할 수 있다. (A)

6. 수두-대상포진 바이러스의 특징 `2021 기출`

(1) 분류

  첫 감염상: 수두 / 재발병상: 대상포진

  ① 수두

    • 2~8세 유행

    • 붉은 반점, 구진, 수포, 가피형성

- 급속한 경과를 보이는 전염력이 강한 급성 감염증
- 접촉과 비말에 의해 다른 사람에게 직접 감염시킴
- 잠복기는 2주 정도이며 겨울에 유행함

② 대상포진

- 수두 치유 → 신경절 잠복감염 → 재활성화 → 지각신경의 지배영역을 따라 대상포진 발증
- 수포는 농포를 거쳐 세균감염을 보이기도 함
- 편측성 질환
- 노년기: 대상포진 후 신경통이 되어 1년 이상의 경과를 보이는 경우도 있음

(2) 원인 바이러스: Varicella-zoster 바이러스

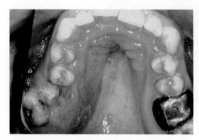
대상포진

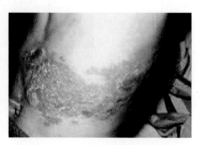
편측성 질환

미생물 12-1-6 수두-대상포진 바이러스 감염증 원인 바이러스의 특성과 증상을 설명할 수 있다. (A)

7. AIDS 바이러스의 특징

① 레트로바이러스과: 역전사효소에 의해 바이러스 RNA에서 상보적인 DNA를 합성하는 바이러스

② 외피를 가진 RNA바이러스: 외피 gp120에 의한 부착

③ 후천성면역결핍증 유발: 주로 Th (도움 T세포, CD_4 T세포) 공격

④ 에어로졸 흡입으로 감염되지는 않음

⑤ 열, 건조, 소독에 매우 약함

⑥ 혈액이나 정액 등의 체액, 모유를 통해 감염되거나 성적 접촉에 의한 감염(성행위감염증)

- 남성 동성애자에게 주로 발생

⑦ 구강증상

- 선상의 치은홍반(lineal gingival erythema) 발생
- 구강 칸디다증: HIV 감염의 가장 흔한 특징
- 구강 모발성 백반증
- 카포시육종
- 비호즈킨 림프종

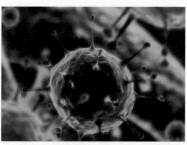

에이즈바이러스

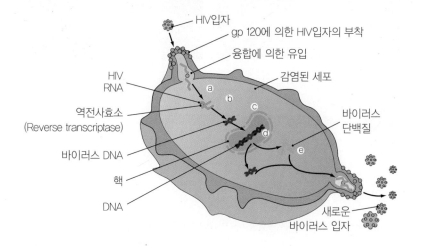

미생물 12-1-7 후천성 면역결핍증(AIDS) 원인 바이러스의 특성과 증상을 설명할 수 있다. (A)

8. B형 간염바이러스의 특징과 증상

(1) 간에서 감염·증식되며 간염을 주요 증상으로 일으키는 바이러스

(2) DNA 바이러스

(3) 바이러스 입자는 크게 3종으로 나뉘어짐

    ① 직경 42 nm의 dane입자로 불리우는 감염성 구형입자

    ② 직경 22 nm의 소형 구형입자

    ③ 100~700 nm의 각종 형태를 가진 관상입자

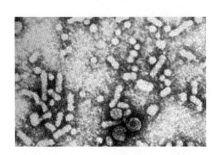 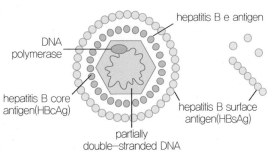

B형 간염바이러스

(4) 감염증상

    ① 성인 감염상

      • 혈액·체외분비액이 감염원(의료사고 및 성행위에 의한 감염)

      • 45~160일 잠복기간을 거친 후 급성 간염 유발(자각 증상 없는 경우가 많음)

      • 만성 간염으로 이행되는 경우는 드묾(5~10%)

    ② 모자 감염상: 산모의 체액이나 혈액에 존재

      • 산도감염의 형태로 모자감염 유발(태반 통과하지 않음)

(5) B형 간염바이러스 예방접종: 외피성분(HBs항원)을 본체로 한 성분백신

| 미생물 12-1-8 | B형 간염 원인 바이러스의 특성과 증상을 설명할 수 있다. (A) |

9. 유행성이하선염(볼거리)의 증상과 원인균

    ① 파라믹소 바이러스과: 멈프스 바이러스

    ② 급성유행성전염병

      • 타액을 통해 비말감염되어 기도점막에 감염 → 잠복감염 → (혈액) 타액선에 증식

    ③ 증상: 발열, 인후통, 개구장애, 저작 시 통증

    ④ MMR 예방접종

| 미생물 12-1-10 | 타액선염 원인 바이러스의 특성과 증상을 설명할 수 있다. (A) |

08

지역사회구강보건학

Community Oral Health

DENTAL
HYGIENIST

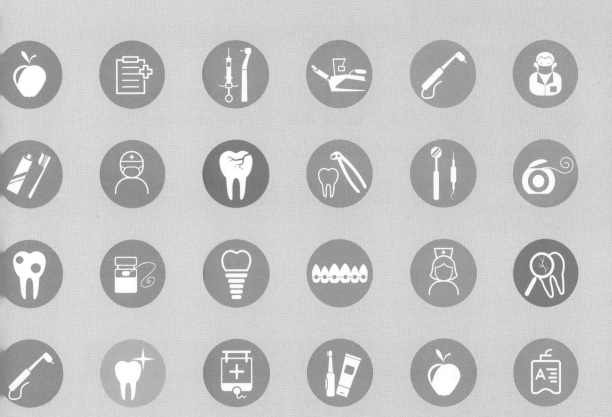

POWER 치과위생사 국가시험 핵심요약집 1권

PART 08

지역사회구강보건학
Community Oral Health

제1장 | 공중구강보건학

1. 구강보건학의 정의

구강병을 예방하고 구강건강을 증진 유지시키는 원리와 방법을 연구 실천하는 학문

지역 1-1-1	구강보건학을 정의할 수 있다. (B)

2. 공중구강보건학의 정의, 범위와 목적

(1) 정의: 일정한 지리적 영역에서 공동생활을 영위하고 있는 사람들이 조직적인 공동노력으로 구강건강을 보전하고 증진시키는 원리와 방법을 연구하고 실용하는 실용과학

(2) 범위: 공중구강보건학 = 사회치학 = 지역사회구강보건학 = 지역사회치학 = 실용치학

(3) 목적: 국민 구강건강의 증진, 국민 치아수명의 연장

지역 1-1-2	공중구강보건학을 정의할 수 있다. (A)
지역 1-1-3	공중보건학의 범위를 구분할 수 있다. (B)
지역 1-1-4	공중구강보건학의 목적을 설명할 수 있다. (A)

3. 지역사회구강보건과 개별구강진료의 차이점

구분	지역사회 구강보건	개별 구강진료
목적	지역사회 구강건강수준의 향상	내원환자의 악안면 구강상병 치료(치아보철 등)
대상	지역사회 주민 전체	병원 내원 환자(개인)
연구내용	지역사회 주민의 생태와 구강보건	내원환자 구강상병의 원인과 진행과정 (요양법 등)
활동과정	지역사회 주민의 구강보건의식 개발	개인을 대상으로 하는 요양과정
활동주체	지역주민, 개발조직, 구강보건팀	내원환자, 치과의사
활동결과	지역사회 구강건강 향상	내원환자 구강 건강 향상
성과	구강건강 보전과 치아수명연장	구강질병 예방과 치료, 상실치아기능재활 및 치아수명연장

> **지역 1-1-5**   지역사회 구강보건과 개별구강진료를 비교할 수 있다. (A)

4. 공중구강보건학의 특성 `2021 기출`

① 공동책임이 인식된 사회에서 전개
② 예방사업 위주로 진행
③ 분업의 형태(협업의 형태)
④ 여러 가지 구강병 발생요인을 복합적으로 관리
⑤ 건강한 사람까지도 대상

> **지역 1-1-6**   공중구강보건학의 특성을 설명할 수 있다. (A)

5. 공중구강보건사업의 요건

① 효과가 있고 안전해야 함
② 쉽게 수행할 수 있어야 함
③ 경비가 저렴하여야 함
④ 비전문가가 용이하게 관리할 수 있어야 함
⑤ 재료나 도구나 장비가 적게 사용되어야 함
⑥ 수혜자가 전폭적으로 수용하여야 함

Part
08

지역사회구강보건학

⑦ 경제적·사회적·교육적·직업적 수준 등과 관계없이 혜택을 주어야 함

⑧ 다수의 사람에게 쉽게 적용할 수 있어야 함

⑨ 수혜자가 쉽게 배워서 실천할 수 있어야 함

> **지역 1-1-7**   공중구강보건사업의 요건을 나열할 수 있다. (A)

6. 포괄구강보건진료 　2020 기출

① 전문성 + 일반성

② 구강보건수준을 향상시킬 수 있는 모든 시술이 서로 협조적인 조화를 이루어 보다 효율적으로 건강수준을 향상시킬 수 있는 구강보건진료 형태

> **지역 1-1-8**   포괄구강보건진료를 설명할 수 있다. (A)

7. 건강의 정의

① 질병이 없고 허약하지 않을 뿐만 아니라 신체적, 정신적, 사회적으로 안녕한 상태

② 생활 개념 + 사회적 개념

> **지역 1-2-1**   건강을 정의할 수 있다. (B)

8. 건강개념의 변천

① 19C 이전: 신체적 개념

② 19C 중엽: 심신적 개념(신체가 허약하지 아니하고 상병에 이환되어 있지 않으며 정신도 건전한 상태)

③ 20C 중엽 세계보건기구: 생활개념, 사회적 개념

> **지역 1-2-2**   건강개념의 변천을 설명할 수 있다. (B)

9. 구강건강

① 질병에 이환되어 있지 않은 구강조직기관의 상태

② 정신작용과 사회생활에 장애가 되지 않는 치아와 악안면의 상태

③ 건강의 필수적인 부분, 건강한 생활의 필수요소

지역 1-2-3 　구강건강을 정의할 수 있다. (A)

10. 구강건강관리의 구체적 필요성

① 구강병에 기인하는 고통으로부터 해방되기 위해

② 합리적 생존을 위해

③ 건전한 사회생활 영위을 영위하기 위해

④ 발음 및 심미기능 저하로 인한 생활장애를 제거하기 위해

지역 1-2-5 　구강건강관리의 필요성을 설명할 수 있다. (A)

11. 치학의 분류

(1) **기초치학**: 구강해부학, 구강생리학, 구강약리학, 구강생화학, 구강미생물학, 구강조직발생학, 치아형태학, 치과재료학

(2) **실용치학**

① 치료치학: 구강내과학, 구강외과학, 치과교정학, 치과보존학, 치주과학, 소아치과학, 구강방사선학, 구강병리학

② 재활치학: 가공의치학, 국부의치학, 전부의치학, 임플란트학

③ 구강보건학: 공중구강보건학, 예방치학

지역 1-3-1 　치학을 분류할 수 있다. (B)

12. 공중구강보건의 역사적 변천과정 　2019 기출

(1) **전통구강보건기(조선시대 후기까지)**

① 민간요법, 한방요법으로 구강병 관리

(2) **구강보건여명기(조선시대 후기~해방)**

① 영국, 미국, 일본의 치학을 우리나라에 소개

② 1910년 경무총감부에 위생과 설치 & 치과의사 면허 관장

③ 1922년 경성치과의학교 설립: 치과의사 양성

(3) 구강보건태동기(해방 후~1950년대 말)

① 1946년 보건후생부 내에 치의무국 설치 → 구강보건행정 시작

② 1948년 서울대 치대에 조선치과위생연구소를 설치 → 공중구강보건 필요성 인식

(4) 구강보건발생기(1950년대 말~1960년대 말)

① 1961년 대한구강보건학회 창립

② 1962년 일부 보건소 전문가불소도포사업 시작(유일한 정부 주도 구강보건사업)

③ 1963년에 처음으로 구강위생면허제도와 치아기공면허제도 형성

　　– 치과위생사 면허시험 시행

　　– 1965년 우리나라 치과위생사 교육이 시작(3년제 수련과정 개설)

④ 1967년 한국구강보건협회 설립(최초 공중구강보건사업단체)

(5) 구강보건성장(발전)기(1970~1990년대)

① 국민구강보건실태조사를 한국구강보건협회가 우리나라 최초로 실시

② 1976년 학교불소용액양치(수구)사업 시작(최초)

③ 대한치과위생사협회 발족

④ 수돗물불소농도조정사업 시작(진해(1981년), 청주(1982년))

⑤ 1979년 전국 보건(지)소 공중보건치의사 배치

⑥ 1986년 전국 보건(지)소 치과위생사 배치

지역 1-3-2 　공중구강보건의 역사적 변천과정을 설명할 수 있다. (A)

---

13. 중대구강병 `2019 기출`

① 특정 시대, 특정 지역사회에서 발생빈도가 높고 심각한 치아기능장애의 원인이 되는 구강상병

② 발거 원인별 발거 치아 비율로 측정

③ 한국: 치아우식증, 치주조직병(대부분 국가)

④ 특정 지역사회 중대 구강병: 치아우식증, 치주조직병, 반점치 등 모든 지역이 일치하지 않음 ⓒⓕ 3대 구강병: 치아우식병, 치주병, 부정교합

지역 1-4-1 중대구강병을 정의할 수 있다. (A)

14. 구강병 발생요인

요인	내용
숙주요인	치아형태, 치아성분, 치아위치, 치아배열, 타액유출량, 타액점조도, 타액완충능, 호르몬, 임신, 식성, 종족특성, 감수성, 식균작용, 살균성물질생산력, 비특이성면역작용, 외계저항력, 병소위치
병원체요인	병원성, 세균, 전염성, 전염방법, 독력, 독소생산능력, 침입력, 활동성
환경요인	기온, 기습, 토양성질, 공기, 음료수불소이온농도, 구강환경, 직업, 경제조건, 주거, 인구이동, 문화제도, 식품종류, 식품영양가

지역 1-4-2 구강병 발생요인을 설명할 수 있다. (A)

15. 구강병 관리의 원리

① 모든 구강상병은 숙주요인과 환경요인 및 병원체요인이 동시에 복합적으로 작용하여 발생됨

② 숙주요인과 환경요인 및 병원체 요인 가운데서 어느 한 가지 요인이라도 작용하지 않는 조건에서는 구강상병이 발생되지 않음

지역 1-4-3 구강병 관리의 원리를 설명할 수 있다. (A)

16. 구강병관리의 원칙

① 예방이 위주, 치료는 지원

② 3차 예방법보다는 2차 예방법으로 관리, 2차 예방법보다는 1차 예방법으로 관리하는 것이 경제적, 윤리적, 보건학적으로 유리함

지역 1-4-4 구강병 관리의 원칙을 제시할 수 있다. (A)

Part

08

지역사회구강보건학

17. 구강병 진행과정에 따른 관리방법

병원성기		질환기		회복기
전구병원성기	조기병원성기	조기질환기	진전질환기	
1차 예방		2차 예방	3차 예방	
건강증진	특수방호	초기발견치료	기능감퇴제한	상실기능재활

• 구강보건교육
• 영양관리
• 칫솔질
• 치실질
	• 불소도포
	• 식이조절
	• 치면열구전색
	• 치면세마
	• 부정교합예방
	• 교환기 유치
	  발거
		• 초기우식병소
		  충전
		• 치은염치료
		• 부정교합차단
		• 주기적검진
			• 진행우식병소
			  충전
			• 치수복조
			• 치근관치료
			• 우식치관 수복
			• 치아발거
			• 부정교합교정
			• 치주병 치료
				• 가공의치보철
				• 국부의치보철
				• 전부의치보철
				• 악안면성형
				• 임플란트

지역 1-4-5 구강병 진행에 따른 관리방법을 설명할 수 있다. (A)

18. 개인의 구강건강관리과정

① 순환주기: 6개월(진찰단계에 관찰되지 않은 인접면 초기우식병소가 관찰될 수 있을 정도로 진행 확대되는 데 소요되는 최단기간)

② 과정: 검사(진찰) → 진단 → 요양(치료)계획 → 진료비영수 → 요양(치료) → 평가

지역 1-4-6 개인의 구강건강관리과정을 설명할 수 있다. (B)

19. 집단의 구강건강관리과정 `2019 기출` `2020 기출` `2021 기출`

① 순환주기: 12개월(실태조사 과정에서 관찰되지 않은 인접면 초기우식병소가 치수까지 진행되기 전에 발견하여 치료할 수 있는 최장기간)

② 과정: 실태조사 → 실태분석 → 사업계획 → 재정조치 → 사업수행 → 사업평가

과정	내용
실태조사	• 문제해결 위해 구강보건실태조사 • 문제되는 구강상병의 발생빈도, 경향, 집단의 규모와 특성 조사 • 치의사가 구강건강실태, 구강보건과 관련되는 지역사회실태 조사
실태분석	• 일반 치의사나 공중구강보건전문치의사가 분석 • 구강건강문제를 정확히 파악·표시, 구강건강문제를 해결하는 데 필요한 구강보건지표를 산출·보고
사업계획	• 구체적 계획 수립 • 사업수행에 소요되는 경비나 지역사회의 예측되는 반응 참작
재정조치	• 국가나 지방자치단체가 사업수행에 필요한 재력을 취득·관리·사용(예산순환과정: 3년)
사업수행	• 실질적이고 효과적인 업무수행
사업평가	• 후속되는 사업의 기획에 절대로 필요한 기초자료 마련하는 행위 • 평가원칙에 따라서 평가 • 기획단계에 관련되었던 사람, 사업 수행에 참여한 사람, 평가에 영향받을 사람이 모두 평가에 참여

> **지역 1-4-7** | 집단의 구강건강관리과정을 설명할 수 있다. (A)

20. 계속구강건강관리 제도의 장점

① 구강건강수준을 유지하고 증진시킴

② 구강병의 예방, 조기발견과 치료가 가능함

③ 구강진료과정에 불쾌감을 주지 않음

④ 치통 발생빈도와 근관치료 및 보철치료 감소

⑤ 치아상실 방지

⑥ 응급구강진료 필요 감소

⑦ 구강진료수혜자 1인당 구강건강관리비용 감소 및 진료시간 단축

⑧ 구강진료수혜자 증가

> **지역 1-4-8** | 계속구강건강관리 제도를 정의할 수 있다. (A)

21. 계속구강건강관리 방법

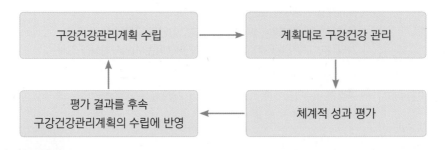

22. 예방지향 포괄구강진료의 준칙 [2022 기출]

① 발생된 구강병을 가능한 한 조기에 발견하여 치료해야 함

② 회복된 구강건강수준을 가급적 오래 유지시켜야 함

③ 개개 치아의 보존보다 내원 환자의 종합적인 구강건강을 회복하고 유지해야 함

④ 구강질병이 발생하지 않도록 예방에 힘써야 함

⑤ 지역사회구강보건과 연계해야 함

제2장 | 모자구강보건

1. 모자구강보건의 개념

• 임산부 및 태아, 신생아, 영유아의 구강건강을 증진·유지시키는 원리와 방법을 연구하는 계속적 노력 과정

2. 임산부의 구강보건

임산부의 구강관리는 치아 및 구강주위조직 상태뿐 아니라 임신에 의한 심신의 변화, 임신 전후의 식생활, 간식섭취, 구강청결상태 등을 충분히 파악한 후 구강 건강의 필요성을 이해시키고 태아와 영유아의 치아발육과정이나 구강병 등에 대한 교육을 포함한다.

지역 2-2-1　　임산부의 구강보건을 설명할 수 있다. (A)

3. 임산부의 구강보건관리방법

① 칫솔질 교육
② 발효성 탄수화물의 섭취 억제
③ 간식을 섭취할 경우 바로 칫솔질을 하도록 유도
④ 식이조절과정에서 칼슘이나 비타민 등의 무기염류가 많이 포함되어 있는 식단으로 처방
⑤ 흡연, 음주, 약물에 대해 교육
⑥ 방사선 노출을 감소시킬 수 있는 방법과 구강보건교육

지역 2-2-2　　임산부의 구강보건관리방법을 나열할 수 있다. (A)

4. 영아의 구강건강실태

• 영아기란 출생 후 1년까지의 시기를 말하며, 이 시기는 신체적, 정신적, 정서적으로 다른 연령층에 비해 성장과 발달이 매우 빠르고 중요한 시기이다. 영아기의 구강건강을 증진하고 유지시키기 위한 계속적인 노력과정

① 우유병성 우식증: 상악 유절치에 빈발
② 원인: 잘못된 수유습관, 불규칙적인 수유시간, 빈번한 우유병 사용, 탄수화물 섭취횟수
③ 개선: 컵 사용, 물 먹이기, 밤에 수유금지, 거즈로 잇몸 닦아주기

지역 2-3-1　　영아 구강건강실태를 설명할 수 있다. (A)

5. 영아의 구강보건관리방법 `2020 기출`

① 구강청결관리: 양육자가 천이나 거즈, 칫솔을 이용해서 닦아주고 마사지 해줌
② 불소이용
③ 정기적인 구강검진: 첫 번째 치아맹출 후 6개월 이전에 치과를 방문
④ 식이지도: 9~12개월 경 우유병 대신 컵 사용, 우유병을 문 채로 잠든 경우 우유병 제거
⑤ 상대중요도: 불소복용법(90%) > 식이조절(10%)

> **지역 2-3-2**　영아의 구강보건관리방법을 나열할 수 있다. (A)

6. 유아 구강보건의 개념

2~6세 미만 유아의 구강건강을 증진하고 유지시키기 위한 계속적인 노력과정

> **지역 2-4-1**　유아 구강보건의 개념을 설명할 수 있다. (A)

7. 유아 구강보건의 관리방법 `2019 기출`

① 치면세균막관리: 양육자가 직접 칫솔질을 해주거나, 유아가 칫솔질을 할 경우 양육자가 마무리, 인접면은 치실 사용
② 식습관 지도: 사탕 대신 자일리톨을 섭취
③ 불소복용 및 도포
④ 치아홈메우기
⑤ 정기구강검진: 1년에 2번
⑥ 계속구강건강관리사업
⑦ 상대중요도: 불소복용(40%) > 불소도포(20%) > 식이조절(20%) > 가정구강환경관리(10%) > 전문가예방(10%)

> **지역 2-4-2**　유아 구강보건의 관리방법을 설명할 수 있다. (A)

1. 학생 구강보건의 개념

    ① 학생과 교직원의 구강병을 예방하고 구강건강을 증진·유지하여 학교생활의 안녕을
       도모하며 학교 교육의 능률을 향상시킴

    ② 학생의 구강보건지식, 태도 및 행동을 변화

    ③ 학교 교육의 총체성 속에서 파악

> **지역 3-1-1**   학생 구강보건의 개념을 설명할 수 있다. (A)

2. 학생 구강보건의 관리방법

    ① 정기구강검진   ⑥ 학교 집단칫솔질사업

    ② 구강건강상담   ⑦ 학생 계속구강건강관리사업

    ③ 학교 구강보건교육사업   ⑧ 학생 집단불소용액양치사업

    ④ 학교 응급구강상병처치   ⑨ 구강건강관찰

    ⑤ 학생 치아홈메우기사업

> **지역 3-1-2**   학생 구강보건의 관리방법을 설명할 수 있다. (A)

3. 초등학교 학생의 구강보건개념과 필요성

    ① 유치에서 영구치로 교환되는 시기

    ② 치아우식병과 부정교합 발생률이 높고 치은염이 시작되며 성장이 빠르고 감수성이
       예민함

    ③ 구강에 관한 교육이 이루어져 구강보건행동이 습관화되도록 해야 함

> **지역 3-2-1**   초등학교 학생의 구강보건개념을 설명할 수 있다. (A)

4. 초등학교 학생의 구강보건관리 방법

    ① 칫솔질

② 식이조절

③ 불소이용

④ 치아홈메우기

⑤ 정기적인 치과방문: 가장 중요

⑥ 구강보건에 대한 관심

⑦ 상대중요도: 불소도포(30%) > 불소복용(20%) > 가정구강환경관리(20%) > 전문가
    예방처치(15%) > 식이조절(15%)

> **지역 3-2-2**   초등학교 학생의 구강보건관리 방법을 설명할 수 있다. (A)

5. 중·고등학교 학생의 구강보건개념과 필요성

① 영구치가 대부분 맹출된 시기로 치아우식병과 치주병이 잘 발생되어 치아상실의 주
    원인임

② 운동을 많이 하는 시기이므로 운동으로 인한 치아파절이 올 수 있으므로 특히 치아
    외상에 관심을 기울이도록 함

> **지역 3-2-3**   중·고등학교 학생의 구강보건개념을 설명할 수 있다. (A)

6. 중·고등학교 학생의 구강보건관리 방법

① 전문가예방처치

② 가정구강환경관리

③ 불소도포

④ 식이조절

⑤ 상대중요도: 전문가예방처치(30%) ≥ 가정구강환경관리(30%) > 불소도포(25%) >
    식이조절(15%)

> **지역 3-2-4**   중·고등학교 학생의 구강보건관리 방법을 설명할 수 있다. (A)

7. 학교 보건조직

① 중앙보건조직: 교육과학기술부 내에 학교지원국 '학교건강안전과'에서 학교보건과

학교환경, 안전사고 등을 담당

② 지방보건조직: 학교보건업무로는 학생건강관리, 학교보건교육, 학생건강검진, 성교
육, 교내환경위생업무, 학교환경위생정화업무 등을 담당

③ 학교보건위원회: 기본계획 및 학교 보건의 중요 시책을 심의

④ 기타 관련 조직: 보건소 및 보건지소는 공식적인 체계를 갖추지 않았으나, 일선 학교
의 신체검사, 구강검사 및 예방접종 지원 등 학교 보건사업을 도와줌

지역 3-3-1   학교 보건조직을 설명할 수 있다. (B)

8. 학교 구강보건조직

① 조직기구의 활동은 미비하지만 학교 구강보건실이 시범적으로 설치·운영되고 있으
며, 보건소에서 파견된 치과의사 및 치과위생사에 의해 주기적으로 학교 구강건강관
리가 이루어지고 있음

② 학교 구강보건실: 특정 학교의 재학생들에게 구강건강증진을 위한 정보를 제공함과
동시에 구강질병의 예방, 치료 및 교육의 역할을 수행함

지역 3-3-3   학교 구강보건조직을 설명할 수 있다. (B)

9. 학생 정기구강검진의 목적 2019 기출 2021 기출

① 구강상병을 초기에 발견하여 치료하도록 유도

② 학생의 구강건강상태 파악

③ 학교 구강보건기획에 필요한 자료 수집

④ 교사와 학생의 구강건강에 대한 관심 증대

⑤ 구강보건자료 수집

지역 3-4-1   학생정기구강검진의 목적을 설명할 수 있다. (A)

10. 학생 계속(= 유지)구강건강관리사업의 개념 2020 기출 2021 기출 2022 기출

• 1년 주기로 학생에게서 발생되는 구강질병을 조기에 발견하여 치료하는 학생 구강보건
이 가능하도록 지원하는 지역사회구강보건 사업

(1) 학생 계속구강건강관리사업의 내용

① 구강검진   ⑧ 우식병소 충전

② 칫솔질 교습   ⑨ 치수절단

③ 개별 식이조절   ⑩ 치근관 충전

④ 치아홈메우기   ⑪ 치주병 치료

⑤ 전문가 불소도포   ⑫ 우식치아 발거

⑥ 치면세마   ⑬ 치관제작 장착

⑦ 교환기 유치발거

(2) 학생 계속구강건강관리사업의 방법

① 학교인구가 사업의 개념과 필요성을 충분히 이해하여 적극적으로 협력

② 시작단계에서 소요되는 재정확보

③ 충분한 진료 분담 구강보건인력을 확보

④ 연차적으로 전체 학생의 구강건강을 주기적으로 계속 관리하는 사업 개발

(3) 학생계속구강건강관리사업의 효과

① 증진구강진료수요가 감소

② 연간 구강건강관리비가 감소

③ 구강진료수요는 관리단계가 지속될수록 감소

④ 치과의사 1인당 연간 관리 가능학생 수가 증가

⑤ 증진구강진료수요와 유지구강진료수요의 차이는 고학년에서 커진다.

> **지역 3-4-2** 학생 계속구강건강관리사업을 설명할 수 있다. (A)

11. 학생 구강건강상담

(1) 개념

① 학생을 개별로 지도, 관리하여 구강건강을 증진하는 행위

(2) 구강건강상담 대상학생

① 정기구강검진의 결과로 보아 특별한 조치나 별도의 구강보건지도를 받을 필요가 있는 학생

② 구강건강 관찰의 결과로 보아 별도의 구강보건지도를 받을 필요가 있는 학생

③ 구강병으로 결석하는 학생

④ 보호자가 구강건강에 이상이 있다고 보는 학생

⑤ 구강건강상담이 필요하다고 인정되는 기타의 학생

지역 3-4-3　　학생 구강건강상담을 설명할 수 있다. (A)

12. 학생 구강보건교육의 필요성

① 학교인구는 교직원과 학생을 포함하여 전체인구의 23~30%를 차지 → 국민전체 구강건강수준 향상

② 학생은 지식의 흡수력도 빠르고 실천력도 풍부

③ 교직원을 통한 구강보건교육과 구강보건지도는 교직원의 건강지식의 향상에 도움

④ 학생을 통한 구강보건교육은 가정에서 학부모와 형제들에게 파급효과가 큼

지역 3-4-4　　학생 구강보건교육을 설명할 수 있다. (A)

13. 학생 집단불소용액양치사업

• 학교에서 집단적으로 불소용액을 입에 머금고 양치하는 사업

(1) 학생 집단불소용액양치사업의 장점

① 짧은 시간 동안에 도포 가능

② 학업에 지장을 주지 않음

③ 구강보건 전문지식이 필요하지 않음

④ 학생들이 쉽게 도포가능

⑤ 특수 장비와 특수기구가 필요하지 않음

⑥ 도포용액을 쉽게 만들 수 있음

⑦ 약간의 교육훈련을 받은 학교 담임교사가 관리 가능

⑧ 학생들의 책임감을 유발

(2) 집단불소용액양치사업의 목적

① 칫솔질을 적절히 함으로써 치주병과 치아우식병을 예방

② 불소용액으로 양치하게 하여 치아우식병을 예방

Part

08

지역사회구강보건학

③ 학생에게 바른 칫솔질을 교습시켜 습관화시킴

④ 구강관리능력을 길러줌

지역 3-4-5   학생 집단불소용액양치사업을 설명할 수 있다. (A)

14. 학생 치아홈메우기사업

① 개념: 치아우식병이 많이 발생하는 취학 전 아동과 초등학교 학생들이 구치부 교합면의 홈을 메워주는 예방법으로 평생 동안 건전한 영구치를 보존함

② 교합면 우식예방: 65~90% 예방

③ 치아홈메우기 시기

- 치아 맹출 직후가 가장 좋음
- 7세: 상·하악 제1대구치
- 11세: 상·하악 제1소구치
- 12세: 상·하악 제2소구치 및 하악 제2대구치
- 13세: 상악 제2대구치

지역 3-4-6   학생 치아홈메우기사업을 설명할 수 있다. (A)

제4장 | 성인·노인 구강보건

1. 성인 구강보건의 개념

① 성인(18~64세)의 구강건강을 증진 및 유지시키는 원리와 방법을 연구하는 것

② 성인 인구의 구강보건실태와 환경요인 및 구강건강이 성인의 심리적 현상에 미치는 영향 등에 관해 연구하는 것

지역 4-1-1   성인 구강보건의 개념을 설명할 수 있다. (A)

2. 성인구강보건관리 특성 및 관리방법

(1) 성인구강보건관리의 특성

① 35세부터 치주병으로 치아를 많이 상실하게 되는 시기

② 학령기와 청년기에 발생된 치아우식증과 치주병이 축적

③ 치아우식증과 치주병이 계속적으로 발생되며, 심할 경우 치아를 상실하게 됨

④ 치아우식증, 치주병 및 구강암 등 여러 가지 구강질병이 증가

(2) 성인 구강보건사업의 종류

① 청년 구강보건(18~39세): 치아우식병 치료필요, 치주조직병 치료필요, 임플란트 및 가공의치보철 필요

② 장년 구강보건(40~64세): 치아우식병 치료필요, 치아우식병으로 인한 치수치료필요, 치주조직병 치료필요, 임플란트 및 가공의치보철 필요, 국소의치 보철필요, 발치 필요

(3) 성인 구강보건사업의 개발방향

① 축적된 치아우식증과 치주조직병을 치료하는 사업 개발

② 상실된 치아의 기능재활사업 개발

③ 주민 스스로 구강질환 예방을 위한 구강보건교육사업 개발

④ 의치보철 구강진료중심에서 예방지향적이고 포괄적인 구강보건진료전달체계로 전환

⑤ 직장별 계속구강건강관리사업

지역 4-1-2	성인 구강보건과 특성 및 관리방법을 설명할 수 있다. (A)

3. 노인 구강보건의 개념

노인의 구강건강증진을 유지시키는 원리와 방법을 연구 실천하는 계속적 과정

지역 4-2-1	노인 구강보건의 개념을 설명할 수 있다. (A)

4. 노인 구강건강실태

(1) 노인 구강건강실태의 특성

① 치아상실이 많음

② 구강건조증

③ 치은과 구강근육의 탄력성 저하

④ 치경부 우식이 많음

⑤ 대다수가 치주병에 이환

⑥ 보철물이 많고 특히 의치장착자 및 수요자가 많음

⑦ 구강 내 감염에 잘 이환됨

⑧ 구강위생관리능력이 저하되어 있음

⑨ 구강보건교육에 반응이 낮음

(2) 노인 구강보건사업의 종류

① 의치보철사업

② 노인불소도포, 스케일링 사업

③ 구강보건교육과 건강상담

④ 치면세균막 관리

⑤ 식이조절

⑥ 방문구강보건지도, 계속 노인 구강건강관리

(3) 노인 구강보건사업의 중요성

① 인구 노령화에 따른 치아건강관리의 필요성 증대

② 노인들의 삶의 질 향상

③ 경제적 부담의 감소

지역 4-2-2	노인 구강보건관리 방법을 설명할 수 있다. (A)

5. 고령화 사회

① 총 인구 중에 65세 이상의 인구가 총 인구를 차지하는 비율이 7% 이상인 사회

② 초고령화 사회: 65세 이상 고령인구 비율이 20% 이상인 사회

③ 고령사회: 14% 이상인 사회

지역 4-2-3	고령화 사회를 설명할 수 있다. (B)

제5장 | 산업장구강보건

1. 산업장구강보건의 개념과 필요성

(1) 개념

산업장의 근로자들이 높은 작업능률을 유지하면서 작업을 계속하여 생산성을 높일 수 있도록 구강건강을 유지하는 데 장애가 되는 근로환경과 근로방법 그리고 생활조건의 개선 및 관리하는 구강보건

(2) 필요성

① 근로자에게 필요한 증진구강진료와 유지구강진료도 치아우식병과 치주조직병 및 구강암 등을 포함한 구강질병의 조기발견과 치료

② 구강건강진단 → 구강보건교육 → 치료 및 예방처치 → 구강건강관리

> **지역 5-1-1** 산업장구강보건의 개념을 설명할 수 있다. (A)

2. 산업장 구강관리를 위한 방법 `2021 기출` `2022 기출`

① 작업환경 개선법

② 근로습관 교정법

③ 보호구 착용

④ 정기적 구강검진 및 구강보건교육

⑤ 특수건강검진: 특정 유해인자에 노출되는 업무에 종사하는 근로자의 건강관리를 위하여 사업주가 실시하는 건강검진, 1년에 2회 이상 실시

> **지역 5-1-2** 산업장 구강관리 방법을 설명할 수 있다. (A)

3. 직업에 따른 구강증상

직업	증상
유리직공	(입으로 불어서 유리제품 제조) 측절치와 견치에 심한 마모증, 이하선에 이하선기류
목수, 기와장이, 실내장식 전문가	(못을 입으로 물어서) 절치 마모
양복재단사, 미용사	절치 절단연에 V자 형의 마모
석공, 채석공, 모래취급근로자	치아마모증
금속모형제작공	치아마모증, 전치부의 치주병
전기도금사	아연의 흡수로 인한 만성 치은염
크롬철판 제조공장 근로자	비중격, 입술의 천공성 궤양
산 제조공장, 금속판 제조공장, 축전지 재생공장 근로자	치아의 변색과 부식
동화합물 취급공장, 염색공장 근로자	치아착색, 침식
크롬산염 취급 근로자	치아착색
용접공, 금속연소공	치은염
시멘트 취급 근로자	구강점막에 염증
양잿물공장 근로자	구강점막이나 입술의 부식성 막
제분업자, 빵 제조업자	치경부에 치아우식병

> **지역 5-2-1** 직업에 따른 구강증상을 설명할 수 있다. (B)

4. 법정 직업성 구강병 2020 기출

① 5가지 산(불화수소, 염소, 염화수소, 질산, 황산)을 취급하는 근로자에게 발생하는 직업성 치아부식증을 법정 직업병으로 지정

② 치아부식증
- 구강 내의 산생성균에 의해 생성된 산에 의한 것이 아님
- 외래성으로 다른 곳에서 제조된 산의 작용에 의해 치아표면이 탈회되고 치아외형이 변화되는 것
- 산 화합물을 취급하는 근로자에게 발생
- 감귤류 등의 기호성이 높은 식품의 잦은 섭취 등에 의해서 발생
- 도금, 배터리, 염료 등의 공장에서 염화수소, 황산 등의 가스에 5~6년 이상 장기간 노출된 근로자의 전치부 순면에 발생

5. 직업성 구강병의 예방법

① 정기적인 구강건강검진 및 구강보건교육

② 신체 보호구 착용의 습관화

③ 근로습관 교정법

④ 작업환경 개선법

⑤ 유리제품 제조공: 공정관리법 예방

⑥ 석수장과 모래취급근로자 및 채석공: 작업환경개선법과 근로자세 수정법 예방

⑦ 산제조근로자 금속판제조근로자: 공정관리법과 특수방호법 예방

지역 5-2-3 | 직업성 구강병의 예방법을 설명할 수 있다. (A)

제6장 | 장애인구강보건

1. 장애인의 개념

선천적, 후천적 장애로 인하여 장기간에 걸쳐 일상생활 또는 사회생활에 필요한 것을 확보하는 데 자기 자신으로서는 완전하게 또는 부분적으로 할 수 없는 자

지역 6-1-1 | 장애인의 개념을 설명할 수 있다. (B)

Part

08

지역사회구강보건학

411

2. 구강보건관리 관점에서 장애의 분류

대분류	중분류	소분류	세분류
신체적 장애	외부 신체기능의 장애	지체장애	절단장애, 관절장애, 지체기능장애, 변형 등의 장애
		뇌병변장애	중추신경의 손상으로 인한 복합적인 장애
		시각장애	시력장애, 시야결손장애
		청각장애	청력장애, 평형기능장애
		언어장애	언어장애, 음성장애, 구어장애
		안면장애	안면부의 추상, 함몰, 비후 등 변형으로 인한 장애
	내부기관의 장애	신장장애	투석치료 중이거나 신장을 이식받은 경우
		심장장애	일상생활이 현저히 제한되는 심장기능이상
		간장애	일상생활이 현저히 제한되는 만성·중증의 간기능 이상
		호흡기장애	일상생활이 현저히 제한되는 만성·중증의 호흡기기능 이상
		장루·요루장애	일상생활이 현저히 제한되는 장루·요루
		간질장애	일상생활이 현저히 제한되는 만성·중증의 간질
정신적 장애	지적장애		지능지수가 70 이하인 경우
	정신장애		정신분열병, 분열형 정동장애, 양극성 정동장애, 반복성 우울장애
	발달장애		소아자폐 등 자폐성 장애

지역 6-1-2 구강보건관리 관점에서 장애를 분류할 수 있다. (B)

3. 장애인 구강보건관리방법

① 지체장애인: 칫솔질이 어렵기 때문에 보호자의 도움을 받거나 진동칫솔, 변형 손잡이 칫솔을 사용

② 뇌성마비장애인
- 가정이나 학교에서 올바른 식습관을 유지
- Tell-show-do의 심리적 접근법을 사용
- 스스로 칫솔질을 할 수 있도록 반복적인 교육 실시
- 치실, 불소이용, 식이조절, 치아홈메우기, 치면세마 등 구강병을 예방

③ 간질
  - Dilantin 장기간 복용으로 치은비대가 나타남
  - 칫솔질 교육, 불소이용과 치면열구전색 등이 필요
④ 시각장애인
  - 음악이나 오디오를 이용하고 술자 자신의 손을 장애인 손 위에 올려 놓음
  - 동작을 크게 하며 말−시범−시행법으로 불안감과 공포감을 없애도록 함
  - 냄새, 소리, 감각 등으로 치료에 사용되는 기구나 기자재를 손으로 만지게 하여 익숙해지도록 함
⑤ 청각장애인
  - 수화나 종이에 글로 써서 의사소통
  - 구화로 의사소통할 때는 장애인과 정면에서 눈높이를 같게 하고 입술을 과장하지 말며 보통 음성으로 천천히 자연스럽게 대하도록 함
⑥ 지적장애인
  - 약물진정요법
  - 칫솔질 방법은 지적수준을 고려하여 반복적인 교육이 매우 중요

지역 6-2-1   장애인 구강보건관리방법을 설명할 수 있다. (B)

4. 장애인 구강보건사업

① 특수학교 구강보건사업
② 장애인 보육시설 구강보건사업
③ 생활시설 구강보건사업
④ 방문 구강보건사업

지역 6-3-1   장애인 구강보건사업을 설명할 수 있다. (B)

제7장 | 지역사회 구강보건사업

1. 지역사회의 정의

인간관계에 의해 또는 지리적·행정적 분할에 의해 나누어진 일정 지역의 사회

> **지역 7-1-1**   지역사회를 정의할 수 있다. (B)

2. 지역사회구강보건의 정의

① 개인별 포괄구강보건진료 전달의 개념(공중구강보건진료)
② 지역사회에서 조직적인 공동노력으로 구강보건의식을 개발하며 포괄구강보건진료를 전달하여 지역사회의 구강건강을 증진·유지시키는 과정

> **지역 7-1-2**   지역사회 구강보건을 정의할 수 있다. (A)

3. 지역사회구강보건사업의 분류 `2022 기출`

① 활동목적: 구강보건진료(예방, 치료, 재활), 구강보건교육
② 활동대상주민: 유아 구강보건, 학생 구강보건, 청년 구강보건, 성인 구강보건, 노인 구강보건, 특수집단 구강보건
③ 활동방법: 집단칫솔질, 불소복용, 집단불소용액 양치, 치아홈메우기, 계속구강건강관리, 방문구강보건사업

> **지역 7-1-3**   지역사회 구강보건사업을 분류할 수 있다. (A)

4. 지역사회구강보건활동의 요소

6W 1H − Why (목적), Who (주체), Whom (대상), How (방법), What (내용), When (시기), Where (장소)

> **지역 7-2-1**   지역사회 구강보건활동의 요소를 설명할 수 있다. (B)

5. 지역사회 조사내용(구강보건실태 조사내용) 2019 기출 2020 기출 2021 기출

조사영역	내용
구강보건실태	• 주민구강보건의식 • 공중구강보건사업의 수혜자 등 • 활용가능한 구강보건인력자원과 그 활용도 • 구강건강실태(치아우식경험도, 지역사회 치주요양필요 정도) • 정부책임하에 공급되는 구강보건진료에 대한 주민의 견해 • 구강보건진료필요(상대구강보건진료필요, 유효구강보건진료수요, 공중구강보건사업의 형태로 공급할 수 있는 구강보건진료, 구강병 예방사업으로 감소시킬 수 있는 상대구강보건진료필요)
인구실태	• 인구수/밀도/이동 • 성별/연령별/씨족별/직업별/교육수준별/산업별 인구구성 • 주민의 일반적 건강 및 위생 상태 • 주민의 가치관, 출신 인물
환경조건	• 음료수 불소이온 농도 • 기상, 토양 • 천연자원, 산업자원, 기존산업시설 • 지역사회 유형(도시, 농촌 등)
사회제도	• 종교제도, 봉사제도, 가족제도, 행정제도, 경제제도, 교육제도 • 구강보건진료제도 • 일반보건진료제도 • 구강보건제도

> **지역 7-2-2**   지역사회 조사내용을 설명할 수 있다. (A)

6. 지역사회 조사방법 2021 기출 2022 기출

구분		주요 내용
대화 조사법 (면접법)	정의	조사자가 응답자와 대화하는 형식으로 자료 수집
	장점	• 누구에게나 조사할 수 있음 • 세부사항도 조사
	단점	• 조사시간, 조사경비 많이 소요 • 숙련된 대화기술 요함 • 주관 개입 가능성

구분		주요 내용
설문조사법	정의	설문지의 설문에 대한 답을 응답자 자신이 기입하도록 하여 필요한 정보를 수집하는 방법
	장점	• 조사시간, 조사경비 절약 • 한 번에 여러 사람 조사 가능 • 면접기술을 요하지 않음
	단점	• 응답자가 요구하는 내용을 잘 이해하지 못해 답을 제대로 기입하지 못할 가능성 • 불성실한 응답자일 경우 그릇된 정보 수집할 수 있음 • 교육수준이 낮은 대상의 설문의 경우 불량한 결과를 수집할 수 있음
관찰조사법	정의	조사자가 조사대상이 되는 개체나 집단의 실태를 직접 관찰하며 정보 수집 또는 상황을 파악하는 방법 ex 구강검사
	장점	• 조사대상자의 협조를 구할 필요없음 • 다른 조사방법보다 세부사항 포착 가능
	단점	• 조사대상을 적시에 포착하기 어려움 • 고도의 관찰기술 요구 • 관찰과정에 조사자의 주관 개입 가능성이 있음
열람조사법	정의	정보를 수집하기 전 이미 존재하는 기록을 열람하는 형식으로 정보를 수집하는 방법
	장점	조사시간, 조사노력, 조사경비 절약
	단점	신뢰할 수 있는 자료를 활용해야 함
사례분석조사법	정의	개인, 가족, 단체 또는 지역사회의 사례를 분석하는 형식으로 검토하여 필요정보 수집 ex 시범지역사회 보건사업
	장점	소수 사례를 집중적으로 분석하고 검토
	단점	조사대상이 되는 사례가 제한적

지역 7-2-3　지역사회 조사방법을 설명할 수 있다. (A)

7. 지역사회 조사과정

① 조사목적 설정: 조사결과기록부 결정　　⑤ 조사용지 작성
② 조사항목 선정　　　　　　　　　　　⑥ 조사요원 훈련
③ 조사방법 선정　　　　　　　　　　　⑦ 조사계획 실행(예비조사, 본조사)
④ 조사대상 결정

지역 7-2-4　지역사회 조사과정을 설명할 수 있다. (A)

8. 지역사회 구강보건사업 기획의 분류 `2020 기출` `2021 기출`

범위	① 전체 구강보건 사업기획 • 1년 이상 장기적 기본지침 • 장기(10~30년), 중기(3~5년), 단기(1년 이내) ② 구강보건 활동기획 • 세부적인 활동 명시 • 단기적 지침
주체	① 하향식 구강보건 사업기획 • 정부주도로 진행 • 일부 후진국에서 채택하는 방식 • 지역주민의 자발적 참여 어려움 ② 상향식 구강보건 사업기획 • 지역사회 주민의 필요와 방향에 따라 수립 ③ 공동 구강보건 사업기획 • 지역사회의 구강보건지도자와 외부의 공중구강보건전문가가 함께 수립
목적	① 구강병예방사업 기획 ② 구강병치료사업기획 ③ 치아보철사업 기획 ④ 구강보건교육사업 기획

지역 7-2-5	지역사회 구강보건사업 기획을 설명할 수 있다. (A)

9. 지역사회 구강보건사업 `2019 기출` `2020 기출` `2022 기출`

1) 지역사회 구강보건사업의 정의 및 특징

(1) 지역사회에서 주민들이 실천하여야 할 구강보건을 실천하도록 지원하는 사업

(2) 특징

① 20세기 이후에 발전되고 있는 보건사업

② 지역사회의 조직적 공동노력으로 발전되는 사업

③ 지역사회주민의 구강보건의식을 개발하는 사업

④ 주민들이 구강보건을 실천하도록 지원하며 포괄적이고 예방지향적인 구강진료를 전달받도록 지원하는 사업

⑤ 전체 지역사회개발사업의 일부임

2) 지역사회 구강보건사업 기획과정의 분류

① 목적설정: 지역사회별 구강건강실태조사의 결과를 분석하여 현재의 구강건강상태를 파악한 다음 바람직한 구강건강상태의 불일치 정도를 규명

② 방법 결정: 주민의 이해와 협조도, 기존제도, 이용 가능한 인력, 필요한 지식 및 전문인력을 고려하여 목적에 맞는 방법을 결정

③ 절차 설계: 일별시간배정 → 업무편제작성 → 직무배당

3) 지역사회 구강보건사업 기획 시 고려요인

① 교육적인 과정이어야 함

② 관련있는 지역사회주민과 더불어 수립하여야 함

③ 통합적 과정이어야 함

④ 지속적 과정이어야 함

⑤ 평가방법을 포함하고 있어야 함

⑥ 주민이 만족할 수 있는 구강보건목적이 명시되어야 함

⑦ 지역사회주민이 인식하는 구강보건문제, 구강보건욕구에 바탕을 두고 수립

⑧ 지역사회 실정, 여건의 정확한 분석과 사실에 바탕을 두고 수립

지역 7-2-6　지역사회 구강보건사업 수행을 설명할 수 있다. (A)

10. 지역사회 구강보건 평가목적 2022 기출

① 사업목적의 달성 정도 파악

② 사업이 효과적이었는지 판정

③ 사업 개선방안을 모색

④ 사업 책임을 명확히 함

⑤ 새로운 지식을 획득함

지역 7-2-7　지역사회 구강보건 평가목적을 설명할 수 있다. (A)

11. 지역사회 구강보건 평가원칙 2019 기출 2020 기출 2021 기출

① 명확한 평가목적에 따라 평가

② 단기효과와 장기전망으로 구분하여 평가

③ 계획에 관여했던 사람과 수행에 참여한 사람 및 평가에 영향받을 사람들이 평가

④ 계속 평가

⑤ 명확한 기준에 따른 평가

⑥ 결과를 다음 계획의 기초 자료로 사용

⑦ 가능한 객관적으로 평가

⑧ 평가과정에 장·단점을 지적

⑨ 결과를 습득한 경험 자료로 사용

지역 7-2-8　지역사회 구강보건 평가원칙을 설명할 수 있다. (A)

12. 지역사회 구강보건 평가절차

① 평가목적의 설정　　　　④ 평가 실시

② 평가대상과 방법의 결정　　⑤ 평가결과의 해석

③ 평가기구와 도구의 준비　　⑥ 평가결과의 활용

지역 7-2-10　지역사회구강보건 평가절차를 설명할 수 있다. (B)

13. 집단칫솔질사업　2019 기출

(1) 개념: 가장 기본적인 구강보건인 칫솔질을 실천하도록 지원하는 지역사회 구강보건사업

(2) 목적

① 치주조직병 예방　　　　④ 세치제 선택기준 교습

② 치아우식병 예방　　　　⑤ 칫솔질시기 교습

③ 칫솔 선택기준 교습　　　⑥ 칫솔질방법 교습

지역 7-4-1　집단칫솔질사업을 설명할 수 있다. (B)

14. 불소복용사업의 역사적 배경

① 1901년: Eager가 처음으로 지방성 갈색치아를 치학계에 보고하면서 시작되었으며, 그 후 미국의 치과의사 Dr.Frederik McKay는 콜로라도 스프링스마을 주민의 치아에 나타난 갈색반점의 현상을 조사하였음

② 1930년: 갈색치아의 발생 원인이 불소라는 사실이 밝혀짐

③ 1931년: 미국의 H. Treandley Dean 박사에 의해 불소에 대한 광범위한 역학조사가 실시됨

④ 1941년: Dean 박사는 음용수 속의 불소농도가 높아지면 치아우식병이환치아는 감소한다는 역 상관관계를 밝혀냄

⑤ 1945년 1월 25일: 미국의 미시간주 그랜드 래피즈시(Grand Rapids, MI)에서는 세계에서 최초로 수돗물불소농도조정사업이 시작됨

> **지역 7-5-1**   불소복용사업의 역사적 배경을 설명할 수 있다. (A)

15. 불소의 치아우식예방의 이론적 근거

① 불소는 치아우식병을 예방함(불소 + 수산화인회석 = 불화인회석)

② 미량의 불소는 인체에 아무런 위해작용을 나타내지 않음

③ 불소는 인간의 건강을 증진 유지하는 데 없어서는 안 될 필수 영양소

④ 불소는 타액에서 인산칼슘 같은 무기염이 치아 표면에 침착되는 현상을 촉진

> **지역 7-5-2**   불소의 치아우식예방의 이론적 근거를 설명할 수 있다. (A)

16. 불소복용법의 종류

① 도시관급수불소농도조정법

② 학교급수불소농도조정법

③ 불소보충복용법: 불소정제복용법, 불소시럽복용법

④ 식염불화법

⑤ 우유불화법

⑥ 소맥분불화법

> **지역 7-5-3**   불소복용법의 종류를 나열할 수 있다. (B)

17. 수돗물불소농도조정사업의 적정불소이온농도 2019 기출 2020 기출 2022 기출

① 불소이온농도 기준

• 연평균 매일 최고기온을 고려하여 적정 불소이온농도 결정

• 온대지방 0.8~1.2 ppm, 열대지방은 온대지방보다 농도를 낮게, 한대지방은 높게

② Dunning: 경도 이상의 반점치가 발생되지 않아야 함

③ Maier: 경도 이상의 반점치가 발생되지 않아야 하고, 경미도 반점치 유병률이 10% 이하여야 함

④ 적정 농도: 1.0 ppm

⑤ 우리나라: 0.8 ppm

> **지역 7-5-4** 수돗물불소농도조정사업의 적정불소이온농도를 설명할 수 있다. (A)

18. 수돗물불소농도조정사업에 이용할 수 있는 불화물 종류

① 불화나트륨, 불화규산나트륨, 불화규산, 불화규산암모니아, 불화칼슘

② 우리나라 도시관급수불화투입 현황: 0.8 ppm 불화나트륨(NaF) 사용

• 1981년 진해, 1982년 청주, 1994년 과천, 1996년 포항

※ 현재 우리나라에서는 불화규산을 가장 많이 사용

> **지역 7-5-5** 수돗물불소농도조정사업에 이용할 수 있는 불화물 종류를 나열할 수 있다. (A)

19. 수돗물불소농도조정사업에 이용할 수 있는 불화물 투입방법

(1) 불화물용액 투입법

① 포화불화물용액을 만들어 일정한 비율로 급수 본관에 투입

② 용액 제작 용이, 불화물용액투입장치 간단, 소규모 정수장에 적합

(2) 불화물분말 투입법

① 포화불화물분말을 일정한 속도로 불화물용해조에 넣어 용해시키며 고농도의 불화물 용액이 계속 급수본관에 투입

② 자동불화물분말투입기 설치비용 ↑, 불화물 제조인력 불필요, 대규모 정수장

> **지역 7-5-6** 수돗물불소농도조정사업에 이용할 수 있는 불화물 투입방법을 설명할 수 있다. (B)

20. 수돗물불소이온농도 측정방법

① 시간당 첨가불화물분말중량감시법

② 1일 간격 비색불소농도측정감시법

③ 1주 간격 비색불소농도측정감시법

④ 계속 불소농도측정감시법

> **지역 7-5-7** 수돗물불소이온농도 측정방법을 설명할 수 있다. (B)

21. 수돗물불소농도조정사업의 특성

① 가장 효과적

② 사용이 용이

③ 경제적

④ 안전한 사업

⑤ 공평함

⑥ 실용적(수혜자의 개인적 협력을 필요로 하지 않음)

> **지역 7-5-8** 수돗물불소농도조정사업의 특성을 설명할 수 있다. (A)

22. 불소보충복용사업

① 정의: 치아우식병 예방하기 위해 불소를 충분히 식음하지 못하는 인간집단의 구성원에게 부족한 양의 불소를 복용시키는 사업

② 불소도포효과와 복용효과가 동시에 일어남

③ 불소이온농도가 0.7 ppm 미만인 음료수를 섭취하는 인간집단에서 실시

④ 출생직후부터 14세까지 계속해서 복용시키면 예방효과 극대화

⑤ 유치우식증 50~80% 예방

⑥ 유형: 유치원과 학교 불소정제복용사업

⑦ 장점

- 짧은 시간 안에 사업을 수행 가능

- 기획이 용이

- 소액의 비용 소요

- 비전문가도 관리 가능
- 초등학교 및 유아집단에서 수행 가능

지역 7-5-9　　불소보충복용사업을 설명할 수 있다. (A)

23. 연령별 1일 불소복용량 2021 기출

연령	불소복용량
6~18개월	0.25 mg
18~36개월	0.5 mg
3~6세	0.75 mg
6~12세	1.0 mg

지역 7-5-10　　연령별 1일 불소복용량을 설명할 수 있다. (A)

24. 불소용액양치사업의 방법 2020 기출 2021 기출

(1) 정의: 집단의 구성원들이 함께 불소용액을 입에 머금어 치아와 구강을 헹구는 사업

(2) 방법

① 매일 1회: 0.05% NaF 용액

② 1~2주에 1회: 0.2% NaF 용액

③ 유치원 아동 5 ㎖, 초등학교 아동 10 ㎖

④ 치아우식 예방효과: 약 25~50%

⑤ 자가불소도포법 중 효과가 제일 큼

지역 7-6-1　　불소용액양치사업의 방법을 설명할 수 있다. (A)

25. 불소용액양치사업의 장점 2019 기출 2022 기출

① 단시간 내에 도포 가능

② 학업에 지장을 주지 않음

③ 학생들이 쉽게 수행

Part
08

지역사회구강보건학

④ 구강보건전문기술이 필요하지 않음

⑤ 특수한 장비와 기구 불필요

⑥ 수구용액을 쉽게 제조

⑦ 약간의 교육훈련을 받은 비전문가가 관리 가능

⑧ 학생들의 책임감을 불러일으킬 수 있음

> **지역 7-6-3** 불소용액양치사업의 특성을 설명할 수 있다. (A)

26. 불소용액양치사업의 효과

① 잇솔질에 관한 교습효과가 나타남

② 잇솔질에 의한 치아우식증과 치주조직병 예방효과

③ 불소용액 수구에 의한 치아우식증 예방효과

④ 소아의 구강진료필요를 감소시켜, 치학분야의 연구방향을 전환시킴

⑤ 소아시절에 불소용액으로 수구한 효과는 성인에서도 지속되므로, 장기적으로는 지역사회 구강보건의 양상도 변화시킴

> **지역 7-6-4** 불소용액양치사업의 효과를 설명할 수 있다. (A)

27. 치아홈메우기사업

대구치나 소구치가 맹출한 직후에 교합면의 깊고 좁은 열구와 소와를 복합레진으로 전색하여, 열구와 소와에 음식물잔사와 세균이 끼지 못하게 함으로써 치아우식병을 예방하는 것

> **지역 7-7-1** 치아홈메우기사업을 설명할 수 있다. (B)

1. 역학의 개념

① 역학: 어떤 지역이나 집단 안에서 일어나는 질병의 원인이나 변동 상태를 연구하는 학문
- 인구집단을 대상으로 그 속에서 질병의 발생, 분포 및 경향의 양상을 명백히 하고 그 원인을 탐구하여 이에 대한 예방대책을 세우게 하는 학문

② 사람에게 유행하는 질병을 연구하는 학문
- 급성 전염병을 효율적으로 관리하기 위해 시작
- 오늘날에는 만성 전염병, 비전염성 질병도 조사

> **지역 8-1-1**   역학의 개념을 설명할 수 있다. (B)

2. 구강역학의 개념 `2020 기출` `2021 기출`

① 구강역학: 구강병이 발생하는 데에 작용하는 구강병 발생요인과 요인이 작용하는 기전을 규명하는 학문 → 구강보건사업 수립 및 평가자료로 활용

② 구강질병관리원칙: 구강질병이 발생하는 데에 작용하는 요인, 혹은 간접적인 요인을 제거함으로써 구강질병을 효과적으로 관리하는 원리

③ 구강역학의 조사과정: 분포결정 – 가설설정 – 가설입증

> **지역 8-1-2**   구강역학의 개념을 설명할 수 있다. (A)

3. 역학의 기능

① 기술적 기능
② 원인규명의 기능
③ 연구전략 개발의 기능
④ 질병 발생 및 유행의 감시기능
⑤ 보건사업평가의 기능

> **지역 8-2-1**   역학의 기능을 설명할 수 있다. (B)

Part
08

지역사회구강보건학

4. 기술역학 `2021 기출`

① 인구 집단에서의 질병의 발생과 관계되는 모든 현상(분포, 양상 등)을 기술하여, 질병 발생의 원인에 대한 가설을 얻기 위하여 시행되는 연구

② 기술구강역학: 구강병의 본태를 규명하고 분포를 결정하는 데 주안점을 두어 주로 구강병의 발생률과 유병률을 조사·분석

cf 단면조사연구와 코호트연구

① 단면조사연구: 일정한 인구집단을 대상으로 특정시점이나 기간 내에 그 질병과 그 인구집단이 가지고 있는 속성과의 관계를 찾아내는 연구조사, 접근방법은 기술역학과 분석역학적 조사를 함께 시행함

② 코호트연구: 질병발생의 원인과 관련이 있다고 생각하는 연구집단과 관련이 없는 집단간의 질병발생률을 비교·분석하는 방법, 현재 혹은 미래의 결과(질병)를 알기 위해 과거 또는 미래를 추적하는 것(변수가 너무 많음)

> **지역 8-3-1** 기술역학의 개념을 설명할 수 있다. (A)

5. 해석역학

① 질병이 발생하는데 작용하는 요인과 요인이 작용하는 기구에 관한 가설을 설정하여 입증하며, 인과관계를 증명하기 위하여 시행되는 연구(분석역학)

② 해석구강역학: 구강질병이 발생하는 데 작용하는 요인과 요인이 작용하는 기구에 관한 가설을 설정하여 입증

> **지역 8-3-2** 해석역학의 개념을 설명할 수 있다. (A)

6. 질병발생양태 `2020 기출`

① 범발성: 질병이 수 개 국가나 전 세계에서 발생하는 양태 ex 치아우식증

② 유행성: 질병이 어떤 나라나 어떤 지역사회의 많은 사람에서 발생하는 양태 ex 콜레라, 페스트

③ 산발성: 질병이 이곳저곳에서 개별적으로 발생하는 양태 ex 암

④ 전염성: 질병이 병원성미생물이나 그 독성산물에 의하여 옮아서 발생되는 양태
   ⓔⓧ 장티푸스

⑤ 비전염성: 영양장애나 물리적, 문화적, 기계적 병인으로 발생하는 양태 ⓔⓧ 중독

⑥ 지방성: 일부지방, 일부지역사회에서 특이질병이 계속적으로 발생 ⓔⓧ 반점

지역 8-3-3 질병발생양태를 설명할 수 있다. (A)

7. 역학현상 `2019 기출` `2022 기출`

① 시간적 현상: 시간적으로 규칙적인 질병의 발생양태
   • 구강질환은 대체적으로 시간적 현상을 지니지 않음
   • 추세변화: 일정한 주기에 따라서 큰 파상과 같이 질병이 많이 발생되는 현상
     ⓔⓧ 장티푸스, 디프테리아
   • 순환변화: 추세변화 사이에서 수년간의 주기로 질병이 발생되는 적은 유행현상 ⓔⓧ
     콜레라, 홍역, 백일해
   • 계절변화: 전염병이 계절적 특성을 가지고 발생되는 현상 ⓔⓧ 감기, 뇌염
   • 불규칙변화: 시기적으로 일정하지 않게 질병이 돌발하는 현상 ⓔⓧ 흑사병
② 지리적 현상(풍토병): 특정지역사회에서 질병이 계속적으로 발생하는 현상 ⓔⓧ 반점치
③ 생체적 현상: 연령특성, 성별특성, 종족특성과 같은 숙주의 생체특성에 따라서 질병
   의 발생 양태가 달라지는 현상 ⓔⓧ 치아우식증, 치주질환, 결핵
④ 사회적 현상: 질병이 사회환경 요인에 의하여 영향을 받으며 발생하는 현상
   ⓔⓧ 교육정도, 소득수준

지역 8-3-4 역학현상을 설명할 수 있다. (A)

Part
08

지역사회구강보건학

PART ▶▶

09

구강보건행정학

Oral Health Administration

DENTAL
HYGIENIST

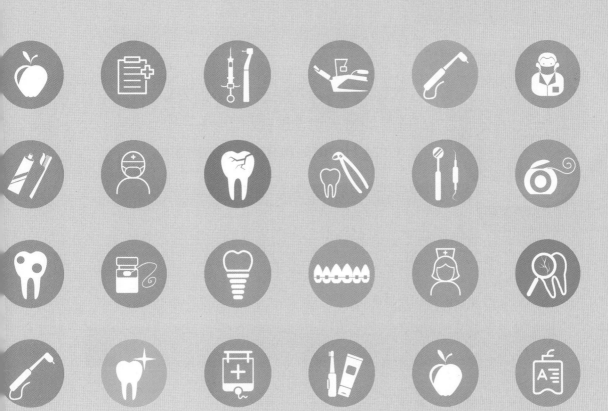

POWER 치과위생사 국가시험 핵심요약집 1권

PART 09

구강보건행정학
Oral Health Administration

제1장 | 구강보건진료제도

1. 구강보건진료제도의 개념

① 구강보건·진료의 사회적 행동을 지배하는 규범과 표준
② 무형의 사회 간접자본
③ 구강보건진료제공자의 행동과 구강보건진료를 소비하는 구강보건 수혜자의 행동을 지배
④ 구강보건진료의 양과 질을 좌우
⑤ 문화적, 경제적, 사회적제약과 나라, 지역사회, 시대에 따라 다름
⑥ 교육활동을 통해서만 건실하게 확립될 수 있음

cf 구강보건진료의 정의: 구강건강을 증진하고 유지시키기 위한 일체의 용역, 구강보건용역(구강보건봉사)

> **행정 1-1-1** 구강보건진료제도의 개념을 설명할 수 있다. (B)

2. 전통구강진료제도의 특성

① 전통과 관습에 따라 구강진료의 생산과 분배를 결정하였던 제도(민간요법적 측면)
② 효율보다는 명분 중시, 인술개념 강조
③ 구강보건의식 부족

④ 치료위주: 구강예방의 필요성 인식하지 못한 상황에서 치아발거, 치아보철 등의 구강진료행위 위주

⑤ 사회계급에 입각하여 구강진료의 생산과 분배를 결정

> **행정 1-2-1**　전통구강진료제도를 설명할 수 있다. (A)

3. 자유방임형(민간주도) 구강진료제도의 특성

① 민간주도 구강진료제도

② 정부 간섭없이 구강진료생산자에 의해 구강진료의 생산, 분배, 소비가 결정되는 제도 (정부의 간섭이나 통제를 가급적 극소화함이 원칙): 민간치과의사들(구강진료생산자들)이 자유롭게 방임하는 구강진료제도

③ 구강진료의 질적 수준이 높고 내용이 충실함

④ 구강진료자원 편재현상(지역별·소득계층별)

⑤ 진료의 사치화와 구강진료비 상승

⑥ 국민의선택권을 주어 질적 수준이 높고 구강진료의 내용이 충실하며 치과진료기관도 자유경쟁에 원칙하에 운영

⑦ 구강진료생산자와 구강진료소비자로 구성

⑧ 미국의 구강보건진료제도

> **행정 1-2-2**　자유방임형 구강진료제도를 설명할 수 있다. (A)

4. 혼합구강보건진료제도의 특성　2019 기출　2020 기출

① 사회보장형 구강보건진료제도

② 구강진료제공자와 소비자 간의 조정자로서 국민의 보건을 위하여 정부가 개입한 제도 (구강진료비+정부의 의사결정 → 구강보건진료자원의 배분)

③ 우리나라 구강보건진료제도

④ 예방지향 포괄구강보건진료 공급

⑤ 모든 국민에게 균등한 기회제공, 선택의 자유와 의료지원의 효율적 활용

⑥ 의료적 행정체계가 복잡(대규모 조직 필요)

> **행정 1-2-3**　혼합구강보건진료제도를 설명할 수 있다. (A)

5. 공공부조형 구강보건진료제도의 특성 `2022 기출`

① 정부관장 구강보건진료제도: 구강보건사업계획 수립·예산편성·조정 및 통제 등

② 정부의 의사결정과 행정기획으로 결정하는 제도

③ 정부와 구강보건진료소비자 사이에서 형성된 제도

④ 사회주의 국가에서 실시되는 구강보건진료제도

⑤ 균등한 자원의 분포: 모든 국민에게 구강보건진료를 공평하게 제공

⑥ 의료의 질적수준 저하

⑦ 구강보건진료내용 빈약

⑧ 행정체계의 경직성

⑨ 소비자의 선택권 제한

> **행정 1-2-4** 공공부조형 구강보건진료제도를 설명할 수 있다. (A)

6. 현대구강보건진료제도의 방향 `2020 기출` `2022 기출`

① 구강보건진료소비자가 필요할 때 필요한 구강보건진료를 소비할 수 있어야 함
→ 적절한 진료 제공

② 모든 국민이 구강보건진료를 균점하여야 함: 사치화경향은 규제되어야 함

③ 혼합구강보건진료제도: 예방지향적이고 포괄적인 구강보건진료제도로 전환

④ 구강건강을 효율적으로 증진시키려면 상대구강보건진료 필요가 등록되어야 함

⑤ 소비자는 경제적 제약과 지리적인 문제로 인하여 구강보건진료를 소비할 수 없어 고통을 겪는 일이 없어야 함: 응급 구강진료 체계 마련

⑥ 계속구강관리를 제공되어야 함

> **행정 1-2-5** 현대구강보건진료제도의 방향을 설명할 수 있다. (A)

7. 구강보건진료전달체계의 개념

① 국민의 구강건강과 치아수명을 효율적으로 증진, 유지시키기 위해 일정한 주기에 따라 구강보건진료를 계통적, 순차적으로 전달하고 전달받는 체계

② 구강진료생산자는 구강진료소비자와 비교적 쉽게 접촉될 수 있는 곳에 분포되어야 함

> **행정 1-3-1** 구강보건진료전달체계의 개념을 설명할 수 있다. (A)

8. 구강보건진료전달제도의 확립방안 2020 기출 2021 기출

① 구강보건진료기관의 균등한 설치 및 분포
② 설치된 구강보건진료기관에 전문인력 확보
③ 진료비 상승 억제
④ 충분한 재정이 도달
⑤ 진료의 규격화
⑥ 진료기관 간 환자의뢰제도 확립

행정 1-3-2   구강보건진료전달체계의 확립방안을 설명할 수 있다. (A)

9. 구강보건진료전달체계의 일반원칙 2019 기출

① 전체 국민에게 가급적 양질의 구강진료를, 가급적 저렴한 구강진료비로 전달하는 체계를 개발
② 지역사회 내부에서 구강보건문제를 해결하는 체계를 개발
③ 가급적 구강상병관리원칙이 적용되는 체계를 개발(3차 예방보다는 2차 예방으로, 2차 예방보다는 1차 예방으로 구강질환을 관리하는 체계 개발)
④ 가급적 기존 민간구강진료자원의 활용을 극대화하는 체계를 개발하고 동시에 공공 진료기관의 서비스를 확대할 수 있어야 함
⑤ 전문 구강진료기관(치과대학병원)은 연구와 교육 및 봉사기관으로 규정하여 한정된 지역사회의 전체주민들에게 필요한 모든 구강진료를 전달

행정 1-3-3   구강보건진료전달체계의 일반원칙을 설명할 수 있다. (A)

10. 구강보건진료의 분류 2019 기출 2022 기출

분류 기준	분류	특징
목표	구강상병검진	발생했거나 할 수 있는 구강상병의 증세를 검사·진단
	구강상병예방	구강상병의 발생을 미리 방지
	구강상병치료	발생된 구강병을 차단
	기능재활	구강상병으로 인한 기능상실 시 회복

분류 기준	분류	특징
전달순차 (위)	1차구강보건진료	일반구강진료, 포괄적보건진료, 지역사회구강보건진료(자발적인 참여), 보건소·치과의원 등 1차구강보건진료기관(기본적인 구강보건진료), 후송체계 확립이 전제조건임(by 세계보건기구), 협동노력 필요, 치아우식증·치은절제술 등
	2차구강보건진료	전문구강진료, 특수구강진료, 2차 구강보건진료기관, 토순성형술·종양절제·난발치·생검 등
필요의 완급	일상구강보건진료	일상적으로 전달하는 일체의 구강진료
	응급구강보건진료	고통을 느끼는 환자에게 응급적으로 전달 (급성 치근단 농양 치료 등)
계속구강 건강관리 과정의 전달단계	개시구강보건진료 (=증진구강보건진료)	기초구강진료, 계속구강건강관리과정의 첫 단계, 구강상병의 유병률(축적된 진료필요 파악)
	계속구강보건진료 (=유지구강보건진료)	계속구강건강관리과정에 일정한 주기로 계속적으로 전달하는 구강진료, 1차/2차/3차로 세분화, 구강상병의 발생률
생산 치의사	특수구강보건진료	복수의 치의사가 진료하는 구강진료기관에서 환자가 지정한 특수한 치의사가 하는 진료, 특진비를 냄
	일반구강보건진료	특수한 치의사에 해당되지 않은 치의사의진료

행정 1-4-1 구강보건진료를 분류할 수 있다. (A)

11. 1차 구강보건진료의 특성 [2020 기출]

① 지역사회 내부에서 제공되어야 함

② 지역사회 주민의 자발적인 참여와 공중구강보건진료기관의 활동으로 제공

③ 지역사회의 기본적인 구강보건진료를 충족시킬 수 있어야 함

④ 치과의사 이외에 구강진료요원과 비전문적인 자조요원들과의 협동적 노력으로 제공됨

⑤ 후송체계의 확립을 전제조건으로 함

⑥ 전체 지역사회 개발사업의 일환으로 제공

⑦ 구강보건 진료자원의 낭비를 최소화 함

⑧ 자조요원들에서는 구강병예방과 구강보건교육 및 후송 등의 기능이 부여됨

행정 1-4-2 1차 구강보건진료의 특성을 설명할 수 있다. (A)

12. 절대구강보건진료수요(필요)

① 논리적·이론적으로 구강건강을 증진·유지하는 데 필요한 구강보건진료 필요

② 전체범위: 종합적으로 구강건강을 증진·유지

③ 전문가에 의해 검진되지 않은 부분까지 포함

> **행정 1-4-3** 절대구강보건진료수요를 설명할 수 있다. (A)

13. 상대구강보건진료필요

① 조사할 수 있는 구강보건진료 필요, 구강보건전문가만이 조사할 수 있음

② 탐지구강보건진료 필요

③ 영향을 미치는 요인: 연령과 성별, 무치악 유무, 소득과 교육수준, 개인에게 이미 전달된 구강보건진료의 양

④ 구강보건진료의 필요와 수요 모식도

⑤ 구강병이 발생된 정도에 관계없이 구강건강증진에 필요하다고 인정되는 구강보건진료

> **행정 1-4-4** 상대구강보건진료필요를 설명할 수 있다. (A)

14. 구강보건진료수요 `2021 기출`

① 구강보건진료소비자가 구매하고자 하는 구강보건진료(환자입장)

② 상대구강보건진료 필요 중에서 구강보건진료 소비자가 필요하다고 인정한 구강보건진료 필요(실질적으로 제공받지는 않은 상태)

③ 영향을 미치는 요인: 구강병의 이환정도, 구강보건진료 소비자의 구강보건의식 수준, 이미 전달된 구강보건진료의 양, 구강진료전달체계, 소비가능 구강진료, 구강진료 필요, 연령·성별·교육·거주지역 등

| 행정 1-4-5 | 구강보건진료수요를 설명할 수 있다. (A) |

15. 유효구강보건진료수요 `2020 기출`

① 구강보건진료 수요 중에서 구강보건진료 소비자가 실제로 전달받아 소비하는 수요
② 변동요인(영향을 미치는 요인): 구강진료비 지불능력, 거주지와 구강진료기관의 거리, 구강보건진료소비자의 구강보건의식, 진행된 구강병 이환정도, 이미 전달된 구강보건진료의 양
③ 연령이 높은 집단보다 낮은 집단에서 수요가 많음

| 행정 1-4-6 | 유효구강보건진료수요를 설명할 수 있다. (A) |

16. 잠재구강보건진료수요 `2019 기출`

① 상대구강보건진료 필요(전문가 탐지) – 유효구강보건진료수요(소비자가 실제 소비)
② 향후, 유효구강보건진료 수요로 전환될 수 있음

cf 구강진료 가수요

① 구강건강을 증진, 유지시키는데 필요하지 않은 구강진료수요
② 진료비 개인적 부담이 없거나 많지 않은 사람
③ 무료로 제공되는 정부지원사업(의료부조, 요양급여)

| 행정 1-4-7 | 잠재구강보건진료수요를 설명할 수 있다. (A) |

17. 구강보건진료자원의 분류 `2021 기출` `2022 기출`

인력자원	구강보건관리인력	일반치과의사, 전문치과의사
	진료분담 구강보건보조인력	치과위생사
	진료실진료비분담 구강보건보조인력	구강진료보조원, 간호조무사
	기공실진료비분담 구강보건보조인력	치과기공사
무형 비인력자원	인적자본	치학지식, 구강진료기술(스케일링 등)
유형 비인력자원	비인적자본	시설, 장비, 기구
	중간재	재료, 진료약품, 구강환경관리용품

(1) 치과위생사의 역할

① 구강증진 및 교육연구가
- 학교 사업장 및 영유아, 노인, 장애인, 임산부 등을 대상으로 한 공중구강보건사업에 있어 중추적 역할을 수행
- 수돗물불소화사업, 불소용액양치사업, 구강보건교육자료 개발

② 예방치과 처치자
- 잇몸병 및 충치 예방을 위해 치석제거(scaling)와 치태조절, 치아홈메우기, 불소도포, 구강위생용품사용법 및 칫솔질 교습, 식이조절 등

③ 치과진료협조자
- 치과의사의 지도에 따라 환자의 구강 내외 치과방사선촬영 및 현상, 환자의 치료계획수립과 치료 전 교육, 진료과정협조 및 치료 후 유의사항과 계속관리 교육 등

④ 병원관리자
- 진료에 관계되는 물적·인적 자원 관리를 담당하는 것으로 효율적 환자진료 시간배정, 진료절차관리, 환자요양급여 및 의무기록 관리, 요양급여비용 청구 및 심사관리, 재료 및 약재관리, 계속관리제도 운영 등

(2) 치과의사의 권리(의료관계법규 참고)

① 이윤추구권
② 구강 진료 기술보호권
③ 구강진료 기자재 압류 금지권
④ 구강진료 기구 우선 공급권

(3) 치과의사의 역할(의무는 의료관계법규 참고)

① 치아를 포함한 구강의 질환을 치료, 교정, 대치하여 예방

② 구강 질환을 정밀하게 진단하기 위해서 X-ray 및 기타 의료기기를 이용하여 병리 검사를 실시

③ 치과기구를 사용하여 외과적 수술 및 약물치료

④ 치아를 청소하고 충치를 치료하며 의치로 대체하는 작업을 수행하여 결손된 치아나 조직을 적절한 인공적 장치물로 대치하여 교정함

⑤ 시린 치아의 치료와 보존, 표백 등을 수행하며 잇몸 염증과 치석을 제거하여 치아를 윤택함

행정 1-5-1   구강보건진료자원을 분류할 수 있다. (A)

18. 소비자의 권리와 의무 `2019 기출` `2020 기출` `2021 기출`

(1) 권리

① 개인비밀 안전 보장권
: 개인의 사생활이 보장되는 권리

② 단결조직 활동권
: 기본권의 보장을 위하여 단결하여 조직적인 공동활동을 할 권리

③ 피해보상 청구권
: 구강진료의 소비에 의한 피해의 공정한 보상을 청구할 권리

④ 구강보건의사 반영권
: 구강보건진료생산자에게 불량한 구강진료와 구강진료약품에 대한 시정과 배상 요구 가능

⑤ 구강보건진료 정보입수권
: 자기가 전달받아 소비하는 구강보건진료에 대한 정확한 정보를 입수할 구강보건진료소비자의 권리(구강진료에 대한 가격표시제 등)

⑥ 구강보건진료 선택권
: 전달받아 소비하고자 하는 구강보건진료를 선택할 수 있는 구강보건진료소비자의 권리

⑦ 안전구강보건진료소비권
: 구강보건진료소비자의 안전한 구강보건진료를 소비할 권리(무면허자 의료행위 금지 등의 법의 준수)

(2) 의무

① 자기구강건강 관리의무

: 구강보건진료소비자에게는 자신의 구강건강을 증진·유지시키기 위해 자신의 구강건강을 적극적으로 관리하여야 할 의무가 있음(집단적·국가적 책임과 연결)

② 진료약속 이행의무

: 구강보건진료소비자는 구강진료와 관련된 의료기관과의 약속을 이행하여야 할 의무를 말함

③ 진료정보 제공의무

: 구강보건진료소비자는 자신이 알고 있는 진료와 관련된 모든 정보를 구강보건진료생산자에게 제공할 의무를 말함

④ 요양지시 복종의무

: 의료기관의 요양방법지시에 따라 구강보건진료소비자가 이행할 의무를 말함

⑤ 병의원 규정 준수의무

: 치과·병의원 등 치과의료기관의 제반규정을 준수하여야 할 의무를 말함

⑥ 구강진료비 지불의무

: 구강진료비를 지불하여야 할 의무를 말함

행정 1-5-2	소비자의 권리를 설명할 수 있다. (A)

행정 1-5-3	소비자의 의무를 설명할 수 있다. (A)

19. 구강보건진료비 결정제도 [2021 기출] [2022 기출]

(1) 행위별 구강진료비책정제도(행위별 수가제)

① 우리나라의 구강진료비책정제도: 진료행위에 따른 항목별 진료비 책정(행정적 절차가 복잡하고 의료 남용 우려)

② 소비자가 진료 선택 가능(소비자의 선택권 보장)

③ 구강진료 단편화와 재활지향 구강진료현상 유발(기술지상주의 팽배 → 지역 의료발전 저해), 의료공급자의 재량권 확대(의료인과 보험자 간의 갈등), 치료에 집중(과잉진료 경향)

(2) 인두당 구강진료비책정제도(인두제)

① 일정기간 동안 한 사람의 구강건강을 관리하는 데에 필요한 진료의 비용: 행위와 무관하게 1사람당 구강진료비 책정(진료한 사람의 수에 따라 진료비 책정)

② 북유럽 국가

③ 구강진료 포괄현상(환자의 선택권 제한), 예방지향 구강진료(의료남용 감소와 의료인의 수입 평준화로 인한 의료 공급자의 불만), 최소한의 진료(고비용·고위험 환자 기피 → 환자 후송 경향 증가)

(3) 상병별 구강진료비책정제도(포괄진료비책정제도, 포괄수가제)

① 특정질병별로 구강진료비가 책정되므로 영수하는 과정이 간단해지며(규격화) 과잉진료 방지(질병별로 정해져 있는 가격으로 책정과 예산통제 가능성 확대 → 합병증 발생 시 적용 곤란하며 의료행위의 자율성이 감소됨)

② 구강진료별로 규격화하나(경제적인 진료 수행 유도) 통일하기 어렵고, 실용화하기 어려움

③ 의료서비스의 최소화로 인한 질적 저하(첨단 의학기술 적용이 어려움)

> **행정 1-6-1**　구강보건진료비 결정제도를 설명할 수 있다. (A)

20. 구강보건진료비 조달제도 `2019 기출`

(1) 각자 구강진료비조달제도(전통적 구강진료비조달제도)

① 구강진료소비자 자신이 지불할 행위별 구강진료비를 조달하는 제도(사치화 경향)

② 개업술 중시, 소득계층별 구강진료 편재화 현상 심화

③ 구강진료비와 유효 구강진료수요가 상호 역비례

④ 미국의 구강진료비후불제도

(2) 집단 구강진료비조달제도

① 집단구성원들이 공동으로 구강진료비를 조달하는 제도

② 대표적으로 미국의 구강진료비선불제도, 우리나라의 국민건강보험제도

(3) 정부 구강진료비조달제도

① 정부가 일부 국민의 구강진료비를 국고로부터 조달하는 제도(현재의 의료급여사업이 해당됨)

② 대표적으로 우리나라의 의료부조사업(생활유지능력이 없거나 어려운 자에게 구강진료를 전달)

> **행정 1-6-2**　구강보건진료비 조달제도를 설명할 수 있다. (A)

21. 구강보건진료비 지불제도

(1) 구강진료비 책정기준에 따라

① 행위별 구강진료비책정제도

- 진료내역에 따른 진료비를 지불
- 많은 환자, 복잡한 진료선호, 과잉진료우려
- 의료상품화, 진료비 상승, 시장경제 원칙에 따름
- 의료기술발전, 구강건강 수준은 향상이 안 됨
- 구강병 관리원칙과 예방진료 무시
- 미국, 일본, 우리나라

② 인두당 구강진료비책정제도

- 환자와 의사 간 일정기간 건강관리 계약 → 진료내역과는 무관하게 항상 무료진료 (의료공급자 불만 증폭)
- 주치의 제도
- 구강건강수준 향상(질병관리원칙 적용), 진료기술 수준저하
- 진료의 최소화, 예방진료우선공급
- 북유럽

③ 상병별 구강진료비책정제도(포괄진료비책정제도)

- 특정질병에 대한 일정진료비 산정 적용
- 진료의 최소화로 인한 진료비 절감
- 양질진료 기피 우려, 행정적 절차 간소화
- 진료의 흐름 조절

(2) 지불경로에 따라

① 직접 구강진료비지불제도

- 구강진료소비자가 제공자(공급자)에게 직접 제공
- 자유방임 구강진료제도

② 간접 구강진료비지불제도

- 구강진료비를 제3자를 경유하여 간접적으로 지불하는 제도
- 구강진료소비자들의 구강진료수요 증가
- 치료위주
- 구강진료생산자가 불필요한 진료전달 경향

- 미국의 구강진료비 후불제도, 구강건강보험의 요양급여(건강보험공단이 제3자의 역할 수행)

(3) 지불시기에 따라

① 구강진료비 선불제도: 구강진료를 전달받기 전에 진료비를 지불하는 제도(집단 구성원들이 공동으로 미리 추산된 구강진료비를 일정 기간 주기적으로 적립)

② 구강진료비 즉불제도: 구강진료를 받는 즉시 구강진료비 지불

③ 구강진료비 후불제도: 축적된 구강진료수요의 일시 충족 시에 필요한 금액을 분할 상환하는 제도(국민건강보험제도: 공단 → 진료기관에 지급)

  cf 우리나라 구강진료비 지불제도(행위별 직접 즉불제): 행위별 수가제, 직접구강진료비 지불제, 구강진료비 즉불제

행정 1-6-3	구강보건진료비 지불제도를 설명할 수 있다. (A)

제2장 | 구강보건행정

1. 구강보건행정이란?

① 국가가 공중구강보건 전문지식을 활용하여 필요한 구강보건 진료자원을 동원, 조직, 관리하는 관리행정

② 국민 복리를 증진시키고자 하는 공익실현을 위한 목적행정과 구강보건기술이 요구되는 전문행정

③ 구강보건 목적에 필요한 인력과 물자를 조직하고 관리하며 구강보건목적을 달성하는 동적과정

행정 2-1-1	구강보건행정의 개념을 설명할 수 있다. (A)

2. 구강보건행정의 범위

① 구강보건진료자원의 개발과 조직화

② 구강보건진료서비스 전달

③ 구강보건진료 정책수립 및 관리

④ 구강보건진료재정

3. 구강보건행정의 요소　2020 기출

① 구강보건(전문)지식: 치학지식, 구강보건진료 기술

② 구강보건행정조직

- 중앙보건행정조직: 보건복지부, 환경부
- 지방보건행정조직: 시, 도/시, 군, 구
- 일선보건행정조직: 시, 군, 구의 보건소(세부 구강보건사업목적의 설정)

③ 구강보건인력: 가장 중요한 자원

④ 구강보건시설장비

- 구강진료를 생산하는네 필요한 시설과 장비
- 필요 이상의 시설과 장비를 갖추지 않게 주기적으로 적절히 관리해야 함

⑤ 구강보건재정

- 국가나 지방자치단체를 막론하고 공공기관의 정책을 수행하기 위해서 필요한 물질적 자원

⑥ 구강보건법령

- 가장 객관적이고 보편적인 기준
- 구강보건행위와 구강진료행위를 지배하는 제반제도: 치과위생사의 치석제거업무의 보장
- 구강보건진료와 관련된 법령: 의료법, 의료기사 등에 관한 법, 구강보건법, 국민건강증진법 등

⑦ 공중지지참여

- 시민이 그들의 삶과 직결된 공공정책의 결정에 영향을 미치는 과정

4. 조직의 의의

소정의 목적을 달성하기 위하여 2인 이상이 공동으로 업무를 분담하여 상호연락, 업무조정 및 상급자에 의한 지휘통제가 이루어짐으로써 능률적이고 효과적인 업무수행을 지속적으로 할 수 있는 기능체적 활동체

Part
09

구강보건행정학

행정 2-2-2	조직의 의의를 설명할 수 있다. (B)

5. 조직의 원리 `2019 기출` `2021 기출` `2022 기출`

- 소정의 목적을 달성하기 위하여 2인 이상이 공동으로 업무를 분담하여 능률적이고 효과적인 업무수행을 지속적으로 할 수 있는 기능
- 복잡하고 거대한 조직을 능률적으로 관리하여 조직목표를 효율적으로 달성하는 데 적용되는 일반 원칙

① 계층원리: 상위자가 하위자에게 책임과 권한을 순차적으로 위임
- 의사소통 및 통제의 경로(조직 자체가 삼각형의 구조 형성)
- 조직의 대규모화와 전문화가 될수록 업무의 다양성과 구성원 수가 증가할수록 증가

② 조정원리: 조직의 제반 기능과 업무를 조화롭게 모아서 배열
- 문제해결을 위한 조직구성
- 공동목적을 달성하기 위하여 행동의 통일이 일어나도록 하는 집단노력을 질서정연하게 배열해나가는 과정
- 조정저해요인: 조직의 거대화, 개인의 이해관계, 조정능력의 보족 등

③ 분업(전문화)원리: 행정조직 업무를 분류하여 분담하는 원리
- 장점: 행정능률향상, 도구발달, 업무신속
- 단점: 조직구성원의 기계화, 일 흥미 상실, 창조성 결여

④ 권한위임원리: 최고관리자가 위임한 권한을 부하직원이 관리활동을 수행하게 하는 원리

⑤ 지휘(명령)통일원리: 한 명의 상관으로부터만 명령을 받아야 한다는 원리

⑥ 통제(통솔)범위원리: 통제범위한계를 초과하지 않는다는 원리
- 직원 수의 한계 및 적정한 팀원의 배치 등
- 리더의 통솔 범위 확대: 동일 공간에서 직무가 이루어질 경우

   cf 구강보건행정을 위한 조직 요건: 독자적이고 체계적인 행정조직

행정 2-2-3	조직의 원리를 설명할 수 있다. (A)

6. 구강보건지식(기술) [2020 기출] [2022 기출]

- 구강보건현장에 필요한 일반적인 기술로서 매우 빠른 속도로 개발

① 구강보건문제를 해결하기 위한 구강보건진료필요와 구강건강관리비, 구강보건의식을 정확히 조사
② 공중이 일상생활의 일부로 구강보건을 실천하는 데에 필요한 지식
③ 공중구강보건지식의 토착화 과정(이해 → 숙달 → 활용 → 평가 → 재창조)
④ 구강보건기술 요건
- 세계보건기구 등 국제협력기구를 기술의 교환매체로 적극활용하여 다양한 정보공유
- 정책결정 전에 정확한 정보를 수집하여 국민 대중에게 전달하여 국민들이 구강보건지식을 공유하게 하여 차후 정책지지로 연결
- 선진국의 치학기술을 적극 도입하되 우리나라 실정에 적합하게 변화시키는 토착화 과정이 이루어져야 함

| 행정 2-2-4 | 구강보건지식을 설명할 수 있다. (A) |

7. 구강보건인력의 구분 [2022 기출]

- 구강보건인력: 구강보건진료를 생산하는데 필요한 요소 중에 가장 중요한 자원

① 구강보건 관리인력: 일반/전문 치의사
② 진료담당 구강보건보조인력: 치과위생사
③ 기공실진료비분담 구강보건보조인력: 치과기공사
④ 진료비분담 구강보건보조인력: 간호조무사
→ 구강보건진료를 생산·전달하는데에 가장 중요한 자원

| 행정 2-2-5 | 구강보건인력을 구분할 수 있다. (A) |

8. 구강보건예산편성과정

① 예산편성: 중앙예산기관인 기획재정부 주관 하에 행정부에서 이루어짐
② 예산심의: 국회에서 이루어짐
③ 예산집행: 정부가 수입 및 지출을 예산에 따라 실행하는 모든 행위를 말함
④ 결산 및 회계검사: 회계연도 내 국가수입, 지출사무를 마감하고 예산집행의 실적 보

고서를 작성하여 국회의 심사를 받는 과정

행정 2-2-6   구강보건예산편성과정을 설명할 수 있다. (B)

---

9. 공중의 지지·참여방법

(1) 공중의 참여: 시민이 그들의 삶과 직결된 공공정책 결정에 영향을 미치는 과정을 의미

(2) 참여방법

　① 제도적

　　• 협찬: 시민들의 부분적, 협조적 참여가 제도화된 형태

　　• 자치: 시민이 행정을 적극적으로 통제하고 이끌어가는 형태

　② 비제도적

　　• 운동: 일방적으로 자신의 요구만을 주장하는 방법

　　• 교섭: 행정기관과 시민집단간의 협상과 상호작용

(3) 주도권 소재에 따른 분류

　① 행정(정책)주도형: 정책결정자가 주민과 수직적 관계에서 주도권을 행사

　② 주민주도형: 주민들이 주도권을 갖고 행정은 수동적 입장에 있는 형태

　③ 수평형: 행정과 주민이 수평적관계에서 의사교류가 이루어지는 유형

　④ 균형형

(4) 행정과정에 의한 분류

　① 의제형성과정에서의 참여

　② 정책수립과정에서의 참여

　③ 예산편성과정에서의 참여

　④ 정책집행과정에서의 참여

　⑤ 평가과정에서의 참여

(5) 확대방안

　① 전화, 투서, 공청회, 간담회 등으로 의사소통의 통로를 마련함

　② 주민발안, 주민투표, 주민협의회 등 주민 자주관리기구를 인정

　③ 정책계획기구에 시민단체를 자문기구로 인정하여 정책결정 과정에 참여하게 함

　④ 옴브즈만, 종합행정봉사실, 청원, 국민제안, 메니페스트 감시단, 진정제도 등을 활용하여 시민의 행정접근기구를 확충

공중의 지지·참여방법을 설명할 수 있다. (A)

10. 구강보건행정과정

① 3단계: 구강보건기획 → 구강보건조정 → 구강보건평가
② 6단계: 구강보건기획 → 구강보건조직 → 구강보건인사 → 구강보건재정 → 구강보건지휘(지시, 조정, 통제) → 구강보건평가

구강보건행정과정을 설명할 수 있다. (B)

11. 정책의 구성요소 `2020 기출` `2021 기출` `2022 기출`

① 미래구강보건상(구강보건정책목표, 제1구성요소)
  • 국민과 정부가 마땅히 지향하여야 할 바람직한 구강보건목표를 의미
  • 구강보건정책목표를 대략 구강보건실천목표, 구강보건지원목표, 구강질병예방목표, 구강건강증진목표 등으로 구분하여 설정
② 구강보건발전방향(구강보건정책수단, 구강보건정책도구, 제2구성요소)
  • 미래구강보건상을 실현시키려는 의도로 창안한 바람직한 행동방향
  • 구강보건정책목표를 달성하기 위해 실행하여야 할 행동과 실행하지 않아야 할 행동을 밝히는 규범적 지침
③ 구강보건행동노선(구강보건정책방안, 제3구성요소)
  • 미래구강보건상을 실현시키기 위해 바람직한 발전방향에서 벗어나지 않고 현실적으로 실천할 수 있는 가능한 행동 가운데 선정된 행동을 시차별로 배열한 노선
  • 구강보건정책목표를 달성하기 위해 구강보건발전방향에서 벗어나지 않고 현실적으로 실천할 수 있는 가능한 행동 가운데 선정된 행동의 노선
④ 구강보건정책의지(제4구성요소)
  • 목표, 정책수단 및 정책방안에 대하여 가지는 의지의 정도
⑤ 공식성(제5구성요소): 정책의 제도적 요건을 충족, 정식절차를 거쳐 정당성을 확보하는 과정

정책의 구성요소를 설명할 수 있다. (A)

Part
09

구강보건행정학

12. 정책과정의 단계

① 정책결정(기획)

② 정책집행(조직, 인사, 재정, 지휘)

③ 정책평가(평가)

행정 2-3-3	정책과정의 단계를 설명할 수 있다. (B)

13. 정책과정 시 참여자의 역할 [2019 기출] [2020 기출] [2021 기출]

(1) 비공식적 참여자: 일반국민, 이익집단, 정당, 전문가 집단, 대중매체

① 일반국민

- 투표 참가
- 정당의 업무 협조
- 이익집단의 형성과 활동에 참여
- 구강보건정보 수집과 토론 후 구강보건의사를 국회의원이나 행정 관료들에게 전달

② 이익집단

- 로비활동, 전문성, 정보, 재력 등 다양한 수단을 통해 자신들의 이해를 정책에 반영시키려고 활동
- 정당에 구강보건의사 반영
- 연합세력 결성

③ 정당

- 정당이 집권하는 경우 정당의 주요한 구성원들이 정책결정담당자로서의 역할을 수행
- 정당의 정강이 정부의 정책에 반영

④ 전문가 집단

- 정부기관에 소속되지 않음
- 정책에 대한 참신하고 객관적인 아이디어를 제시
- 정부의 비대화를 방지

⑤ 대중매체

- 정책의제설정과 정책평가에 주로 참여
- 보도를 통해 특정 이슈에 관심을 불러 일으킴

(2) 당사자(공식적 참여자): 행정수반, 행정관료, 의회, 사법부(입법부)

  ① 행정수반(대통령)

    • 더 직접적인 정책결정 참여: 구강보건정책결정에 지대한 영향

    • 행정부 내부에서 정책결정권 행사, 법률이 부여한 권한의 범위를 벗어나 다른 정책결정자들의 소관사항에 간접적으로 개입

  ② 행정관료

    • 많은 정보, 소관업무에 관한 전문지식 → 효과적인 정책 수립에 크게 기여

    • 보건복지부장관, 교육과학기술부장관, 노동부장관 등

  ③ 의회의 주요기능: 정책결정기능, 행정부 감독기능

  ④ 사법부

    • 법률심사권을 행사하는 과정

    • 일반적인 판결을 하는 과정에 법의 해석을 통해 구강보건정책 내용을 결정

  ⑤ 입법부

    • 예산의 편성과 심의과정에 관여

    • 정책의제형성에 대한 민의반영

    • 정책집행에 대한 통제와 감시기능

    • 결산을 통한 정책평가 기능

행정 2-3-4　　　정책과정 시 참여자의 역할을 설명할 수 있다. (A)

14. 정책결정과정

(1) 3단계: 문제형성 → 정책분석 → 정책채택

(2) 4단계

  ① 문제제기: 구강보건문제를 사회문제로 부각시키는 행위

  ② 정책입안: 사회적 쟁점으로 제기된 구강보건문제로부터 구강보건정책의 안을 만들어 제안

    • 입법과정: 법안이라는 정책대안으로 공식화

    • 행정과정: 행정기획에 반영

    • 재판과정: 판례의 형태로 공식화

  ③ 지지동원

    • 제안한 구강보건정책안에 대한 지지를 집결시키는 행위

- 구강보건정책 수립과정에 매우 중요한 행위
- 구강보건정책안의 타당성을 인정하도록 타이르는 방법
- 규합법: 정치세력들이 구강보건정책안을 구강보건정책으로 확정하는 방향으로 행동하도록 만드는 결연과 합작
- 조직법: 지지할 수 있는 집단이나 세력과의 유대를 강화하는 방법

④ 정책결정
- 제안된 구강보건정책안을 구강보건정책으로 확정하는 행위
- 입법부 또는 행정부에서만 이루어지는 행위
- 정치거래: 정책을 최종적으로 결정하는 사람들 사이에서 다양하게 이루어짐
- 규칙: 정책을 결정하는 절차과정에 제약요인으로 작용하는 경우가 많음
- 조직구조: 정책을 결정하는 데에 지배적으로 작용

행정 2-3-5	정책결정과정을 설명할 수 있다. (B)

15. 정책집행의 반영요인

(1) 내부요인
① 정책목표
② 자원의
③ 조직구조
④ 집행담당자
⑤ 집행절차

(2) 외부요인
① 정책문제 및 집단의 특성
② 사회경제적 여건 및 기술
③ 문화적 특성
④ 대중매체의 관심과 여론의 지지
⑤ 정책결정기관의 지원

행정 2-3-6	정책집행의 반영요인을 열거할 수 있다. (B)

16. 순응의 확보방법

① 교육과 설득활동

② 선전

③ 정책의 수정 또는 관습의 채택

④ 제재수단의 사용

⑤ 보상수단

행정 2-3-7 정책집행상 순응의 확보방법을 열거할 수 있다. (A)

17. 정책평가의 의의

정책이 애초에 의도한 효과를 어느 정도 달성하였는지 분석하는 것

행정 2-3-8 정책평가의 의의를 설명할 수 있다. (B)

18. 정책평가의 기준

① 효과성: 목표달성의 정도를 말하며 정부가 산출한 재화와 용역의 양

② 효율성

- 집행활동의 투입과 산출의 비율
- 효율성평가의 대표적인 기법으로는 비용–편익분석을 들 수 있음

③ 적정성: 의도된 문제의 해결정도를 말함. 정책평가 적정성은 정책이 어느 정도나 문제를 해결하였는가에 관한 것

④ 형평성

- 정책의 효과가 얼마나 사회 내의 각 부분에 고르게 작용하였는지를 판단하는 개념
- 사회복지정책에서 특히 중요시 됨

⑤ 응답성: 정책이 얼마나 시민의 요구에 반응하였는지에 관한 정도

⑥ 적절성: 정책의 목표와 성과가 진정으로 가치 있는 것인지를 평가하는 기준

행정 2-3-9 정책평가의 기준을 설명할 수 있다. (A)

19. 정책평가의 절차

① 정책목표의 식별: 정책이나 사업의 목적을 명확하게 확인하는 것

② 영향모형의 작성: 정책과 결과 사이의 인과관계를 밝혀주기 위한 논리적 틀

③ 평가연구설계의 개발: 자료수집, 측정, 분석, 해석 등의 과정을 설계하는 것

④ 측정과 표준화: 정책의 목적과 영향, 변수 등을 식별하고 양적으로 분석, 조작할 수 있는 척도를 마련

⑤ 자료수집: 다양한 출처와 방법을 통하여 얻음

⑥ 자료의 분석과 해석: 다양한 기법동원, 정책과 영향모형에 비추어 자료를 해석

> **행정 2-3-10** 정책평가의 절차를 설명할 수 있다. (B)

제3장 | 사회보장과 의료보장

1. 사회보장의 개념 `2020 기출`

① 사회가 사회구성원의 상병, 실업, 노쇠 등에 기인하는 생활위험을 보증하는 제도

② 국민소득 재분배: 전 국민을 대상으로 사회적 위험을 국가책임 하에 최저생활 보장

③ 국민 각 개인의 생활을 전체 국민의 입장에서 수호하는 것

> **행정 3-1-1** 사회보장의 개념을 설명할 수 있다. (A)

2. 사회보장의 역사

① 독일의 Bismark 수상에 의해 창시: 1883년 노동자를 위한 질병보호법 제정

② 미국의 Roosevelt 대통령의 뉴딜(New Deal) 정책, 사회보장이라는 용어가 법정 용어로 등장(1935년)

③ 영국의 Beveridge 보고서, 소득과 의료의 사회보장이 구체화

④ 1948년 국제연합, 인권선언

⑤ 우리나라: 전국민의료보험제도 실시(1989년)

> **행정 3-1-2** 사회보장의 역사를 설명할 수 있다. (B)

3. 우리나라 사회보장제도의 역사

조선감화령(1925) → 조선구호령(1944) → 아동복리법, 생활보호법(1961) → 재해구호법, 군인보호법(1962) → 산업재해보상보험(1963.11) → 의료보험법(1963.12) → 의료보험법 전면개정(1977.7.1) → 의료보호사업(1977.1) → 전국민의료보험제도(1989.7.1)

> **행정 3-1-3**　우리나라 사회보장제도의 역사를 설명할 수 있다.(B)

4. 사회보험 `2019 기출` `2021 기출`

① 정의: 국가가 법으로 보험가입을 의무화하여 가입자들로부터 보험료를 갹출하고 급여 내용을 규정하여 실시하는 제도
- 법으로 가입을 의무
- 재원조달: 국민들에게 갹출
- 인플레이션에 대처 가능
- 경쟁 및 선택의 제한

② 사회보험의 내용: 재해, 질병, 부상, 사망, 폐질, 실업, 분만, 노령(8가지)

③ 사회보험의 구성요소: 보험자(사회보험운영자, 정부, 건강보험 조합), 피보험자, 피부양자, 보험사고(질병 등 8가지), 보험급여(현금, 현물), 재원(보험료, 보조금), 운영취급기관(요양급여를 받는 자에게 요양을 급여하는 진료기관), 운영기관[연금보험(보건복지부), 고용보험(노동부 등), 건강보험(보건복지부), 산업재해보상보험(고용노동부)]

④ 종류
- 소득보장: 연금보험, 실업보험
- 의료보장: 건강보험, 산재보험
- cf 의료사회보장제도: 건강보험, 의료급여

> **행정 3-1-4**　사회보험을 설명할 수 있다. (A)

5. 공공부조 `2021 기출`

(1) 공공부조의 개념

① 정의: 사회가 사회구성원 중 경쟁에 뒤쳐진 사람들의 질병, 노령 등의 생활위험에 대하여 재정자금으로 부조하여 최저생활을 보장

② 공공부조 = 사회부조 = 공적부조

(2) 공공부조의 특성

① 의료급여와 기초생활보장으로 분류

② 재원: 일반조세 의존

③ 주체: 국가와 지방자치단체

④ 급여대상: 소득이 최저생계비 미달인 자, 부양의무자가 없거나 있어도 부양능력이 없거나 부양받을 수 없는 자, 생활이 어려운 자(보건복지부장관 인정)

(3) 공공부조의 종류

• 생계급여, 주거급여, 의료급여, 교육급여, 해산급여, 장제급여, 자활급여

① 생계보호: 의복, 음식물 및 연료비와 일상생활에 필요한 금품을 지급

② 진료(의료)보호: 진찰, 검사, 약제·치료재료 지급, 처치·수술과 치료, 예방·재활, 입원, 간호, 이송

③ 주거보호: 주거 안정에 필요한 임차료, 유지·수선비, 수급품

④ 자활보호: 취업알선, 근로기회, 시설 및 장비의 대여, 창업교육, 기능훈련 및 기술, 경영지도 등의 창업지원, 자산형성지원

⑤ 교육보호: 입학금, 수업료, 학용품비

⑥ 해산보호: 조산, 분만

⑦ 장제보호: 사망한 경우 검안, 운반, 화장, 매장

행정 3-1-5   공공부조를 설명할 수 있다. (A)

6. 사회보험과 공공부조의 차이점 `2020 기출` `2022 기출`

(1) 공공부조

① 보험료를 지불할 능력이 없는 한정적인 국민계층을 대상으로 함

② 보장범위가 종합적으로 적용

③ 조세를 통하여 재정을 확보하고 납세자의 부담에 의하여 비납세자의 생활을 보호

④ 원칙적으로 필요성이 입증된 사람들에 한하여 지급하되 그 지급한도는 최저의 필요 범위에 한정

분류	대상	재원	수급여부	보험수급	소득보장	수급자에 대한 영향
사회보험	장기고유자 (국민)	2, 3자부담	수급여부와 수급액 예측 가능	법적 권리	일반적 소득보장	자립심
공적부조	단기고유자 (빈곤)	일반 조세	예측 불가능	법적권리 아님	개별적 소득보장	의타심

행정 3-1-6　　사회보험과 공공부조의 차이점을 설명할 수 있다. (A)

7. 사회복지서비스

① 목적: 정상적인 일반생활의 수준에서 탈락된 상태의 사회복지서비스 대상자에게 '회복·보전'하도록 도와주는 것을 말하며 이는 개별적·집단적으로 보호 또는 처치를 행하게 됨

② 대상: 정상적인 일생상활의 수준에서 탈락, 낙오되거나 또는 그러한 우려가 있는 불특정 개인 또는 가족

③ 경제적 능력과 관계없이 모든 국민에게 복지서비스를 제공하는 것

④ 아동복지법, 노인복지법, 장애인 복지법, 모자보건법, 한부모가정복지, 여성복지법 등

행정 3-1-7　　사회복지서비스를 설명할 수 있다. (B)

8. 건강보험제도의 개념

① 생활상의 질병·부상에 대한 예방, 진단, 치료, 재활과 출산, 사망 및 건강증진에 대하여 보험급여를 실시함으로써 국민보건을 향상시키고 사회보장을 증진함으로써 보험의 원리를 이용하여 의료비의 지출 부담을 국민건강보험가입자 모두에게 분산시켜 국민생활의 안정을 도모하기 위한 사회보험임

② 현물 또는 현금으로 급여 제공

행정 3-2-1　　건강보험제도의 개념을 설명할 수 있다. (A)

9. 건강보험사업의 발전과정

① 1963년 의료보험법이 제정

② 1977년 7월 500인 이상을 고용하는 사업장 근로자에게 의료보험이 실시

③ 1979년 1월 공무원 및 사립학교교직원의료보험 실시

④ 1988년 1월 농어촌지역의료보험 실시

⑤ 1989년 7월 도시지역 자영자 대상 의료보험 실시

⑥ 1989년 전 국민의료보험이 실현

⑦ 2000년 7월 통합된 국민건강보험법이 시행

⑧ 2008년 7월 노인장기요양보험이 실시

> **행정 3-2-2**   건강보험사업의 발전과정을 설명할 수 있다. (A)

10. 건강보험제도 적용대상

① 국내에 거주 국민, 모든 가입자와 피부양자

② 운영: 보건복지부

③ 관리 운영체계: 국민건강보험공단

④ 재원조달체계: 사회보험방식에 의해 재원조달, 건강보험공단이 납부의무자로부터 보험료 징수

⑤ 건강보험가입자의 구분(적용대상)

- 직장가입자: 세전급여만을 기준으로 산출
- 지역가입자: 소득 외에 여러 가지 조건(재산, 연령, 성별 등)을 감안하여 산출(복잡함)

> **행정 3-2-3**   건강보험의 적용대상을 열거할 수 있다. (B)

11. 건강보험의 관리운영체제

- 시작점: 직장, 공무원·사립학교교직원, 지역 의료보험으로 나뉘어 각 조합별로 관리·운영
- 1989년: 전 국민 의료보험이 시작됨
- 1998년: 지역의료보험과 공무원·사립학교교직원의료보험이 1차로 통합
- 1999년: 직장의료보험과 통합
- 2000년: '국민건강보험법' 시행과 더불어 국민건강보험공단이 출범
- 2003년: 지역과 직장으로 나뉘어 있던 보험재정을 통합하여 단일보험자로 됨

① 국민건강보험은 보건복지부, 국민건강보험공단, 건강보험심사평가원에 의해 관리, 운영

② 보건복지부: 건강보험의 관장자로서 건강보험관련 정책을 결정하고 건강보험업무 전반을 총괄

③ 국민건강보험공단: 건강보험의 보험자로서 가입자자격관리, 보험료의 부과·징수· 보험급여비용 지급 등 업무 수행

④ 건강보험심사평가원: 요양기관으로부터 청구된 요양급여비용을 심사하고 요양급여 의 적정성을 평가하여 공단이 지급할 비용 확정

행정 3-2-4   건강보험의 관리운영체제를 설명할 수 있다. (B)

12. 건강보험의 재원조달체계

① 직장건강보험: 사용자와 근로자가 각 50%씩 부담

② 교직원: 본인, 학교경영자, 정부가 각 50%, 30%, 20%씩 부담

③ 농어촌, 도시 자영자: 소득, 재산의 등급별 적용점수를 합산한 후 보험료 부과점수에 점수당 단가를 곱한 금액을 부담

행정 3-2-5   건강보험의 재원조달체계를 설명할 수 있다. (B)

13. 건강보험의 보험급여체계

① 현물급여(물건)

- 요양급여 7가지(예방재활=의치보철, 입원, 간호, 이송, 진찰·검사, 약제·치료재료 의 지급, 처치·수술·기타의 치료)
- 건강검진(일반검사, 특별검사, 진단 등)

② 현금급여: 요양비, 임의급여(장제비, 상병수당, 장애인보장구급여비 및 본인부담액 보상금), 보장구 구입비

행정 3-2-6   건강보험의 보험급여체계를 설명할 수 있다. (A)

14. 건강보험의 진료전달체계

① 요양기관으로는 각종 의료기관, 약국, 보건소, 보건의료원, 보건지소, 보건진료소가 있음
② 보건복지가족부장관으로부터 인정받은 종합전문요양기관 또는 전문요양기관에서도 요양급여를 받을 수 있음
③ 500병상 이상의 대학병원과 700병상 이상의 대규모 종합병원을 3차 진료기관으로 지정하고, 3차 진료기관에서 진료를 받고자 할 때는 다른 진료기관에서 발부한 진료의뢰서를 가지고 오도록 하고 있음
④ 의료급여제도: 생활유지능력이 없거나 경제능력을 상실한 사람들을 대상으로 정부가 의료서비스를 제공하는 공공부조제도

행정 3-2-7   건강보험의 진료전달체계를 설명할 수 있다. (B)

15. 의료급여제도의 개념

① 필요성
  • 의료비 지불능력이 없는 계층에게 국가부담으로 진료를 급여하는 사회부조(국가재정으로 의료혜택을 주는 공공부조제도)
  • 질병으로부터 해방, 국가의 경제적 손실 감소
  • 국민의 의료보장정책의 중요한 수단이 되는 사회보장제도
② 보장기관: 의료(진료)급여에 관한 업무를 수행하는 기관(시장·군수·구청장)
③ 의료급여증 유효기간: 매년 1월 1일~12월 31일

행정 3-2-8   의료급여제도의 개념을 설명할 수 있다. (A)

16. 의료급여대상자

• 진료비 부담은 1급과 2급 차이 발생
① 시장·군수·구청장이 소득과 재산조사로 매년 책정
② 1종: 국민기초생활보장법에 의한 수급자(근로무능력세대), 이재민, 의사상자 및 의사자의 유족, 국내에 입양된 18세 미만의 아동, 독립유공자 및 국가유공자, 무형문화재 보유자 및 그 가족, 북한 이탈주민, 5·18민주화 운동관련자, 노숙인

③ 2종: 국민 기초생활보장수권자 중 1종 수급권자에 해당하지 않은 자(근로능력세대)

> **행정 3-2-9** 의료급여대상자를 열거할 수 있다. (B)

17. 의료급여의 내용

① 진찰(검사)
② 처치, 수술 및 기타 치료
③ 약제 또는 치료재료의 지급
④ 예방·재활
⑤ 입원
⑥ 간호
⑦ 이송과 그 밖의 의료목적의 달성을 위한 조치

> **행정 3-2-10** 의료급여의 내용을 설명할 수 있다. (A)

18. 의료급여의 진료비 부담체계

① 1종 수급권자: 외래진료에 대해서만 본인부담금을 부과, 입원진료는 식대를 제외하고는 무료
② 2종 수급권자
- 외래본인부담금은 1차 의료기관 방문 시 1,000원, 2차 의료기관 방문 시 1,500원, 3차 의료기관 방문 시 2,000원, 약국은 처방 당 500원을 부과
- 입원과 외래 모두 본인부담금 부과
- 생활이 곤란한 2종 수급자가 입원진료를 받은 경우 본인 부담금 20만 원을 초과할 경우 신청하는 금액을 의료급여기금에서 대신 납부하고 3개월이 지난 후 3월마다 3~12회 무이자로 균등 분할

> **행정 3-2-11** 의료급여의 진료비 부담체계를 설명할 수 있다. (B)

19. 의료급여의 진료체계

① 1차 의료급여기관(기초적인 진료): 의원, 보건소, 보건의료원, 보건지소, 보건진료소, 약국

② 2차 의료급여기관: 병원, 종합병원

③ 3차 의료급여기관: 보건복지부장관이 지정

행정 3-2-12 의료급여의 진료체계를 설명할 수 있다. (B)

20. 의료급여의 기금운영체계 2019 기출

① 각 시·도에 의료급여기금 설치, 운용

② 국고보조금, 지방비출연금, 대불상환금, 부당이득금, 과징금, 기금의 결산상 잉여금 및 그 밖의 수입으로 조성

행정 3-2-13 의료급여의 기금운영체계를 설명할 수 있다. (B)

10 PART ▶▶

구강보건통계학

Oral Health Statistics

DENTAL
HYGIENIST

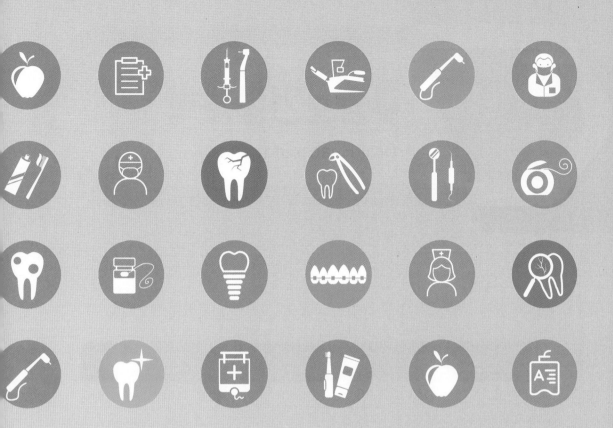

POWER 치과위생사 국가시험 핵심요약집 1권

제1장   구강보건통계

PART 10 구강보건통계학

Oral Health Statistics

제1장 | 구강보건통계

1. 보건통계학

① 보건과학 분야에서 다루는 건강과 질병에 관련된 여러 현상들에 대하여 통계학적 방법을 도입하여 그 현상을 기술하고 추론하는 학문

② 자료를 수집, 분류, 종합하고 분석하여 과학적 추계를 하는 방법과 과정을 연구하는 학문

③ 기술통계학과 추측통계학으로 구분

통계 1-1-1	보건통계학의 개념을 설명할 수 있다. (B)

2. 구강보건통계학의 정의

① 구강보건분야에서 다루는 여러 현상에 대해 통계학적 방법을 도입하여 그 현상의 일반성, 규칙성 등을 파악해 그 현상을 기술, 추론하는 학문

② 구강건강과 구강질병 현상의 변동을 확률적으로 추론하는 보건통계학의 한 분야

통계 1-1-2	구강보건통계의 개념을 설명할 수 있다. (B)

3. 구강건강실태 조사과정

① 조사목적 설정

② 표본추출

③ 조사승인 취득과 조사예정표 작성

④ 조사요원 교육훈련

⑤ 조사팀 편성과 본 조사 준비

> **통계 1-2-1** 구강건강실태 조사과정을 설명할 수 있다. (A)

4. 표본추출 `2019 기출` `2020 기출`

1) 표본추출 시 고려사항

① 검사대상 인간집단을 결정

② 편파적인 표본이 되지 않도록, 표본의 크기가 충분하도록 노력

③ 인간집단 계층별 특성에 관한 정보

  • 지역사회기록, 관계 문헌, 경험자를 통한 수집가능

  • 자료수집이 어려울 경우 예비조사를 통해 가능

④ 고려해야 할 집단의 특성: 연령, 성별, 인종, 거주지, 학교군

⑤ 가장 우선적으로 고려하여야 할 인간집단의 특성: 연령

국제적 표본 비교 기준연령(WHO)				
5세	12세	15~19세	35~44세	65~74세
유치우식 경험도	영구치우식 경험도	• 치주조직병 이환 정도 • 치주요양 필요정도	성인의 구강건강 수준	• 노인의 구강건강실태 • 국민에게 전달한 구강보건진료의 포괄적 효과

2) 표본추출 방법

(1) 확률 표본추출

① 단순 무작위 추출법: 표본추출 단위가 표본으로 선택될 기회가 동등한 가운데 표본을 추출(주사위, 원형 회전판, 난수표, 통 속의 쪽지, 통계 프로그램)

② 계통 추출법(등간격 추출법): 일정한 간격을 두고, 즉 '몇 번째마다' 표본을 추출(일정한 간격을 두고 추출)

③ 층화 추출법: 모집단을 그 특성에 따라 몇 개의 동질적인 소집단으로 분류한 다음에

각 소집단으로부터 단순 무작위 추출을 하는 것(여러 계층으로 분할 후 임의 추출)

④ 집락 추출법: 모집단의 구성단위를 우선 자연적으로 또는 인위적으로 몇 개 집락으로 구분한 다음에 무작위로 필요한 집락을 추출 **ex** 국민구강건강실태조사

(2) 비확률 표본추출: 연구자가 모집단과 비슷하다고 판단하는 표본을 임의로 추출하는 방법

3) 표본의 크기

① 표본크기는 구강보건실태를 조사하려는 연구자가 원하는 정밀도에 따라 결정됨

② 자료의 정밀도를 높이 요구할수록 표본은 더욱 커지고 많은 조사비용이 요구됨

③ 표본의 크기 결정 시 전체의 조사비용과 계획을 고려해서 결정

- 표본크기가 작은 경우: 표본크기가 감소함에 따라 표준오차가 증가(정밀도가 낮음)
- 표본크기가 큰 경우: 표본크기가 증가함에 따라 표준오차 감소, 측정치의 예측되는 변량이 큼

cf 자료의 정밀도↑, 표본의 크기↑, 조사 비용↑

통계 1-2-2	표본추출을 설명할 수 있다. (A)

5. 조사요원의 교육훈련

(1) 목적

① 구강병 관찰·기록의 검사기준을 일률적으로 이해하고 해석하여 적용

② 모든 검사자들이 일관성있게 구강병을 관찰·기록하게 하는 동시에 검사자들의 검사결과 간의 차이를 최소화

(2) 검사자들의 검사결과가 서로 다르게 되고, 동일 검사자의 검사결과도 시시각각으로 달라지는 이유

① 우식증이나 치주병이 미세병소로 발생되어 비교적 많이 진행된 후에나 탐지할 수 있음

② 검사자의 육체적·정신적 요인들이 영향을 미침(피로도, 관심도 등)

③ 검사자가 기록자에게 검사결과를 정확히 전달하지 못하거나, 기록자가 전달받은 검사결과를 간단·명료하게 기록하지 못함

통계 1-2-3	조사요원의 교육훈련을 설명할 수 있다. (A)

6. 이중검사

① 표본인구의 10%

② 구강검사 시 검사결과의 일관성을 유지하고 검사자 간의 오차를 줄이기 위함

③ 오차율 10%

④ 동일 대상자군에 대해 다른 날 이중검사 시행(같은 날인 경우: 최소 30분 간격)

통계 1-2-4	이중검사를 설명할 수 있다. (A)

7. 조사팀의 편성

① 검사자: 충분한 교육훈련된 검사자

② 기록자: 지시에 명확히 따르고 숫자와 문자를 분명하게 쓸 수 있는 민첩하고 협동적인 기록자가 필요

③ 진행요원: 피검자에 대한 질서 유지, 기록보조 및 확인, 소독기구 제공

통계 1-2-5	조사팀 편성을 설명할 수 있다. (A)

8. 조사팀 편성 및 본 조사준비 2022 기출

(1) 조사결과 기록부

① 검사대상자의 성명, 연령, 성별, 국적, 검사 연월일, 일련번호를 반드시 포함

② 조사결과기록요약 지침서 작성 배부(표준화), 조사결과기록부는 2매씩 작성

(2) 검사장소

① 검사 전 효율적 구강검사 위해 검사장 정리

② 검사장 정리 시 고려할 사항

- 피검자가 조명원을 향하여 앉도록 함
- 조사용기구를 조사자가 쉽게 도달할 수 있도록 피검자의 옆에 위치
- 기록자가 조사자의 맞은 편에서 기록: 조사자 지시를 쉽게 청취, 수시로 기록자의 기록 확인 가능
- 검사결과기록부와 지침서가 원활히 유통될 수 있도록 해야 함
- 칸막이 사용하여 피검자의 입·출구 분리

- 피검자가 한 번에 한 사람씩 검사받고 나가 조사자나 기록자 주위에 모여들지 않도록 함

(3) 검사기구와 필수구강검사용품

① 사용할 기구와 용품의 수량과 중량을 최소화

② 같은 광도의 조명을 사용하고 직사광선이 조사자나 피검자에게 직접 조사되지 않도록 함(직사광선이 아닌 자연광이 바람직함)

③ 일정한 조명을 유지하기 어려운 경우 인공조명을 이용

④ 인공조명 사용 시: 1,000 룩스 청백광 조명 이용

⑤ 한 시간 검진에 필요한 탐침과 치경준비: 30~50개

⑥ 검사기구와 필수구강검사용품: 탐침, 평면치경, 소독용기 2개, 대야 2개, 종이수건(apron), 소독액

통계 1-2-6 본 조사준비를 설명할 수 있다. (A)

9. 구강건강실태 조사지침 일반사항

(1) 일반사항

① 일련번호
- 모든 피검자에게 부여
- 1,000명 조사 시 0001~1,000으로 기록, 즉 총 검사 대상자를 기록할 수 있는 자릿수의 아라비아 숫자로 기록

② 검사일자
- WHO: 일/월/연 순으로 기록
- 우리나라: 년/월/일 순으로 기록

③ 성명: 성/이름 순으로 정자 기록

④ 연령: 만 연령으로 기록

⑤ 국적: WHO가 지정한 표시를 인쇄하는 방법 채택

⑥ 성별: 반드시 조사과정 중 기록

⑦ 실태조사주기: 5년

(2) 구강점막검사결과 기록

① 대상: 2세 이상

② 검사 순서: 우측 협점막 → 상하 순점막 → 좌측 협점막 → 구개점막 → 설배 → 설연 → 혀의 운동상태 → 혀의 하연과 구강저

③ 기본 구강보건실태 조사 기록부에는 숫자로 기록

구강점막검사기록방법	
정상	0
급성괴사성궤양성 치은염	1
구강암	2
구강백반증	3
기타 구강점막질환	4

(3) 치아검사결과 기록방법

① 한 개의 치아를 완전히 조사한 후 다른 치아 조사

② 상악에 있는 치아를 모두 조사한 후 하악에 있는 치아 조사

③ 어느 한 부분만 육안으로 관찰된 경우, 탐침으로 탐지된 치아: 현존치아로 간주

④ 영구치와 유치가 동일 부위에 공존: 영구치아만 현존치아로 간주

⑤ 육안으로 관찰되지 않는다 하더라도 탐침으로 탐지된 경우: 현존치아로 간주

통계 1-2-7 구강건강실태 조사지침 일반사항을 설명할 수 있다. (A)

10. 구강건강 면접조사 항목

① 악안면외상

② 악관절장애

③ 응급구강진료

④ 부정구강진료

⑤ 구강암(만 18세 이하는 조사하지 않음)

통계 1-2-8 구강건강 면접조사 항목을 설명할 수 있다. (B)

11. 치아상태의 검진지침 2021 기출

(1) 우식병소로 보지 않는 증상

① 백색 반점인 백묵모양 반점

② 변색 반점이나 거친 반점

③ 착색된 소와나 열구

④ 탐침 끝은 걸리나 연화치질이나 유리법랑질을 확인할 수 없는 소와나 열구

(2) 상실치아로 보지 않는 경우

① 생리적으로 탈락된 유치도 상실치아에 포함하지 않음

② 상실원인이 불분명한 경우는 동악 반대측 동명 치아의 상태를 참고하여 판단함

③ 치아의 병력으로도 판단하기 어려운 경우 우식비경험상실치아로 간주함

(3) 치아검사결과 보고서 형식

① 2~14세: 매년 보고

② 15~34세: 5년 단위로 보고

③ 35~64세: 10년 단위로 보고

④ 65세 이상: 한 단위로 보고

(4) 구강검사결과 표기기호(WHO)

구분	유치	영구치	기호	검사결과
건전치아	s	S	0	치료 흔적이 없고 진행 중인 우식병소도 없는 건전치아
우식치아	d	D	2	• 같은 치면에 충전물과 별도의 우식이 있는 경우 • 충전물 주위에 2차 우식증이 발생한 경우 • 임시충전으로 계속적 치료가 요구되는 치아 • 생리적으로 곧 탈락될 유치라도 우식병소가 있는 유치 • 탐침이 확실히 병소에 삽입되어 걸리는 경우
발거 대상 우식치아	i	I	3	• 유치의 잔근 – 후속 영구치아가 맹출되지 않았을 경우 • 치수가 노출된 우식치아, 잔근치
우식경험 상실치아		M	5	• 생리적으로 탈락된 유치는 상실치아에서 제외 • 치아상실 원인판단이 어려운 경우: 우식비경험상실치아 • 가공의치의 가공치, 인공매식치아
충전치아	f	F	6	충전물 주위에 우식증이 발생되어 있지 않은 치아
우식비경험 상실치아		A	8	• 맹출시기가 지났음에도 불구하고 맹출되지 않은 영구치 • 25세 이전까지 맹출하지 않은 사랑니, 선천성 결손치 • 우식증 이외의 원인(외상, 선천성무치증, 치주병, 치열교정 목적 발거)으로 상실된 영구치
우식비경험 처치치아	x	X	9	• 외상/심미장애, 치열교정용 밴드 장작치아 • 가공의치의 지대치

* S – sound, D – decayed, M – missed, F – filled

통계 1-2-9	치아상태의 검진지침을 설명할 수 있다. (A)

12. 지역사회치주요양 필요지수 2019 기출 2020 기출 2021 기출 2022 기출

(1) 지역사회 전체 주민이나 특정 인간집단에 전달하여야 할 치주요양의 필요를 표시

(2) 치은염의 발생여부와 치석의 부착여부 및 치주낭의 깊이를 종합적으로 표시

(3) 측정부위: 지정치아 10개, 기록은 6개 → 한 삼분악에 지정치아가 2개인 경우 치주병이 가장 심한 치주조직 상태를 기록

| #17 또는 #16 | #11 | #26 또는 #27 |
| #47 또는 #46 | #31 | #36 또는 #37 |

※ 제2대구치가 맹출하지 않은 10대의 경우 제1대구치만 검사

(4) 치주조직 검사대상
① 발거대상이 아닌 두 개 이상의 치아가 현존하는 삼분악의 치주조직
② 제3대구치(지치)를 둘러싸고 있는 치주조직은 제외
③ 한 삼분악에 한 개의 치아만이 현존할 시에는 인접 삼분악에 포함
④ 수직동요와 불쾌감을 유발하는 치아만 발거대상치로 판정
⑤ 특정 삼분악에 지정검사대상의 치주조직이 없을 경우 그 삼분악에 현존하는 모든 치아주위 치주조직을 검사한 후 가장 진행된 치주조직의 결과를 기록
⑥ 완전히 맹출된 영구치아를 둘러싸고 있는 치주조직만이 검사대상에 포함

(5) 치주조직 검사기준

	구분	검사기준
0점	건전 치주조직	치은출혈, 치석, 치주낭 등의 증상이 나타나지 않은 삼분악의 치주조직
1점	출혈 치주조직	치주낭의 깊이를 측정하는 과정이나 측정한 후에 출혈되는 삼분악의 치주조직
2점	치석부착 치주조직	육안으로 직접 관찰되는 치은연상치석이나 직접 관찰되지 않는 치은연하치석이 부착되어 있는 치아의 주위조직
3점	천치주낭형성 치주조직	4~5 mm 깊이의 치주낭이 형성되어 있는 치주조직
4점	심치주낭형성 치주조직	깊이가 6 mm 이상인 치주낭이 형성되어 있는 삼분악의 치주조직

(6) 목적

  ① 치주낭 깊이 측정

  ② 치석 부착 여부확인

  ③ 치은 출혈 여부확인

(7) 치주낭심측정기 구성 및 측정부위

  ① 끝에서 3.5~5.5 mm까지 흑색 부분

  ② 가볍고 얇은 손잡이

  ③ 끝이 둥근 형태(ball 형태)

  ④ 끝의 직경은 0.5 mm

  ⑤ 지정된 치아의 4부위 측정(근심협면, 원심협면, 원심설면, 근심설면)

(8) 치주요양 필요자 분류기준

구분		검사기준
0점	치주요양 불필요자율	삼분악의 치주조직검사 결과가 모두 0으로 기록된 경우로 치주요양이 필요없는 자
1점	치면세균막 관리 필요자율	삼분악의 치주조직검사 결과가 한 군데 이상 1로 기록된 경우로 치면세균막관리가 필요한 자
2점	치면세마 필요자율	삼분악의 치주조직검사 결과가 한 군데 이상 2, 3으로 기록된 경우로 치면세균막관리와 치면세마가 필요한 자
3점	치주조직병 치료 필요자율	삼분악의 치주조직검사 결과가 한 군데 이상 4로 기록된 경우로 치주소파술, 치근면평활술, 치은절제술 같은 치주병 치료행위가 필요한 자

(9) 지역사회 치주요양 필요지수

지역사회 치주요양 필요지수	치주조직검사	치주요양 필요자
CPITN$_0$ 치주요양 불필요지수	건전 치주조직(0)	치주요양 불필요자(0)
CPITN$_1$ 치면세균막 관리 필요지수	출혈 치주조직(1)	치면세균막관리 필요자(1)
CPITN$_2$ 치면세마 필요지수	치석부착 치주조직(2)	치면세마 필요자(2)
	천치주낭형성 치주조직(3)	
CPITN$_3$ 치주조직병치료 필요지수	심치주낭형성 치주조직(4)	치주조직병치료 필요자(3)

(10) 구강건강 실태조사 – 치주조직 검사결과의 기록

① 조사시간 단축을 위해 치경만으로 조사

② 치주조직상태, 발거대상 치주조직병 이환치아, 치주조직병 기인 상실치아, 치석 등 4가지로 구분

③ 30~60초 이내에 치주조직 상태조사

판정	조직의 양상
건강치주조직(0)	건강치주조직
치은염(1)	한 부위 이상 치은색이 적색이나 적청색으로 변화, 가벼운 손가락 압박 시 출혈, 치은표면의 견고성과 표면질감 변화, 치은증식 등 외형적 변화
치주조직병(2)	치조골이 흡수되어 치주낭과 치아동요가 생긴 치은
발거대상 치주조직병 이환치아	치주조직병이 많이 진행되어 치아의 기능이 상실되었고 발거하지 않을 수 없다고 판정되는 치아
치주조직병 기인 상실치아	치주조직병으로 발거되었다고 판정되는 치아
치석	한 개 이상의 치면에 치석이 부착되어 있는 경우

④ 치주조직검사판정

⑤ 연령별 결과보고서

- 2~14세: 매년보고
- 15~34세: 5년 단위로 보고
- 35~64세: 10년 단위로 보고
- 65세 이후: 한 단위로 보고

통계 1-2-10 지역사회치주요양 필요지수를 설명할 수 있다. (A)

13. 반점치 검진지침 2019 기출 2020 기출 2021 기출 2022 기출

(1) Dean과 Mckay의 반점치 지수

① 최저점 = 0점, 최고점 = 4점

② 개인별 반점지수의 평균치를 집단의 반점지수로 함

③ 유병률: 음료수 불소이온농도가 높은 지역사회에서 고도반점치 유병률이 높고 의문 반점치 유병률은 비교적 낮음

④ 치아별 반점도 평점기준

반점도별 치아평점기준		판정기준
0점	정상치아	법랑질이 정상적인 형태와 투명도 유지
0.5점	반점의문치아	• 투명도 약간 상실 • 직경 1~2 mm의 백반이 2~3개 존재 • 정상치아로 보기 곤란하고 경미도 반점치아라고 볼 수도 없는 치아
1점	경미도반점치아	백색 불투명한 반점이 치면의 25% 이내에 산재
2점	경도반점치아	불투명한 백색반점이 치면의 25%~50% 이내에 산재
3점	중등도반점치아	백색반점이 50~75%, 갈색소침착, 교모
4점	고도반점치아	백색반점 75% 이상, 법랑질 형성부전, 소와산재, 광범위 갈색소침착, 흑색 착색, 부식

(2) 개인의 반점지수

① 개인의 각 치아의 반점치 점수 중 두 번째로 높은 것을 그 개인의 반점지수로 함

② 한 개의 반점치아만 갖고 있는 개인의 반점지수는 0

ⓒⓕ 반점치지수: 0.0~0.4(정상), 0.4~0.6(의심), 0.6~1.0(경미), 1.0~2.0(중등), 2.0~3.0(현저), 3.0~4.0(중대)

> **통계 1-2-11** 반점치 검진지침을 설명할 수 있다. (A)

14. 영구치우식증 산출지표 `2019 기출` `2020 기출` `2021 기출` `2022 기출`

백분율(rate)	지수(index)
영구치우식경험률(DMF rate)	
우식경험영구치율(DMFT rate)	우식경험영구치지수(DMFT index)
우식경험영구치면율(DMFS rate)	우식경험영구치면지수(DMFS index)
우식영구치율(DT rate)	우식영구치지수(DT index)
상실영구치율(MT rate)	상실영구치지수(MT index)
처치영구치율(FT rate)	처치영구치지수(FT index)
우식영구치면율(DS rate)	우식영구치면지수(DS index)
상실영구치면율(MS rate)	상실영구치면지수(MS index)
처치영구치면율(FS rate)	처치영구치면지수(FS index)

(1) 영구치우식경험률(DMF rate): 영구치우식경험자율, 영구치우식이환자율

  ① 영구치아의 우식증을 경험한 사람이 전체 인구의 몇 %나 되는지의 지표

  ② 한 개 이상의 우식 영구치아, 우식으로 인한 상실 영구치아 및 처치 영구치아를 가지고 있는 사람

  ③ $\text{DMF rate} = \dfrac{1개 이상의 우식경험영구치아를\ 가지고\ 있는\ 자의\ 수}{피검자\ 수} \times 100(\%)$

  ④ 우식증이 많이 발생되는 집단에서 높음

  ⑤ 문화수준과 반비례(선진국↓, 후진국↑)

  ⑥ 연령과 정비례

  ⑦ 수돗물불소농도조정을 수혜받지 못한 지역에서 높음

(2) 우식경험영구치율(DMFT rate)

  ① 상실치아를 포함한 전체 피검치아 수에 대한 우식경험영구치가 몇 % 되느냐를 나타내는 지표

  ② 우식경험영구치아수: 우식영구치아, 처치영구치아 및 상실영구치아를 합한 수치

  ③ $\text{DMFT rate} = \dfrac{우식경험영구치아\ 수}{피검영구치아\ 수(상실치아\ 포함)} \times 100(\%)$

  ④ 문화수준과 반비례

  ⑤ 연령과 정비례

  ⑥ 영구치우식경험률과 비례

우식영구치율(DT rate)	처치영구치율(FT rate)	상실영구치율(MT rate)
우식경험영구치 중 우식영구치의 백분율	우식경험영구치 중 처치영구치의 백분율	우식경험영구치중 상실영구치의 비율
$\dfrac{우식영구치\ 수}{우식경험영구치\ 수} \times 100$	$\dfrac{처치영구치\ 수}{우식경험영구치\ 수} \times 100$	$\dfrac{상실영구치\ 수}{우식경험영구치\ 수} \times 100$
• 치아우식증을 조기 치료하는 집단 ↓ • 소득수준과 교육수준이 높은 집단 ↓ • 계속구강건강관리를 받은 집단 ↓	• 치아우식증을 조기 치료하는 집단 ↑ • 소득수준과 교육수준이 높은 집단 ↑ • 계속구강건강관리사업을 수행하는 집단 ↑	연령과 정비례, 문화수준과 반비례 • 수돗물 불소농도조정사업 혜택을 받지 못한 지역 ↑ • 치아우식증을 조기 치료하는 집단 ↓ • 소득수준과 교육수준이 높은 집단 ↓ • 계속구강건강관리사업을 수행하는 집단 ↓

(3) 우식경험영구치면율(DMFS rate)

① 상실치면을 포함한 전체 피검면수에 대한 우식경험 영구치면이 몇 %나 되느냐를 나타내는 지표

② $DMFS\ rate = \dfrac{우식경험영구치면\ 수}{피검영구치면\ 수(상실치면포함)} \times 100(\%)$

③ 문화수준과 반비례

④ 연령과 정비례

⑤ 영구치우식경험률과 비례

⑥ 보데카의 치면 분류도: 유치(20개) → 100면, 영구치(32개) → 180면

치아		치면분류(by Bodecker)	총 치면
유치	모든 치아	근심면, 원심면, 협면, 설면, 교합면	5치면
영구치	상·하악 전치, 상악 소구치	근심면, 원심면, 협면, 설면, 교합면	5치면
	하악 소구치, 상악 제3대구치	근심면, 원심면, 협면, 설면, 교합면 2치면(근심, 원심)	6치면
	하악 대구치	근심면, 원심면, 교합면, 설면, 협면 2치면(협면소와, 협면)	6치면
	상악 제1,2대구치	근심면, 원심면, 협면, 교합면 2치면(근심, 원심), 구개면(구개소와, 구개면)	7치면

• 발거된 치아(상실치): 3면
• 인조치관장착치아(인공치): 3면(우식된 것으로 간주)
• 인접면우식증: 2면

(4) 우식경험영구치지수(DMFT index)

① 한 사람이 보유하고 있는 평균 우식경험영구치아 수

② $DMFT\ index = \dfrac{우식경험영구치\ 수}{피검자\ 수}$

③ 우식경험영구치지수를 낮출 수 있는 방법
• 관급수의 불소농도를 조정한 도시지역사회
• 연령과 정비례하므로 낮은 연령일수록 우식경험영구치 지수가 낮음
• 문화수준과 반비례하므로 문화수준이 높은 자일수록 우식경험영구치 지수가 낮음

(5) 우식경험영구치면지수(DMFS index)

① 한 사람이 보유하고 있는 평균 우식경험영구치면 수

$$② \text{ DMFS index} = \frac{\text{우식경험영구치면 수}}{\text{피검자 수}}$$

15. 유치우식증 산출지표 2019 기출 2022 기출

5세 이하 아동: dmf	6세 이상(치아교환기 아동): def	* WHO: df
d: 미처치 우식유치 중 충전 가능한 우식유치	d: 충전 가능한 우식 유치	d: 충전으로 보존할 수 있는 우식 유치와 발거 대상 우식유치
m: 우식증으로 인해 발거된 유치, 발거 대상 유치	e: 우식증으로 인한 발거 대상 유치(상실우식경험유치 제외)	
f: 충전된 과거의 우식유치	f: 충전된 과거의 우식유치	f: 충전된 과거 우식유치

* WHO는 유치 우식증 통계에서 1) 5세 이하 6세 이상(교환기)의 아동을 구분하지 않고 동일시. 2) 상실 우식경험유치의 개념을 삭제, 우식경험유치에 포함시키지 않음. 3) 구강검사 당시 현존하는 우식유치 (d)와 충전된 과거의 우식유치(f)만을 우식경험유치에 포함하여 우식경험도를 df로 표시함

(1) 유치우식경험률(dmf, def, df rate)

　① 전체 인구 중 한 개 이상의 유치우식을 경험한 사람의 백분율

$$② \text{ 유치우식경험(자)율} = \frac{\text{1개 이상의 우식경험유치를 가진 피검아동 수}}{\text{피검아동 수}} \times 100(\%)$$

(2) 우식경험유치율(dmft, deft, dft rate)

　① 피검유치 중 우식경험유치의 백분율

$$② \text{ 우식경험유치율} = \frac{\text{우식경험유치 수}}{\text{피검유치 수}} \times 100(\%)$$

우식유치율(dt rate)	처치유치율(ft rate)	발거대상우식유치율(et rate, mt rate)
우식경험유치 중 우식유치의 백분율	우식경험유치 중 처치유치의 백분율	우식경험유치 중 발거 대상 우식 유치 또는 상실유치의 백분율
$\frac{\text{우식유치 수}}{\text{우식경험유치수}} \times 100$	$\frac{\text{처치유치 수}}{\text{우식경험유치수}} \times 100$	$\frac{\text{발거대상우식유치 수}}{\text{우식경험유치 수}} \times 100$

Part

10

구강보건통계학

(3) 우식경험유치면율(dmfs, defs, dfs rate)

① 상실유치면을 포함한 피검유치면 중 우식경험 유치면의 백분율

② 우식경험유치면율 = $\dfrac{\text{우식경험유치면 수}}{\text{피검유치면 수}} \times 100(\%)$

(4) 우식경험유치지수(dmft, deft, dft index)

① 한 아동이 보유하고 있는 평균 우식경험유치 수

② 우식경험유치지수 = $\dfrac{\text{우식경험유치 수}}{\text{피검아동 수}}$

(5) 우식경험유치면지수(dmfs, defs, dfs index)

① 한 아동이 보유하고 있는 평균 우식경험유치면 수

② 우식경험유치면지수 = $\dfrac{\text{우식경험유치면 수}}{\text{피검자 수}}$

(6) 유치우식무병률

① 전체 유아 중 진행되고 있는 유치우식병소를 가지고 있지 않은 유아가 차지하는 비율

② 유치우식무병률 = $\dfrac{\text{1개 이상의 우식유치를 가지고 있지 않는 유아의 수}}{\text{피검유아 수}} \times 100$

> **통계 1-3-2** 유치우식 산출지표를 설명할 수 있다. (A)

16. 제1대구치 건강도의 산출 `2019 기출` `2020 기출` `2021 기출` `2022 기출`

① 4개의 제1대구치(#16, 26, 36, 46)를 평점

② 최저 0점, 최고 40점

③ 건전치 1치 당 10점, 우식치아는 1치면 당 1점씩 감점, 충전치아는 1치면 당 0.5점씩 감점, 상실치나 발거대상치아는 0점으로 처리하여 제1대구치 4개의 건강도 평점을 산출

건전한 제1대구치		10점
상실치, 발거지시 제1대구치		0점
미처치 우식 제1대구치	1치면이 우식 이환	1점 감점
	2치면이 우식 이환	2점 감점
	3치면이 우식 이환	3점 감점
	4치면이 우식 이환	4점 감점
	5치면이 우식 이환	5점 감점
충전된 제1대구치	충전이 1치면에 국한	0.5점 감점
	충전이 2치면에 국한	1.0점 감점
	충전이 3치면에 국한	1.5점 감점
	충전이 4치면에 국한	2.0점 감점
	충전이 5치면에 국한	2.5점 감점
인조치관		7.5점(2.5점 감점)

④ 제1대구치 건강도 = $\dfrac{\text{총 제1대구치 건강도 평점}}{40} \times 100$

⑤ 제1대구치 우식경험률 = 100 − 제1대구치 건강도(%)

통계 1-3-3 제1대구치 건강도를 산출할 수 있다. (A)

17. 기능상실치율의 산출 2019 기출

① 상실치가 포함된 전체 피검치아 중에서 치아 기능을 잃은 상실치아 수와 발거대상우식치아 수의 백분율

② 기능상실치율 = $\dfrac{\text{상실치 수 + 발거 대상치 수}}{\text{피검치 수(상실치아 포함)}} \times 100(\%)$

③ 포괄적인 구강진료의 공급 정도를 표시(계속구강건강관리 집단: ↓)

※ 기능발휘치율 = 100% − 기능상실치율

통계 1-3-4 기능상실치율을 산출할 수 있다. (A)

18. 우식치명률의 산출 2020 기출 2021 기출

① 전체 우식경험치아 중에서 우식으로 인한 상실치아와 발거대상우식치아의 백분율

② 우식치명률 = $\dfrac{\text{우식으로 인한 상실치 수 + 발거대상우식치 수}}{\text{우식경험치 수}} \times 100(\%)$

③ 문화수준이 높은 지역사회의 주민에서는 비교적 낮음

> **통계 1-3-5** 우식치명률을 산출할 수 있다. (A)

19. 치주조직병지수(러셀지수 = 러셀의 치주조직병지수) 산출

① 치주조직병이 진행된 정도를 염증부터 치주조직, 골 파괴까지 포함하여 정확히 포괄적으로 평가하는 지표

② 최저 = 0점, 최고 = 8점

	치주조직평점기준(러셀지수)		집단치주조직병지수판독기준
0점	건전 치주조직	0.0~0.2	정상 치주조직
1점	비포위 치은염	0.3~0.9	단순 치은염
2점	포위 치은염	0.7~1.9	초기 치주조직병
6점	진행성 치주염(비동요 치아주위 치주낭형성 진행치은염)	1.6~5.0	진행 치주조직병
8점	파괴성 치주염(동요 치아주위 치주낭형성 진행치은염)	3.8~8.0	파괴 치주조직병

③ 학교집단 칫솔질 사업 실시집단에서는 비교적 치주조직병지수가 낮음

④ 치주조직 평점

- 의심스러울 경우 낮은 점수를 취함
- 조사대상의 10%에 대해 이중검사 실시: 검사자 간의 오차를 줄이기 위함
- 집단 치주조직병 지수 판독(개인의 치주조직병 지수를 모두 합하여 총 피검자수로 나누어 산출)
- 연령이 많을수록, 백인보다 흑인에게 구강보건지식수준과 소득수준이 낮을수록 높게 나타남

> **통계 1-3-6** 러셀의 치주조직지수를 산출할 수 있다. (B)

20. 유두·변연·부착치은염 지수(P-M-A index) 산출 2021 기출 2022 기출

① Schour와 Masslar가 창안한 전치부 치은의 건강도를 평가하는 지수

② 상·하악 전치부 순측에 있는 5개의 치은유두를 중심으로 유두치은, 변연치은, 부착치은으로 나누고 치은염이 발생되어 있는 근심부 치은의 수를 합하여 치은염의 정도를 수량화하는 지표

③ 개인별 발생 치은염의 양을 표시

④ 상·하악 6전치에 각각 5개씩 있는 치간유두를 중심으로 각각 10개의 단위치은

⑤ 단위치은의 P, M, A 세 부위 중 염증이 발생된 부위의 수

⑥ 최저점 0점, 최고점 30점: 염증이 있으면 → 1점, 염증이 없으면 → 0점

⑦ 검사시간이 짧기 때문에 집단의 치주조직검사에 활용 가능

⑧ 학교집단잇솔질사업 수행집단, 구강보건지식수준, 소득수준이 높을수록 낮게 나타남

⑨ 검사부위

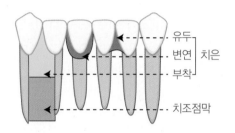

구분		P	M	A	지수
최고치	상악	5	5	5	30
	하악	5	5	5	
최저치	상악	0	0	0	0
	하악	0	0	0	

통계 1-3-7 유두변연부착치은염지수를 산출할 수 있다. (A)

21. 치은염지수(Gingival index) 산출

① Loe와 Silness가 창안한 치은염의 위치, 증상, 진행도를 표시하는 종합지표

② 각 치아 주위의 치은연을 근심치은연, 원심치은연, 협측치은연, 설측치은연으로 구분하여 각 치아별 평점을 산술평균하여 각 치아별 치은염지수를 구함

③ 최저 0점, 최고 3점

치은염지수 평점기준	
0점	건전한 치은
1점	경미한 염증 및 색 변화, 부종
2점	발적, 종창, 자극 시 출혈되는 염증
3점	심한 발적, 종창, 궤양, 자연출혈 등 진행된 염증

통계 1-3-8 치은염지수를 산출할 수 있다. (B)

22. 구강환경지수(Oral hygiene index, OHI) 산출 `2020 기출` `2021 기출` `2022 기출`

(1) 구강환경지수(OHI)

① 구강환경상태를 정량적으로 표시하는 구강보건지표

② 구강환경지수 = 잔사지수(DI, 6점) + 치석지수(CI, 6점)

③ 최저점 0점, 최고점 12점

④ 제3대구치 제외한 현존하는 모든 영구치아를 대상

⑤ 모든 치아의 순면(협면), 설면을 조사

(2) 잔사지수(debris index, DI)

0점	음식물 잔사와 외인성 색소부착이 없는 경우
1점	음식물 잔사가 있거나 외인성 색소부착이 치면의 1/3 이하를 덮고 있는 경우
2점	음식물 잔사가 치면의 2/3 이하를 덮고 있는 경우
3점	음식물 잔사가 치면의 2/3 이상(3등분된 모든 부위)을 덮고 있는 경우

(3) 치석지수(calculus index, CI)

0점	치석이 없는 경우
1점	치은연하치석은 없고 치은연상치석이 치경부측 1/3 정도에 존재
2점	치은연상치석이 치면의 2/3 이하로 존재하거나 치은연하치석이 점상으로 존재
3점	치은연상치석이 치면의 2/3 이상(3등분된 모든 부위)으로 존재하거나 치은연하치석이 환상으로 존재

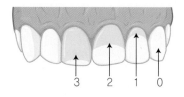

| 통계 1-3-9 | 구강환경지수를 산출할 수 있다. (A) |

23. 간이구강환경지수(Simplified oral hygiene index, S-OHI) 산출 2019 기출

① 6개의 치아에서 6개의 치면을 검사한 결과로부터 구하는 구강환경지수

② 잔사지수(DI) + 치석지수(CI)

③ 최저점 0점, 최고점 6점

④ 검사치면

#16 협면	#11 순면	#26 협면
#46 설면	#31 순면	#36 설면

| 통계 1-3-10 | 간이구강환경지수를 산출할 수 있다. (A) |

24. 구강환경관리능력지수(Patient hygiene performance, PHP)의 산출

① 구강을 관리하는 개인의 능력을 정량적으로 측정하여 표시하는 지표

② 검사기준 및 검사대상 치아

- 6개의 치아, 6치면 검사
- 검사대상치면을 각각 5부분으로 나눔(근심, 원심, 치은부, 중앙부, 절단부)
- 치면세균막 부착여부 평가(부착 시 1점, 미부착 시 0점)
- 합산 후 검사한 치아 수로 나눔

③ 최고점 5점, 최저점 0점

④ 검사부위

#16 협면	#11 순면	#26 협면
#46 설면	#31 순면	#36 설면

Part

10

구강보건통계학

구강환경관리능력지수 PHP 판정기준.

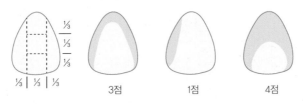

통계 1-3-11   구강환경관리능력지수(PHP)를 산출할 수 있다. (A)

PART ▶▶

11

구강보건교육학

Oral Health Education

DENTAL
HYGIENIST

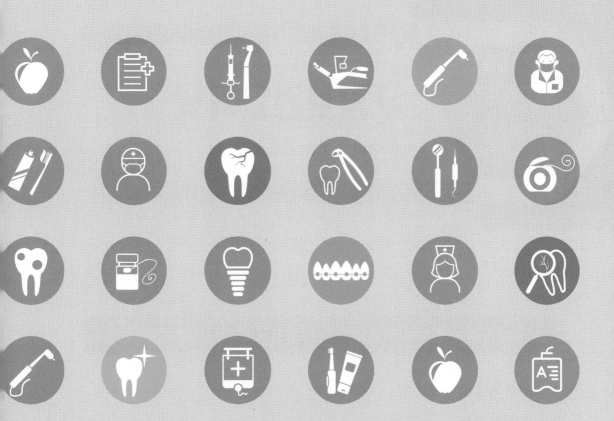

POWER 치과위생사 국가시험 핵심요약집 1권

PART 11

구강보건교육학
Oral Health Education

제1장 | 구강보건교육의 개념

1. 교육의 개념 및 정의

(1) 교육의 개념

① 외부의 성숙자에 의해 가르침이 행하여지는 것

② 학습자의 내부에 있는 선천적 소질과 잠재된 능력을 밖으로 이끌어낸다는 능동적 의미

③ 학습자의 내재적이고 본능적인 가능성을 도출하여 외부적인 힘에 의해서 교도 육성하는 것

(2) 교육의 정의

① 교육의 정의

• 광의의 의미: 가정교육, 학교교육 및 사회교육으로서의 평생교육을 가르치고 배우는 전 과정을 포함

• 협의의 의미: 학교교육만을 의미

② 교육에 대한 다양한 정의

• 규범적 정의: 교육의 가치실현을 위한 교육 자체의 발전에 더 비중을 두는 입장

• 기능적 정의: − 도구적 가치를 강조하는 정의

− 교육은 경제발전의 수단

− 교육은 사회문화의 계승

− 사회적 출세를 위한 수단

− 높은 지위를 차지하기 위한 수단

• 조작적 정의: 외재적, 내재적 행동을 함께 내포하는 인간 행동은 의도적인 계획을 가지고 지식의 증가, 가치관, 태도 등의 변화를 일으킨다는 측면

교육 1-1-1	교육을 정의할 수 있다. (B)

2. 비형식적인 교육의 정의

① 자연발생적으로 이루어짐
② 일정한 형식이나 계획에 의해 훈련과 조직에서의 지식 획득이 아니라 일상적인 경험과 자연환경의 접촉을 통해 지식과 태도가 축적되고 발전, 성장하는 과정
③ 도의적인 인격자를 만드는 데 있어서 중요한 기능을 가짐
④ 의식적, 무의식적, 모방교육, 태도, 가치관 형성
⑤ John Dewey: '생활의 사회적 연속을 위한 수단'으로 정의, '원시적 교육'의 범주로 해석
cf 형식적 교육과 비형식적 교육의 관계: 형식적 교육과 비형식적 교육 사이의 균형이 교육 철학의 강조점

교육 1-1-2	비형식적인 교육을 정의할 수 있다. (B)

3. 형식적 교육으로서의 학교교육의 정의

① 학교교육을 의미
② 일정 형식과 계획에 의한 훈련을 통해 지식, 기술, 태도를 축적하여 발전해 가는 것
③ 정해진 장소에서 자격이 부여된 교육자에 의해 일정기간 동안 체계화된 지식과 기술을 가르치고 전달하는 교육기관에서의 교육
④ John Dewey: 학교를 '선택된 교육환경'으로 표현

교육 1-1-3	학교교육을 정의할 수 있다. (B)

4. 사회교육으로서의 평생교육의 정의

① 특정 집단에게 의도적으로 학습이 이뤄지는 교육이기는 하나, 학교교육이라는 조직체 밖에서 학습활동이 같이 이루어지는 것

② 성별, 연령, 학력 등의 제한을 받지 않고 모든 사람에게 교육의 기회를 제공

교육 1-1-4 평생교육을 정의할 수 있다. (B)

5. 건강의 정의

① 19세기 이전: 육체적으로 질병이 없고, 허약하지 않으며 증상이 없는 신체개념
② 19세기 중엽 이후: 건강을 육체와 정신 두 가지 측면에서 정의
③ 1940년대 이후: 신체적·정신적·사회적 안녕이라고 정의

교육 1-2-1 건강을 정의할 수 있다. (B)

6. 구강건강의 정의

• 상병에 이환되어 있지 않고 정신작용과 사회생활에 장애가 되지 않는 구강조직 및 장기의 상태

교육 1-2-2 구강건강을 정의할 수 있다. (B)

7. 구강보건교육의 정의

• 개인과 집단 및 공중에게 구강건강의 증진, 유지 및 관리 방법에 대해 교육하며, 구강건강에 대한 지식, 태도 및 행동의 변화를 도모하고자 하는 것

교육 1-2-3 구강보건교육을 정의할 수 있다. (A)

8. 보건교육의 개념

• 단순히 지식의 전달 및 이해가 아니라 건강을 자기 스스로가 지켜야 한다는 긍정적인 태도를 가지고 건강을 위한 올바른 행동을 일상생활에서 습관화하도록 돕는 교육과정

교육 1-2-4 보건교육의 개념을 설명할 수 있다. (B)

9. 구강보건교육의 범위

① 교육 대상자에게 올바른 구강건강에 관한 지식을 전달하여 인지

② 습관 형성을 위한 동기부여

③ 출판 및 홍보물 제작하여 배포

④ 구강건강문제 해결을 위한 역학적 조사를 이용한 조사·분석 연구

교육 1-3-1	구강보건교육의 범위를 설명할 수 있다. (B)

10. 구강보건교육의 중요성

(1) 치과위생사의 업무

① 구강보건교육은 치과위생사의 업무

② 치과경영관리지원 중 가장 기초가 되며 중심이 되는 것

(2) 예방에 의한 구강건강증진

① 1차 예방의 건강증진에 해당

② 구강질환에 대한 조기발견 및 조기치료의 효과

(3) 일상생활수준 향상

① 구강보건교육을 통한 구강건강 관리의 중요성 인식

② 삶의 질 향상

③ 목적을 달성할 수 있는 기본적 사항

교육 1-3-2	구강보건교육의 중요성을 설명할 수 있다. (A)

Part

11

구강보건교육학

제2장 | 구강보건교육을 위한 기초심리

1. 생애 주기에 따른 심리적 특징　2019 기출

생애주기	심리적 특징	심리 발달
신생아기 (출생 후 4주까지)	① 모체 내에서 외부 환경에 적응과 발육의 첫 단계 ② 출생 후 모유 수유는 질병에 대한 면역성과 어머니와의 애정형성을 통한 정서적 안정감을 줌	
영아기 (0~1세)	① 프로이드: 구순기(구강기) ② 다른 사람과 어머니를 구별(어머니와 애착 관계 형성, 낯가림) ③ 격리불안증, 외인불안증 ④ 치과에 내원하지 않음	① 인지능력 발달과정에서의 표현방식을 학습하게 되고 심리적·사회적으로 적응능력이 발달 ② 부모 및 양육자의 역할이 매우 중요시 됨
유아기 (2~6세)	① 프로이드: 항문기 ② 구강진료에 대한 공포감, 거부감 ③ 부산하게 돌아다님 ④ 욕구불만이 생기는 시기 ⑤ 언어가 풍부(언어를 통한 사고, 상상, 공상이 많아짐) ⑥ 기억이 생기기 시작 ⑦ 공포, 상상력이 풍부한 시기 ⑧ 사랑과 관심을 독점하려는 경향 ⑨ 오이디푸스 콤플렉스: 남자아이는 어머니를, 여자아이는 아버지를 독점하여 사랑 ⑩ 신체조절을 배우는 시기 ⑪ 호기심과 탐색, 타인을 모방하는 시기 ⑫ 칭찬을 좋아함	① 신체적, 정신적 성장과 발달이 왕성 ② 사회적 심리적으로 정서발달은 다른 사람을 신뢰하면서 시작 ③ 상상력과 창의성은 어른들의 역할과 행동을 모방하면서 시작 ④ 자기중심적이고 자기주장이 강하며 독립성이 형성 ⑤ 상벌체제에 의해 강화되고 부모의 주입된 생각과 전통적인 사회 가치관 안에서 행동하는 것을 배움 ⑥ 직관적인 사고와 상징적 활동이 많아짐 ⑦ 부모의 교육에 대하여 절대적
아동기 (7~12세)	① 단체의식이 형성(사회성 발달) ② 치과방문에 협조적(혼합치열기, 치아우식감수성에 예민: 예방관리 필요) ③ 근면성이나 열등감이 형성됨	① 생활의 중심이 가정에서 학교로 옮겨지는 학령기 ② 구강에 대한 지식은 구강관리 습관과 태도변화에 중요한 역할 ③ 구강건강을 위한 이론적인 지식보다 구강건강에 대한 태도 및 습관에 중점을 둠

생애주기	심리적 특징	심리 발달
청소년기 (13~19세)	① 정서적 불안한 시기 ② 간식섭취가 많은 시기(치은염과 치주염이 나타나는 시기, 다발성우식증)	① 주요 성장 변화가 일어나는 시기 ② 개념화 능력이 발달(사물간의 관계 파악) ③ 구강위생관리습관을 계속 유지하기 위해 부모, 교육자의 관심 있는 지도 필요
성인기 (20~64세)	① 시간부족, 경제사정이 어려운 경우가 많음 ② 자신의 건강을 걱정하는 시기(치아우식병감소, 치주병이 진행되는 시기)	① 신체적·사회적·정신적 완숙된 시기 ② 활발한 사회활동 시기 ③ 자신의 구강건강에 대한 책임을 알게 해주는 것이 필요 ④ 구강특징: 치아우식 감수성은 감소, 치주병 진행시기(정기적인 치과방문을 위한 동기유발)
노년기 (65세~)	① 사고능력 저하, 고정된 습관이 많음 ② 쉽게 노여워 함 ③ 치경부 우식증, 치주병이 심함 ④ 치아상실, 침샘위축으로 많은 고통을 느끼는 시기	점진적인 변화를 가져올 수 있게 하여 구강건강의 중요성을 이해하도록 함

교육 2-1-1   생애 주기에 따른 심리적 특징을 설명할 수 있다. (A)

2. 생애 주기별 구강의 특성과 구강보건행동 2020 기출

생애주기	구강 특성	구강보건행동
신생아기 (출생 후 4주까지)	무치아기 시기	거즈로 치면을 닦아 줌, 이때 상처가 나지 않도록 주의, 관리하는 지도 필요
영아기 (0~1세)	① 저작기능의 기초가 되는 중요한 시기 → 음식물의 크기와 경도는 치아맹출에 영향 ② 6~8개월부터 하악 유전치 맹출 시작으로 36개월 정도에 완료 ③ 우유병성 우식증 발생 우려 ④ 부모와 같이 가족단위의 구강건강관리가 필요 ⑤ 선천치(치아를 가지고 태어남), 신생치(4주 안에 맹출) ⑥ 치과치료 시 부모와 격리시키지 않도록 하여 진료에 친숙해지도록 유도 ⑦ 치과진료에 대한 심한 공포를 느낌	① 불소복용 ② 식이조절: 9개월 지나면 컵 사용 ③ 수저를 사용할 시기쯤에 칫솔을 놀이감으로 제공 ④ 칫솔질 효과보다는 칫솔질 습관 형성이 중요 ⑤ 부모와 같이 가족단위의 구강건강관리가 필요
유아기 (2~6세)	유치 치아우식증은 조기상실의 원인이 되어 부정교합으로 이행하기 쉬움	① 부모 및 양육자의 지도와 관리에 의해 구강건강을 향상 ② 부모의 교육에 대하여 절대적이며 모방을 잘 함
아동기 (7~12세)	① 유치 탈락, 영구치 맹출시기 ② 혼합치열기이므로 부정교합이 잘 생기는 시기 ③ 치아우식에 대한 감수성이 예민한 시기 ④ 간식 횟수 증가로 우식증 발생률이 높아짐	① 정기적인 치과치료에 대한 이해와 협조가 필요 ② 구강병 치료는 물론 예방처치의 중요성에 대한 구강보건교육이 필요
청소년기 (13~19세)	① 탄수화물로 인한 다발성 우식증 발생 ② 치은염, 치주염 등이 생기는 시기	① 다발성 우식, 치은염, 치주병 → 부모와 교육자의 관심 있는 지도가 필요 ② 구강보건교육은 문제발생 시 스스로 처리할 수 있도록 준비시켜줌 ③ 구강병 예방법: 칫솔질, 불소이용법, 전문가 예방처치, 식이조절, 정기적인 구강검진

생애주기	구강 특성	구강보건행동
성인기 (20~64세)	① 만성적인 구강병 진행 ② 치아우식에 대한 감수성이 저하, 치주병 발생이 증가	① 구강관리: 치면착색제, 식이분석일지, 구강 방사선사진, 위상차 현미경 등 ② 과민성 치아: 부드러운 강모칫솔 사용 ③ 보철물 관리: 구강위생용품 사용 ④ 임플란트 관리
노년기 (65세~)	① 치아상실이 많음 ② 치경부 우식 ③ 치주병 ④ 각화의 저하 ⑤ 구강건조증 (침샘위축) ⑥ 탄력성 상실	① 오랜 습관과 특성을 감안하여 습관을 점진적으로 변화 ② 저작기능의 회복, 구강검진의 이득을 납득시킴 ③ 구강보건교육 대상: 본인, 보호자 ④ 시설수용노인: 시설관리자, 도우미에게 교육

교육 2-1-2 생애주기에 따른 구강의 특성을 열거할 수 있다. (A)

교육 2-1-3 생애주기에 알맞은 구강보건행동을 지도할 수 있다. (B)

교육 2-1-4 생애주기별 특성에 따른 구강관리법을 설명할 수 있다. (A)

3. 동기의 개념 2022 기출

(1) 동기의 의미

① 행동의 방향과 목표를 결정해 주며 행동의 수준 및 강도를 결정하는 심리적 구조이며 과정임

② 행동을 하게 하고 목표를 향해 나아가게 하며 목표추구행동을 유지시키는 내적인 상태

(2) 행동의 동인: 동기가 없으면 행동이 일어나지 않으며 행동이 있는 곳에는 동기가 있음

(3) 학습동기: 학습자로 하여금 어떤 학습목표를 향해 추구하는 과정에 있어서 학습행동을 하게 하는 상태나 준비태세

(4) 동기의 종류

① 1차적 동기(생리적 동기)
- 신체적 생리적 평형상태를 유지하고 유기체의 생명보존과 종족보존에 필요한 동기
- 식욕, 성욕, 수면, 휴식, 반사, 활동, 배설

② 2차적 동기(사회적 동기)
- 후천적으로 습득된 학습 및 경험으로서의 동기
- 경쟁, 사회적 독립, 소속감, 애정, 성취감, 자유추구, 사회적 인정, 호기심

(5) 동기의 기능

① 시발적 기능: 동기가 행동을 유발시키는 힘을 주어 행동을 할 수 있도록 하는 것

② 지향적 기능
- 일정한 목표를 향한 행동을 일으키게 하는 어떤 내적인 힘
- 행동의 방향을 바로잡게 하는 기능으로서 학습목표를 향하여 학습태도를 갖는 것

③ 강화적 기능
- 동기로 말미암아 특정한 목표로 지향하는 행동이 일어나며 이러한 행동의 결과가 개체의 욕구를 만족시켜주는 경우, 동일한 상황 발생 시 이전과 같은 행동을 일으키게 됨

교육 2-2-1   동기의 개념을 설명할 수 있다. (A)

4. 욕구, 충동과 유인의 의미   2020 기출

(1) 욕구(Need)

① 개체의 행동을 일으키게 하는 개체 자체 내의 원인, 개체 내의 결핍이나 과잉에 의해 나타난 상태(행동을 일으킬 수 있는 잠재적인 힘)

② Maslow의 욕구 단계
- 1단계(생리적 욕구): 생명유지를 위해 필요한 식욕, 성욕, 휴식에 대한 욕구의 단계
- 2단계(안전의 욕구): 생리적 욕구가 충족된 후에만 추구하게 되는 욕구의 단계
- 3단계(소속 및 애정의 욕구): 인간관계에서 이해와 정의를 나눌 수 있는 친숙 관계를 유지하고자 하는 정서적이고 인격적인 욕구의 단계
- 4단계(존경의 욕구): 타인으로부터 자신의 가치를 인정받고 인간적인 대우를 받고자 하는 욕구
- 5단계(자아실현의 욕구): 존재욕구 또는 성장욕구

(2) 충동(Drive): 내재되어 있는 과잉이나 결핍 등의 욕구를 행동양식으로 이끌어 표현되게 하는 것

(3) 유인(Incentive): 동기의 지향적 기능을 성립 시키는 환경요인(대상이나 목표)

교육 2-2-2	다음을 설명할 수 있다. (A) 1) 욕구 2) 충동 3) 유인

5. 동기화의 과정 `2019 기출`

(1) 동기유발의 4단계: 욕구의 발생 → 욕구 확인 → 목표달성 행동 → 욕구의 만족과 불안 해소

(2) 동기화의 과정: 환기(감정의 변화) → 목표추구행동 → 목표달성(성취) → 환기상태 소멸

(3) 동기의 기능
   ① 행동촉진의 기능
   ② 목표지향적 기능
   ③ 효과적인 행동 선택의 기능

교육 2-2-3	동기화의 과정을 설명할 수 있다. (B)

6. 동기화의 원리 `2019 기출`

① 기대하는 학습목표로 학생들의 주의력을 집중시키는 것
② 호기심을 활용하는 동시에 개발하고 촉진시켜야 하며, 다양한 학습방법과 자료를 적절하게 활용하여 사용함
③ 현재의 흥미를 충분히 활용하는 동시에 새롭고 특이한 흥미를 조장시켜야 함
④ 구체적인 유인과 상징적인 유인을 마련해야 하며, 내적 동기와 외적 동기를 적절하게 부여해 나가는 것이 중요
⑤ 학습자의 능력수준에 적당한 학습과제를 제공해야 하며, 동기화의 핵심적인 문제이기도 하며, 학습효과를 결정하는 주요한 요소
⑥ 현실적이고 실현 가능한 목표를 설정해야 함

⑦ 학습목표달성도를 평가한 결과를 학습자에게 알려주어야 함

⑧ 지나친 긴장은 혼란과 비능률을 초래한다는 것을 인식

cf 환자의 동기유발 인자 파악

① 구강의 건강상태

② 환자의 정서적 상태

③ 환자의 흥미와 관심도

④ 환자의 사회·경제적인 면

⑤ 일상적 또는 현재의 진료상태

⑥ 구강보건 관련 지식과 잘못된 지식

⑦ 환자의 구강 내 문제점

> **교육 2-2-4**　　동기화의 원리를 설명할 수 있다. (A)

7. 동기화의 방법 `2021 기출`

(1) **내재적(자연적) 동기유발**: 행동의 전개가 목표로 되어 있는 것

① 학습목표의 확인

② 학습결과의 환기 및 확인

③ 성공감(성취동기)

(2) **외재적(인위적) 동기유발**: 행동의 목표가 행동 이외의 것으로 인위적이며, 외적 자극으로 인해 행동이 수단의 역할을 하고 있는 경우로 상과 벌, 경쟁과 협동 등이 있음

① 상과 벌

② 경쟁과 협동

> **교육 2-2-5**　　동기화의 방법을 나열할 수 있다. (B)

> **교육 2-2-6**　　구강보건교육 대상의 특성에 따라 동기화할 수 있다. (B)

1. 교육목적(Aims)

① 정의: 광범위하고 포괄적이며 노력해서 달성하고자 하는 것

② 구강보건교육의 목적: 일반 개개인에게 구강보건에 관한 지식, 태도 및 행동 등에 대한 반복적인 경험과 교육으로 개인적 노력을 통해 바람직한 구강보건행동의 변화를 달성하고자 하는 것

③ 교육목적의 작성(설정)원칙

- 포괄성: 학습결과를 포괄적으로 전달
- 적절성: 교육대상자의 특성에 맞도록 설정
- 타당성: 교육대상자의 조건이나 정도에 맞도록 설정
- 실현성: 능력수준과 교재, 교구 활용도에 맞도록 설정
- 구체성: 목적을 분명하게 전달
- 일관성: 목표와 연관성 있는 목적 설정

교육 3-1-1 대상자에게 알맞은 교육목적을 설정할 수 있다. (A)

2. 교육목표(Goals) 2020 기출

① 정의: 목적을 성취하는 데 필요한 행동변화를 구체화하는 것

② 나타내고자 하는 의도가 보다 부분적이고 구체적임

③ 교육목표의 작성원칙

- 각 목표마다 단일성과만을 기술
- 예상되는 성취도와 학생이 특정한 행동으로 그 성취도를 표시할 수 있도록 기술
- 목적을 달성하기 위한 구체적인 행동의 하나로 기술(변화된 행동을 내용으로 기술)

교육 3-1-2 대상자에게 알맞은 교육목표를 작성할 수 있다. (A)

3. 블룸(Bloom)의 교육목표 개발 5원칙 (RUMBA) 2021 기출 2022 기출

① 실용적(real)

Part

11

구강보건교육학

② 이해가능(understandable)

③ 측정가능(measurable)

④ 행동적(behavioral)

⑤ 달성가능(achievable)

교육 3-1-3	블룸(Bloom)의 교육목표 개발 5원칙을 나열할 수 있다. (A)

4. 지적영역, 정의적영역과 정신운동영역(심리운동영역): 교육목표의 분류 2019 기출 2020 기출 2021 기출 2022 기출

(1) 지적영역(인지적 영역): 지식의 습득(강의법)

① 암기수준: 단순한 지식의 암기로만 교육목표가 달성되는 수준으로 모든 교육의 기초

   ex 치아의 기능을 나열할 수 있다.

② 판단수준: 지식에 대한 암기뿐 아니라 완전히 이해하여 해석 및 설명, 판단하여 얻은 지식

   ex 치아우식 진행과정을 설명할 수 있다.

③ 문제해결수준: 지적영역의 지식수준 중 가장 높은 수준

   ex 구강상태에 따른 구강건강증진을 위한 칫솔질 방법을 설명할 수 있다.

   ex 구강병이 발생하였을 때 구강보건의료기관을 방문할 수 있다.

(2) 정의적 영역: 태도의 변화(관찰법)

① 교육 후 학습자의 태도 변화를 기대하는 영역

② 매우 포괄적이고 복합적인 요소를 갖고 있음(객관적으로 측정이 어려움)

   ex 학생은 올바른 방법으로 칫솔을 보관할 수 있다.

(3) 정신운동영역(심리운동영역): 수기의 습득(시범)

① 수기(skill)는 학습을 통하여 지적활동이 가능하게 된 상태에서 신체적 운동이 행동으로 나타남을 뜻함(측정 가능)

   ex 회전법으로 치아를 닦을 수 있다.

교육 3-2-1	다음을 정의할 수 있다. (A) 1) 지적 영역(인지적 영역) 2) 정의적 영역 3) 정신운동 영역(심리운동 영역)

교육 3-2-2	교육목표를 교육학적으로 분류할 수 있다. (A)

제4장 | 구강보건교육을 위한 교육방법

1. 교육방법의 종류 및 특성 `2019 기출` `2020 기출` `2021 기출` `2022 기출`

(1) 강의법

구분	내용
정의	① 교육자가 말로 설명하고, 정보를 제시하며 학습자가 그 요점을 기록하며 학습하는 형태
	② 40명 이상의 대집단에서 적용할 수 있는 대표적인 교육의 형태
	③ 교육자: 교안에 의해 진행하면서 학습자에게 질문을 다양하게 하여 주의를 집중시킴
	④ 학습자: 전달되는 정보 지각 및 이해
장점	① 강의의 서론이나 새롭게 시작되는 단원의 내용을 전달 또는 소개하는 데 적당
	② 한 번에 다수의 사람을 교육할 수 있음
	③ 시간 및 장소에 특별한 제약이 없음
	④ 교육자의 의도 하에 정보나 지식을 체계적으로 전달할 수 있음
	⑤ 사실적인 정보를 다루기에 적합
	⑥ 반복하거나 최근의 지식 정보를 제공하는 데 효과적
	⑦ 교육자가 직접 학습자에게 교육하므로 생동감이 있음
	⑧ 교육자 자신에게 자신감을 심어줄 수 있음
	⑨ 단시간에 많은 정보를 제공 → 경제적
단점	① 학습자의 다양한 학습 속도에 부합하기 어려움
	② 학생을 교사에게만 의존하게 만들어 수동적인 학습
	③ 장기기억을 요구하는 정보에는 부적당
	④ 학생에게 문제해결력을 요구하는 고차원적 사고력을 기르거나 학습태도의 변화나 동기 유발을 시키지 못함
	⑤ 개인차나 특성을 고려하기 어려움
	⑥ 주로 많은 사람들을 대상으로 하기 때문에 주의 집중력이 저하
	⑦ 참여 학습 어려움(주입식 수업)

(2) 시범실습

구분	내용
정의	학습내용을 실제로 교육자가 학습자에게 전 과정을 천천히 실시해 보임으로써 학습자가 따라할 수 있도록 하는 교육방법(관찰과 모방)
장점	① 말이나 글로 설명하는 것보다 학습내용과 과정을 정확히 전달 가능
	② 태도 영역의 학습에도 적용 가능(학습이 빠르고 행동수정이 즉시 가능함)
	③ 교육목표별 학습내용을 이해하고 관찰하여 간단하게 정리할 수 있음
	④ 학습자는 교육목표를 직접 실시하면서 습득할 수 있음
	⑤ 흥미유발과 동기유발 용이(기술 습득)
단점	① 시범하기에 적당한 장소와 시설이 준비되어야 함
	② 추상적인 것은 다루기 어려움
	③ 교육자는 정확하게 시범을 보이고 설명을 할 수 있어야 함
	④ 서툰 시범은 학습자에게 불만의 반응을 일으킴
	⑤ 학생 수에 제한이 있어 비경제적(시간조절의 어려움)

(3) 토의법

구분	내용
정의	① 학습자들 간에 정보나 아이디어, 의견 등을 나누면서 문제를 함께 연구하고 해결해 가는 과정
	② 민주주의 원칙에 기반
	③ 교수자, 학습자 모두 의사소통 기술, 대인관계 기능 함양을 토대로 함
	④ 교수자 역할: 토론의 촉진자, 학습자 토론 중개, 토론자 일환으로 참여
	⑤ 학습자 역할: 의견 개진, 의견 경청 및 조율, 합의된 의견 도출
	⑥ 새롭게 습득된 지식, 기술을 좀 더 확고히 하거나 고차원적 능력으로 발전시키기 위한 수단으로 활용 가능
	⑦ 소집단에 적합한 교수방법(2~20명)
장점	① 학습자의 사회성을 촉진시킬 수 있음
	② 자기 의견을 적절히 표현하는 능력을 향상시킬 수 있음
	③ 타인의 의견을 지성적으로 비판하는 태도 양성
	④ 주제에 관심과 흥미를 고취시켜 자발적인 학습활동 가능(관심과 흥미 고취)
	⑤ 자기의 의견을 정확하게 발표하고 전달하는 의사전달 능력 함양

<계속>

구분	내용
단점	① 많은 시간 소요
	② 사전계획이 철저해도 예측하지 못한 상황 발생 가능
	③ 내성적 성향의 학습자 참여의 어려움
	④ 소수 의견 무시
	⑤ 참여를 위한 억지 참여는 체계적인 사고 방해 (방관자가 생길 수 있음)
종류	① 원탁토의 : 보통 5~10명 정도의 소집단으로 원탁에 둘러 앉아 정해진 주제에 대해 자유롭게 서로의 의견을 교환하는 방법 ② 그룹토의 : 훈련된 지도자가 전체 집단을 5~10명 정도의 소집단으로 나누어 공통의 관심사에 대하여 대화를 나누는 방법 ③ 배심토의 : 토의 문제에 관한 지식과 경험이 풍부한 전문가가 사회자 아래 청중 앞에서 자유토의하는 방법 ④ 세미나 : 참가자 모두가 토의주제 분야에 권위 있는 전문가나 연구가들로 구성된 소수집단의 형태 ⑤ 대화식 토의 • 대개 6~8명의 구성으로 청중대표와 전문가 및 참여인사로 구성 • 대화를 통해 문제해결을 위한 질의응답을 하는 방법 ⑥ 버즈토의 • 대규모 토의집단을 소집단 6명 정도로 나눈 다음 소집단끼리 토의 • 한 장소에서 여러 개의 소집단이 각각 토의함 ⑦ 심포지엄 : 특정주제에 대해 권위 있는 2~5명 정도의 전문가가 각기 다른 의견을 발표한 후 이를 중심으로 사회자가 토의를 진행시키는 방법 ⑧ 브레인스토밍 : 특정한 주제에 대하여 생각나는 아이디어를 자유롭게 산출하는 방법 ⑨ 워크숍 : 집단으로 사고하고 작업하여 문제를 해결하려는 교육방법

(4) 상담

구분	내용
정의	① 도움이 필요한 사람이 훈련을 받은 사람과 상호작용적 관계에서 문제를 해결하고 행동적·인지적·정서적으로 변화하도록 하는 과정
	② 충고와 권고를 하는 것이 아니라 피상담자로 하여금 선택의 기회를 제공하는 것

구분	내용
구분	① 개별상담: 전문가인 상담자와 피상담자가 대면적·개인적·역동적 관계로 상호작용하여 문제를 해결하면서 피상담자의 행동변화가 나타나게 됨(일반적으로 구강보건교육은 개별 상담 중심으로 진행)
	② 집단상담: 홈룸(homeroom), 학교생활, 진로, 학생 자치활동, 특별활동, 오리엔테이션 등이 있음
	※ 집단상담 계획 시 고려사항 • 집단의 크기(일반적으로 6~7명, 10~12명) • 집단구성원 선정 • 상담시간의 길이 • 상담의 횟수 • 필요한 물리적 장치 마련 • 상담집단을 폐쇄적으로 할지 개방적으로 할지 결정 • 집단참여에 대한 준비

교육 4-1-1	교육방법의 종류를 나열할 수 있다. (B)

교육 4-2-1	다음의 각 교수법을 정의할 수 있다. (B) 1) 강의　2) 토의　3) 시범실습　4) 상담

교육 4-2-2	다음의 교수법의 특성을 설명할 수 있다. (A) 1) 강의　2) 토의　3) 시범실습　4) 상담

2. 교육목표에 알맞은 교수법

① 목적, 시간, 장소에 따라 교육방법이 달라야 함

② 같은 주제라도 한 가지 방법만을 사용하기보다는 여러 가지 교육방법을 적절히 조화시켜 실시

교육 4-1-2	교육목표에 알맞은 교수법을 선택할 수 있다. (A)

3. 교육방법 선택 시 고려사항

① 고려사항: 교육시기, 교사의 학습지도 기술, 교육의 목적과 목표, 학습심리 또는 학습이론, 학습내용, 대상자의 성숙정도, 환경조건, 교육자료와 필요한 장비의 활용 가능성, 투입되어야 할 시간, 대상집단의 크기

② 집단의 크기에 따른 교육방법

집단의 크기	교육방법
1명	개별지도, 숙제
2~20명	토의법, 역할극, 시뮬레이션, 게임
20~40명	문답법, 대화법, 토의법
40명 이상	강의법

교육 4-1-3	교육방법 선택 시 고려사항을 나열할 수 있다. (B)

제5장 | 구강보건교육매체

1. 교육공학의 개념

학습을 위한 과정과 자원의 설계, 개발, 활용, 관리 및 평가에 관한 이론과 실제

교육 5-1-1	교육공학의 개념을 설명할 수 있다. (A)

2. 교육공학의 효능

① 교육의 생산성 증대
  • 학습자의 학습 진행 속도를 높여 학습시간이 감소하게 됨
  • 창의력과 지적능력을 향상시킬 수 있어 교육의 생산성 높임
② 교육의 개별화 도모
  • 획일적이고 표준적인 교육방식에서 벗어나 학습의 다양화 가능
③ 교육의 과학화 촉진
  • 교육문제와 관련된 연구 결과를 실제 교육에 적용함으로써 학습과 교육을 보다 과학적이고 합리적으로 이루어지게 함
④ 교수능력 강화
  • 통신매체를 이용한 교육공학은 교수의 가능성, 교육의 가능성을 확대
⑤ 직접화·동시화
  • 학교 내부와 외부에서 일어나는 일 사이의 간격을 최소화

⑥ 교육의 기회 균등화
- 지역, 문화적 환경 및 교육자의 교육능력 차이에 관계없이 질 높은 수업을 받을 수 있음

교육 5-1-2　교육공학의 효능을 설명할 수 있다. (B)

3. 교육매체의 개념

① 협의의 관점: 학습을 하는 데 있어서 내용을 구체화하거나 보충하여 학습자가 명확히 이해할 수 있도록 도와주기 위해 사용되는 모든 기계나 자료를 의미
② 광의의 관점: 학습에 있어서 내용을 보충하는 보조자료의 의미를 넘어서 교수–학습과정에서 교사와 학습자 사이에 교수목표 달성을 위해 사용되는 모든 수단

교육 5-2-1　교육매체의 개념을 설명할 수 있다. (B)

4. 교육매체의 유형별 분류

(1) 기능에 따른 분류

① 시각교재
- 평면교재: 그림, 포스터, 사진, 칠판, 게시판, 도표 등
- 입체교재: 모형, 표본, 실물
- 투영교재: 슬라이드
② 청각교재: 라디오, 녹음테이프
③ 시청각 교재: 영화, 텔레비전, 비디오테이프 등

(2) 교육내용을 전달하는 도구에 따른 분류

① 도구적 매개체: 칠판, 도표, 괘도, 융판
- 제작이 단순
- 교육자에 의해 완전히 통제·제작되는 것
② 기계적 매개체: 사진, 슬라이드, OHP, PPT
- 교육자가 제작할 수 있지만 다소 전문기술이 필요
- 대량생산 가능

③ 전파적 매개체: 라디오, 텔레비전, 인터넷
  • 전문적인 기술이 필요
  • 교육자가 제작하기 어려움

교육 5-2-2   교육매체를 유형별로 분류할 수 있다. (B)

5. 교육매체의 선정기준(Gerlach의 5가지 기준)

① 적절성: 매체가 학습목표 달성에 적절한가에 관한 기준(목표와 일치)
② 난이도: 매체가 학습자의 지적수준에 적합한가를 고려한 기준
③ 경제성: 매체활용에 필요한 비용과 학습효과를 비교하는 기준(장기 지속)
④ 이용가능성: 매체활용이 가능한 시간을 측정하는 기준
⑤ 질적 양호도: 학습자가 이해하기 쉽도록 매체의 내용과 질이 우수한가의 기준(교육적 가치가 크고 학습자의 태도 변화 유도)

교육 5-2-3   교육매체의 선정기준을 나열할 수 있다. (B)

6. 교육기자재 선택기준

① 교육 대상 크기
② 활용 가능한 장비
③ 교육 소요시간
④ 교육시간
⑤ 교육 환경

교육 5-2-4   교육기자재 선택기준을 나열할 수 있다. (A)

Part

11

구강보건교육학

7. 교육매체 제작 과정

(1) 칠판

구분	내용
특성	가장 오랫동안 사용해 오고 있는 시각 보조물로서 가격이 저렴하고, 손쉽고 편리하게 표현할 수 있어 오늘날 교육현장에서 가장 기본적으로 활용
장점	① 거의 모든 교실에서 쉽게 이용
	② 다른 교구에 비해 쉽게 사용
	③ 교사와 학습자에 의해 광범위하게 사용
	④ 설치비용이 경제적
	⑤ 중요한 요점을 강의하고 요약하는데 적당
단점	① 많은 양의 자료를 취급할 수 없음
	② 세부적이고 복잡한 그림을 그리기 어려움
	③ 영구적 기록이 어렵고 같은 내용을 다시 제시하기 힘듦
	④ 분필가루로 인해 건강이 해쳐질 수 있음

(2) 사진과 그림

구분	내용
특성	① 사진은 추상적인 아이디어를 구체적인 형태로 표현
	② 신문·잡지·책·카다로그 등에서 인쇄된 사진 자료를 손쉽게 구할 수 있어 자료의 수집 용이
	③ 사진과 그림 활용 시 전기적, 기계적 장치를 필요로 하지 않으므로 손쉽게 사용
	④ 사진과 그림 촬영에 의해서 사진과 그림 교재를 쉽게 제작 혹은 복제 가능
	⑤ 사진과 그림 대상의 연령층이나 주제에 제한 받지 않고 다양하게 사용
장점	① 현실을 압축하여 간결하게 표현, 현장감
	② 휴대하기 쉽고 어디서나 간단히 사용 가능
	③ 쉽게 제작, 복제
	④ 실물환등기 등을 이용해 많은 사람에게 동시학습 가능
단점	① 평면적
	② 우리 주변에서 입수되는 사진은 대개 그룹을 대상으로 사용하기에 크기가 작음

(3) 실물과 모형

구분	내용
특성	① 실물: 인물, 사실, 사물 등 실제 그대로의 모습이거나 실제의 것

<계속>

특성	② 모형: 실물의 입체적인 재현으로써 일반적으로 실물의 대체물로 간주
장점	① 사물을 자연의 상태로 관찰
	② 직접적이고 구체적이며 입체적인 관찰
	③ 형태, 색채, 냄새, 음색, 맛, 단단한 정도를 직접 경험할 수 있음
	④ 자연물의 내용을 실생활과 결부시킬 수 있음
	⑤ 수업상황을 종합적으로 체험할 수 있어 실제로 사회생활에 기여할 수 있음
	⑥ 모든 학습자에게 광범위하게 사용할 수 있음
단점	① 시간과 시기적 제약
	② 이동상의 제한성과 실물 크기에 한정
	③ 대집단 교육 시 적용 어려움

(4) 괘도

구분	내용
특성	복잡한 내용의 요점이나 개념간의 상호 관계를 이해시키기 위하여 차트, 그래프, 다이어그램, 지도 등을 일정한 크기의 종이 위에 그리거나 인쇄하여 조직적으로 시각화한 간편한 교재
장점	① 이해하기 어려운 개념이나 내용을 시각화하여 쉽게 이해시킬 수 있음
	② 제작비가 저렴하여 필요시마다 수시로 제작해서 사용 가능
단점	① 너무 평면적이고 정적인 자료이므로 시각적인 제시에만 그치게 되고 장시간 사용하게 되면 학생들이 지루함을 느낌
	② 많은 내용을 한 번에 다룰 수가 없음
	③ 정밀하고 복잡한 그림을 그리기가 어려울 뿐 아니라 제작에도 많은 시간 소요
	④ 크기가 제한되어 있기 때문에 대상 학생의 수가 많을 때에는 사용 불가
	⑤ 종이를 자주 사용하면 닳아서 찢어지거나 헐게 되므로 반영구적인 자료로 볼 수 없음

(5) 포스터

구분	내용
특성	① 여러 사람에게 알리려는 정보를 간단하고 분명하게 나타내는 시각적 자료
	② 표어와 그림으로 주의를 환기시켜 행동의 변화를 유발시키고자 하는 교육매체
장점	① 의지와 상관없이 계속적으로 교육을 할 수 있어 정보를 축적할 수 있음
	② 장기간 부착할 수 있고, 여러 장을 재생할 수 있어 경제적
단점	① 제작 시 전문가의 전문적인 기술이 요구됨
	② 학습자들의 주의집중에 도움이 되지 못함

(6) 게시판

구분	내용
특성	원하는 아이디어나 메시지를 명확하고 간결하게 시각화해서 제시하는 판으로서 보는 사람의 관심을 끌게 하고 적극적인 흥미와 태도의 변화 유발(여러 관점을 한 번에 전달 가능)
장점	① 필요한 정보를 명확하고 간결하면서 자연스럽게 알려줄 수 있음
	② 알리고자 하는 내용을 장시간 많은 사람에게 알릴 수 있음
	③ 적극적이고 창의적인 활동으로 동기 유발시킬 수 있음
	④ 학교 또는 학습 분위기를 정돈되게 꾸밀 수 있음
	⑤ 게시 내용에 대한 지식을 풍부하게 해줄 수 있음
단점	① 제작 시 전문가의 전문적인 기술이 요구됨
	② 학습자들의 주의집중에 도움이 되지 못함

(7) 투영기(OHP)

구분	내용
특성	빛을 이용하여 투명한 필름에 투사하여 자료를 제시하는 것
장점	① 암막 설치 필요 없음
	② 칠판대용으로 활용 가능
	③ 자료제작과 활용 및 관리가 편리
	④ 근거리에서도 확대율을 적절히 조절 가능
	⑤ 여러 겹의 그림판을 이용하여 내용을 간단하게 조직적으로 설명
	⑥ 일반 교실에서도 선명하게 확대된 영상
	⑦ 학습자들의 주의를 집중시켜 밀도 높은 수업 가능
	⑧ 각종 자료나 교재 제시 다양
단점	① 교사의 치밀한 사전준비 요구
	② 평면적인 상만을 제시
	③ 특수한 경우를 제외하고는 제시할 자료가 반드시 투시물로 만들어져야 한다는 불편감
	④ 교사가 준비한 자료를 일방적으로 제시하는 단조로운 수업이 될 수 있음
	⑤ 키스톤 효과: 투영 각도에 따라 상이 왜곡

(8) 비디오

구분	내용
특성	① 실물이나 모형을 보여주기 어려운 상황이나 진행과정 등을 많은 대상자들에게 보여 주여야 하는 경우 유용
	② 연속적인 동작이 중요시되는 조작에 더욱 효과적으로 보일 수 있는 매체
장점	① 비교적 쉽게 제작할 수 있으며, 매우 간편하게 활용할 수 있음
	② 내용에 대한 탐색과 속도조절이 용이
단점	① 기계가 정밀하여 고장 시 전문가에게 의존해야 함
	② 기계 자체의 가격과 테이프 가격이 비교적 비쌈
	③ 저장용량이 제한적

(9) 파워포인트

구분	내용
특성	그래픽 처리기능을 이용하여 메시지를 작성하여 전달할 수 있음
장점	① 문서작성이 편리하고 그래프 및 개체의 삽입이 용이
	② 슬라이드 순서의 재배치가 용이
	③ 애니메이션 효과, 소리와 영상효과 등을 구성할 수 있어 멀티미디어 제시가 가능
	④ 다양한 색상과 디자인 요소는 학습자의 주의를 집중시키는데 큰 효과가 있음
단점	① 제작방법을 숙지해야 하는 시간이 필요
	② 사전에 자료를 준비할 시간이 많이 소요
	③ 어두움과 지나친 미디어 의존에 의해 지루함을 줄 수 있음

(10) 융판

구분	내용
특성	복잡한 이야기나 내용을 시각적으로 간단하면서도 기계적, 전기적 조작 없이 묘사
장점	① 제작 및 사용하기 쉽고 운반과 보관이 간편
	② 붙였다 떼었다 함으로써 시간조절이 가능
	③ 색깔과 모양이 다양하여 주위집중과 흥미유발 효과가 높음
단점	① 세부적인 설명에 부적당하며 사전 준비가 필요
	② 내용물이 떨어질 수 있고 크기의 제한이 있음

교육 5-2-5	교육매체의 특성을 설명할 수 있다. (B) 1) 칠판 2) 그림, 사진 3) 실물, 모형 4) 괘도 5) 포스터, 게시판 6) 동영상 7) 파워포인트

8. 학습목표에 따른 교육매체

교육목표	교육매체
사실적 정보의 학습	교과서, 강의, 사진, 영화, 녹음, 프로그램 학습
시각적 확인의 학습	사진, 영화, 입체자료
원리, 개념 규칙의 학습	영화, TV
과정의 학습	시범, 영화, 프로그램 학습
기능, 작업의 학습	시범, 영화
태도, 견해 학습	강의

> **교육 5-2-6** 학습목표에 따라 교육매체를 선택할 수 있다. (A)

제6장 | 교수-학습의 실제

1. 교육과정의 정의

① 교육목적이나 목표를 달성하기 위하여 필요한 교육내용, 즉 학습내용과 경험내용을 선택·조직·배열하여 학생에게 제공하는 학교교육의 총체

② 일정한 순서로 배열한 학습의 과정을 의미하며, 학습내용이나 경험내용 자체를 의미

> **교육 6-1-1** 교육과정을 정의할 수 있다. (A)

2. 교육과정의 요소

• 교육목적과 목표, 교육내용, 교육경험의 선정과 조직, 교육수행(교수-학습), 교육평가 등

> **교육 6-1-2** 교육과정의 구성요소를 설명할 수 있다. (A)

3. 교육과정의 순환과정 [2022 기출]

> ① 교육 목적·목표 설정 ➡ ② 교육내용선정 ➡ ③ 학습경험선정
>
> ➡ ④ 내용과 경험구조 ➡ ⑤ 교수-학습 ➡ ⑥ 교육평가

① 교육목적·목표설정: 목적과 목표 설정원칙 고려

② 교육내용선정: 효과적인 목적·목표 달성을 위한 교육내용 선정

③ 학습경험선정: 내용에 알맞은 경험 설정

④ 내용과 경험구조: 내용과 경험의 조화

⑤ 교수-학습: 교수-학습을 효과적으로 실행할 수 있는 교육방법 선정

⑥ 교육평가: 과학적·객관적으로 평가, 평가의 원칙에 의한 평가

교육 6-1-3	교육과정의 순환과정을 설명할 수 있다. (A)

4. 학습(Learning)의 개념

① 경험과 연습의 결과로 일어나는 비교적 지속 적인 변화(Morgan & King)

② 연습과 훈련을 통해서 행동이 발생하고 변화 하는 과정(Gary & Kingsley)

③ 유전에 의해 유도되지 않는 살아 있는 개체의 변화(Bigge)

④ 주어진 환경 속에서 지속적인 경험에 의해 일어나는 행동의 변화

교육 6-2-1	학습의 개념을 설명할 수 있다. (B)

5. 교수(수업, Teaching)의 개념

① 학습자가 주어진 조건이나 상황에 대하여 반응하여 특별한 행동변화가 일어나게 교육하는 것

② 학습자에게 학습을 유발하게 하고 활성화시켜 지원하기 위해 설계된 여러 가지 활동의 집합체

③ 목표를 설정한 행동의 변화, 즉 학습이 학습자에게 일어나도록 그 내적과정에 맞추어 그의 외적상황과 조건을 설계, 계발, 관리하는 과정

④ 교육자가 학습자들에게 지식과 기능을 가르치는 것

교육 6-2-2	교수의 개념을 설명할 수 있다. (B)

6. 교수-학습계획의 원리

① 교육자의 창의성이 최대한 발휘될 수 있도록 교육계획 작성

② 교육목적에 적절하고 타당하게 작성

③ 계획은 포괄적으로 작성

④ 학습자의 요구 및 학습환경의 변화에 잘 적응하기 위해 역동적인 계획으로 작성

교육 6-2-3 교수-학습계획의 원리를 설명할 수 있다. (A)

7. 교안의 정의

① 교육을 실행하는 데 필요한 전체 내용이 기록된 목록

② 현장 교육을 하기 전에 교육 실행 시 필요한 계획안

③ 교육자가 피교육자에게 교육을 수행하기 위해서 작성된 교육계획의 결과물

교육 6-3-1 교안을 정의할 수 있다. (B)

8. 교안의 필요성

① 교수활동의 준비

② 교육자들 간의 학습내용의 통일된 지침

③ 효율적 시간활용 및 일관성 유지

④ 경험의 기록 및 누적

⑤ 강의 개선

⑥ 강의 평가의 기능 기대

교육 6-3-2 교안작성의 필요성을 설명할 수 있다. (A)

9. 교안의 구성요소 2022 기출

① 실용성: 교수활동이 실시되는 순서대로 작성

② 구체성: 교안은 구체적으로 작성(이미 암기하고 있는 사항일지라도 교수할 내용이라면 교안에 포함)

③ 명확성: 교육자 자신이 교수활동 중 교안을 쉽게 보고 식별할 수 있도록 기록

④ 평이성: 쉽고 명확한 용어로 작성

⑤ 논리성: 학습자의 혼동을 피하고 학습효과를 높이기 위해 교안의 내용을 논리정연하게 정리

> **교육 6-3-3** 교안의 구성요소를 나열할 수 있다. (B)

10. 구강보건교육자의 자세

① 언어적 전달: 소리의 크기, 발음
② 비언어적 전달: 자세, 손짓, 몸짓, 표정, 시선, 판서

> **교육 6-4-1** 구강보건교육자의 자세를 설명할 수 있다. (B)

11. 구강보건교육을 실시할 때 고려해야 할 점

① 교안은 철저히 준비
② 교육내용은 체계적으로 조직화하고 적절한 예시와 설명을 함
③ 교육내용에 대하여 평가하면서 교정해 나감
④ 상황에 따라 능동적으로 대응
⑤ 하나의 교육매체보다는 다양한 교구를 준비하여 활용하는 것이 효과적
⑥ 동기유발을 위한 장점을 발견하여 최대한 활용
⑦ 배정된 학습시간 안에 반드시 구강보건교육을 마치도록 함
⑧ 교육자의 목소리 크기, 정확한 발음, 속도 등을 고려
⑨ 교육자의 복장은 학습에 지장을 주지 않도록 주의
⑩ 한자리에서 교육하기보다는 약간의 움직임이 있는 것이 좋음
⑪ 학습자의 입장을 충분히 이해하고 고려함
⑫ 학급분위기를 잘 파악하여 역동성있게 진행하는 능력을 배양
⑬ 사투리나 학습의 집중력에 장애를 줄 수 있는 습관이나 행동이 나타나지 않도록 주의함

> **교육 6-4-1** 구강보건교육을 실시할 때 고려해야 할 점을 설명할 수 있다. (B)

제7장 | 학교 구강보건교육

1. 학교 구강보건교육의 기획 `2021 기출`

① 구강보건교육은 학교교육의 일부로서 균형과 조화있는 교육 실시
② 교직원과 학생이 함께 계획 수립
③ 학교의 주도적 역할로 계획 수립
④ 계속적으로 수립
⑤ 학교와 지역사회의 종합적인 전체 구강보건사업계획의 일부로 수립
⑥ 지역사회의 협조를 얻는 계획을 수립
⑦ 행동적인 결과를 가져오는 계획 수립
⑧ 실천 가능한 계획 수립
⑨ 학교와 지역사회의 종합적인 전체 구강보건사업계획의 일부로 수립

교육 7-1-1   학교 구강보건교육을 기획할 수 있다. (A)

2. 학령별 신체적, 심리적 특성

	초등학교	중학교	고등학교
신체적, 심리적 특성	• 유치가 탈락하고 영구치가 맹출하는 시기 • 안면의 윤곽이 90% 정도 형성되는 중요한 시기 • 특히 치아상실이라는 유치탈락은 구강에 대한 불안감을 줄 수 있음 • 영구치의 맹출은 구강 및 점막의 변화로 불편함을 느끼게 함 • 유치에서 영구치로 교환하는 시기로 바로 알지 못하면 부정교합과 함께 발음의 정확성을 떨어뜨리거나 안면성장의 장애를 초래	• 13~15세의 사춘기로 이차성징이 나타남 • 급격한 성장과 발육이 일어나 식사 및 간식의 횟수 증가 • 외모에 관심이 많아짐 • 간식섭취 시 신선한 야채와 과일을 충분히 섭취 권장 • 인스턴트 식품과 기름진 음식섭취 제한 • 탄산음료보다 우유섭취 권장 필요 • 구강건강관리에 대한 책임감 교육필요	• 16~18세로 정신적, 육체적으로 많은 변화를 맞이함 • 청년기로 접어들어 어른으로 이행되는 과도기로 반항, 비판, 내면적 생활 발견하는 시기 • 자아의식과 정신적 독립을 이루고자 하는 시기 • 운동량이 많이 요구되므로 당류 섭취 주의 필요 • 우식 감수성 증가 • 치주병이 발생하기 시작하는 시기

교육 7-1-2   학령별 신체적, 심리적 특성을 설명할 수 있다. (B)

3. 초·중·고등학교 구강보건교육 내용

	초등학교	중학교	고등학교
치아관련	• 치아의 구조 및 기능 • 치아의 각 역할 • 유치, 영구치 구별 • 유치, 영구치 맹출시기 • 영구치 교환시기	• 치아구조 및 기능 • 치아의 각 역할에 대한 재교육	
구강병관련	• 치아우식증이란? • 치아우식증의 원인, 진행과정, 예방법 • 치주병이란? • 치주병의 원인, 진행과정, 예방법 • 부정교합이란?	• 치아우식증, 치주병, 부정 교합의 재교육 • 구강암, 반점치의 원인, 예방법 • 구강병으로 인한 치아결손 시 조기치료 • 치면세균막과 구강병과의 관련	• 치아우식증의 원인, 진행 • 구강암의 원인, 과정, 예방법 • 구취 원인, 예방법 • 치주병의 원인, 진행과정, 예방법 • 부정교합의 원인, 예방법
구강건강위생관련	• 칫솔의 구비조건, 보관법 • 칫솔질의 목적, 방법, 시기 • 구강위생용품 사용법 • 불소 이용법 • 치아 홈메우기 • 식습관 (이로운 음식, 해로운 음식)	• 불소이용법 • 올바른 칫솔질 • 구강위생용품선택, 사용법 • 올바른 식습관 • 흡연	• 올바른 칫솔질 • 약물의 오용방지 • 구강위생용품선택, 사용법 • 음주, 흡연 교육 • 올바른 식습관

> **교육 7-1-3** 학령별 특성에 알맞은 교육목표를 작성할 수 있다. (B)

제8장 | 치면세균막관리교육

1. 치면세균막 관리 목적

① 치아우식증 및 치주질환 예방
② 구강 내 미생물 감소
③ 치석 형성 예방
④ 구취 제거
⑤ 구강 청결, 상쾌감

> **교육 8-1-1** 치면세균막 관리 목적을 나열할 수 있다. (B)

2. 칫솔질 교습의 의의

① 칫솔질은 치아우식증과 치주병의 원인이 되는 치면세균막을 관리해 줄 수 있는 가장 기본적인 방법

② 칫솔질을 잘못할 경우 오히려 부작용을 야기하므로 구강보건교육자가 구강보건교육의 가장 기본적인 내용의 하나인 칫솔질 교습방법을 철저히 숙지하고 칫솔질 교습을 시켜야 함

교육 8-1-2	칫솔질 교습의 의의를 설명할 수 있다. (B)

3. 칫솔질 교습 항목

(1) 부위별 칫솔질 교육

① 건강한 치아 및 치주조직 부위: 회전법

② 치주낭이 형성된 치주염 부위: 바스법

③ 교정용 고정 bracket 부위: 챠터스법 및 치간칫솔 이용

④ 고정성 가공의치 부위(인공치 하방): 챠터스법

⑤ 치경부 마모증 부위: 회전법 및 부드러운 칫솔 사용

⑥ 총의치, 부분의치: 의치전용 칫솔을 이용한 횡마법, 회전법

(2) 칫솔질 교습내용

① 칫솔질 방법　　　　　④ 치면세균막검사

② 칫솔질 순서　　　　　⑤ 칫솔질 시기와 시간

③ 구강위생용품　　　　⑥ 치면세균막관리와 칫솔질의 목적

교육 8-1-3	칫솔질 교습 항목을 나열할 수 있다. (B)

교육 8-1-7	대상에 따른 칫솔질 방법을 교습할 수 있다. (B)

4. 대상자에게 알맞은 치면세균막관리 교육계획 수립

(1) 교육기간

① 단기계획: 대상자가 구강진료를 받아야 할 경우 치료계획에 따라 수립

② 장기계획: 단기계획의 수행결과 습득한 관리방법이나 습관이 계속 유지되도록 작성

(2) 교육시간: 초기부터 시작할수록 훨씬 효과적

(3) 교육방법: 교육내용을 설명하고, 시범을 보여준 후 직접 실습하는 것이 좋음

교육 8-1-4	대상자에게 알맞은 치면세균막관리 교육계획을 수립할 수 있다. (A)

5. 치면세균막관리 교육과정

• 1차 교육 → (3주 후) → 2차 교육 → (2개월 후) → 3차 교육

교육차수	치면세균막관리 교육지도	
3주 후 교육		
1차	치면세균막에 관한 전반적인 소개	• 구강검사, 진료기록부 및 예방계획 수립 • 치면세균막지수 검사 • 적절한 구강위생용품 선정 • 칫솔질방법 선택 • 모형상 시범교육 • 본인의 모방동작 • 잔여 치면세균막의 확인 • 재교습 후 잔여 치면세균막 제거
3주 후 교육		
2차	• 1차교육의 지식 확인 • 1차교육의 효과 평과 • 새로운 지식의 확대	• 1차교육의 평가 • 구강검사 • 치면세균막지수 검사 • 평균 치면세균막지수의 변화량 산정 • 재교습 및 잔여 치면세균막 제거
2개월 후 교육		
3차	• 2차교육 결과의 평가 • 구강위생용품 사용법 교육 • 새로운 지식의 확대	• 2차교육의 평가 • 구강위생요법 재료 및 기구 등의 사용방법 교육 • 계속자가관리를 위한 필요성 인식

교육 8-1-5	치면세균막관리 교육과정을 설명할 수 있다. (B)

6. 치면세균막관리를 위한 교육목표 설정 시 고려사항 2021 기출

교육대상자의 구강보건문제를 확인하고, 개개인에 적합한 교육목표 수립

① 치주조직상태

② 치아배열 상태와 전신건강상태

③ 교육대상자의 연령

④ 구강위생 관리상태

⑤ 동기유발인자 등의 요인을 고려하여 설정

> **교육 8-1-6** 치면세균막관리를 위한 교육목표 설정 시 고려사항을 설명할 수 있다. (A)

제9장 | 진료실 구강보건교육

1. 구강진료과정에서 교육의 범주

(1) 진료과정에 따른 구강보건교육

① 구강진료실에서 행하는 진료방침과 진료과정에 대하여 교육

② 진료약속제도 운영의 의의, 진료약속시간 연기사유 및 변경, 진료과정, 치료비 지불 문제, 계속구강관리의 필요성 등

(2) 치료계획에 따른 구강보건교육

① 특정 치료가 왜 필요한지, 치료계획이 어떤 것인가에 대하여 설명하는 과정

② 소요 진료비, 치료과정의 진행에 대한 교육 등

(3) 예방원칙에 따른 구강보건교육

① 예방처치법이 어떻게 질병을 완화시킬 수 있는지, 어떤 순서로 예방처치법이 환자에게 수행되는지 설명

(4) 진료내용에 따른 구강보건교육

① 환자에게 진료내용과 치료 후 처치(주의사항, 약 처방, 관리법 등)에 대해 설명

(5) 진료환경에 따른 구강보건교육

① 환자에게 치료과정에 생기는 엔진소음이나 치과용의자 작동 시 구체적인 상황에 대하여 설명

교육 9-1-1 구강진료과정에서 행하는 교육의 범주를 설명할 수 있다. (A)

2. 진료실교육개발과정 `2020 기출`

> ① 교육대상자 선정 → ② 교육목적 설정 → ③ 교육목표 설정
> → ④ 교육내용과 교육프로그램 설계 → ⑤ 교육 자료수집 및 정리
> → ⑥ 교육과정, 내용, 평가방법에 대한 의견교환 및 토의 후 결정
> → ⑦ 교육 수행 및 평가(의견교환 및 토의를 거쳐 교육프로그램 통일)

교육 9-1-2 진료실교육개발과정을 설명할 수 있다. (A)

3. 개별환자 교육내용작성을 위한 교수학습의 과정 `2019 기출` `2021 기출` `2022 기출`

> ① 환자 요구도 조사 → ② 환자 가치관과 이해도 측정 → ③ 교육목적 및 목표개발
> → ④ 정보교환 및 교습 → ⑤ 교육 및 평가

① 환자 요구도 조사: 개개인 환자가 갖고 있는 요구도를 찾아 내는 것
② 환자 가치관과 이해도 측정: 환자가 가장 중요하다고 생각되는 내용
  • 경제적 문제나 시간활용, 통증에 대한 공포, 나이, 성별, 교육수준 등에 따라 환자의 가치관 달라질 수 있음
③ 교육목적 및 목표개발: 환자의 요구도와 가치관을 잘 파악하고 환자의 특성을 고려하면서 교육목적과 목표를 구체화하여 설정
④ 정보교환 및 교습
  • 환자가 교육 프로그램을 확실히 이해하고 충분히 숙지할 수 있도록 모형이나 사진, 그림 등을 이용하여 환자에게 성공적인 치료와 구강관리를 위한 방법을 교육
  • 교육 내용은 환자의 지식 정도, 환경 등 개인에게 맞는 수준으로 설정
  • 각 단계별로 학습한 후 학습한 내용을 각 단계별로 확인
⑤ 교육 및 평가
  • 교육: 정보나 지식의 전달뿐만 아니라 환자의 구강건강관리 습관, 구강보건행동과 태도까지도 변화시킬 수 있어야 함

Part
11
구강보건교육학

- 평가: 환자가 교육에 대한 이해와 방법의 수행 등이 적절하게 이루어지고 있는가에 대하여 평가

교육 9-1-3	개별환자 교육내용작성을 위한 교수학습 과정을 설명할 수 있다. (A)

4. 구강진료실에서의 동기유발 과정 `2020 기출`

> ① 환자, 보호자 욕구 발생 ➡ ② 욕구 확인 ➡ ③ 동기유발인자 파악
> ➡ ④ 구강진료 및 구강보건교육 계획수립과 수행 ➡ ⑤ 계속관리 단계

① 환자, 보호자 욕구발생

② 욕구 확인: 욕구를 파악하여 빠른 조치

③ 동기유발인자 파악: 환자의 정서적 상태, 사회 · 경제적인 면, 구강 내 문제점과 구강보건 관련 지식, 현재 진료상태 및 구강건강 상태, 환자의 흥미와 관심도를 파악

④ 구강진료 및 구강보건교육 계획수립과 수행: 정확한 구강검사를 하고 개인별로 적합한 계획 수립 및 구강진료, 구강보건교육 실시

⑤ 계속관리단계: 환자의 동기유발이 지속되기 위해서 환자의 신뢰를 얻고 환자와 친밀한 관계를 맺도록 하여 계속관리

교육 9-1-4	구강진료실에서의 동기유발과정을 설명할 수 있다. (A)

교육 9-1-5	구강특성에 따라 구강보건교육을 실행할 수 있다. (B)

제10장 | 공중구강보건교육

1. 공중구강보건교육의 개념

지역사회주민들의 구강보건에 대한 지식과 태도 및 행동의 변화를 유도하여 구강건강을 합리적으로 관리하도록 하며, 지역사회 주민의 구강건강을 증진 및 치아수명을 연장하는 것

교육 10-1-1	공중구강보건교육의 개념을 설명할 수 있다. (A)

2. 구강보건교육자의 임무

① 필요조사   ⑤ 과정조정

② 사업기획   ⑥ 자원관리

③ 사업수행   ⑦ 정보교환

④ 효과평가

교육 10-1-2	구강보건교육자의 임무를 설명할 수 있다. (B)

3. 구강보건교육자원

① 구강보건교육자

② 구강보건학습자

③ 구강보건교육내용

교육 10-2-1	구강보건교육자원을 설명할 수 있다. (A)

4. 구강보건교육개발과정 2019 기출

① 공중구강보건 교육목적설정 → ② 공중구강보건 교육지도 → ③ 공중구강보건 교육평가

(1) 구강보건교육 계획과정

① 교육대상자의 실태조사 → ② 교육목적과 교육목표 작성 → ③ 자료의 분석
→ ④ 구강보건교육 내용정리 → ⑤ 교육시간 편성 → ⑥ 교육방법 선정
→ ⑦ 교육매체의 개발 → ⑧ 교안초안 작성과 사전 연습 → ⑨ 교안완성 → ⑩ 평가

① 분석단계: 교육대상자의 실태조사, 교육목적·목표 작성, 자료의 분석

② 설계단계: 교육내용 정리, 교육시간 편성, 교육방법 선정, 교육매체 개발

③ 평가단계: 교안초안 작성, 사전교육 연습, 교안완성, 평가

(2) 공중보건교육지도과정(4단계)

① 1단계: 공중구강보건 교육내용정리

② 2단계: 공중구강보건 교육방법선정

③ 3단계: 공중구강보건 교육교재제작정리

④ 4단계: 공중구강보건 교육지도활동

(3) 구강보건행동 유발과정

① 이해 ➜ ② 관심(교육자) ➜ ③ 참여(학습자) ➜ ④ 행동

* 교육자와 학습자가 반복적인 접촉을 하는 단계: 관심-참여 단계

교육 10-3-1 구강보건교육개발과정을 설명할 수 있다. (A)

5. 공중구강보건교육방법의 분류 `2021 기출` `2022 기출`

1) 학습자의 수에 따른 분류: 교육효과 – 개별 > 집단 > 대중

(1) 집단 구강보건교육방법: 일반통행식(강연회 등)과 학습자 직접 참여식(집단 구강보건
   토론, 단상 구강보건토론 등)

   ① 대상: 헤아릴 수 있는 대중

   ② 장점

   • 같은 노력으로 많은 사람에게 교육

   • 대중 구강보건교육방법의 효과보다 정확한 교육의 효과를 기대할 수 있음

   ③ 단점: 개별 구강보건교육방법보다 구강보건교육의 효과가 부정확

(2) 대중 구강보건교육방법: TV방송, 신문, 인터넷 등 대량전달수단을 이용하는 구강보건
   교육방법(무제한적 교육)

   ① 대상: 헤아릴 수 없는 대중

   ② 장점

   • 적은 노력으로 광범위하게 구강보건교육효과를 전파 가능

   • 강력한 구강보건 여론까지 형성시킬 수 있음

   ③ 단점

   • 구강보건교육 효과가 부정확

   • 동기유발성이 적음

2) 의사소통방향에 따른 분류

(1) 일방통행식(설교식) 구강보건교육방법: 교육자의 의사가 학습자에게 전달되는 구강보건 교육방법(강연, TV, 라디오, 포스터, 신문, 전단)

  ① 장점: 제한된 시간에 많은 구강보건지식 전달 가능

  ② 단점

   • 학습자의 기존 구강보건지식 수준과 구강보건교육에 대한 반응을 알 수 없음

   • 전달한 구강보건지식을 조정할 수 없음

(2) 양방통행식 구강보건교육방법: 왕래식, 문답식, 소크라테스식 구강보건교육방법, 교육자와 학습자간의 의사소통을 전달(구강보건토론, 구강보건간담회 등)

  ① 장점: 학습자는 토론 과정 중 소속감과 만족감

  ② 단점: 학습자가 기존에 가지고 있는 지식·감정·신념 등이 없어지거나 사장되지 않 도록 주의(사고의 통일성과 연속성을 방해)

3) 지식 주입경로에 따른 구강보건교육 방법

(1) **청각 구강보건교육방법**: 귀를 통하여 구강보건지식을 학습자에게 주입하는 공중 구강 보건교육방법 ex 라디오 방송, CD, MP3

  ① 장점: 제한된 시간에 많은 양의 구강보건지식을 전달

  ② 단점: 정확한 구강지식전달이 어려움

(2) **시각 구강보건교육방법**: 눈을 통하여 구강보건지식을 학습자에게 전달하는 공중 구강 보건교육방법 ex 구강보건자료전시, 신문, 포스터

  ① 장점: 청각교육법보다는 비교적 정확히 전달

  ② 단점: 자료제작에 시간, 경비, 노력 많이 소요

(3) **시청각 구강보건교육방법**: 눈과 귀를 통하여 구강보건지식을 학습자에게 전달하는 공 중 구강보건교육방법 ex 견학, TV방송, 구강보건 영상회

  ① 장점

   • 학습경험의 내용을 풍부하게 함

   • 시각과 청각 교육법의 장점을 결합, 가장 효과적

   • 학습에 관한 흥미유발

   • 학습한 것을 요약하는 데 유효

4) 교육형식에 따른 구강보건교육 방법

(1) 이론 구강보건교육방법: 학급별 순회 구강보건 강의 교육

  ① 장점: 제한된 시간 안에 많은 양의 지식 전달

  ② 단점: 수기를 요하는 구강보건행동을 숙달시킬 수는 없음

(2) 실천 구강보건교육방법: 정의적영역, 정신운동영역의 목표를 달성하기 위해 선택되는 구강보건교육방법(학교집단 칫솔질, 구강보건연극 등)

  ① 장점: 동기유발이 쉽고, 정확한 행동결과로 나타나기 때문에 효과가 큼

  ② 단점: 시간과 비용의 한계

5) 교육자와 학습자의 접촉여부에 따른 구강보건교육 방법

(1) 직접 구강보건교육방법: 교육자와 학습자가 직접 대면하여 교육

  ① 장점: 간접교육법에 비해 비교적 교육효과 정확

  ② 단점: 간접교육법에 비해 비교적 시간, 노력 많이 소요

(2) 간접 구강보건교육방법: 교육자와 학습자가 접촉하지 않고 책자나 팜플렛 같은 구강보건 교육매체를 이용(병원에서의 구강보건교육용 자동 환등기, 녹음기를 이용한 교육)

  ① 장점: 시간과 노력 절약

  ② 단점: 교육의 효과 부정확, 동기 유발 적음

교육 10-4-1	공중구강보건교육방법을 분류할 수 있다. (A)
교육 10-4-2	공중구강보건교육방법을 설명할 수 있다. (A)

6. 공중구강보건교육의 5원칙

  ① 감화력

  ② 대중성

  ③ 교육성

  ④ 동기유발성(가장 중요)

  ⑤ 확실성

교육 10-4-3	공중구강보건교육의 5원칙을 나열할 수 있다. (B)

1. 영유아 구강보건교육의 특성 및 필요성

① 영유아는 스스로 구강을 관리할 능력이 없음

② 보호자를 통한 지도가 이루어져야 함

③ 이 시기에 이루어진 구강보건습관은 성인으로 이어지기 때문에 매우 중요함

> **교육 11-1-1** 영유아 구강보건교육의 필요성을 설명할 수 있다. (B)

> **교육 11-1-2** 영유아 구강보건교육의 특성을 설명할 수 있다. (A)

2. 영유아 구강보건교육

(1) 영아: 생후 2주~만 1세

① 영아의 구강질환: 수유우식증, 우유병우식증

② 유치우식은 주로 상악 전치와 상·하악 유구치에 발생

③ 구강보건관리

- 영아는 스스로 관리하지 못하므로 어머니 또는 양육자에게 구강보건교육 시행
- 부드러운 천이나 거즈를 이용한 구강청결관리, 불소복용, 식이조절, 구강건강관리

(2) 유아(학령전기): 2~6세

① 초기에는 유치열이 완성되고 일부 미맹출된 영구치는 석회화가 시작

② 저작기능 발달, 유치 우식 발생

③ 스스로 구강관리를 할 수 있도록 잘 이해시킴

④ 구강보건관리

- 모자보건수첩 사용 권장
- 구강위생관리, 식이조절, 구강검진, 불소복용, 불소도포, 치면열구전색

> **교육 11-1-3** 영유아 구강보건교육의 내용을 설명할 수 있다. (A)

> **교육 11-1-4** 영유아와 보호자에게 구강보건교육을 실행할 수 있다. (A)

Part
11

구강보건교육학

3. 장애인의 구강특성

    ① 선천적 기형과 외상, 부정교합을 포함한 신체의 부자유 및 인지능력 부족 등으로 구강
       위생관리가 미흡

    ② 특히 양대 구강병인 치아우식증과 치주질환의 발생률 빈도가 높게 나타나며 정도가
       심함

    ③ 건강에 대한 관심과 가치관이 낮음

    ④ 보건, 위생에 대한 인식이 낮음

교육 11-2-1	장애인의 구강특성을 설명할 수 있다. (B)

4. 장애인의 구강보건교육의 필요성

    ① 행동이 자유로운 경우에는 본인에게 직접 구강건강의 중요성을 교육

    ② 육체적이나 정신적으로 교육내용을 이해하기 힘든 경우에는 보호자와 함께 교육

교육 11-2-2	장애인의 구강보건교육의 필요성을 설명할 수 있다. (B)

5. 장애인의 구강보건교육

(1) 지체부자유자의 구강보건교육내용

    ① 정상인보다 치아우식증이나 치주질환의 발생이 높아 구강 청결을 유지하기 어려움

    ② 칫솔의 형태: 손잡이 길이가 짧고 굵은 칫솔, 전동칫솔, 손잡이를 잡기 불편한 경우
       고무줄이나 끈으로 고정하여 사용

    ③ 칫솔 교습 시 자주 칭찬하는 것이 중요

(2) 시각장애인의 구강보건교육내용

    ① 직접 만져보며 느끼게

    ② 냄새로 익숙해지도록 함

    ③ 손잡고 함께 동작하기

    ④ 음악과 오디오 테이프를 이용한 이 닦기(소리를 이용)

(3) 청각장애인의 구강보건교육내용

    ① 시범이 가장 효과적인 방법

② 그림이나 사진 등 보조자료를 이용(시각적 자료를 이용)

③ 손짓은 항상 상징을 통해 언어적인 동반을 수행

④ 환자와 정면에서 눈높이를 같게 하여 보통 음성으로 천천히 대화

(4) 자폐아의 구강보건교육내용

① 치료보다는 예방적 관리에 중점

② Tell-Show-Do

③ 구강보건교육이 이루어지기 전에 특정한 음악이나 소리를 좋아하는 경우 헤드폰을 이용하여 들려주는 것이 좋음

| 교육 11-2-3 | 장애인의 구강보건교육내용을 설명할 수 있다. (A) |

| 교육 11-2-4 | 장애인에게 구강보건교육을 실행할 수 있다. (A) |

6. 임산부 구강의 특성

① 발효성 탄수화물 섭취의 증가로 치아우식증 발생 가능성이 높음

② 구토를 수반하는 입덧으로 인해 치아의 구개면에 탈회와 산부식이 발생 가능

③ 임신 중 호르몬의 불균형으로 치은 악화

④ 염증성 조직의 특성을 나타내는 임신성 치은염과 임신 4~6개월 사이에 부분적으로 빠르게 성장하고 증식하는 임신성 육아종과 같은 잇몸질환 등 치주병에 대한 감수성 증가

| 교육 11-3-1 | 임산부의 구강특성을 설명할 수 있다. (B) |

7. 임산부의 구강건강관리의 중요성

① 임신 시 반드시 치아우식증, 치주질환이 발생하는 것은 아님, 근본적인 원인은 구강 위생상태가 불량해서 발생하는 치면세균막과 치석관리

② *S. mutans*의 모자감염 가능성 최소화하기 위해 중요

| 교육 11-3-2 | 임산부의 구강건강관리의 중요성을 설명할 수 있다. (B) |

8. 임산부 구강보건교육의 내용

(1) 치과처치

	임신전기	임신중기	임신말기
치주치료	• 치면세마 • 치근면활택술 • 치주소파술	• 치면세마 • 치근면활택술 • 치주소파술 • 간단한 수술도 가능	• 치면세마 • 치근면활택술 • 치주소파술
치과치료	• 응급처치만 시행	• 통상적인 치과치료	• 응급처치만 시행

(2) 구강건강관리

① 구강위생교육

② 식이조절: 발효성 탄수화물 섭취 억제, 단백질 많이 섭취

③ 구강보건교육

(3) 임산부 구강보건교육 프로그램

방문 시기	교육적 측면
첫 번째 방문	• 치과질환의 원인과 치면세균막관리 • 임신성 치은염 • 식이요법 • 구강위생교육 및 칫솔질, 치실 사용법 습득
두 번째 방문	• 식사의 질적 평가 • 가정구강관리교육의 재점검
두 번째 방문 2주 후 방문	
세 번째 방문	• 치면세균막 조절과 구강병 예방술식의 재교육 • 우유병성 치아우식증 • 인공 젖꼭지 사용
출산 후 2개월 뒤 방문	
네 번째 방문	• 영·유아의 유치 맹출시기 및 관리 • 불소 이용 관련 정보 • 영·유아의 치과방문 시기 지도

교육 11-3-3   임산부 구강보건교육의 내용을 설명할 수 있다. (A)

9. 임산부의 구강보건교육 2019 기출

① 치면세균막 관리: 작은 칫솔을 이용해 고개 숙여 칫솔질, 거품이 적은 세치제 사용, 호르몬과 치은염의 관련성

② 식이조절: 당분함유량이 높은 음식 섭취 제한

③ 모자감염에 관한 교육 실시: 입 속에 음식물을 넣었다가 유아에게 전달하는 습관을 지양하도록 교육

교육 11-3-4	임산부에게 구강보건교육을 실행할 수 있다. (A)

10. 노인의 구강특성

- 치아상실이 많음
- 치주병 심화
- 미각인지, 위축성 설염
- 구강건조증, 구강칸디다증
- 틀니로 인한 자극, 뼈의 변질, 구강암

교육 11-4-1	노인의 구강특성을 설명할 수 있다. (B)

11. 노인 구강보건교육의 필요성

① 노인인구가 급속히 증가하고 있음

② 더 이상 구강병이 악화되지 않도록 하기 위해

③ 노인에게 저작기능은 기본적인 삶을 영위하는 데 필요한 기본 요건임

④ 노인 인구에서 우식경험상실치율의 비중이 매우 높아 국가 차원의 문제가 됨

교육 11-4-2	노인 구강보건교육의 필요성을 설명할 수 있다. (B)

12. 노인 구강보건교육의 특성 2022 기출

① 점진적으로 변화시킬 수 있는 교육목표(단순화)를 설정

② 구강관리로 전신건강 증진, 삶의 질이 개선되도록 구강위생관리에 관한 동기유발

③ 정기 구강검진의 이득을 납득시켜 구강건강에 대한 중요성과 자신감을 갖도록 함

④ 같은 내용을 짧게 반복적으로 강조하고 확인하는 것이 좋음

교육 11-4-3　노인 구강보건교육의 특성을 설명할 수 있다. (A)

13. 노인 구강보건교육 내용 `2020 기출`

① 구강의 중요성

② 노년기 구강의 문제점

③ 치근우식증(정의, 원인, 진행): 불소함유 치약 사용

④ 치주병(정의, 원인, 진행)

⑤ 구강건조증(정의, 원인, 증상, 관리법)

⑥ 입냄새 관리법: 혀를 칫솔로 닦아 미각을 증진시키도록 교육

⑦ 치경부마모증

⑧ 구강관리법: 올바른 칫솔질, 치간칫솔 사용, 틀니사용 시 주의점, 음식조절, 정기구강검사, 치석제거, 무자격자 치료금지, 금연

교육 11-4-4　노인 구강보건교육의 내용을 설명할 수 있다. (A)

14. 노인 구강보건교육을 실행

① 치아우식증, 치주병은 만성 질환 → 원인, 진행과정 교육, 예방강조

② 치아 등의 기능상실 이전에 회복을 위한 예방 강조

③ 대상자가 앓고 있는 질환의 필요에 따라 교육이 이루어져야 함

교육 11-4-5　노인에게 구강보건교육을 실행할 수 있다. (A)

15. 사업장 근로자 구강보건교육의 필요성

① 대상: 전체 근로자

② 직업성 구강병 관리와 일반 구강병관리에 대한 교육 시행

③ 근로자들의 구강건강 행동에 변화가 일어나도록 유도

④ 치아우식증 관리 및 교육을 통한 산업구강보건교육 사업은 필수적

| 교육 11-5-1 | 사업장 근로자 구강보건교육의 중요성을 설명할 수 있다. (B) |

| 교육 11-5-2 | 사업장 근로자 구강보건교육의 필요성을 설명할 수 있다. (B) |

16. 사업장 근로자 구강보건교육의 특성

① 국가구강보건사업에서 관심을 받지 못함
② 학령기에 발생한 치아우식증, 치주병의 축적으로 치아상실 증가, 바쁜 일상, 구강의 중요성 인식이 낮아 구강관리 취약집단

| 교육 11-5-3 | 사업장 근로자 구강보건교육의 특성을 설명할 수 있다. (A) |

17. 사업장 근로자 구강보건교육의 내용 2019 기출

① 산 취급 근로자: 직업성 치아부식증 교육
② Radium배합 발광 페인트: 악골괴저증상 교육
③ 불소중독증: 위장장애, 류마티스성 동통 교육
④ 벤젠중독: 구강점막의 건조, 치은출혈 교육
⑤ 제분직공, 빵제조 직공: 치아우식증 교육

| 교육 11-5-4 | 사업장 근로자 구강보건교육의 내용을 설명할 수 있다. (B) |

18. 사업장 근로자 구강보건교육의 실행

① 사업장구강보건교육의 기획 수립
② 기획단계: 주제, 교육대상자, 강사, 시간, 장소, 보조자료 이용, 대상자의 이해정도의 평가에 대한 방법 포함
③ 대상자의 일반적 특성, 구강건강 위험요인 평가, 필요로 하는 사업장 구강보건교육 프로그램의 평가 필요
④ 기초자료의 평가: 구강건강상 문제점을 발견, 교육목표 정함

⑤ 구체적 목표설정 후 교육방법, 내용선정 → 계획에 따른 사업장 구강보건교육실시

교육 11-5-5	사업장 근로자 구강보건교육을 실행할 수 있다. (A)

제12장 | 구강보건교육평가

1. 설정된 교육목표에 따라 적절한 평가방법

(1) 지적영역의 교육평가

① 교육목표에 대한 교육평가는 지식의 획득유무를 확인

② 교육평가방법: 면접법과 설문법 이용

(2) 정의적영역의 교육평가

① 태도의 변화를 요구하는 교육목표

② 교육평가방법: 관찰법에 의하여 rating scale 방법

③ 단점: 사람의 주관이 개입될 우려가 있으므로 솔직한 대답이 필요

(3) 정신운동영역의 교육평가

① 행동의 변화를 기대하는 교육목표

② 교육평가방법: 교육대상이 집단일 경우 설문지법이나 면접법 사용

구분	지적영역	정의영역	정신영역
평가내용	지식의 획득유무 확인하는 교육목표	태도의 변화를 요구하는 교육목표	행동의 변화를 기대하는 교육목표
평가방법	면접법, 설문법, 시험	관찰법에 의하여 설문법, 면접법 rating scale 방법	설문법, 면접법, 관찰법, 교육 전·후 비교

교육 12-1-1	설정된 교육목표에 따라 적절한 평가방법을 결정할 수 있다. (A)

2. 교육내용에 따른 구강보건교육평가방법 2019 기출 2020 기출 2021 기출

(1) 학습자 성취도 평가

① 학습자의 능력이나 태도 또는 행동을 어떤 기준에 비추어 평가

ex 회전법으로 칫솔질을 잘하는가?

(2) 교육 유효도 평가

    ① 교육방법이나 교육기재와 같은 교육과정에 관련되는 요인을 어떤 기준에 비추어 평가

        ex 회전법 칫솔질을 교육하기 위해 적절한 교육매체를 이용하였는가?

(3) 구강보건증진도 평가

    ① 구강보건을 증진시킨 정도를 어떤 기준에 비추어 평가

        ex 회전법 칫솔질 전과 후의 치면착색제 제거율 비교

    ② 구강위생지수, 간이구강위생지수, 구강환경관리능력지수

| 교육 12-1-2 | 교육내용에 따른 구강보건교육평가방법을 설명할 수 있다. (A) |

3. 교육평가의 유형

1) 교육과정의 단계에 따른 분류

(1) 진단평가: 학습단원에 대한 학습지도가 시작되기 직전에 하는 평가

(2) 형성평가

    ① 학습경험을 하고 있는 동안에 학생들이 얼마나 잘 학습을 진행하고 있는지를 평가

    ② 5분 테스트, 퀴즈, 쪽지시험, 형성검사

(3) 총괄평가

    ① 학생의 진보를 확인하기 위해 학습의 말기에 실시

    ② 연합고사, 학력고사

구분	진단평가	형성평가	총괄평가
평가시기	학습의 시작 시기	학습이 진행되는 과정 중	학기말, 학년말 등 학습단위의 종결 시기
평가목적	선행학습의 진단과 그에 따른 적절한 처방	학생에게 교정적 정보제공	성취의 정도 판정
결과활용	학생의 지도방법 수립	교수-학습의 개선	자격부여, 학생의 진보 확인

2) 평가기준에 따른 분류

(1) 상대평가
① 어떠한 측정을 통해 얻어진 한 학생의 점수를 그가 속해 있는 집단의 결과에 비추어 상대적으로 나타내는 평가방법
② 주어진 교육목표의 달성 정도와는 상관없이 다른 학생이 자신보다 점수가 높고 낮음에 따라 자신의 수준이 결정

(2) 절대평가
① 설정된 수행기준에 관련지어 학생의 현 위치를 확인하는데 사용되는 평가방식
② 학생들의 현재의 성취수준이나 행동목표의 도달정도를 알아보기 위한 평가법

| 교육 12-2-1 | 교육보건교육 평가방법을 나열할 수 있다. (A) |

4. 구강보건교육평가의 방법과 적용

① 논문형(주관식) 검사: "아는 바를 써라, 설명하라" 등의 적은 수의 문제를 내고 자유롭게 기술하는 방식
② 객관식 검사

검사형태	내용
진위형	○ 또는 ×
선다형	3가지 이상의 답지를 마련하여 이 중 정답을 선택하게 하는 형식
단답형	질문에 대해 간단한 대답을 하게 하는 형식
완성형	한 문장이나 도형적 자료의 중요한 부분을 비워놓고 괄호 속에 낱말이나 어구를 기입하게 해서 그 문장을 완성시키는 형식
배합형	선택형의 복합형식으로 전제와 답지를 많이 만들어 상하 또는 좌우에 두 줄로 몇 개 사항을 배열하여 관계가 있는 것 끼리 선을 긋게 하거나 번호를 표시하게 하는 형식

③ 관찰법: 교육대상자의 행동을 보다 잘 이해하기 위해 대상자의 현재 행동이나 언어 등을 객관적이고 과학적인 방법으로 관찰하고 분석하는 방법
- 자연적 관찰과 통제적 관찰
- 참여자 관찰법과 비참여자 관찰법
- 일화기록
- 행동목록표를 활용한 관찰 방법

④ 면접법
- 연구대상을 직접 만나 언어적인 반응으로 알아보는 것
- 장점: - 세부적인 면을 조사할 수 있음
        - 질문을 자유자재로 바꿀 수 있음
        - 필요한 대상자 누구에게나 실시 가능
- 단점: - 고도의 면접기술과 훈련 필요
        - 주관이 개입될 가능성 큼

⑤ 설문지법
- 평가하고자 하는 문제에 대해 일정한 방식 및 내용의 설문지를 작성하여 평가대상자에게 제시함으로써 그들의 반응, 태도, 의견을 파악하는 방법
- 장점: - 시간과 경비 절약
        - 특별한 면접기술이 요구되지 않음
        - 광범위한 문제에 대해 많은 대상자를 단시일 내에 연구할 수 있음
- 단점: - 신뢰성 낮음
        - 응답자의 태도에 따라 어긋난 정보가 수집될 수 있음
        - 교육수준이 낮은 대상자의 설문 결과가 불량하여 부적합

⑥ 사회성 측정법: 집단 내에서 개인의 사회적 위치 및 비공식적인 집단형성의 구조를 알아내는 방법

⑦ 평정법: 관찰결과를 어떤 척도상의 숫자에 의거해서 기록하고 정리하는 방법, 교육평가 모든 분야에 널리 쓰임

⑧ 표준화검사
- 검사의 실시와 채점, 기준 적용 등이 동일하도록 모든 절차와 방법을 일정하게 만들어 놓고, 어떤 특성을 수량화하기 위한 측정도구
- 성격검사, 학습흥미검사, 태도검사 등

⑨ 의미변별 척도법: 어떤 사상에 관한 개념의 심리적 의미를 분석하여 의미공간상의 위치로 표현하는 측정방법

| 교육 12-2-2 | 교육보건교육 평가를 위한 자료수집 방법에 대하여 설명할 수 있다. (A) |

제13장 | 치과위생사와 구강보건교육

1. 구강보건교육자로서의 치과위생사의 역할

① 양질의 진료를 위한 많은 지식과 기술 겸비

② 정신적, 사회적으로 안정성을 갖춤

③ 전문지식과 교양을 갖춤

④ 인간이해에 관한 능력을 갖춤

⑤ 양질의 진료를 생산하기 위한 올바른 윤리의식과 직업관 함양

| 교육 13-1-1 | 구강보건교육자로서의 치과위생사의 역량을 설명할 수 있다. (B) |

2. 구강보건교육자로서의 치과위생사

① 예방처치자로서 치과위생사

② 구강보건교육자로서 치과위생사

③ 진료협조자로서 치과위생사

④ 국민구강건강증진조력자로서 치과위생사

| 교육 13-1-2 | 구강보건교육자로서의 치과위생사의 설명할 수 있다. (A) |